EntreCulturas 3

Communicate, Explore, and Connect Across Cultures

Deborah Espitia
Pamela García
Jennifer Cornell
Isabel Vázquez Gil

Copyright © 2016 by Wayside Publishing

All rights reserved. No part of this publication may be reproduced, stored in a retrieval system, or transmitted in any form or by any means, electronic, mechanical, photocopying, recording, or otherwise, without the prior written permission of the publisher.

Printed in the USA

2 3 4 5 6 7 8 9 10 KP 17

Print date: 230

Hard cover ISBN **978-1-942400-62-2**

Soft cover ISBN **978-1-942400-63-9**

FlexText ISBN **978-1-942400-64-6**

LOS PAÍSES HISPANOHABLANTES

EntreCulturas 3: Glosario de instrucciones de clase y actividades

The following expressions will help you understand instructions in class and carry out activities with your classmates.

Expresiones para entender las instrucciones en clase y realizar las actividades con tus compañeros.

Verbos

anota - anoten	*take notes*
añade - añadan	*add*
apoya - apoyen	*support*
apunta - apunten	*jot down*
asegúrate - asegúrense	*make sure*
autoevalúa - autoevalúen	*self evaluate*
averigua - averiguen	*find out*
ayuda - ayuden	*help*
busca - busquen	*look for*
cambia - cambien	*change*
capta - capten	*capture, get*
comparte - compartan	*share*
comprueba - comprueben	*confirm*
convence - convencen	*convince*
crea - creen	*create*
cuelga - cuelguen	*hang/hang up*
cuenta - cuenten	*tell*
da - den	*give*
deja - dejen	*leave*
dibuja - dibujen	*draw*
di - digan	*say*
diseña -diseñen	*design*
elige - elijan	*choose*
encuentra - encuentren	*find*
entrevista - entrevisten	*interview*
escoge - escojan	*choose*
evalúa - evalúen	*evaluate*
fíjate – fíjense	*notice*
genera -generen	*generate*
graba - graben	*record (your voice)*
hazle(s) - háganle(s) preguntas	*ask him/her/them questions*
intenta - intenten	*try*
justifica - justifiquen	*justify*
manda - manden	*send*
mezcla - mezclen	*mix*
no olvides - no olviden	*don't forget*
para - paren	*stop*
pon - pongan	*put*
pregunta - pregunten	*ask*
prepárate - prepárense	*prepare*
presta atención - presten atención	*pay attention*
razona - razonen	*reason*
rellena - rellenen	*fill in*
sé - sean	*be*

Verbos

sigue - sigan	*follow*
subraya - subrayen	*underline*
suma - sumen	*add up*
toma apuntes - tomen apuntes	*take notes*
trae - traigan	*bring*
trata - traten	*try*
túrnate - túrnense	*take turns*
vete - váyanse	*go*
vuelve - vuelvan	*return*

Palabras interrogativas

¿Cómo?	*How?*
¿Cuál? ¿Cuáles?	*Which/What?*
¿Cuándo?	*When?*
¿Cuánto/a?	*How much?*
¿Cuántos/as?	*How many?*
¿Dónde?	*Where?*
¿Qué?	*What/Which?*
¿Quién? ¿Quiénes?	*Who?*

Sustantivos

el dato	*a piece of information*
el dibujo	*the drawing*
el hecho	*the fact*
el informe	*the report*
la oración	*the sentence*
el papel	*the role*
la respuesta	*the answer*
la tabla	*the table/chart*

Otras palabras y expresiones útiles

a continuación	*which follow, below*
a la derecha	*on the right*
a la izquierda	*on the left*
acabar de	*to have just (done something)*
antes de	*before*
cuando te toque	*when it's your turn*
después de	*after*
entonces	*then*
hay	*there is/there are*
luego	*then*
mientras	*while*
¡ojo!	*attention!/watch out!*
por lo menos/al menos	*at least*
por primera vez, segunda vez	*for the first time, second time*
pues	*so*
según	*according to*
si fueras	*if you were*
siguiendo estos pasos	*following these steps*
siguiente	*following*

La Serena, Chile

Acknowledgements

We extend our sincere gratitude and appreciation to all who accompanied us on our journey from the conception to completion of the *EntreCulturas* program. We had the privilege to work with a committed, talented, and dependable professional team that served as our anchor throughout the development process.

Eliz Tchakarian, Senior Editor, and Janet Parker, Curriculum Development Coordinator, were dedicated partners who coached us every step of the journey and consistently helped us pull the pieces together for production. Megan McDonald and Lourdes Cuellar, were editors and behind-the-scenes writers for the programs, and Kelsey Hare, consultant, were instrumental and persistent with acquiring permissions for the authentic materials. We commend our outstanding editors, María Solernou, Ana Martínez Álvarez, and María Matilla whose advice and editing were indispensable to the completion of the series. Our series would not have been as truly authentic nor as interesting without the generous contribution of our international videobloggers, young people from across the Spanish-speaking world; thank you for sharing your lives with our readers!

We thank Anthony Saizon for the thoughtful design. Derrick Alderman and Rivka Levin, our talented and artistic production team, brought the manuscripts to life on the engaging and colorful pages of the final product. We thank Wayside Publishing Assistant Editors Nathan Galvez, Shelby Newsted, Sawyer McCarron, and Rachel Ross, who designed many of the beautiful graphics and graphic organizers used in the series in print and online.

The Wayside Publishing marketing team was led by manager Michelle Sherwood, who was assisted by Nicole Lyons. In collaboration with the Wayside Publishing Sales team, they successfully got the word out to Spanish teachers about *EntreCulturas*, a new instructional tool and innovative approach to developing students' intercultural communicative competence.

This project was possible due to the leadership, vision, and wisdom of Wayside Publishing president, Greg Greuel, who believed in us to get the job done!

Deborah Espitia, Pamela García, Jennifer Cornell, and Isabel Vázquez Gil

Manzanillo, Costa Rica

World-Readiness Standards For Learning Languages

GOAL AREAS	STANDARDS		
COMMUNICATION Communicate effectively in more than one language in order to function in a variety of situations and for multiple purposes	**Interpersonal Communication:** Learners interact and negotiate meaning in spoken, signed, or written conversations to share information, reactions, feelings, and opinions.	**Interpretive Communication:** Learners understand, interpret, and analyze what is heard, read, or viewed on a variety of topics.	**Presentational Communication:** Learners present information, concepts, and ideas to inform, explain, persuade, and narrate on a variety of topics using appropriate media and adapting to various audiences of listeners, readers, or viewers.
CULTURES Interact with cultural competence and understanding	**Relating Cultural Practices to Perspectives:** Learners use the language to investigate, explain, and reflect on the relationship between the practices and perspectives of the cultures studied.	**Relating Cultural Products to Perspectives:** Learners use the language to investigate, explain, and reflect on the relationship between the products and perspectives of the cultures studied.	
CONNECTIONS Connect with other disciplines and acquire information and diverse perspectives in order to use the language to function in academic and career-related situations	**Making Connections:** Learners build, reinforce, and expand their knowledge of other disciplines while using the language to develop critical thinking and to solve problems creatively.	**Acquiring Information and Diverse Perspectives:** Learners access and evaluate information and diverse perspectives that are available through the language and its cultures.	
COMPARISONS Develop insight into the nature of language and culture in order to interact with cultural competence	**Language Comparisons:** Learners use the language to investigate, explain, and reflect on the nature of language through comparisons of the language studied and their own.	**Cultural Comparisons:** Learners use the language to investigate, explain, and reflect on the concept of culture through comparisons of the cultures studied and their own.	
COMMUNITIES Communicate and interact with cultural competence in order to participate in multilingual communities at home and around the world	**School and Global Communities:** Learners use the language both within and beyond the classroom to interact and collaborate in their community and the globalized world.	**Lifelong Learning:** Learners set goals and reflect on their progress in using languages for enjoyment, enrichment, and advancement.	

The National Standards Collaborative Board. (2015). *World-Readiness Standards for Learning Languages*. 4th ed. Alexandria, VA: Author.

Essential Features

Learners maintain an online *Mi portafolio* to self-assess, reflect, and upload evidence for each Can-do statement displayed alongside activities in the Student Edition. Building their collections of artifacts allows learners to form vital habits leading them to efficiently continue learning beyond the classroom.

SELF-ASSESSMENT

INTERCULTURALITY INTERCULTURALITY

Interculturality is at the heart of EntreCulturas

With *EntreCulturas*, learners explore and compare Spanish-speaking communities to their own communities. Authentic video blogs created by native speakers allow learners to compare their lives with those of their peers. Activities and assessments are based on authentic sources and set in theme-related, real-life cultural contexts.

AUTHENTICITY

PERFORMANCE-BASED ASSESSMENT

Units include performance-based formative assessments, *En camino,* which solidify culturally appropriate communication skills relating to learners' communities. *Vive entre culturas,* summative integrated performance assessments, engage learners in global intercultural contexts. Analytic rubrics that include intercultural and communicative learning targets accompany summative assessments.

Our vision is a world where language learning takes place through the lens of interculturality, so learners can discover appropriate ways to interact with others whose perspectives may be different from their own.

RESOURCES FOR TEACHERS AND STUDENTS

The **online Explorer** provides all audio/video resources, scaffolding for Student Edition activities, vocabulary and grammar reinforcement, including flipped classroom videos, additional activities, formative and summative assessments, rubrics and other teacher resources.

APPENDICES

In the Teacher Edition, you are provided audio and audiovisual transcripts, answer keys, instructional strategies, Can-do statements for each unit, and rubrics. **Indices** include a Grammar and Learning Strategies Videos Index as well as a Grammar Index. **Glossaries** are in the Student Edition.

EntreCulturas Mission and Vision

EntreCulturas is a three-level, standards-based, thematically-organized program consisting of six in-depth units that provide learners with opportunities to interact and engage with authentic materials and adolescent speakers of the language. By learning in an intercultural context, students acquire communication skills and content knowledge while exploring the products, practices, and perspectives of Spanish-speaking cultures.

EntreCulturas Mission

EntreCulturas aims to prepare learners to communicate, explore, and connect across cultures in order to foster attitudes of mutual understanding and respect.

EntreCulturas Vision

Our vision is a world where language learning takes place through the lens of interculturality, so students can discover appropriate ways to interact with others whose perspectives may be different from their own.

Puerto Plata, República Dominicana

Dear students,

Welcome to *EntreCulturas*!

In today's world, we all live *entre culturas*: That is, we live around and among people and influences from a variety of cultures. As we live, learn, work, and play in our communities and abroad, we interact in person and online with people whose experiences and perspectives may be different from our own.

The learning materials in the *EntreCulturas* program were designed to help you communicate in Spanish, and to develop the attitudes and habits of mind to interact appropriately with Spanish speakers, respecting differences and recognizing the many things we share as human beings.

Thank you for the commitment you have made to learning another language. The opportunity to experience interactions across cultures and connect with diverse people in our communities and around the world has brought each of us great personal and professional satisfaction. We hope that through this program you too will embrace the opportunities that will come to you as you live *entre culturas*.

Sincerely,

Deborah Espitia, Pamela García, Jennifer Cornell, and Isabel Vázquez Gil

Al empezar

UNIDAD 1

Los jóvenes de hoy

Metas de la unidad

- Relacionarte con algunos jóvenes españoles para expresar en qué se parece o no su tiempo libre al tuyo.
- Interpretar videos, blogs y podcasts de adolescentes españoles para conocer España y saber lo que hacen los jóvenes en su tiempo libre.
- Explorar, explicar y reflexionar sobre cómo los jóvenes ciudadanos interculturales de hoy ayudan a crear un mundo mejor.

2

UNIT GOALS

Review learning targets for interpretive, interpersonal, and presentational communication and intercultural learning.

EXPLORER

EntreCulturas 3 Explorer resources include video blogs, audio/video authentic resources, vocabulary PowerPoints, grammar and learning strategies videos, additional vocabulary practice, discussion forums, and more. You will collect evidence of your growth in Mi Portafolio in Explorer, as well.

Preguntas esenciales

¿Cómo soy un reflejo de mis pasatiempos, mi personalidad y mis experiencias en el pasado?

¿En qué me parezco a un adolescente de España?

¿Cómo puedo crear un mundo mejor usando principios éticos?

ESSENTIAL QUESTIONS

Connect day-to-day learning to bigger questions.

Plaza Mayor, Madrid

Parque del Buen Retiro, Madrid

Zara, una tienda de moda

COMUNICA Y EXPLORA A

Approach the unit topic from the perspective of the video bloggers and authentic sources from the featured country.

COMUNICA Y EXPLORA B

Explore the topic of relevant cultural applications within your communities and beyond.

VIVE ENTRE CULTURAS

Apply what you have learned in the final assessment.

Comunica y Explora

Además se dice Actividades

Debes entender estas palabras para hacer estos ejercicios:

aportar - dar

asegúrate (asegurar) - decir con seguridad

comparte (compartir) - participar con otra persona

los datos - la información

destaca (destacar) - distinguirse

la encuesta - el cuestionario

engañar - hacer creer lo que no es verdad

un gráfico - una tabla o un diagrama

te toque (tocarte) a ti - ser tu turno

Actividades preliminares

Conozcámonos

Actividad 1

Mi familia, mis amigos y yo

a. Describe lo que tu familia y/o tus amigos hicieron este verano en tres oraciones usando el vocabulario en **¿Te acuerdas?**

b. Dos oraciones tienen que ser verdaderas y una necesita ser falsa para **engañar** a tus compañeros.

c. Con toda la clase o en grupos, tomen turnos para que todos lean sus oraciones.

d. Cuando **te toque a ti,** cuenta el número de personas a las que engañaste.

e. Comparte con la clase para saber quién engañó al máximo número de compañeros.

¿Te acuerdas?			
me aburrí	curioso	insoportable	pero
alegre	después	jugué	la playa
al final	me divertí	el lago	por eso
al principio	entonces	lógico	también
amable	entretenido	luego	la tienda
atlético	estuve	el lugar	trabajé
atrevido	finalmente	nunca	tuve que
el campamento	fui	el parque de atracciones	el viaje
el cine	gracioso	pasé tiempo con	visité
el concierto	hacía calor		voluntar...

Actividad 2

Los compañeros de clase: ¿Qué ... ¿Qué piensas? ¿Qué quieres sab...

a. Anota en tu organizador gráfico lo que ves.

Modelo

Veo a un grupo de alumnos en las escaleras.

b. Anota lo que piensas.

Modelo

Pienso que tiene lugar en la escuela secundaria porque todos t... mochilas.

ACTIVIDADES PRELIMINARES

Provides review activities to activate your background knowledge.

ACTIVIDAD

Activities are framed around all types of communication.

THE COMPASS ICON INDICATES ADDITIONAL SUPPORT ON EXPLORER.

Mi progreso comunicativo

Sé describir cómo soy y cómo mi familia y mis amigos me describen.

¿Qué aprendiste?

Ana explicó en el blog de Andrés cómo la describen sus padres y amigos.

Tus padres y tus amigos te ven de una manera. Lo que ellos ven, ¿es cómo tú te ves?

a. Escribe un mensaje en el blog de Andrés que capte la manera personal que usó Ana en su blog.

b. Incluye al menos ocho descriptores y cuatro conectores.

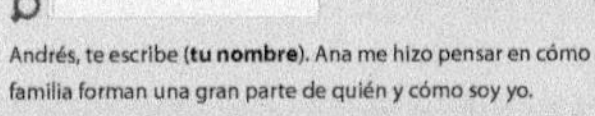
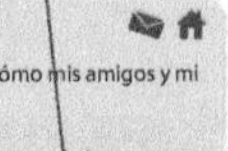

Andrés, te escribe **(tu nombre)**. Ana me hizo pensar en cómo mis amigos y mi familia forman una gran parte de quién y cómo soy yo.

Modelo: Mis padres siempre dicen que soy tímido y es verdad porque yo siempre tengo problemas para conocer gente nueva.

Actividad 8

Somos un reflejo de nuestras experiencias

Paso 1: ¿Quién soy?

Tu pasado forma parte de la personalidad y carácter que tienes ahora de adolescente.

a. Lee lo que dijo Andrés de lo que hacía cuando era pequeño:

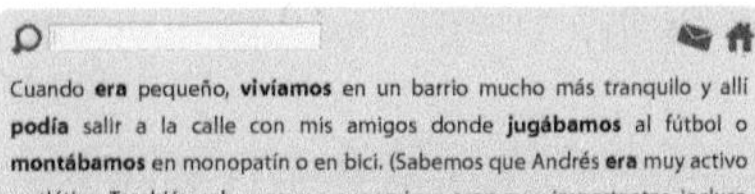

Cuando **era** pequeño, **vivíamos** en un barrio mucho más tranquilo y allí **podía** salir a la calle con mis amigos donde **jugábamos** al fútbol o **montábamos** en monopatín o en bici. (Sabemos que Andrés **era** muy activo y atlético. También sabemos que sus amigos **eran** muy importantes, incluso cuando **era** pequeño).

b. Escribe al menos dos oraciones de cómo eras tú y/o qué hacías de pequeño/a. Sigue el modelo de Andrés.

Paso 2: ¿Qué hacías tú de pequeño?

a. Mira las imágenes de las actividades que normalmente hacen los niños.

b. En parejas, comenten cuáles hacían de pequeños y con qué frecuencia.

c. Presenta a la clase tres de las actividades que hacía tu compañero/a de pequeño/a.

Expresiones útiles

Palabras que expresan frecuencia (el imperfecto)

casi nunca
casi todos los días
de vez en cuando
dos veces por semana
frecuentemente
muchas veces
nunca
pocas veces
solo una o dos veces en mi vida
todos los días
una vez por semana

MI PROGRESO COMUNICATIVO

You will provide evidence of growing proficiency in Mi portafolio in Explorer, which contains all Can-do statements included throughout the unit.

Vocabulario

ASÍ SE DICE

Vocabulary input is presented in context from authentic sources with definitions or synonyms in Spanish.

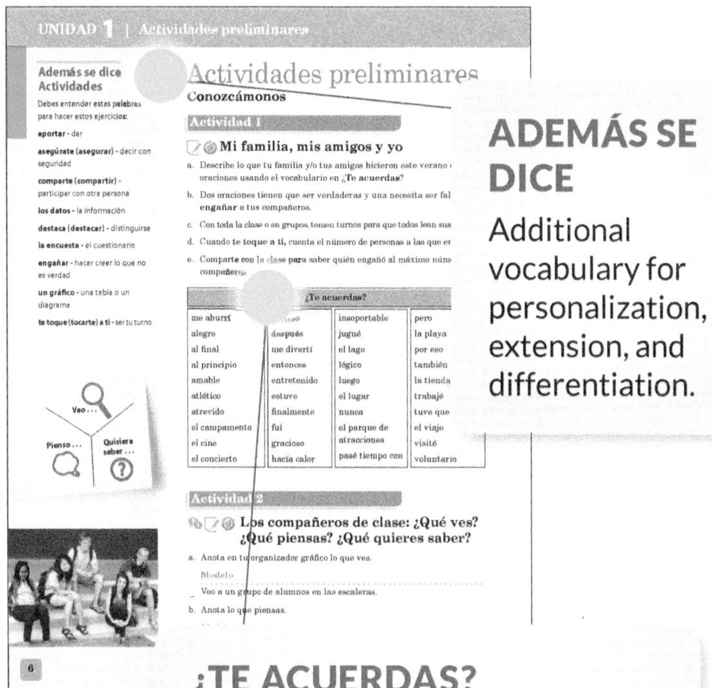

ADEMÁS SE DICE

Additional vocabulary for personalization, extension, and differentiation.

¿TE ACUERDAS?

Reminds you of vocabulary needed for communication that you have learned prior to this unit.

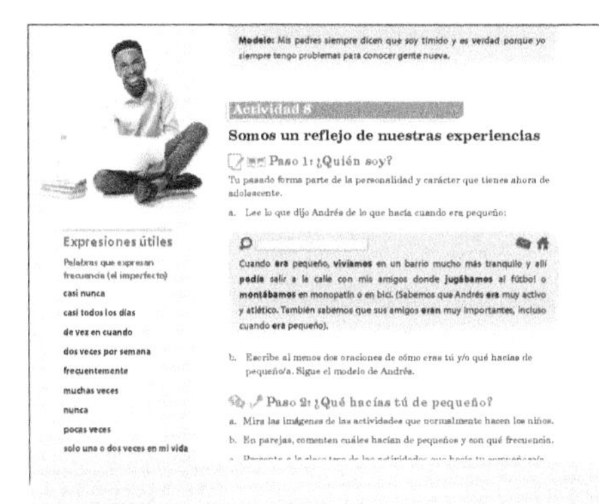

EXPRESIONES ÚTILES

These quick reminders show how expressions can boost your communication skills, often with phrases that will work across other themes.

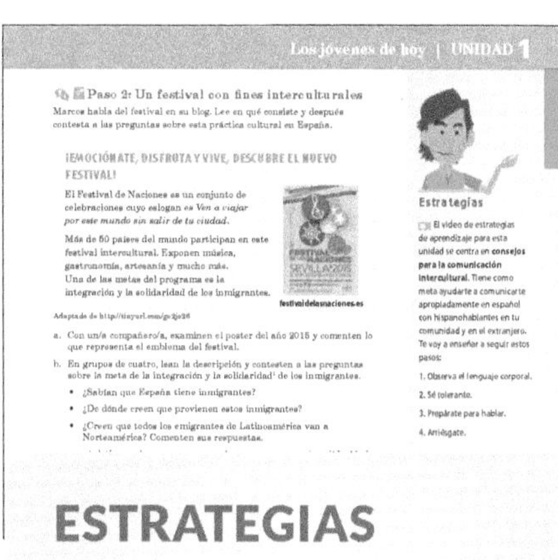

ESTRATEGIAS SIDEBAR

Learning Strategies videos are found in Explorer with brief explanations throughout the book.

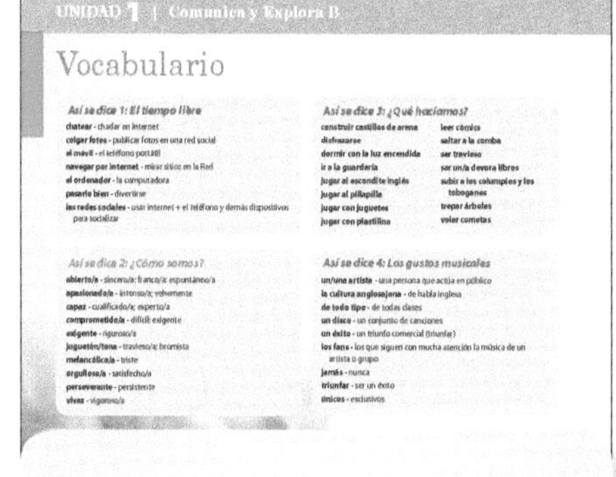

VOCABULARIO

Summary of the vocabulary studied in each part of each unit.

FIND MORE PRACTICE IN CONTEXT IN EXPLORER.

Gramática: Observa y Enfoque en la forma

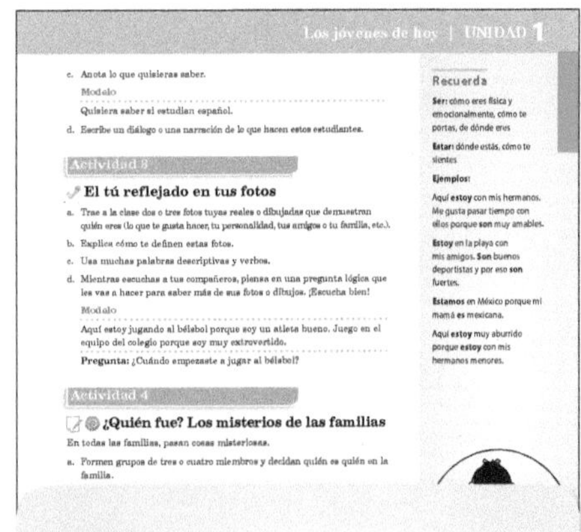

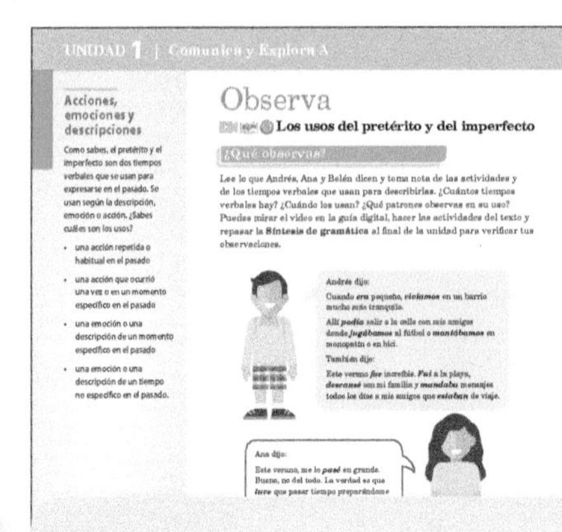

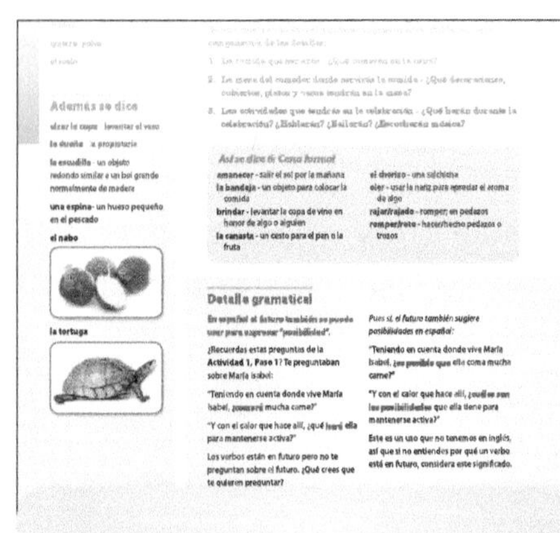

RECUERDA

Review previously learned grammar concepts that you are expected to use for communication in the activities.

OBSERVA

Examples of new structures in context develop your skill as a "grammar detective."

You will find helpful videos called Observa and Enfoque en la forma in Explorer.

DETALLE GRAMATICAL

Just-in-time grammar details will help you communicate.

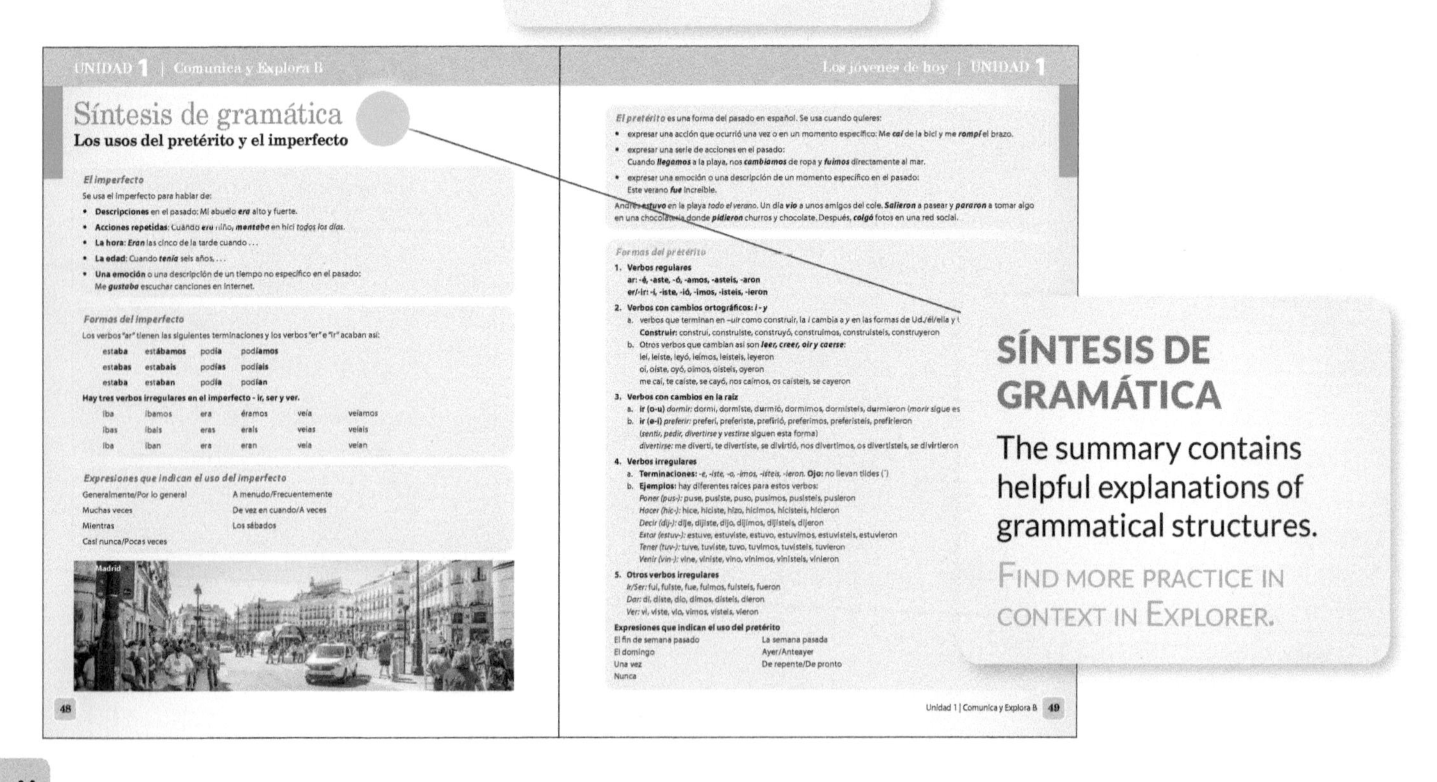

SÍNTESIS DE GRAMÁTICA

The summary contains helpful explanations of grammatical structures.

Find more practice in context in Explorer.

Evaluaciones: En camino y Vive entre culturas

¿QUÉ APRENDISTE?

Find opportunities throughout the unit to practice skills and tasks specifically needed for the final assessment, Vive entre culturas.

FIND EACH ONE IN EXPLORER AS WELL.

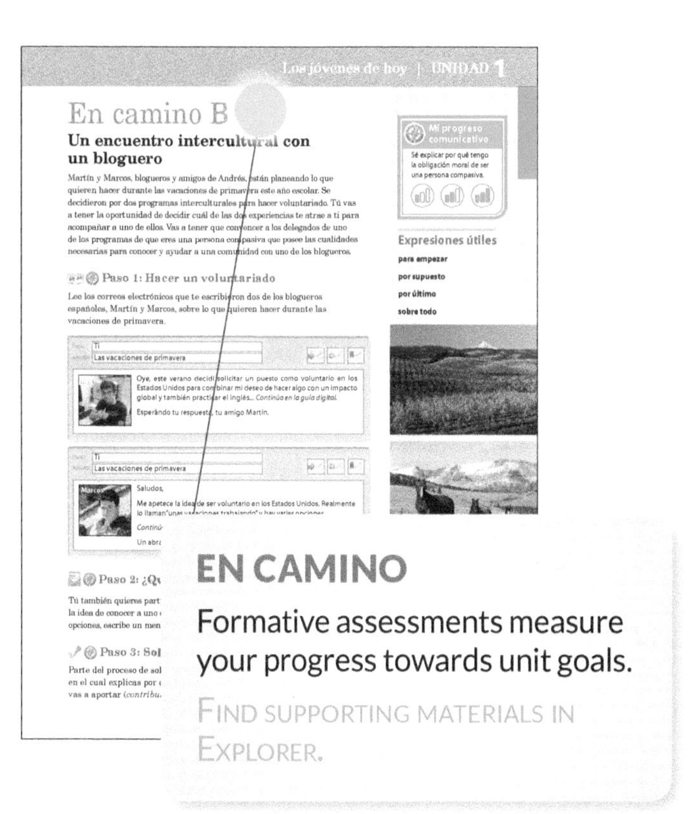

EN CAMINO

Formative assessments measure your progress towards unit goals.

FIND SUPPORTING MATERIALS IN EXPLORER.

VIVE ENTRE CULTURAS

A final assessment is set in an authentic cultural context.

FIND SUPPORTING MATERIALS IN EXPLORER.

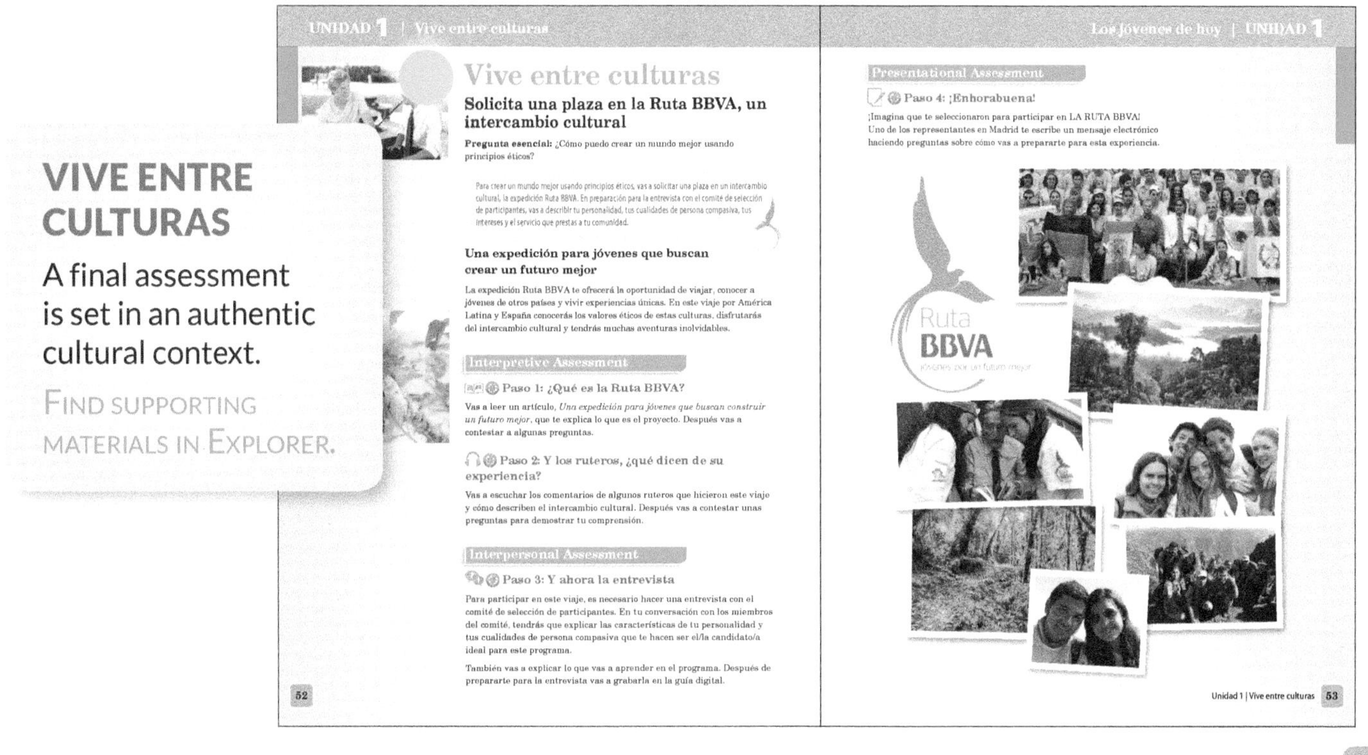

Interculturalidad/Interculturality

UNIDAD 1 | Enfoque intercultural

Conoce a los jóvenes españoles de hoy

En esta unidad, vas a conocer a Andrés, su hermana y unos amigos p medio de *video blogs, blogs* y *podcasts*. Te van a contar mucho sobre s vida: sus familias, sus amigos, dónde viven en España, sus pasatiemp las redes sociales que frecuentan, la música española y mucho más. T también vas a tener la oportunidad de contar muchas cosas sobre tu vida para compararla con la suya. Al final, vas a tener la oportunidad de solicitar un intercambio cultural en dos países hispanohablantes. ¡Disfruta de la experiencia!

ENFOQUE INTERCULTURAL

Available on Explorer only, these authentic videos from Spanish-speaking teens invite you to share their world.

España

España está situada al suroeste de Europa. Forma, junto con Portugal, la Península Ibérica. Es el tercer país más grande de Europa después de Rusia y Francia.

¿Sabes cuál es la capital de España? Madrid

España es la cuna del idioma español, o sea castellano, como se dice en España. Una gran parte de las personas que llegaron al Nuevo Mundo eran españoles y por esa razón, el español es también el idioma oficial en la mayoría de los países del continente americano.

¿Sabes cuáles son los países en Sudamérica que no hablan español como idioma oficial?

España es famosa por los equipos profesionales de fútbol como el Real Madrid y el Barça, artistas como Dalí y Goya, actores como Antonio Banderas y Penélope Cruz además de músicos como Enrique Iglesias y autores famosos como Cervantes, autor de Don Quijote de la Mancha.

¿Puedes adivinar cuál es la industria más grande de España? El turismo

Don Quijote y Sanch

4

ENFOQUE CULTURAL

Knowing about cultural products, practices, and perspectives lays a foundation for intercultural reflections.

SHARE YOUR REFLECTIONS IN THE EXPLORER DISCUSSION FORUM.

Enfoque cultural

Práctica cultural: El bar de la esquina

Un bar se llama así en español porque tiene una barra donde sirven bebidas (alcohólicas y no-alcohólicas) y comidas (generalmente tapas, pinchos o raciones). Una tapa es pequeña, un pincho es más grande (pero para una persona) y una ración es para compartir entre dos o más personas. Gente de todas las edades va a los bares en España. Hay muchos bares en todos los barrios y son negocios familiares. Vamos "al bar de la esquina" es algo que se dice para quedar con alguien de manera improvisada.

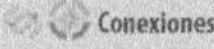

Conexiones

¿A dónde van todas las personas del lugar donde vives a tomar algo ligero?

REFLEXIÓN INTERCULTURAL

After a variety of experiences with cultural products, practices, and perspectives, you will reflect on your growing intercultural awareness.

SHARE REFLECTIONS IN THE EXPLORER DISCUSSION FORUM.

Reflexión intercultural

a. Piensa en lo que dijo Andrés de su vida en Madrid.

b. Escribe una reflexión, de al menos dos oraciones, dando tu opinión sobre lo que tienes en común con Andrés.

Mi progreso intercultural

Sé explicar cómo son los jóvenes españoles y lo que tenemos en común.

Actividad 6

¿Qué hizo Andrés este verano?

Paso 1: Sigue el blog de Andrés

a. Lee el blog de Andrés, que te invita a compartir información con él.

b. Anota lo que hizo Andrés este verano y lo que te preguntó a ti.

c. A continuación, vas a poder contestar a sus preguntas en su blog.

Hola. Soy yo, Andrés, el de Madrid. Bienvenidos a mi blog. Como se está acabando el verano, quiero hablar de eso. Parece mentira, pero ya pronto tengo que volver al cole. Este verano fue increíble. Fui a la playa, descansé con mi familia y mandé mensajes todos los días a mis amigos que estaban de viaje. Tengo tantos amigos que cuelgan fotos en internet que no tengo tiempo suficiente para ver todo lo que cuelgan allí. Ahora, tengo que volver al mundo real- el de los estudios y las tareas diarias. ¡Qué pena! Mándame un comentario. ¿Qué hiciste tú que te gustó mucho este verano? ¿Fue tan bueno como otros veranos o mejor o peor que otros veranos? ¿Por qué?

¿Qué hizo Andrés este verano?	¿Qué te preguntó Andrés a ti?
Fue a la playa.	¿Qué hiciste tú que te gustó mucho?

Unidad 1 | Comunica y Explora A 11

MI PROGRESO INTERCULTURAL

This unique self-assessment feature clarifies intercultural goals.

Explorer/Guía digital

The online Explorer is the other half of your textbook, connecting you with language learning resources that inspire continued exploration.

Whether learning about Chile through Margarita's video blogs, studying grammar through flipped classroom videos, or updating your language learning portfolios with new achievements, you can practice all modes of communication at your own pace and within your own comfort zone.

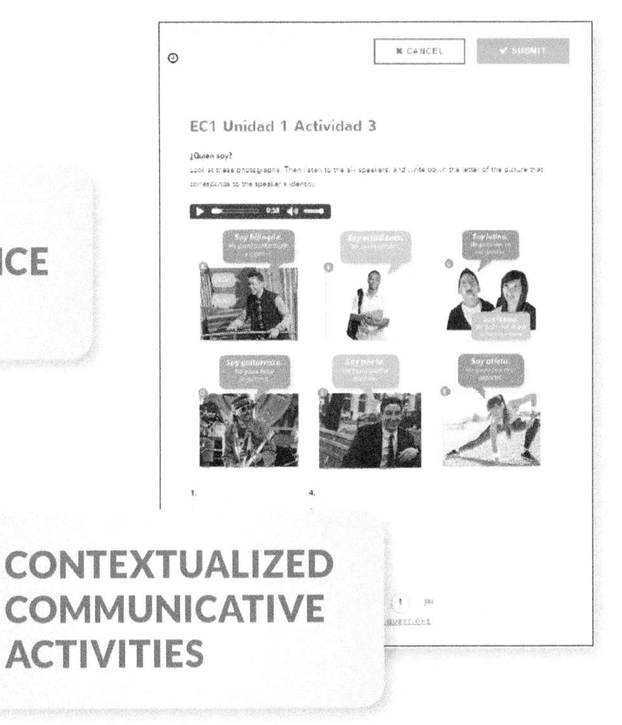

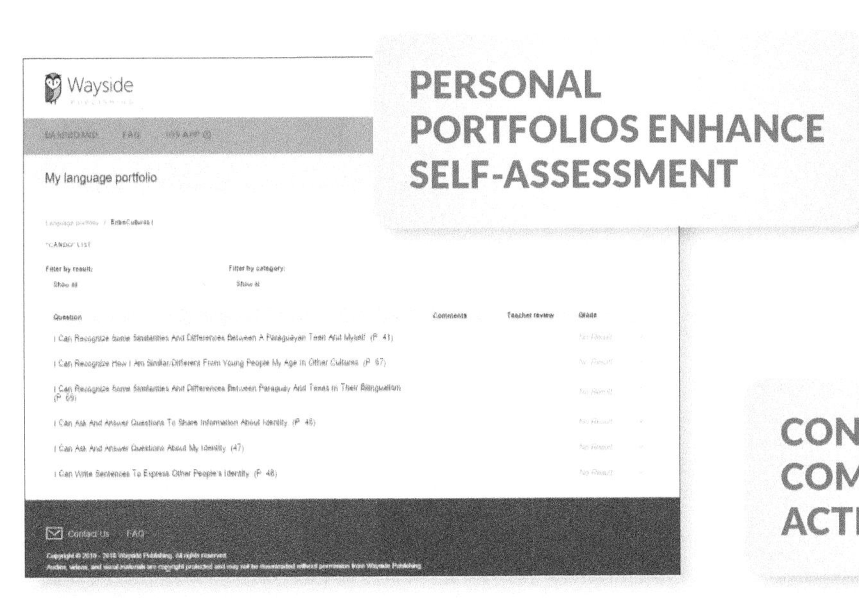

FlexText

FlexText is Wayside's unique e-textbook platform. Built in HTML5, our digital textbook technology automatically adjusts the book pages to whatever screen you're using for optimal viewing.

Your FlexText can be accessed across all of your devices. And page by page, just like the printed textbook, FlexText allows students and teachers to use *EntreCulturas* on the go.

Icons Legend

The icons in this program:

- Indicate the mode of communication
- Reference the five goal areas as listed in the *World-Readiness Standards for Learning Languages*
- Provide a signpost where Explorer offers more support
- Prepare teachers and learners for the type of each task/activity

Linguistic or cultural comparisons	Interpretive Visual
Connections	Interpersonal Speaking
Communities	Interpersonal Writing
Cultures	Presentational Speaking
Explorer	Presentational Writing
Interpretive Print	External link in Explorer
Interpretive Audio	Grammar
Interpretive Print and Audio	Vocabulary
Interpretive Audiovisual	Journal

Table of Contents

UNIDAD 1: Los jóvenes de hoy

Contexto comunicativo e intercultural

Metas de la unidad

Relacionarte con algunos jóvenes españoles para expresar en qué se parece o no su tiempo libre al tuyo.

Interpretar videos, blogs y podcasts de adolescentes españoles para conocer España y saber lo que hacen los jóvenes en su tiempo libre.

Explorar, explicar y reflexionar sobre cómo los jóvenes ciudadanos interculturales de hoy ayudan a crear un mundo mejor.

Preguntas esenciales

¿Cómo soy un reflejo de mis pasatiempos, mi personalidad y mis experiencias en el pasado?

¿En qué me parezco a un adolescente de España?

¿Cómo crear un mundo mejor usando principios éticos?

Metas de la unidad

Relacionarte con algunos jóvenes chilenos para comparar usos de las redes sociales e internet.

Interpretar videos y blogs de adolescentes chilenos para conocer lugares de Chile y cómo usan los jóvenes chilenos las redes sociales e internet.

Explorar, demostrar y reflexionar sobre el impacto que tiene la ciudadanía digital en la vida de los jóvenes chilenos y los de tu comunidad.

Preguntas esenciales

¿Qué significa la ciudadanía digital y qué papel juega en mi vida?

¿Cómo influyen las redes sociales e internet en mi vida y en la de los jóvenes chilenos?

¿Cómo puedo promover el uso de las redes sociales e internet para mejorar mi comunidad?

UNIDAD 2: #CiudadaníaDigital

Contexto comunicativo e intercultural

UNIDAD 3: Una vida sana y equilibrada

Contexto comunicativo e intercultural

Metas de la unidad

Examinar cómo lograr y mantener una vida sana y equilibrada a base de la nutrición y el ejercicio.

Explorar y recomendar ejemplos de prácticas saludables del mundo hispanohablante a mi comunidad.

Ilustrar vías por las cuales puedo contribuir al bienestar de mi comunidad y de la comunidad global.

Preguntas esenciales

¿Cómo puedo lograr y mantener una vida sana y equilibrada?

¿Cómo puedo incorporar algunos hábitos saludables del mundo hispanohablante en mi comunidad?

¿Cómo puedo contribuir al bienestar de la comunidad local y global?

Metas de la unidad

Elaborar las características de una comunidad sostenible.

Analizar cómo los hábitos ecológicos influyen en una comunidad sostenible.

Evaluar si mi comunidad y las comunidades hispanohablantes son sostenibles y cómo se pueden mejorar.

Preguntas esenciales

¿Cómo es una casa ecológica?

¿Qué valores del mundo hispanohablante favorecen la creación de comunidades sostenibles?

¿Qué debemos hacer para crear una comunidad sostenible?

UNIDAD 4: Una comunidad sostenible

Contexto comunicativo e intercultural

UNIDAD 5: El mundo laboral

Contexto comunicativo e intercultural

SUMMATIVE ASSESSMENT

Metas de la unidad

Entender los beneficios y las motivaciones de por qué los adolescentes trabajan.

Analizar los perfiles de los profesionales del futuro.

Averiguar diferentes opciones al terminar la escuela secundaria.

Preguntas esenciales

¿Por qué y para qué trabajan los adolescentes?

¿Cuál es el perfil de los profesionales del futuro?

¿Cómo voy a elegir mi futuro profesional?

Metas de la unidad

Analizar mis derechos y obligaciones y los de los jóvenes uruguayos, en el colegio, la familia y la comunidad y recomendar cambios.

Explorar maneras en las que podemos ayudar a comunidades desfavorecidas en mi país y en Uruguay.

Ilustrar cómo se podrían promover valores humanitarios y de ese modo mejorar la comunidad global.

Preguntas esenciales

¿Por qué debo conocer mis derechos y obligaciones en mi entorno diario?

¿Cuál es mi responsabilidad para ayudar a prevenir la discriminación de grupos desfavorecidos en mi país y en el extranjero?

¿Qué programas humanitarios podemos implementar para promover un mundo solidario?

UNIDAD 6: Un mundo solidario

Contexto comunicativo e intercultural

SUMMATIVE ASSESSMENT

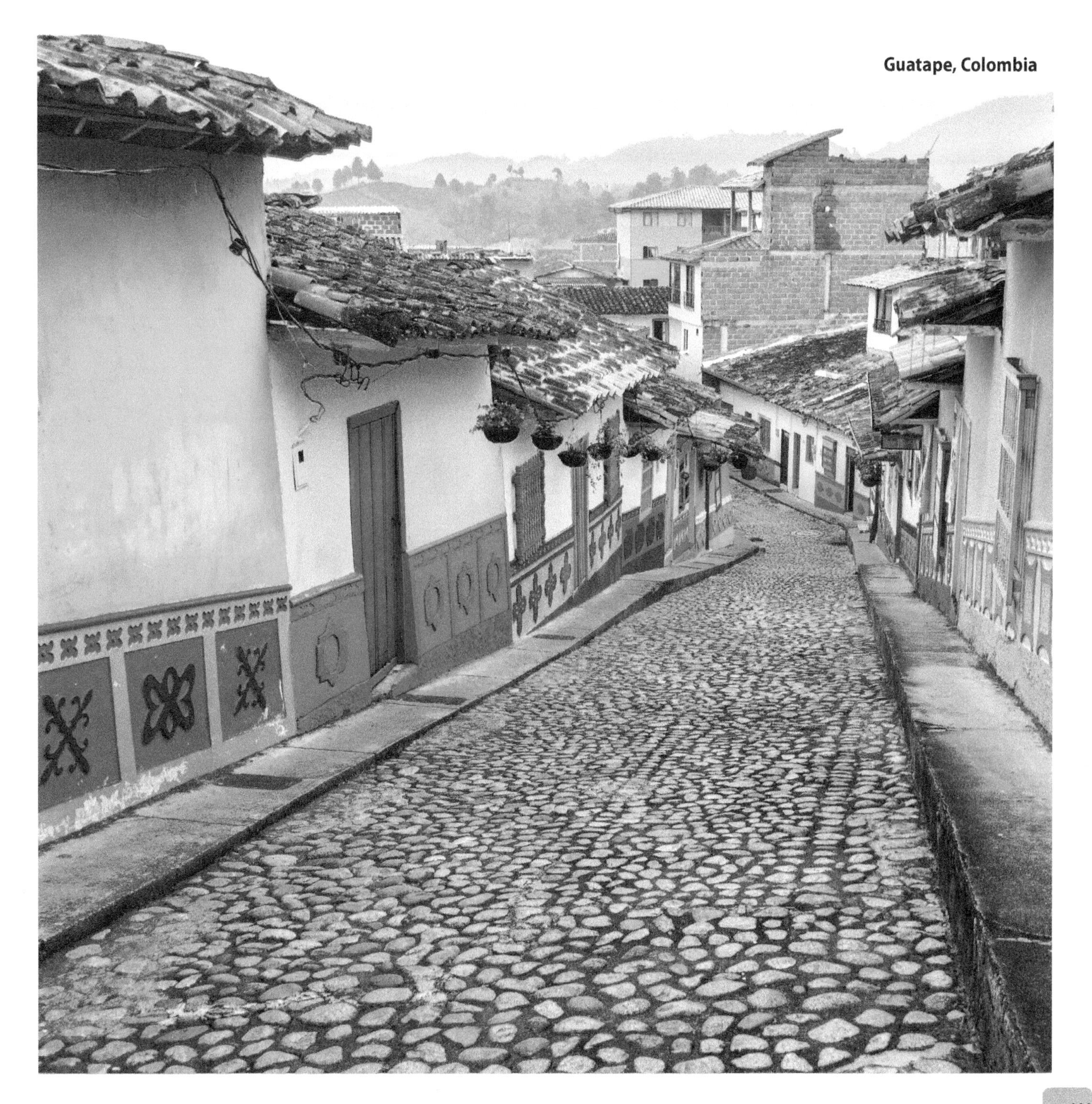

Guatape, Colombia

UNIDAD 1
Los jóvenes de hoy

Metas de la unidad

- Relacionarte con algunos jóvenes españoles para expresar en qué se parece o no su tiempo libre al tuyo.
- Interpretar videos, blogs y podcasts de adolescentes españoles para conocer España y saber lo que hacen los jóvenes en su tiempo libre.
- Explorar, explicar y reflexionar sobre cómo los jóvenes ciudadanos interculturales de hoy ayudan a crear un mundo mejor.

Preguntas esenciales

¿Cómo soy un reflejo de mis pasatiempos, mi personalidad y mis experiencias en el pasado?

¿En qué me parezco a un adolescente de España?

¿Cómo puedo crear un mundo mejor usando principios éticos?

Plaza Mayor, Madrid

Parque del Buen Retiro, Madrid

Zara, una tienda de moda

Conoce a los jóvenes españoles de hoy

En esta unidad, vas a conocer a Andrés, su hermana y unos amigos por medio de *video blogs, blogs* y *podcasts*. Te van a contar mucho sobre su vida: sus familias, sus amigos, dónde viven en España, sus pasatiempos, las redes sociales que frecuentan, la música española y mucho más. Tú también vas a tener la oportunidad de contar muchas cosas sobre tu vida para compararla con la suya. Al final, vas a tener la oportunidad de solicitar un intercambio cultural en dos países hispanohablantes. ¡Disfruta de la experiencia!

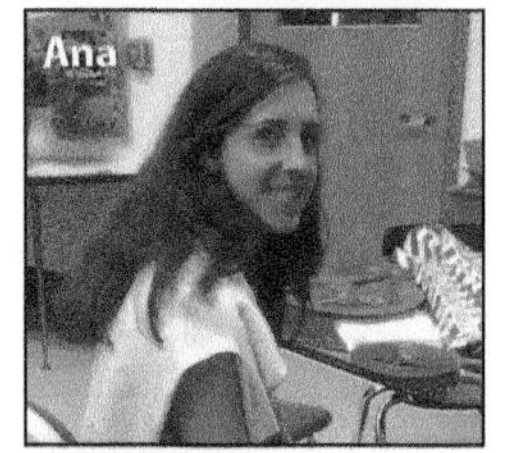

España

España está situada al suroeste de Europa. Forma, junto con Portugal, la Península Ibérica. Es el tercer país más grande de Europa después de Rusia y Francia.

¿Sabes cuál es la capital de España?

España es la cuna del idioma español, o sea castellano, como se dice en España. Una gran parte de las personas que llegaron al Nuevo Mundo eran españoles y por esa razón, el español es también el idioma oficial en la mayoría de los países del continente americano.

¿Sabes cuáles son los países en Sudamérica que no hablan español como idioma oficial?

España es famosa por los equipos profesionales de fútbol como el Real Madrid y el Barça, artistas como Dalí y Goya, actores como Antonio Banderas y Penélope Cruz además de músicos como Enrique Iglesias y autores famosos como Cervantes, autor de Don Quijote de la Mancha.

¿Puedes adivinar cuál es la industria más grande de España?

Don Quijote y Sancho Panza

El Museo del Prado en Madrid

Belén y Sara enfrente del Palacio de Cristal en el Parque del Retiro en Madrid

Andrés es uno de *los jóvenes de hoy* que van a conocer en esta unidad. Andrés les dice en su primer video blog que asiste a un instituto donde está en *Cuarto de la ESO*. ESO es Educación Secundaria Obligatoria y cuarto de la ESO es el equivalente al décimo grado en EE. UU.

Conoce a Andrés y su familia

Mira el video y después, pon una ✔ si oyes la oración en el video de Andrés.

1. Tiene diecisiete años.	
2. Vive en Madrid.	
3. Tiene un hermano que se llama Ben.	
4. La clase que le gusta más es Matemáticas.	
5. Estudia un idioma, el inglés.	
6. La clase donde más trabajo tiene es Ciencias.	
7. Sus profes de Inglés tratan de divertir a los alumnos.	
8. Tiene dos hermanas.	
9. Hay mucha vida por las calles en el lugar donde vive.	

La Gran Vía en Madrid

Predice cómo es la vida de un joven en Madrid según las fotos que ves de sus edificios, parques y su activa vida urbana.

Además se dice Actividades

Debes entender estas palabras para hacer estos ejercicios:

aportar - dar

asegúrate (asegurar) - decir con seguridad

comparte (compartir) - participar con otra persona

los datos - la información

destaca (destacar) - distinguirse

la encuesta - el cuestionario

engañar - hacer creer lo que no es verdad

un gráfico - una tabla o un diagrama

te toque (tocarte) a ti - ser tu turno

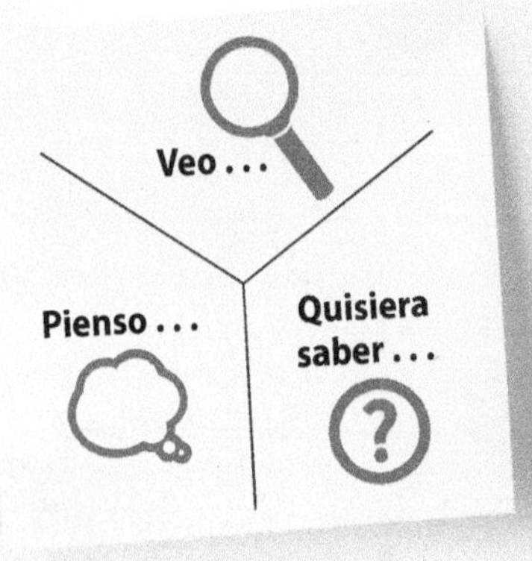

Actividades preliminares

Conozcámonos

Actividad 1

Mi familia, mis amigos y yo

a. Describe lo que tu familia y/o tus amigos hicieron este verano en tres oraciones usando el vocabulario en ¿**Te acuerdas**?

b. Dos oraciones tienen que ser verdaderas y una necesita ser falsa para **engañar** a tus compañeros.

c. Con toda la clase o en grupos, tomen turnos para que todos lean sus oraciones.

d. Cuando **te toque a ti,** cuenta el número de personas a las que engañaste.

e. Comparte con la clase para saber quién engañó al máximo número de compañeros.

¿Te acuerdas?			
me aburrí	curioso	insoportable	pero
alegre	después	jugué	la playa
al final	me divertí	el lago	por eso
al principio	entonces	lógico	también
amable	entretenido	luego	la tienda
atlético	estuve	el lugar	trabajé
atrevido	finalmente	nunca	tuve que
el campamento	fui	el parque de atracciones	el viaje
el cine	gracioso	pasé tiempo con	visité
el concierto	hacía calor		voluntario

Actividad 2

Los compañeros de clase: ¿Qué ves? ¿Qué piensas? ¿Qué quieres saber?

a. Anota en tu organizador gráfico lo que ves.

Modelo

Veo a un grupo de alumnos en las escaleras.

b. Anota lo que piensas.

Modelo

Pienso que tiene lugar en la escuela secundaria porque todos tienen mochilas.

c. Anota lo que quisieras saber.

Modelo

Quisiera saber si estudian español.

d. Escribe un diálogo o una narración de lo que hacen estos estudiantes.

Actividad 3

El tú reflejado en tus fotos

a. Trae a la clase dos o tres fotos tuyas reales o dibujadas que demuestran quién eres (lo que te gusta hacer, tu personalidad, tus amigos o tu familia, etc.).

b. Explica cómo te definen estas fotos.

c. Usa muchas palabras descriptivas y verbos.

d. Mientras escuchas a tus compañeros, piensa en una pregunta lógica que les vas a hacer para saber más de sus fotos o dibujos. ¡Escucha bien!

Modelo

Aquí estoy jugando al béisbol porque soy un atleta bueno. Juego en el equipo del colegio porque soy muy extrovertido.

Pregunta: ¿Cuándo empezaste a jugar al béisbol?

Recuerda

Ser: cómo eres física y emocionalmente, cómo te portas, de dónde eres

Estar: dónde estás, cómo te sientes

Ejemplos:

Aquí **estoy** con mis hermanos. Me gusta pasar tiempo con ellos porque **son** muy amables.

Estoy en la playa con mis amigos. **Son** buenos deportistas y por eso **son** fuertes.

Estamos en México porque mi mamá **es** mexicana.

Aquí **estoy** muy aburrido porque **estoy** con mis hermanos menores.

Actividad 4

¿Quién fue? Los misterios de las familias

En todas las familias, pasan cosas misteriosas.

a. Formen grupos de tres o cuatro miembros y decidan quién es quién en la familia.

b. Después, creen un cuento donde una persona en la familia hace algo malo, como romper algo o quitarle algo a otra persona, etc.

c. Den algunas pistas (lo que ayuda a alguien a resolver un crimen) para ayudar a la clase.

d. La clase va a tratar de adivinar quién cometió "el crimen".

e. Escriban el cuento en el pasado.

f. Cada miembro del grupo tiene que ayudar en la presentación del misterio.

Modelo

Esta mañana la abuela, Ana, se levantó y fue al cuarto de baño. Mientras se duchaba, su nieto, Narciso, entró en el dormitorio de la abuela. Después, la abuela se secó y bajó a comer; Narciso, fue al cuarto de su padre, Pepe. Su madre, Marta, estaba en la cocina cuando Narciso bajó para comer. Pepe empezó a leer el periódico. Pero no podía ver. No eran sus gafas. ¿Qué pasó? **Posible respuesta: Narciso cambió las gafas de Ana por las de Pepe.**

Comunica y Explora A

Pregunta esencial: ¿Cómo soy un reflejo de mis pasatiempos, mi personalidad y mis experiencias en el pasado?

Así se dice 1: El tiempo libre 9

En el video blog vas a conocer a Andrés, un joven madrileño. Mientras escuchas y lees lo que dice sobre su familia, sus gustos y lo que hizo el verano pasado, piensa en qué te pareces a él. Después, **vas a contarle lo que hiciste tú.**

Así se dice 2: ¿Cómo somos? 13

Vas a conocer a Ana de Barcelona, una amiga de Andrés que se describe en su blog. Después vas a tener la oportunidad de **describirte a ti mismo/a.**

Así se dice 3: ¿Qué hacíamos? 19

Somos un reflejo de nuestras experiencias. En los video blogs y blogs de otros jóvenes españoles, vas a aprender lo que hacían ellos de niños. Vas a **describir lo que hacías tú para ver lo que tienes en común con los jóvenes españoles**. Después vas a leer y comentar sobre un blog que escribió David acerca de sus recuerdos del pasado cuando vivía en Madrid.

En camino A: Las conexiones entre los jóvenes 29

Andrés y su amiga Ana son dos blogueros españoles que se conocieron en Barcelona hace un par de años. Ana tiene la oportunidad de visitar a Andrés en Madrid. **Escucha, lee y después vas a describir una visita que hiciste a otro lugar**. ¿En qué se parece o difiere su encuentro con el tuyo con una persona que hace mucho que no ves?

Una tortilla de patatas

Los calamares fritos

Un collage de Madrid

Enfoque cultural

Práctica cultural: De vacaciones

En verano, los jóvenes españoles van de vacaciones, a campamentos de verano, a conciertos, de tapas con los amigos, a clases de repaso y pasan mucho tiempo fuera, al aire libre.

 **Conexiones**

¿Qué actividades hacen los jóvenes de tu comunidad cuando están de vacaciones? ¿Cómo se parecen a las de los jóvenes españoles?

Actividad 5

Andrés te invita a conocer España

Así se dice 1: El tiempo libre

chatear - charlar en Internet
colgar fotos - publicar fotos en una red social
el móvil - el teléfono portátil
navegar por internet - mirar sitios en la Red
el ordenador - la computadora
pasarlo bien - divertirse
las redes sociales - usar internet + el teléfono y demás dispositivos para socializar

La Fuente de la Cibeles en Madrid

Paso 1: Predicciones

Adivina lo que hace un joven en su tiempo libre en España. Como vivimos en un mundo interconectado, seguramente hay muchas actividades que se hacen en todo el mundo. Vas a ver un video blog de un joven madrileño que va a hablar de lo que hace en su tiempo libre.

a. Piensa en las actividades que hace él que son **semejantes** a las que haces tú.

b. Escribe tus predicciones con cinco actividades que probablemente hacen los jóvenes en España.

Mis predicciones de la vida de un joven español

Modelo

Un joven en España pasa mucho tiempo con sus amigos.

1. ______________________________

2. ______________________________

Además se dice

adivinar - descubrir la respuesta correcta

añadir - incluir más

hacer la sobremesa - quedarse en la mesa después de comer para charlar

huella verde - marca ecológica

poner un granito de arena - contribuir

semejantes - casi iguales

sobrevivir - no morir

Paso 2: Conoce a Andrés

El teleférico a la Casa de Campo en Madrid

a. Mira el video blog por primera vez.

b. Escribe las actividades que hace Andrés en el organizador gráfico e indica si las hace con los amigos o con la familia.

c. Después, comparte tu lista con tres compañeros para crear una lista más larga.

d. Al final, comparte con la clase una de tus ideas en una oración completa para ayudar a tu profe a hacer una lista con todos los datos de Andrés.

Actividades	Con los amigos	Con la familia
Modelo: Toma tapas	X	

Enfoque cultural

Práctica cultural: El Rastro

La Latina es uno de los barrios más animados de Madrid, sobre todo, los domingos, ya que allí se instala el mercado al aire libre más importante de Madrid, el Rastro. En el Rastro, se puede comprar de todo. Más de 100.000 personas y turistas acuden a este mercado todos los domingos.

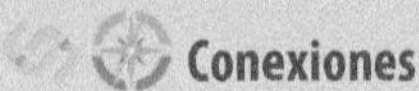
Conexiones

¿Tiene tu pueblo o ciudad algo parecido a este mercado? ¿Dónde puedes comprar productos a buen precio en tu comunidad?

Paso 3: ¿Conoces bien a Andrés?

a. Mira el video blog una segunda vez para completar tu lista o corregir errores.

b. Comparte tu nueva información con los mismos tres compañeros y añade datos.

c. Después, comparte tu lista con la clase.

Escuché ...	Mis compañeros escucharon ...	Aprendimos de la clase ...
Modelo: Montaba en monopatín con sus amigos cuando era pequeño.		

Enfoque cultural

Práctica cultural: El bar de la esquina

Un bar se llama así en español porque tiene una barra donde sirven bebidas (alcohólicas y no-alcohólicas) y comidas (generalmente tapas, pinchos o raciones). Una tapa es pequeña, un pincho es más grande (pero para una persona) y una ración es para compartir entre dos o más personas. Gente de todas las edades va a los bares en España. Hay muchos bares en todos los barrios y son negocios familiares. Vamos "al bar de la esquina" es algo que se dice para quedar con alguien de manera improvisada.

 **Conexiones**

¿A dónde van todas las personas del lugar donde vives a tomar algo ligero?

Reflexión intercultural

a. Piensa en lo que dijo Andrés de su vida en Madrid.

b. Escribe una reflexión, de al menos dos oraciones, dando tu opinión sobre lo que tienes en común con Andrés.

Mi progreso intercultural
Sé explicar cómo son los jóvenes españoles y lo que tenemos en común.

Actividad 6

¿Qué hizo Andrés este verano?

 **Paso 1: Sigue el blog de Andrés**

a. Lee el blog de Andrés, que te invita a compartir información con él.

b. Anota lo que hizo Andrés este verano y lo que te preguntó a ti.

c. A continuación, vas a poder contestar a sus preguntas en su blog.

Hola. Soy yo, Andrés, el de Madrid. Bienvenidos a mi blog. Como se está acabando el verano, quiero hablar de eso. Parece mentira, pero ya pronto tengo que volver al cole. Este verano fue increíble. Fui a la playa, descansé con mi familia y mandé mensajes todos los días a mis amigos que estaban de viaje. Tengo tantos amigos que cuelgan fotos en internet que no tengo tiempo suficiente para ver todo lo que cuelgan allí. Ahora, tengo que volver al mundo real- el de los estudios y las tareas diarias. ¡Qué pena! Mándame un comentario. ¿Qué hiciste tú que te gustó mucho este verano? ¿Fue tan bueno como otros veranos o mejor o peor que otros veranos? ¿Por qué?

¿Qué hizo Andrés este verano?	¿Qué te preguntó Andrés a ti?
Fue a la playa.	¿Qué hiciste tú que te gustó mucho?

Mi progreso comunicativo
Sé intercambiar información sobre lo que yo hice y sobre lo que otros hicieron en el pasado.

Paso 2: ¿Qué recuerdas del pretérito?

a. Visita la guía digital para escuchar algunas conversaciones.

b. Usa el organizador gráfico en la guía digital para escribir los verbos que oyes en el pretérito.

¿Qué aprendiste?

Contesta a las preguntas en el blog de Andrés **(Paso 1)** para describir tu verano pasado. Incluye si fue mejor o peor que otros veranos y por qué.

Hola, Andrés. Aquí me ves en tu blog porque tengo ganas de practicar el español y **además** (*encima*) me parecen **geniales** (*perfectos*) tus comentarios. Así que voy a contarte sobre mi verano y otros veranos también.

Recuerda

El pretérito es una forma del pasado en español. Se usa cuando quieres describir una acción que pasó en un momento determinado. Lee estos ejemplos:

Andrés ***estuvo*** en la playa *todo el verano*. Un día, ***vio*** a unos amigos del cole. ***Salieron*** a pasear, **se sentaron** en el parque a chatear con amigos y hacerse *selfies*. Después, **se fueron** a tomar algo en el bar de la esquina mientras colgaban fotos en internet con sus móviles.

Formas del pretérito

1) Verbos regulares:
   ar: -é, -aste, -ó, -amos, -asteis, -aron
   er/-ir: -í, -iste, -ió, -imos, -isteis, -ieron

2) Verbos con cambios en la raíz:
   ir (o-u) dormir: durmió, durmieron
   ir (e-i) preferir: prefirió, prefirieron

3) Verbos irregulares no llevan tildes (´) : **-e, -iste, -o, -imos, -isteis, -ieron**
   Poner: puse, pusiste, puso, pusimos, pusisteis, pusieron
   Hacer: hice, hiciste, hizo, hicimos, hicisteis, hicieron

4) Otros verbos irregulares:
   Ir/ser: fui, fuiste, fue, fuimos, fuisteis, fueron

Hay más información y práctica en la guía digital y un video, ***Enfoque en la forma: Uses of the preterit and the imperfect tenses.***

Actividad 7

Conoce a Ana de Barcelona

Enfoque cultural

Producto cultural: La tortilla española

La tortilla española es uno de los platos más típicos de España. Se come como una tapa, en un bocadillo durante el recreo e inclusive para una cena ligera. Los ingredientes principales de la tortilla de patatas son cebolla, patatas, huevos y aceite de oliva.

 **Conexiones**

¿Hay una comida típica de tu pueblo o región?

Barcelona, Las Ramblas

Parque de Atraccciones Tibidabo

Así se dice 2: ¿Cómo somos?

abierto/a - sincero/a; franco/a; espontáneo/a
apasionado/a - intenso/a; vehemente
capaz - cualificado/a; experto/a
comprometido/a - difícil; exigente
exigente - riguroso/a
juguetón/tona - travieso/a; bromista
melancólico/a - triste
orgulloso/a - satisfecho/a
perseverante - persistente
vivaz - vigoroso/a

Paso 1: Una amiga de Andrés se une al blog

a. Lee lo que escribió Ana, una amiga de Andrés de Barcelona, en el blog.

b. Mientras lees, contesta a las preguntas.

c. Después, concéntrate en las palabras señaladas y completa cada oración para definir el adjetivo. ¡Estas son las definiciones para las palabras de **Así se dice 2**!

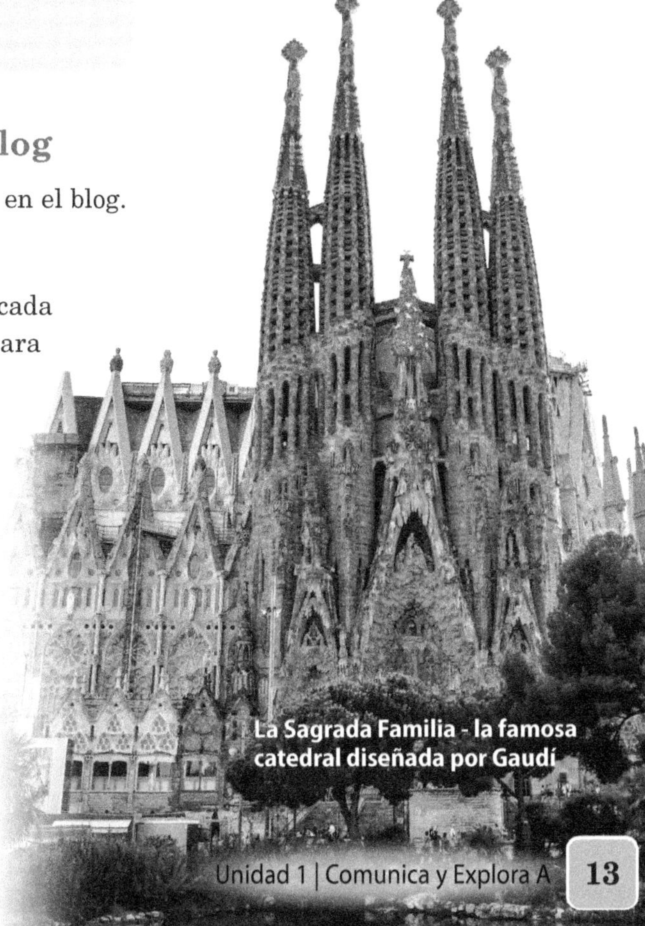

La Sagrada Familia - la famosa catedral diseñada por Gaudí

Comprensión:

1. ¿Cuál es la asignatura que suspendió Ana en junio?
2. ¿Cuándo puede volver a hacer el examen?

Comprensión:

3. ¿Qué asignatura le gusta a Ana?
4. ¿Se toma en serio sus estudios?
5. ¿Qué idiomas habla?

Comprensión:

6. ¿Cómo se sentía Ana este año pasado?
7. ¿Cree Ana que va a aprobar el examen en septiembre?

Comprensión:

8. ¿Adónde va la gente a pasear?
9. ¿En qué monta Ana para ver toda Barcelona?
10. ¿Adónde va Ana para hacer compras?
11. ¿Cómo se llama el parque de atracciones?
12. ¿Quién diseñó la Sagrada Familia?

Hola Andrés. ¡Cuánto tiempo! Te escribe Ana, tu amiga de Barcelona. Te reconocí por la foto. Este verano, me lo pasé en grande. Bueno, no del todo. La verdad es que tuve que pasar tiempo preparándome para el examen de la clase de Literatura que **me quedó para septiembre**. No sé cómo pude suspender esa asignatura, pero con las clases particulares que he tomado, espero pasar el examen ahora en septiembre.

Es curioso porque me encanta leer - estoy **abierta**[1] a todo género de libros, pero no soy **apasionada**[2] **de** la literatura y soy más **exigente**[3] conmigo misma en las matemáticas. Ya sabes que hablo catalán y castellano. Mis padres saben que soy **comprometida**[4] con mis estudios y soy **capaz**[5] de hacer cualquier cosa porque soy **perseverante**[6].

La Copa de España entre Barça, FC Barcelona, y Real Madrid en el estadio Camp Nou

Sin embargo, este curso pasado estuve **melancólica**[7]. Tenía problemas rondándome por la cabeza, y no fui la persona que tú conoces - **vivaz**[8] y **juguetona**[9]. Voy a estar bien **orgullosa**[10] cuando apruebe el examen de Literatura en septiembre.

Cuando no estaba estudiando, estaba con mis amigas dando paseos por Las Ramblas, haciendo compras en el Paseo de Gracia o de vez en cuando íbamos al Tibidabo (el parque de atracciones) y montábamos en el teleférico desde el que podíamos ver toda la ciudad. No hay sitio más bonito que Barcelona. Tenemos las montañas y el mar. Te puedes bañar en la playa y después visitar la Sagrada Familia, la catedral que diseñó Gaudí. Y además tenemos el mejor equipo de fútbol del mundo - el Barça. No me puedo quejar.

La playa Barceloneta con la escultura de una ballena

Parc Güell

Enfoque cultural

Práctica cultural: Los exámenes de septiembre

En España, los alumnos tienen dos oportunidades de aprobar los exámenes de todas las asignaturas: en junio (convocatoria normal) y en septiembre (convocatoria extraordinaria). Si suspenden (no aprueban) alguna asignatura en junio, dicen: **me quedó para septiembre**. Pueden pasar de curso con dos asignaturas suspensas, mientras que no sean Lengua o Matemáticas. Si suspenden tres asignaturas, tienen que repetir el curso entero.

 **Conexiones**

¿Qué pasa en tu colegio si los estudiantes no aprueban un examen final? ¿Tienen otra oportunidad para aprobarlo?

Elige las palabras en las oraciones que definen correctamente las palabras del vocabulario:

1. abierta → abrir	una persona que (está/no está) lista para hacer cosas nuevas
2. apasionada → pasión	una persona que hace las cosas con un (mínimo/máximo) de esfuerzo
3. exigente → exigir	una persona con estándares muy (altos/bajos)
4. comprometida → prometer	una persona que hace el (máximo/mínimo) para tener buenos resultados
5. capaz → capacidad	una persona que tiene la habilidad para (poder/no poder) hacer algo
6. perseverante → perseverar	una persona que (continúa/no continúa) haciendo algo incluso con dificultades
7. melancólico → melancolía	una persona que siente (mucha/poca) tristeza
8. vivaz → vida	una persona (llena de/sin mucho) ánimo
9. juguetona → jugar	una persona a quien (le gusta/no le gusta) siempre hacer cosas serias
10. orgullosa → orgullo	una persona que (está/no está) satisfecha con su forma de ser

Paso 2: Y tú, ¿qué?

a. Usa la lista de adjetivos de este sitio en la Red, www.lingolex.com/people.htm (o un sitio parecido) para elegir las palabras que usarían tus amigos o padres para describirte.

b. Escoge adjetivos nuevos, no los que conoces, para ampliar tu vocabulario.

c. Escoge al menos diez adjetivos descriptivos.

d. Organízalos por orden de los que te gusten más a los que te gusten menos.

e. Comparte con tus amigos adjetivos que crees que les describen a ellos.

Enfoque cultural

Práctica cultural: Los idiomas

España es un país plurilingüe que cuenta con la lengua oficial del Estado, el castellano, que todos los españoles tienen el deber de saber y otras cuatro lenguas oficiales: el euskera, el valenciano, el catalán y el gallego. Estas cuatro lenguas se estudian en los colegios de las respectivas comunidades autónomas, por lo que el bilingüismo es común en estas zonas. Además de las lenguas oficiales, los estudiantes estudian un idioma extranjero - normalmente el inglés - en la escuela primaria, y otro, generalmente el francés o el alemán, y a veces, el chino o el árabe, en la escuela secundaria.

 **Conexiones**

Tu país, ¿es bilingüe o trilingüe? ¿Cuáles son las ventajas o desventajas de ser un país bilingüe o trilingüe?

Casa Milà es un edificio modernista en Barcelona, Cataluña, España, diseñado por el arquitecto catalán Antoni Gaudí

JÓVENES DE HOY: ¿Quiénes son los famosos?

Álex Márquez, piloto de motociclismo

Álex y Marc

Álex es de Cataluña y nació el 23 de abril de 1996. Actualmente, corre en la categoría de Moto2. En 2014, ganó el Campeonato del Mundo de Motociclismo en Moto3.

Tiene un hermano tres años mayor, Marc Márquez, que ganó dos títulos del Campeonato del Mundo de Motociclismo y que actualmente corre en la categoría de MotoGP.

Álex y Marc son los únicos hermanos que ganaron un Campeonato del Mundo de Motociclismo el mismo año, 2014, y son los primeros hermanos en ganar el mismo Gran Premio (en 2014 en el Gran Premio de Cataluña de Motociclismo).

Cuéntale a Alex, en un mensaje, sobre un deportista americano que es tan famoso como él. Explica por qué.

Paso 3: Una manera "chula" de verte

a. Haz clic en https://worditout.com/ y en el ordenador, crea un documento escribiendo adjetivos que te definen.

b. Escribe tu nombre o un adjetivo más de una vez si quieres que aparezca más grande.

c. Imprímelo y dáselo a tu profe para que lo comparta con la clase.

d. Preséntalo a la clase. Durante las presentaciones, escucha con mucha atención y escribe el nombre del presentador/de la presentadora, una cosa que te parece interesante de cada presentador/a y una cosa que es más difícil de creer.

Nombre	Lo interesante	Lo difícil de creer
Sue	es conservadora	es muy curiosa

Para mejorar tu español, usa estas expresiones.

Expresiones útiles

Usa estas expresiones para presentar tu WorditOut a la clase

algunas veces

básicamente

casi siempre

curiosamente

en realidad

increíblemente

nunca/ jamás

por supuesto

sobre todo

¿Qué aprendiste?

Ana explicó en el blog de Andrés cómo la describen sus padres y amigos.

Tus padres y tus amigos te ven de una manera. Lo que ellos ven, ¿es cómo tú te ves?

a. Escribe un mensaje en el blog de Andrés que capte la manera personal que usó Ana en su blog.

b. Incluye al menos ocho descriptores y cuatro conectores.

Mi progreso comunicativo
Sé describir cómo soy y cómo mi familia y mis amigos me describen.

Andrés, te escribe (**tu nombre**). Ana me hizo pensar en cómo mis amigos y mi familia forman una gran parte de quién y cómo soy yo.

Modelo: Mis padres siempre dicen que soy tímido y es verdad porque yo siempre tengo problemas para conocer gente nueva.

Actividad 8

Somos un reflejo de nuestras experiencias

Paso 1: ¿Quién soy?

Tu pasado forma parte de la personalidad y carácter que tienes ahora de adolescente.

a. Lee lo que dijo Andrés de lo que hacía cuando era pequeño:

Cuando **era** pequeño, **vivíamos** en un barrio mucho más tranquilo y allí **podía** salir a la calle con mis amigos donde **jugábamos** al fútbol o **montábamos** en monopatín o en bici. (Sabemos que Andrés **era** muy activo y atlético. También sabemos que sus amigos **eran** muy importantes, incluso cuando **era** pequeño).

b. Escribe al menos dos oraciones de cómo eras tú y/o qué hacías de pequeño/a. Sigue el modelo de Andrés.

Paso 2: ¿Qué hacías tú de pequeño?

a. Mira las imágenes de las actividades que normalmente hacen los niños.

b. En parejas, comenten cuáles hacían de pequeños y con qué frecuencia.

c. Presenta a la clase tres de las actividades que hacía tu compañero/a de pequeño/a.

Expresiones útiles

Palabras que expresan frecuencia (el imperfecto)

casi nunca

casi todos los días

de vez en cuando

dos veces por semana

frecuentemente

muchas veces

nunca

pocas veces

solo una o dos veces en mi vida

todos los días

una vez por semana

Así se dice 3

¿Qué hacíamos?

Para hablar de lo que hacías de peque . . .

construir castillos de arena

disfrazarse

dormir con la luz encendida

ir a la guardería

jugar al escondite inglés

jugar al pillapilla

jugar con juguetes

jugar con plastilina

leer cómics

saltar a la comba

ser travieso

ser un/a devora libros

subir a los columpios y los toboganes

trepar árboles

volar cometas

Además se dice

- comer golosinas, helados y galletas
- dormir una siesta
- ir a fiestas de cumple de los amigos
- montar en la montaña rusa
- ver dibujos animados en la tele

Paso 3: Andrés presenta a su hermana menor

Mira el video que Andrés hizo de su hermana menor. Es importante recordar nuestra vida de pequeños ya que de mayores todos somos un reflejo de nuestra familia, los amigos, nuestra comunidad y nuestras experiencias.

a. Mientras ves y escuchas, apunta las cosas que hace ella y hacías tú de peque en la primera columna.

b. En la segunda columna, apunta las que hace ella pero tú no hacías.

c. Después, comparte con tu compañero/a las actividades que tenías en común con Belén y las que hace ella pero tú no hacías.

Belén enfrente del Museo del Prado en Madrid

Lo que hace Belén y que yo hacía también	Lo que hace Belén pero yo no hacía
Modelo: Me gustaba escuchar canciones en internet.	Tiene recreo y habla con los amigos.

Recuerda

El imperfecto

Se usa el imperfecto para hablar de **descripciones** o emociones en el pasado o para indicar acciones repetidas en el pasado.

Los verbos "ar" y los verbos "er" e "ir" tienen las siguientes terminaciones:

est**aba**	est**ábamos**	pod**ía**	pod**íamos**
est**abas**	est**abais**	pod**ías**	pod**íais**
est**aba**	est**aban**	pod**ía**	pod**ían**

Hay tres verbos irregulares en el imperfecto - ir, ser y ver:

iba	íbamos	era	éramos	veía	veíamos
ibas	íbais	eras	erais	veías	veíais
iba	iban	era	eran	veía	veían

En la guía digital, puedes encontrar una práctica auditiva del imperfecto.

Paso 4: Más sobre tu vida de peque

¿Cuáles de estas actividades hacías tú cuando eras pequeño/a? Usa el imperfecto al hacer o responder a la pregunta.

Compañero/a A
1. ¿Con qué juguetes (jugar) tú?
2. ¿Qué dibujos animados (ver) tú?
3. ¿Qué cómics (leer) tú?
4. ¿(Dormir) con la luz encendida?
5. ¿Dónde te (subir) a los columpios y al tobogán?
6. ¿Con quiénes (jugar) al escondite inglés?
7. ¿(Jugar) al pillapilla?
8. ¿(Ser) un devora libros?
9. ¿(Hacer) muñecos de nieve?
10. ¿De qué (disfrazarte) el Día de las Brujas?

Compañero/a B
1. ¿(Construir) castillos de arena?
2. ¿Qué (crear) con plastilina?
3. ¿(Ser) travieso a menudo?
4. ¿A qué hora (dormir) la siesta?
5. ¿(Gustarte) ir a la guardería?
6. ¿Qué (preferir) comer? ¿Helados, galletas o golosinas?
7. ¿Con qué frecuencia (ir) a fiestas de cumpleaños de los amiguitos?
8. ¿(Trepar) árboles?
9. ¿Dónde (volar) la cometa?
10. ¿(Coleccionar) insectos?

¿Qué aprendiste?

a. Escribe una lista de las **ocho** actividades más comunes que hacías cuando tenías seis años.

b. Añade si todavía haces la actividad en el presente o no.

c. Sigue el modelo. Usa **todavía** para oraciones afirmativas y **ya no** para oraciones negativas.

Modelo

Cuando yo tenía seis años, yo ***iba al parque*** todos los días, pero ***ya no lo hago***.

Recuerda

Complementos directos: la, lo, las, los

Cuando hablas de una cosa, puedes usar la, lo, las o los para decir "it" or "them". Si describes una acción, usa "lo". Nunca se usa "lo" como sujeto del verbo.

Por ejemplo:

1) Cuando yo era niña, yo tenía **una bici** y todavía **la** tengo. Es roja.

2) Cuando yo tenía seis años, yo **jugaba con camiones**, pero ya no **lo** hago.

Usa las tarjetas que te da tu profe.

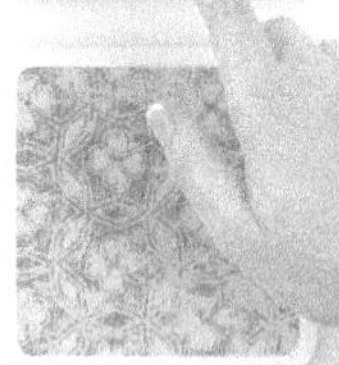

Sé describir y comparar lo que yo hacía de pequeño con lo que un niño hacía en España.

Acciones, emociones y descripciones

Como sabes, el pretérito y el imperfecto son dos tiempos verbales que se usan para expresarse en el pasado. Se usan según la descripción, emoción o acción. ¿Sabes cuáles son los usos?

- una acción repetida o habitual en el pasado
- una acción que ocurrió una vez o en un momento específico en el pasado
- una emoción o una descripción de un momento específico en el pasado
- una emoción o una descripción de un tiempo no específico en el pasado.

Observa

Los usos del pretérito y del imperfecto

¿Qué observas?

Lee lo que Andrés, Ana y Belén dicen y toma nota de las actividades y de los tiempos verbales que usan para describirlas. ¿Cuántos tiempos verbales hay? ¿Cuándo los usan? ¿Qué patrones observas en su uso? Puedes mirar el video en la guía digital, hacer las actividades del texto y repasar la **Síntesis de gramática** al final de la unidad para verificar tus observaciones.

Andrés dijo:

Cuando ***era*** pequeño, ***vivíamos*** en un barrio mucho más tranquilo.

Allí ***podía*** salir a la calle con mis amigos donde ***jugábamos*** al fútbol o ***montábamos*** en monopatín o en bici.

También dijo:

Este verano ***fue*** increíble. ***Fui*** a la playa, ***descansé*** con mi familia y ***mandaba*** mensajes todos los días a mis amigos que ***estaban*** de viaje.

Ana dijo:

Este verano, me lo ***pasé*** en grande. Bueno, no del todo. La verdad es que ***tuve*** que pasar tiempo preparándome para el examen de la clase de Literatura que me ***quedó*** para septiembre. No sé cómo ***pude*** suspender esa asignatura.

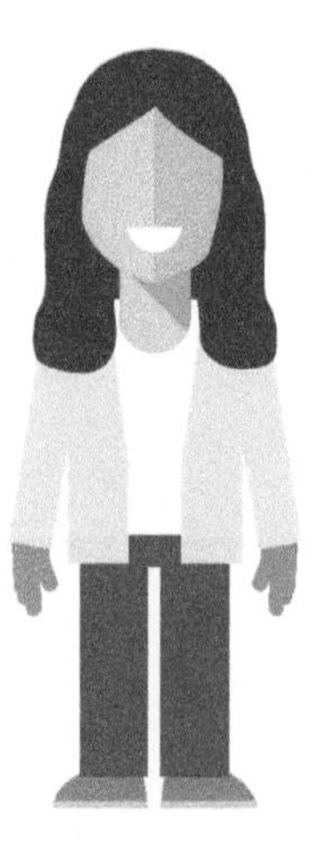

Belén dijo:

Cuando ***tenía*** ocho años, ***vivía*** en el centro de Madrid. ***Iba*** al cole todos los días y allí, cuando ***tocaba*** recreo, ***saltaba*** a la comba o ***subía*** al tobogán o a los columpios.

No ***tenía*** móvil todavía, pero ***había*** un ordenador en mi casa que ***podía*** usar. Me ***gustaba*** escuchar canciones en internet.

Durante la semana, no ***tenía*** tiempo para dormir la siesta, pero los fines de semana, cuando ***iba*** a casa de los abuelos, ***dormía*** un rato.

Descriptor del imperfecto o pretérito	Escribe otra oración de las conversaciones con el mismo uso
una acción que ocurrió **una vez o en un** momento específico en el pasado	preparándome para el examen de la clase de Literatura que me ***quedó*** para septiembre.
una acción **repetida o habitual** en el pasado	***Iba*** al cole todos los días.
una emoción o una descripción de **un momento específico** en el pasado	Este verano ***fue*** increíble.
una emoción o una descripción de un tiempo **no específico** en el pasado	Me ***gustaba*** escuchar canciones en internet.

Paso 1: ¿Puedo identificar el uso?

Con un/a compañero/a, decidan y expliquen cuál es el tiempo verbal que se usa con:

a. una acción que ocurrió una vez o en un momento específico en el pasado,

b. una acción repetida o habitual en el pasado,

c. una emoción o una descripción de un momento específico en el pasado,

d. una emoción o una descripción de un tiempo no específico en el pasado.

Paso 2: ¿Qué piensas tú?

¿Cuáles son algunas expresiones que te ayudan a decidir si es pretérito o imperfecto? Escribe P o I, según corresponda.

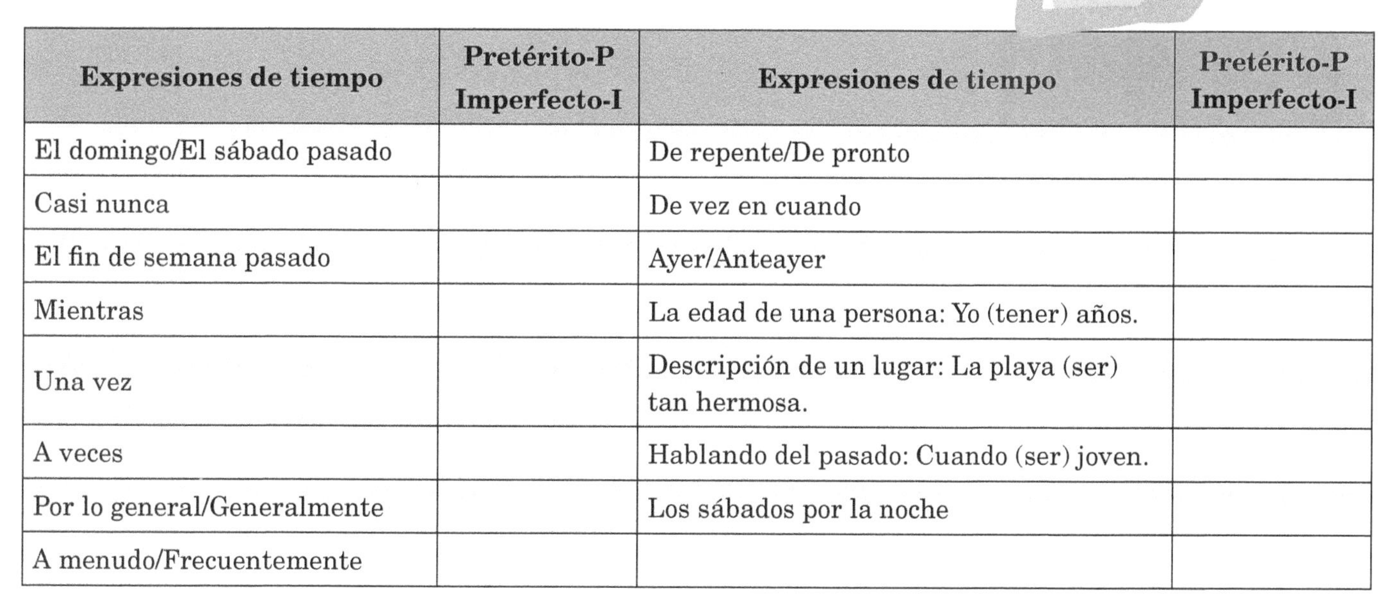

Expresiones de tiempo	Pretérito-P Imperfecto-I	Expresiones de tiempo	Pretérito-P Imperfecto-I
El domingo/El sábado pasado		De repente/De pronto	
Casi nunca		De vez en cuando	
El fin de semana pasado		Ayer/Anteayer	
Mientras		La edad de una persona: Yo (tener) años.	
Una vez		Descripción de un lugar: La playa (ser) tan hermosa.	
A veces		Hablando del pasado: Cuando (ser) joven.	
Por lo general/Generalmente		Los sábados por la noche	
A menudo/Frecuentemente			

Actividad 9

Un mensaje de texto de Andrés

 Paso 1: El mensaje

Andrés escribió un mensaje de texto para ver si a sus amigos **les apetecía** salir.

- Lee todos los mensajes y decide si se refieren 1) al presente, 2) a un evento que ya ocurrió o 3) a una actividad habitual en el pasado.
- Comenta tus respuestas con la clase.

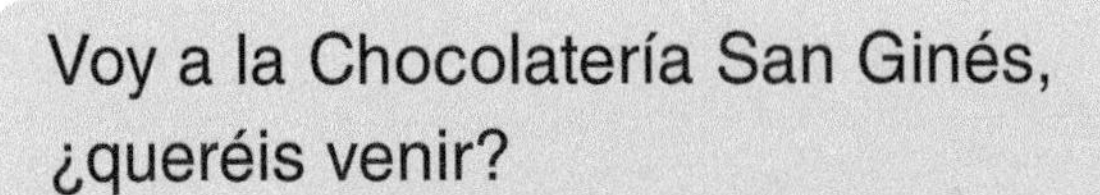

¡Claro! Cuando vivía en Madrid iba allí a menudo. ¡Mola un montón!

La verdad es que estuve ayer allí y no me apetece volver. Pedimos churros y nos pusimos las botas*.

Mi padre me dijo que se fundó en 1894.

Vale José, nos vemos en diez minutos.

*nos pusimos las botas - comimos mucho

Enfoque cultural

Producto cultural: El chocolate con churros

Aunque quizás ya no es tan frecuente como antes, una costumbre tradicional española era tomar chocolate con churros para desayunar los fines de semana, para merendar o al salir de una fiesta o discoteca por la noche. Ahora es una tradición "tomar el chocolate con churros" la madrugada del 1 de enero antes de llegar a casa después de la fiesta de Fin de Año.

 **Conexiones**

¿Tomaste churros alguna vez? ¿Te gustaron? ¿Existe algo en tu pueblo parecido a los churros?

Paso 2: El pretérito y el imperfecto

a. Lee el texto que David escribió.

b. Completa los verbos en paréntesis en la forma correcta del pretérito o del imperfecto.

Para: Andrés

Asunto: ¡Hola!

¡Andrés! El otro día, navegando por la Red, __1.__ (encontrarse) con tu blog. ¡Qué ilusión me __2.__ (hacer) volver a saber de ti! Me __3.__ (fascinar) leer tu blog. __4.__ (acordarse) de todo el tiempo que pasé contigo. De hecho, __5.__ (ponerse) tan contento al leerlo que casi __6.__ (llegar) tarde a mi entrenamiento de fútbol.

¡Qué recuerdos más buenos de todo lo que tú y yo __7.__ (hacer) juntos! ¿Te acuerdas de aquella vez cuando __8.__ (tener) seis años y tú __9.__ (perderse) en el parque mientras nosotros __10.__ (jugar) al escondite? A tus padres les __11.__ (fastidiar) un montón tener que ir a buscarnos porque __12.__ (ser) ya de noche y ninguno de nosotros __13.__ (estar) todavía en casa.

Recuerdo también que tu abuelo __14.__ (ir) a buscarnos a la salida del cole y siempre __15.__ (pararse) en una churrería para comprar una docena de churros. Como tú y yo __16.__ (estar) siempre muertos de hambre, los __17.__ (comer) en un minuto. A nosotros nos __18.__ (encantar) comerlos porque __19.__ (estar) tan calentitos.

Bueno, te tengo que dejar, pero seguimos en contacto. Yo __20.__ (pensar) que nunca volveríamos a vernos, pero, gracias a las redes sociales Red, volvimos a juntarnos.

¿Qué aprendiste?

a. Crea tu propia conversación usando ifaketext.com sobre algo que hiciste este fin de semana.

b. Usa el pretérito y el imperfecto.

c. Escribe al menos seis oraciones usando las expresiones de tiempo que acompañan al pretérito o al imperfecto de la página 23.

Oye, fui al cine este fin de semana pasado y . . .

Mi progreso comunicativo

Sé narrar lo que yo hice y lo que hicieron otros en el pasado.

Actividad 10

¿Cuál de estos jóvenes españoles se parece a ti?

Vas a conocer a seis alumnos típicos de España. Según las imágenes, vas a tratar de identificar lo que describe a cada uno/a. Después, vas a tener la oportunidad de identificar a seis tipos de alumnos de tu colegio.

Paso 1: Alumnos típicos

¿Reconoces a estos tipos de jóvenes?

a. Con un compañero/a, miren las imágenes y anoten dos o tres característcas físicas o de personalidad de cada alumno.

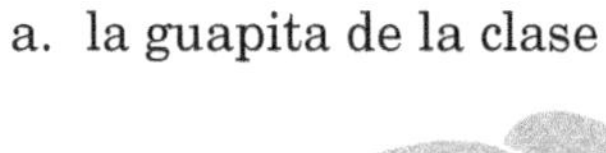

a. la guapita de la clase	b. el colgado de internet

c. el chuleta	d. la típica adolescente

e. el estudioso	f. la punky

b. Ahora empareja las descripciones que siguen con las imágenes en parte a.

1. Siempre lleva la ropa de marca, el último grito en móviles y dice cosas como “porque mi padre”, “o sea” y “¿no?”
2. Es el guapo, a todas las chicas les gusta y los chicos quieren ser sus amigos. Marca más goles que nadie.
3. Tiene un grupo de amigos, estudia pero no para ser el mejor.
4. No se entera de nada porque siempre está con los audífonos puestos en los oídos.
5. Sabe todas las respuestas, se sienta en la primera fila y quiere contestar a todas las preguntas.
6. Lleva ropa diferente, lleva el pelo de punta y normalmente no se relaciona con nadie.

Paso 2: ¿Y los tipos en tu colegio?

En grupos de tres o cuatro compañeros, decidan qué seis tipos de alumnos existen en su colegio.

a. Dibújenlos, pero no los identifiquen.

b. Después, preséntenlos a sus compañeros.

c. Explíquenlos, ¿cómo se visten y cómo se portan? ¿Por qué son “un tipo” de alumno/a en su colegio?

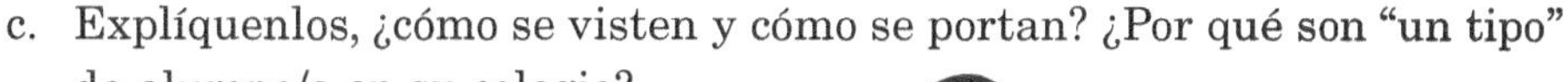

¿Qué aprendiste?

Compara los dibujos de los alumnos españoles con los tipos de alumnos en tu colegio.

a. Escribe un párrafo explicando lo que tienen en común los alumnos españoles con los de tu colegio y lo que es diferente.

b. Antes de escribir el párrafo de reflexión, escribe tus ideas centrales en el organizador gráfico.

Mi progreso comunicativo

Sé comparar descripciones de estudiantes españoles con los alumnos de mi colegio.

Lo que tenemos en común	Lo que me parece diferente

Después de ver seis tipos de alumnos típicos españoles y de identificar seis tipos de alumnos en mi colegio, pienso que . . . .

Reflexión intercultural

Escribe una reflexión sobre lo que aprendiste de ti mismo mientras conociste a Andrés, Ana, David y otros tipos de jóvenes en sus colegios y comunidades.

¿Cómo cambiaron tus actitudes (respeto, curiosidad o simpatía) hacia la cultura española? ¿Quieres aprender más de los jóvenes españoles? ¿Por qué?

Aprendí que los jóvenes españoles . . .
Ahora tengo interés en saber...
y me gustaría...

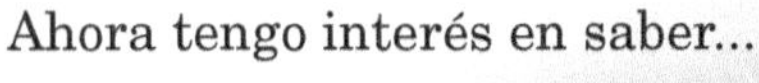

Mi progreso intercultural

Sé explicar cómo son los jóvenes españoles, lo que tenemos en común y cómo mis actitudes de la cultura española están cambiando.

En camino A

Las conexiones entre los jóvenes: Andrés y Ana se reúnen en Madrid

Como saben, Ana vive en Barcelona y Andrés en Madrid. Se conocieron cuando hicieron un proyecto en Barcelona para ayudar a algunos de los inmigrantes que viven en el país. Ahora la familia de Ana va a pasar un fin de semana en Madrid y sus padres le dijeron que puede pasar el sábado con Andrés.

 Paso 1: Ana llama a Andrés

Escucha la conversación entre Ana y Andrés cuando le llama para contarle de su visita.

 Paso 2: Haciendo planes

Lee un correo electrónico que Andrés escribió esta semana a Ana.

 Paso 3: Ahora te toca a ti

Piensa en una vez que fuiste a ver a un amigo o primo que vive en un lugar diferente.

a. Cuenta cómo fue la experiencia.

b. ¿Qué hiciste y cómo difiere de lo que haces normalmente donde vives tú?

Paso 4: Comparación intercultural

Explica lo que tu experiencia en un lugar diferente en **Paso 3** y la experiencia de Ana en Madrid tenían en común y en qué eran diferentes.

Mi progreso comunicativo
Sé describir las actividades de ocio de los jóvenes de diferentes regiones de España.

Palacio de Cibeles, Madrid

Puerta del Sol, Madrid

Comunica y Explora B

Pregunta esencial: ¿En qué me parezco a un adolescente de España?

Actividad 11

"Sobre gustos no hay nada escrito"

Enfoque cultural

Producto cultural: Un refrán español

La expresión, **sobre gustos no hay nada escrito,** es un refrán (dicho) español que significa que lo que le gusta a una persona no necesariamente le gusta a otra persona.

 **Conexiones**

¿Sabes algún refrán en inglés que se usa con frecuencia? ¿Conoces un refrán en inglés con el mismo significado de ***sobre gustos no hay nada escrito?***

Además se dice

la letra - las palabras de una canción (en este contexto)

la semejanza - lo parecido

un sonido - en este caso, son notas de música

un trozo - una parte del total

Así se dice 4: Los gustos musicales

un/una artista - una persona que actúa en público

la cultura anglosajona - de habla inglesa

de todo tipo - de todas clases

un disco - un conjunto de canciones

un éxito - un triunfo comercial (triunfar)

los fans - los que siguen con mucha atención la música de un artista o grupo

jamás - nunca

triunfar - ser un éxito

únicos - exclusivos

Plaza de España, Sevilla

Enfoque cultural

Producto cultural: El cantante, David Bisbal

En España, hay muchos cantantes y grupos que son populares en el país pero desconocidos en la mayor parte del mundo. Uno de ellos es David Bisbal. David Bisbal Ferré es cantante de pop, compositor y actor. Ganó un Grammy Latino. Se hizo famoso al participar en el concurso televisivo Operación Triunfo, un programa de voto interactivo en España.

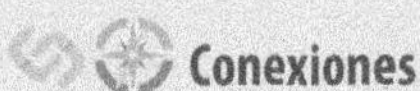 **Conexiones**

¿Hay un músico o una banda fenomenal en tu comunidad? ¿Por qué te gusta su música?

Paso 1: Marcos se une al blog

a. Lee el blog de Marcos.

b. Anota los lugares y los eventos de interés en Sevilla en tu cuaderno.

c. Después, comparte tus apuntes con tus compañeros.

Andrés, tío, ¿te acuerdas de mí? Soy Marcos. Nos conocimos cuando viniste aquí a Sevilla con tus compañeros de clase para conocer la influencia de la cultura árabe en nuestra ciudad, sobre todo en la arquitectura. Debes volver. Recuerdo que me dijiste que te gusta mucho David Bisbal, ¿sabes que pronto dará un concierto aquí? Yo sé que hay muchos conciertos en Madrid pero el ambiente aquí en Sevilla es único. Merece la pena conocerlo. Tenemos la mejor y más variada música del país, desde el pop y el rock hasta el flamenco, música independente ("indie") étnica. Tenemos lo que quieras; desde el Festival de las Naciones, donde puedes escuchar mucha música y ver otras manifestaciones culturales, hasta los solistas y grupos que pasan por el Auditorio en la Isla de la Cartuja y El Palenque. Y no te puedes olvidar del Barrio de Santa Cruz y la animación que hay durante todo el año gracias al buen tiempo que tenemos aquí, de la famosa Feria de Abril y de las procesiones en Semana Santa. Y ni te cuento lo de nuestras discotecas. Ah, ¡Sevilla es la ciudad de la música!

Un concierto en Madrid, 13 de septiembre 2014

Lugares de interés en Sevilla	Eventos de interés en Sevilla
Modelo: El Auditorio en la Isla de la Cartuja y El Palenque.	Festival de las Naciones: Música y manifestaciones multiculturales.

Reales Alcázares de Sevilla

Enfoque cultural

Producto cultural: La guitarra española

Es un instrumento que nació gracias al contacto de las culturas hispano-cristiana e hispano-musulmana en la Edad Media. Durante el siglo XVII, la nueva guitarra española de cinco cuerdas se convirtió en un instrumento habitual en los círculos musicales de toda Europa.

 **Conexiones**

¿Hay uno o más instrumentos que se originaron en tu país?

Paso 2: Un festival con fines interculturales

Marcos habla del festival en su blog. Lee en qué consiste y después contesta a las preguntas sobre esta práctica cultural en España.

¡EMOCIÓNATE, DISFRUTA Y VIVE, DESCUBRE EL NUEVO FESTIVAL!

El Festival de Naciones es un conjunto de celebraciones cuyo eslogan es *Ven a viajar por este mundo sin salir de tu ciudad*.

Más de 50 países del mundo participan en este festival intercultural. Exponen música, gastronomía, artesanía y mucho más. Una de las metas del programa es la integración y la solidaridad de los inmigrantes.

festivaldelasnaciones.es

Adaptado de http://tinyurl.com/go2jo26

a. Con un/a compañero/a, examinen el poster del año 2015 y comenten lo que representa el emblema del festival.

b. En grupos de cuatro, lean la descripción y contesten a las preguntas sobre la meta de la integración y la solidaridad[1] de los inmigrantes.

- ¿Sabían que España tiene inmigrantes?
- ¿De dónde creen que provienen estos inmigrantes?
- ¿Creen que todos los emigrantes de Latinoamérica van a Norteamérica? Comenten sus respuestas.
- ¿Asistieron alguna vez a un concierto que promovía la solidaridad por una causa? Expliquen. Si no lo hicieron nunca, ¿les parece una buena idea? ¿Por qué?

c. Cada año el festival premia a la gente y organizaciones que dedican su tiempo a ayudar a los inmigrantes promoviendo la interculturalidad, diversidad y tolerancia. En el mismo grupo de cuatro comenten:

- ¿Están de acuerdo con dar un premio a grupos que ayudan a los inmigrantes? Expliquen sus razones.
- ¿Cómo se promueve la interculturalidad, diversidad y tolerancia? Den ejemplos.

d. En el mismo grupo, escriban al menos cinco acciones que se pueden hacer en su comunidad para promover la interculturalidad, diversidad y tolerancia. Den ejemplos específicos.

Modelo

1. Crear un centro juvenil donde todos los jóvenes pueden reunirse para jugar al béisbol, baloncesto o hacer otras actividades.

[1]unión a la causa de otros

Estrategias

El video de estrategias de aprendizaje para esta unidad se centra en **consejos para la comunicación intercultural**. Tiene como meta ayudarte a comunicarte apropiadamente en español con hispanohablantes en tu comunidad y en el extranjero. Te voy a enseñar a seguir estos pasos:

1. Observa el lenguaje corporal.
2. Sé tolerante.
3. Prepárate para hablar.
4. Arriésgate.

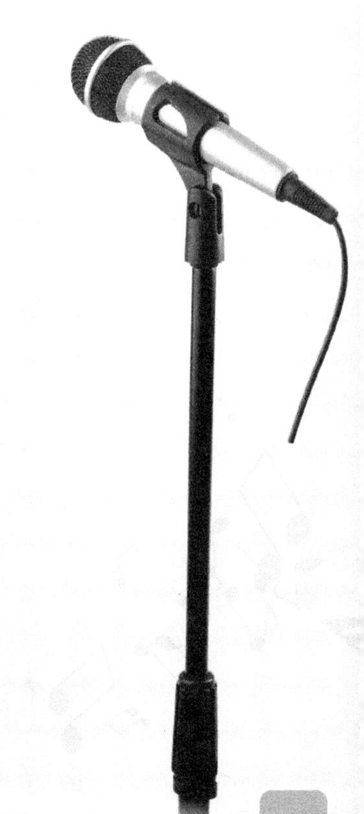

Paso 3: ¿Qué tipo de música se escucha en España?

a. Lee un artículo sobre los gustos musicales de los jóvenes en España.

b. Mira bien el vocabulario señalado para ayudarte a entender el artículo.

¿Qué tipo de música se escucha en España?*

Enrique Iglesias

Olvídate de los tópicos, en España el flamenco no es música de masas, y menos la salsa, el tango, el merengue y otras músicas latinoamericanas que no tienen nada que ver con la cultura española. La música es algo muy personal y te encontrarás con gente con gustos de todo tipo, desde lo más folclórico o comercial a grupos de los que no has escuchado hablar jamás. Pero se pueden hacer algunas generalizaciones que te ayudarán a entender qué escuchan los jóvenes en España y qué es lo que más triunfa.

La música española está muy influenciada por la cultura anglosajona, especialmente por Estados Unidos y Reino Unido. En las listas de éxitos españolas encontrarás lo mismo que en las del resto del mundo: **Beck, Beyonce, Katy Perry, Taylor Swift, Lady Gaga, Eminem, Rihanna, etc.** La influencia latinoamericana es mucho menor, aunque compartamos el mismo idioma. En general, los únicos artistas latinoamericanos que más discos venden en España son los mismos que triunfan en el mundo anglosajón, cantantes como **Maná, Shakira, Juanes, Jennifer Lopez o Ricky Martin.**

Beck en Madrid

Jennifer Lopez

Más allá de los grandes éxitos comerciales que compartimos con el resto del mundo, en España hay grupos y cantantes muy famosos que en Europa y América del Norte no conoce casi nadie. Podríamos citar a gente como **Alejandro Sanz, Malú, Dani Martín, Pablo Alborán** y **Melendi,** la mayoría de ellos con estilos pop o rock. Algunos grupos y cantantes españoles tienen muchos fans en Latinoamérica, pero es poco habitual que un artista español consiga triunfar en todo el mundo, una excepción es **Enrique Iglesias**.

*Dream! Alcalá. (2015). Texto original publicado en www.dream-alcala.com

Alejandro Sanz

Lady Gaga

Taylor Swift

Paso 4: ¿Les sorprendió lo que acaban de leer?

Para demostrar su comprensión, completen el organizador gráfico en parejas, escribiendo una oración completa que explique bien la importancia de las palabras y/o expresiones del artículo sobre la música.

Modelo: flamenco	Contrario a lo que piensa mucha gente, en España el flamenco no es un estilo de música que generalmente escucha un adolescente.

Paso 5: Conversemos

a. Comparte tus comentarios con la clase para entrar en una conversación sobre los gustos musicales de los jóvenes españoles.

b. Habla de lo que aprendiste que no sabías antes de leer el artículo.

Mi progreso comunicativo
Sé describir la música que escuchan los jóvenes españoles.

Reflexión intercultural

Contesta a esta pregunta: ¿Cómo se parecen tus gustos musicales a los de los jóvenes españoles?

a. Según lo que aprendiste de los gustos musicales de los jóvenes españoles, completa el diagrama de Venn para ver lo que es diferente y lo que es igual para ti.

b. Después, escribe un párrafo que incluya dos gustos en común, dos gustos de los españoles y dos gustos tuyos.

Modelo

Hay mucho en común entre la música que les gusta a los jóvenes españoles y que me gusta a mí. Un gusto en común es . . .

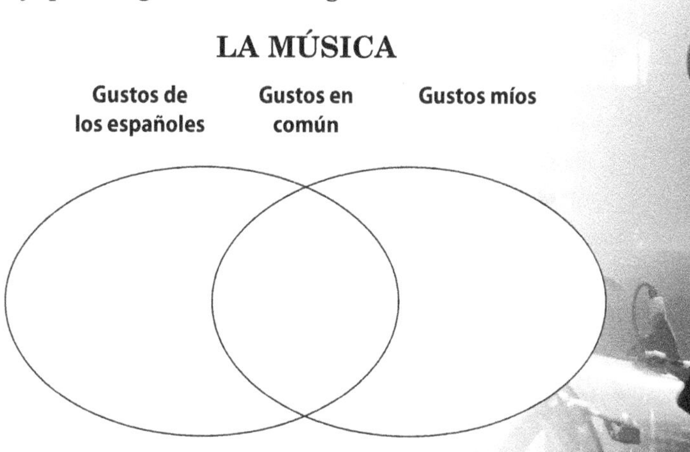

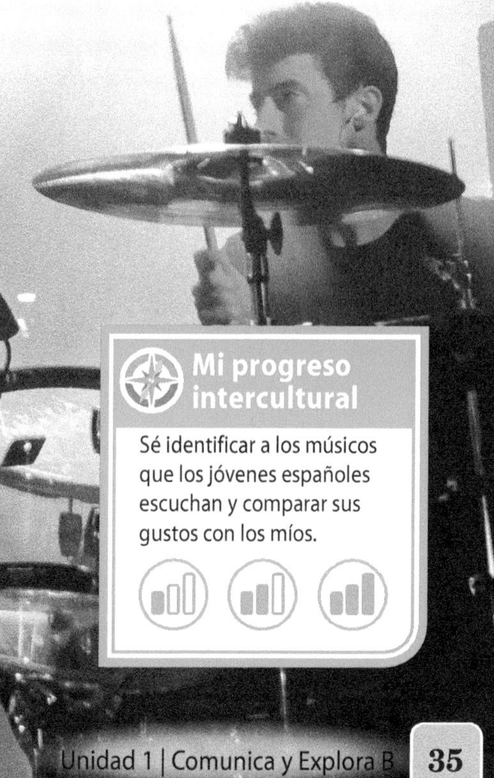

Actividad 12

¿Cuáles son tus intereses personales?

Paso 1: Conoce a Martín, el amigo de Andrés

a. Escucha el podcast de Martín que vive en Santiago de Compostela, la capital de Galicia y ciudad Patrimonio de la Humanidad por su arquitectura y belleza.

b. La segunda vez que oyes el podcast, escribe una lista de las actividades que hace Martín que **no haces** tú.

c. Comparte con tus compañeros algunas de las actividades de Martín y añade un comentario personal.

Modelo

Martín monta en bicicleta, va en monopatín y juega al tenis en el Parque de la Alameda. ¡Qué guay!

Lo que hace Martín pero tú no	Lo que tenéis en común tú y Martín	Lo que haces tú pero Martín no
Modelo: Ir a bares para tomar una Coca-Cola.	**Modelo:** Pasar tiempo con los amigos.	**Modelo:** Pasar tiempo solo.

Además se dice

Para dar tu opinión puedes decir algo como:

¡Qué raro!, ¡Qué diferente!, ¡Qué genial!, ¡Qué guay! (*cool*), o **¡Qué rollo!, ¡Qué pena!, ¡Qué tontería!, ¡Qué aburrido!**

La catedral de Santiago de Compostela

Enfoque cultural

Práctica cultural: El Camino de Santiago

Es una ruta que recorren los peregrinos procedentes de todo el mundo para llegar a la ciudad de Santiago de Compostela, la tercera ciudad santa del mundo cristiano después de Jerusalén y Roma. Además, ha recibido el título honorífico de *Calle Mayor de Europa*. La gente hace el camino por razones personales, religiosas, culturales o aventureras. Por el Camino se puede encontrar a gente de países de todo el mundo, culturas e idiomas. Es una experiencia muy divertida y cada vez hay mas gente que la hace. Santiago es también un centro universitario muy importante y tiene una vida cultural muy activa todo el año con conciertos, festivales de teatro y cine que la hacen única.

Conexiones

¿Qué práctica en tu país que atrae a gente de todo el mundo? ¿Qué aspecto de hacer el Camino de Santiago te atrae a ti? Explícate.

Así se dice 5: Los gustos y las preferencias

aburrir - lo contrario de divertirte
apasionar - darte muchísimas ganas
apetecer - darte ganas
costar - ser un uso negativo de tu energía
desagradar - no gustarte nada
entusiasmar - darte muchas ganas
fascinar - parecerte fascinante
fastidiar - molestarte
llamar mucho la atención - parecerte muy interesante
molestar - fastidiarte
parecer genial - parecerte increíble
parecer horroroso - ser repugnante

¿Te acuerdas de los pasatiempos?		
ir al cine	escuchar música	navegar por la Red
ir a conciertos	bailar	hablar por teléfono
ir de compras	chatear	dormir
pasear por la plaza	sacar fotos	reunirse con los amigos
charlar	mandar mensajes a los amigos	tocar la guitarra

El Parque de la Alameda separa la parte histórica de la ciudad de la moderna.

 Paso 2: Tus pasatiempos

Todos tenemos nuestras adicciones y algunas actividades que francamente odiamos.

a. Piensa en algunas actividades que te gustan y prefieres hacer en tu tiempo libre y otras que no te gustan.

b. Escribe al menos seis oraciones por columna en el organizador gráfico en la guía digital indicando tus preferencias.

El edificio original de la Universidad de Santiago de Compostela, una de las más antiguas de España

Actividades favoritas	Actividades odiadas
Me fascina(n)	Me aburre(n)
Me llama(n) mucho la atención	Me desagrada(n)
Me entusiasma(n)	Me fastidia(n)
Me apasiona(n)	Me molesta(n)
Me parece(n) genial	Me cuesta(n) (toma mucha energía)
Siempre me apetece(n) (tengo ganas de)	Me parece(n) horroroso/a(s)

 Paso 3: Compárate con los demás

En grupos de cuatro o cinco, comparte tus ideas para ver si quieres cambiar alguna de tus respuestas o para completar tu organizador gráfico si no has podido pensar en seis actividades para cada columna.

Recuerda

Verbos como gustar aparecen en **Así se dice 5**. Para usar verbos de este tipo:

1. Piensa al revés, pensando si la actividad es singular o plural (un infinitivo es singular, los nombres de las actividades pueden ser singulares o plurales).
2. No usas sujetos sino complementos indirectos (me, te, le, nos, os, les) para determinar a quién le gusta hacer la actividad.

Ejemplos: Me (o A mí me) encanta dibujar.
¿Te (o A ti te) parecen horrorosas las películas violentas?
Le (o A mí amigo John le) interesa mucho leer novelas históricas.

Para una lección y práctica más amplia de los verbos como gustar, mira los ejercicios en la guía digital o accede a los videos de niveles anteriores.

LOS JÓVENES DE HOY: ¿Quiénes son los famosos?

Mario Marzo Maribona nació en Madrid el 2 de mayo de 1995. Es actor, músico y poeta. Procede de una familia de músicos. Tiene una hermana de ocho años que toca el violín y se llama Bárbara. Toca el piano desde los seis años, también toca la guitarra y forma parte del grupo musical *Thinking Grey*. Participó en la serie *Los protegidos* de Antena 3 durante dos años y en 2013 estrenó su primera película *Los inocentes*. En 2014 actuó en la película titulada, *Al sur de Guernica,* y en 2015 en el cortometraje, *La cueva sagrada*.

Cuéntale a Mario, en un mensaje, qué actor o actriz americano/a se parece a él y por qué piensas así.

¿Qué aprendiste?

Para ti, ¿qué importancia tienen tus momentos de libertad total?

a. Contesta a las preguntas siguientes en el formato de un blog.

b. Escribe sobre tus pasatiempos y los de tus amigos.

c. Usa las expresiones en **negrita** para unir tus oraciones en un párrafo coherente.

1. **Entonces,** ¿qué es lo que más te apetece hacer cuando tienes tiempo libre?
2. **Por lo tanto,** ¿con quiénes prefieres hacerlo y por qué?
3. **Además,** ¿qué te apasiona más hacer cuando tienes tiempo y por qué?
4. Y, **por último,** ¿qué otra cosa más te llama la atención hacer y por qué?
5. Y ahora, **para hablar claro**, ¿cuál es una actividad que te parece horrorosa y por qué?
6. Y **a pesar de que a tus amigos les guste,** ¿cuál es otra actividad que te molesta y por qué?
7. Y, **a fin de cuentas,** ¿qué actividad te molesta más que ninguna otra y por qué?

Bueno, Andrés. Es muy interesante ver lo que hacen los jóvenes españoles en su tiempo libre. Voy a decirte lo que hacemos yo y mis amigos.

Mi progreso comunicativo

Sé explicar cómo mis pasatiempos son un reflejo de quién soy.

Actividad 13

Jóvenes por un futuro mejor

¿Qué es la ética?

Ética: La ética es el conjunto de normas morales que guían la conducta de las personas. Una persona actúa bien o mal según los valores morales en su sociedad/comunidad.

Adaptado de http://grammarist.com

¿A quién conoces que tenga buenos valores? Describe a esa persona.

Así se dice 6: Las cualidades positivas

la benevolencia - la característica de una persona comprensiva y tolerante

la bondad - la inclinación natural hacia el bien

el compromiso - la obligación que uno tiene porque dio su palabra de honor

la cualidad - el atributo o carácter positivo de una persona

la empatía - la inclinación de portarse con compasión y comprensión

la generosidad - la tendencia a portarse de una manera generosa

la honradez - la integridad de acciones

la justicia - lo que uno debe hacer según el derecho o la ley

la lealtad - el sentimiento de fidelidad

la simpatía - la inclinación amistosa entre personas

la tolerancia - el respeto a las ideas, creencias o prácticas de los demás

Además se dice

acompañar - ir con alguien

la brújula - un compás

dañar - causar dolor o posiblemente romper

empujar - usar tus manos/brazos para mover con fuerza a una persona u objeto

gira (girar) - rotar

pasarlo en grande - divertirse mucho

seguir - continuar

sobrar - tener más de lo que necesitas

volver a hacer - hacer otra vez

Paso 1: Encuesta sobre tu brújula ética y moral

Contesta a las preguntas siguientes en la guía digital para determinar si tu brújula moral gira al norte.

1. ¿Qué haces si un conocido no tiene dinero para comprar el almuerzo?
   a. Le das todo el dinero que te sobra.
   b. Hablas con tus amigos y encuentras el dinero suficiente para que pueda comprar algo para comer y beber.
   c. Le dices que lo sientes pero no puedes ayudar aunque tienes dinero de sobra.
2. ¿Qué haces si alguien te empuja en el pasillo?
   a. Le dices a la persona en un tono severo que tenga más cuidado.
   b. Le dices a la persona en un tono benevolente que tenga más cuidado.
   c. Empujas a la persona y le dices que no lo vuelva a hacer si no quiere repercusiones.

3. ¿Qué haces si tu abuela te da $200 y te dice que te diviertas con ese dinero?
   a. Gastas la mitad con tus amigos y guardas el resto para ti.
   b. Sales con tus amigos y te lo pasas en grande usando todo el dinero.
   c. Guardas todo el dinero para comprar cosas que te gustan a ti.

Ahora, apunta en un papel el número de letras a, b y c que has marcado en la encuesta.

A	B	C

Tus resultados:

a. Si la mayoría de tus respuestas caen en la columna b, tu brújula gira al norte.

b. Si varían entre a y b, estás un poco descontrolado/a (no del todo en control).

c. Si tienes sobre todo letras c, tu brújula gira al sur y necesitas tratar de incorporar más de estas cualidades.

Paso 2: ¿Somos personas compasivas?

a. En parejas, hagan una lista de actividades que muestran al menos cinco de estas cualidades.

simpatía	bondad	generosidad
empatía	justicia	benevolencia
lealtad	honradez	tolerancia

Modelo

Generosidad: Dejar un bolígrafo a un/a compañero/a cuando no tiene ninguno.

b. Comparen sus respuestas con las de otra pareja y añadan las nuevas ideas a sus listas.

c. Vuelvan a trabajar con su compañero/a para pensar en personas famosas o personas que Uds. conocen que han demostrado tener esas cualidades.

Modelo

Generosidad: Bill Gates es muy generoso; dona gran parte de su fortuna a diferentes causas para crear un mundo mejor.

d. En parejas, escojan una de las cualidades y preparen un diálogo (al menos cinco oraciones por estudiante) en el que se muestre esa cualidad sin mencionarla.

e. Presenten sus diálogos. ¿Pueden sus compañeros/as adivinar la cualidad que están representando?

la simpatía

la bondad

la generosidad

la lealtad

la empatía

la benevolencia

la justicia

la honradez

¿Qué aprendiste?

a. En grupos de cuatro o cinco alumnos, ayuden a crear una lista de ideas de cómo pueden ayudar a su colegio y a su comunidad, usando las cualidades que se mencionan en **Así se dice 6**.

b. Después, compartan la lista con la clase para crear una lista completa.

¿Cómo vas a poner tu granito de arena?
Modelo: Vamos a visitar más a nuestros abuelos para hacerles compañía.

Mi progreso comunicativo
Sé explicar por qué tengo la obligación moral de ser una persona compasiva.

Además se dice

concienciar - hacer consciente de

en torno a - con respecto a

un proyecto agrícola sostenible - cultivar productos ecológicamentea

recorrer - andar cierta distancia

Actividad 14

 **El voluntariado de los jóvenes en España**

Así se dice 7: El voluntariado

darse cuenta (de) - ser consciente de lo que está pasando
desarrollar - llevar a cabo; crear
el entorno - lo que está cerca de nosotros
llevar a cabo - realizar; hacer
llevarse bien con - tener una buena relación con alguien
rodear - estar a nuestro alrededor
solicitar - pedir
la solicitud - la aplicación
tener lugar - pasar

a. Lee el artículo y después, habla con un/a compañero/a sobre las siguientes preguntas:

- ¿Cuál de los proyectos españoles les gustó más y por qué?
- ¿Qué tipo de voluntariado hacen Uds. y por qué?
- ¿Son importantes estas experiencias para formar a un/a joven y por qué?
- ¿Qué tienen en común y en qué se diferencian los servicios de los españoles en el artículo con el tipo de servicios de voluntariado que hacen los jóvenes donde viven Uds.?

b. Después, tu profe va a decidir cuál de las respuestas a las preguntas van a presentar a la clase.

Programa Europeo Juventud en Acción

El programa Juventud en Acción da oportunidades a los jóvenes de participar en su comunidad. A los niños se les da la oportunidad de crear la experiencia que quieren **llevar a cabo** y **solicitar** la financiación de la Unión Europea. Una de las posibilidades es la de servicio de voluntariado. Algunos de los proyectos que **tuvieron lugar** en España son:

- **Un lugar para soñar: (2014)** El objetivo principal de este proyecto fue animar a la juventud a leer y a crear obras literarias. Participaron más de 150 niños y niñas y el proyecto también afectó de una manera positiva a sus familias.
- **"Semilla Verde" - (2014)** Esta iniciativa juvenil **desarrollada** durante 18 meses, y promovida por 7 jóvenes, cuyo fin era crear **un proyecto agrícola sostenible**, ahora es un proyecto de duración indefinida.
- **Gather2gether: Diversity among people - (2013)** Los objetivos eran **concienciar** a los jóvenes participantes sobre las diferentes tradiciones religiosas en Europa, cómo la cultura varía de un lugar a otro y cómo influye todo esto en la sociedad, sin olvidar **el entorno** que nos rodea, la naturaleza.

Todas estas experiencias y muchas más demuestran cómo la juventud española quiere dar servicio voluntario a su país para ayudar a crear un mundo mejor.

Adaptado de www.juventudenaccion.injuve.es/

Sé comparar el servicio a la comunidad que hacen los jóvenes españoles con el servicio que hacemos en mi comunidad.

Semilla verde

Reflexión intercultural

¿Cambió tu forma de pensar después de ver cómo ayudan los jóvenes españoles a la sociedad? Escribe una reflexión de cuatro o cinco oraciones describiendo los atributos **(Así se dice 6)** de los jóvenes españoles y de tus compañeros en tu comunidad. Si quieres, usa estas ideas:

Aprendí que los jóvenes españoles muestran . . . (los atributos) porque . . . ¿Por qué necesitan todos poner de su parte para mejorar el mundo?

¿Vas a hacer algo diferente ahora que sabes lo que hacen los jóvenes en otras culturas?

Gather2gether Diversity

Actividad 15

Zaina, una inmigrante en España

Paso 1: Mira e interpreta

Contesta a las preguntas usando la información en los gráficos.

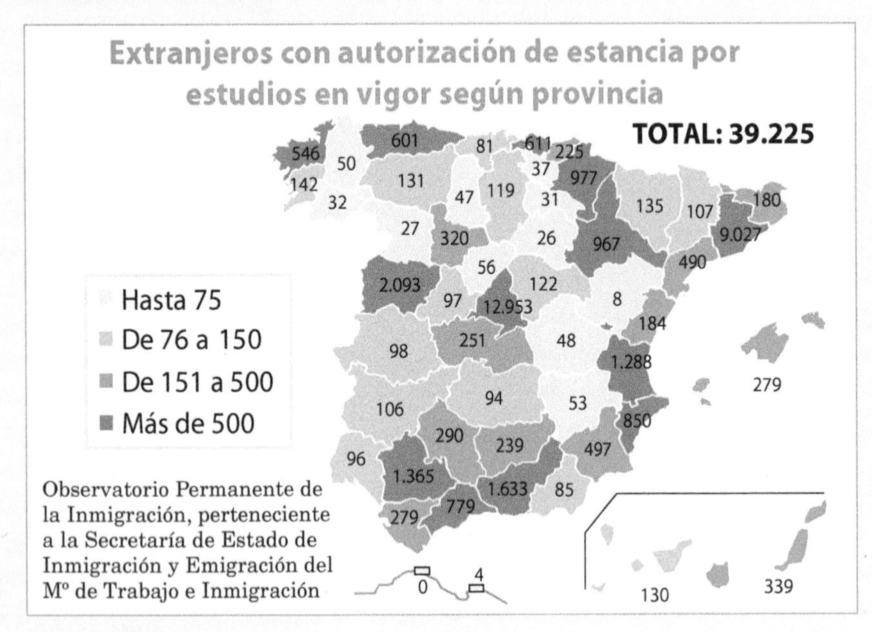

1. ¿Por qué un mapa del año 2011 es el más actual (piensa en "censo")?
2. ¿Sabes cuál es la región y ciudad con más inmigrantes?
3. ¿Qué porcentaje de la población española eran inmigrantes en el año 2011?
4. ¿Qué comparaciones se pueden hacer con el porcentaje de los EE. UU.?

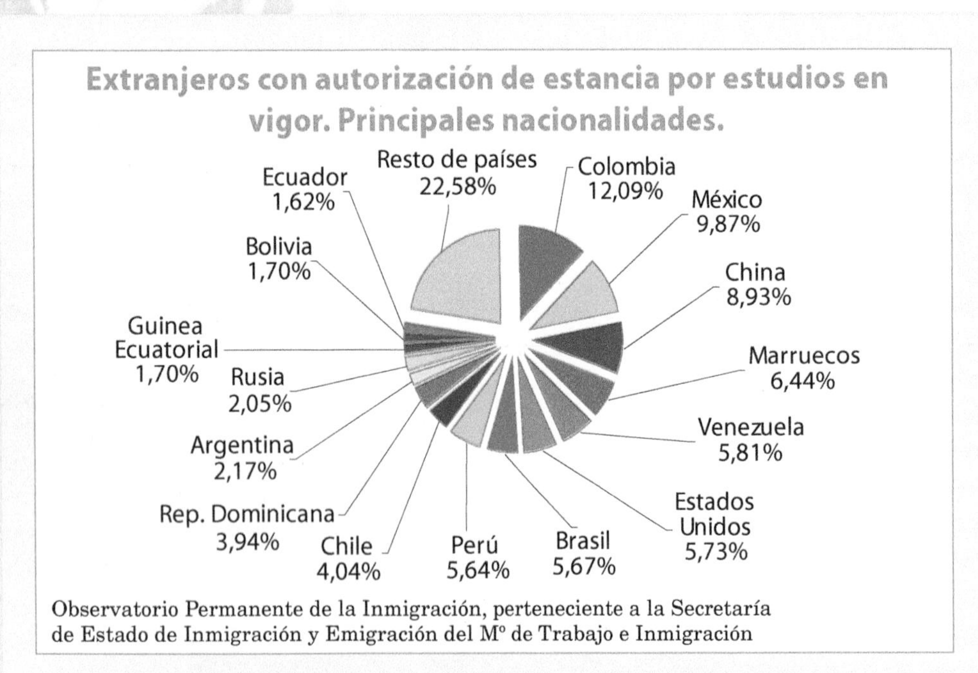

Mi progreso intercultural
Sé explicar información sobre la diversidad de la población española y compararla con la población de mi comunidad.

5. ¿De qué continente provienen la mayoría de los inmigrantes en España?
6. ¿Cuál es el segundo continente de dónde vienen muchos inmigrantes a España?
7. ¿Por qué vienen la mayoría de los inmigrantes de esos dos continentes?

Paso 2: Una conversación entre Andrés y Zaina

Andrés es amigo de Zaina, a quien conoció en Barcelona; ella vive en Bilbao, en Euskadi o el País Vasco. Habla castellano y euskera además de árabe porque sus padres son de Marruecos.

a. Lee lo que han escrito Zaina y Andrés.

b. Después, habla en un grupo de tres o cuatro compañeros sobre la situación de los inmigrantes en tu comunidad o en otra comunidad del mundo.

Zaina: Oye, Andrés, veo que te tengo como contacto. Nos conocimos con tu amiga Ana cuando hicimos todos un proyecto para los inmigrantes aquí en Barcelona. ¿Te acuerdas de mí?

Andrés: Claro que sí. Estuvimos en el mismo grupo. ¿Cómo andas?

Zaina: Yo bien, pero mi familia no tanto; como yo nací aquí, hablo castellano y euskera sin problemas, pero a mis padres les cuesta mucho aprender idiomas y eso hace la integración mucho mas difícil.

Andrés: Lo siento. ¿Tienen trabajo?

Zaina: Trabajos fijos, no. Encuentran trabajos en la construcción, la agricultura (recogiendo la cosecha), limpiando casas, oficinas, o trabajos temporales.

Andrés: ¿Y ganan suficiente dinero para mantener a la familia?

Zaina: Bueno. Como puedes imaginar, estos trabajos tienen salarios bajos y las condiciones son inestables.

Andrés: ¡Qué pena! Yo leí en el periódico el otro día que el número de inmigrantes (por porcentaje de la población) en España desde el año 2000 es de tres a cuatro veces mayor que en Estados Unidos y ocho veces más que en Francia.

Zaina: Sí, menos mal que tengo derecho a asistir al colegio porque la escuela en este país es gratuita y también la medicina, pero yo quiero estudiar y trabajar duro para tener un buen trabajo en el futuro y ayudar a la gente que necesita ayuda.

Andrés: Me haces pensar que tengo que hacer más para conseguir la igualdad para los que vienen aquí en busca de una vida mejor.

La ciudad de Bilbao con el río Nervión

Pintxo o tapa tradicional de Bilbao, en el País Vasco

Reflexión intercultural

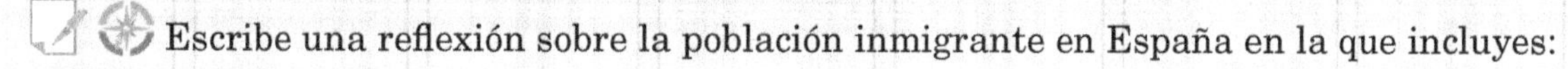

Escribe una reflexión sobre la población inmigrante en España en la que incluyes:

- dos datos que aprendiste con los gráficos y
- dos datos de la conversación entre Andrés y Zaina.

Ahora, compara esta información con la población inmigrante en tu comunidad.

Actividad 16

Literatura: Caminante, no hay camino

¿Cuál es la importancia de tus decisiones?

Este poema de Antonio Machado, uno de los poetas más estudiados en España, habla de las experiencias de tu vida y su importancia para tu futuro.

a. Lean el poema en un grupo de dos a tres alumnos.

Extracto de Proverbios y cantares (XXIX)

Caminante, son tus huellas[1]
el camino[2] nada más;
Caminante, no hay camino,
se hace camino al andar.
Al andar se hace el camino,
y al volver la vista atrás
se ve la senda[3] que nunca
se ha de volver a pisar[4].
Caminante no hay camino
sino estelas[5] en la mar.

b. Comenten en el grupo estas preguntas:

- ¿De qué manera son sus experiencias "huellas"?
- ¿Qué son los caminos de su vida?

c. Comenten lo que quiere decir el autor con "el camino son tus huellas y nada más".

d. En nuestras vidas, todos tenemos experiencias que pueden cambiar nuestro futuro.

- ¿Han tenido alguna experiencia de este tipo? Comenten esta idea con el grupo.
- ¿Qué huellas puede dejar en uno este tipo de experiencia?

e. ¿Qué sendas (experiencias en sus vidas) creen que verán al mirar hacia atrás cuando pasen los años?

---

[1] marca que deja tu pie al pisar la arena
[2] ruta
[3] camino pequeño
[4] poner el pie sobre algo
[5] marca; señal que deja un barco en el mar cuando pasa

En camino B

Un encuentro intercultural con un bloguero

Martín y Marcos, blogueros y amigos de Andrés, están planeando lo que quieren hacer durante las vacaciones de primavera este año escolar. Se decidieron por dos programas interculturales para hacer voluntariado. Tú vas a tener la oportunidad de decidir cuál de las dos experiencias te atrae a ti para acompañar a uno de ellos. Vas a tener que convencer a los delegados de uno de los programas de que eres una persona compasiva que posee las cualidades necesarias para conocer y ayudar a una comunidad con uno de los blogueros.

Mi progreso comunicativo

Sé explicar por qué tengo la obligación moral de ser una persona compasiva.

Expresiones útiles

para empezar

por supuesto

por último

sobre todo

Paso 1: Hacer un voluntariado

Lee los correos electrónicos que te escribieron dos de los blogueros españoles, Martín y Marcos, sobre lo que quieren hacer durante las vacaciones de primavera.

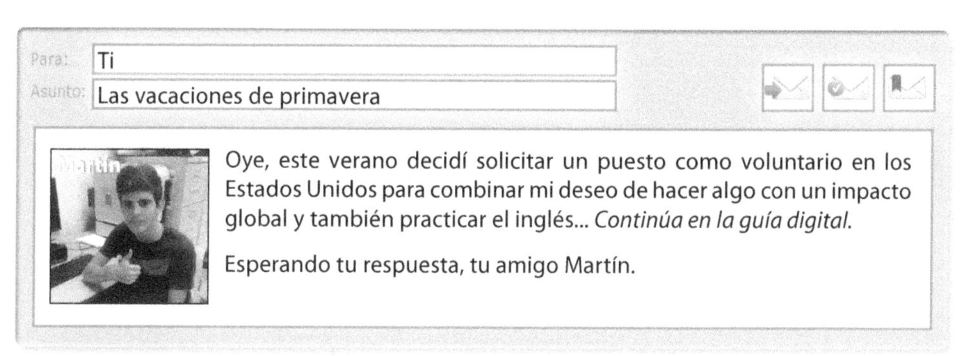
Para: Ti

Asunto: Las vacaciones de primavera

Oye, este verano decidí solicitar un puesto como voluntario en los Estados Unidos para combinar mi deseo de hacer algo con un impacto global y también practicar el inglés... *Continúa en la guía digital.*

Esperando tu respuesta, tu amigo Martín.

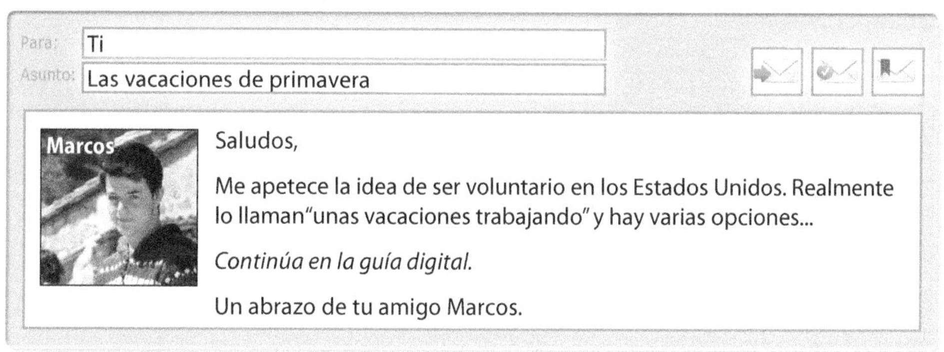
Para: Ti

Asunto: Las vacaciones de primavera

Saludos,

Me apetece la idea de ser voluntario en los Estados Unidos. Realmente lo llaman "unas vacaciones trabajando" y hay varias opciones...

Continúa en la guía digital.

Un abrazo de tu amigo Marcos.

Paso 2: ¿Qué opción elegir?

Tú también quieres participar en un programa de voluntariado y te gusta la idea de conocer a uno de los blogueros españoles. Después de leer las dos opciones, escribe un mensaje electrónico al bloguero cuya opción te gusta más.

Paso 3: Solicitar el voluntariado

Parte del proceso de solicitar el voluntariado consiste en mandar un video en el cual explicas por qué te interesa la opción que seleccionaste y qué vas a aportar (*contribuir*) a la experiencia.

Mi progreso intercultural

Sé explicar formas de interactuar con jóvenes españoles.

Síntesis de gramática

Los usos del pretérito y el imperfecto

El imperfecto

Se usa el imperfecto para hablar de:

- **Descripciones** en el pasado: Mi abuelo ***era*** alto y fuerte.
- **Acciones repetidas**: Cuando ***era*** niño, ***montaba*** en bici *todos los días.*
- **La hora**: ***Eran*** las cinco de la tarde cuando . . .
- **La edad**: Cuando ***tenía*** seis años, . . .
- **Una emoción** o una descripción de un tiempo no específico en el pasado: Me ***gustaba*** escuchar canciones en internet.

Formas del imperfecto

Los verbos "ar" tienen las siguientes terminaciones y los verbos "er" e "ir" acaban así:

est**aba**	est**ábamos**	pod**ía**	pod**íamos**
est**abas**	est**abais**	pod**ías**	pod**íais**
est**aba**	est**aban**	pod**ía**	pod**ían**

Hay tres verbos irregulares en el imperfecto - ir, ser y ver.

iba	íbamos	era	éramos	veía	veíamos
ibas	íbais	eras	erais	veías	veíais
iba	iban	era	eran	veía	veían

Expresiones que indican el uso del imperfecto

Generalmente/Por lo general

Muchas veces

Mientras

Casi nunca/Pocas veces

A menudo/Frecuentemente

De vez en cuando/A veces

Los sábados

El pretérito es una forma del pasado en español. Se usa cuando quieres:

- expresar una acción que ocurrió una vez o en un momento específico: Me ***caí*** de la bici y me ***rompí*** el brazo.
- expresar una serie de acciones en el pasado:
  Cuando ***llegamos*** a la playa, nos ***cambiamos*** de ropa y ***fuimos*** directamente al mar.
- expresar una emoción o una descripción de un momento específico en el pasado:
  Este verano ***fue*** increíble.

Andrés ***estuvo*** en la playa *todo el verano*. Un día ***vio*** a unos amigos del cole. ***Salieron*** a pasear y ***pararon*** a tomar algo en una chocolatería donde ***pidieron*** churros y chocolate. Después, ***colgó*** fotos en una red social.

Formas del pretérito

1. **Verbos regulares**
   ar: -é, -aste, -ó, -amos, -asteis, -aron
   er/-ir: -í, -iste, -ió, -imos, -isteis, -ieron
2. **Verbos con cambios ortográficos: *i - y***
   a. verbos que terminan en *–uir* como construir, la *i* cambia a *y* en las formas de Ud./él/ella y Uds./ellos/ellas
   Construir: construí, construiste, construyó, construimos, construisteis, construyeron
   b. Otros verbos que cambian así son ***leer, creer, oir y caerse***:
   leí, leíste, leyó, leímos, leísteis, leyeron
   oí, oíste, oyó, oímos, oísteis, oyeron
   me caí, te caíste, se cayó, nos caímos, os caísteis, se cayeron
3. **Verbos con cambios en la raíz**
   a. **ir (o-u)** *dormir:* dormí, dormiste, d**u**rmió, dormimos, dormisteis, d**u**rmieron (*morir* sigue esta forma)
   b. **ir (e-i)** *preferir:* preferí, preferiste, pref**i**rió, preferimos, preferisteis, pref**i**rieron
   (*sentir, pedir, divertirse* y *vestirse* siguen esta forma)
   divertirse: me divertí, te divertiste, se div**i**rtió, nos divertimos, os divertisteis, se div**i**rtieron
4. **Verbos irregulares**
   a. **Terminaciones:** *-e, -iste, -o, -imos, -isteis, -ieron*. **Ojo:** no llevan tildes (´)
   b. **Ejemplos:** hay diferentes raíces para estos verbos:
   Poner (pus-): puse, pusiste, puso, pusimos, pusisteis, pusieron
   Hacer (hic-): hice, hiciste, hizo, hicimos, hicisteis, hicieron
   Decir (dij-): dije, dijiste, dijo, dijimos, dijisteis, dijeron
   Estar (estuv-): estuve, estuviste, estuvo, estuvimos, estuvisteis, estuvieron
   Tener (tuv-): tuve, tuviste, tuvo, tuvimos, tuvisteis, tuvieron
   Venir (vin-): vine, viniste, vino, vinimos, vinisteis, vinieron
5. **Otros verbos irregulares**
   Ir/Ser: fui, fuiste, fue, fuimos, fuisteis, fueron
   Dar: di, diste, dio, dimos, disteis, dieron
   Ver: vi, viste, vio, vimos, visteis, vieron

Expresiones que indican el uso del pretérito

El fin de semana pasado	La semana pasada
El domingo	Ayer/Anteayer
Una vez	De repente/De pronto
Nunca	

Vocabulario

Así se dice 1: El tiempo libre

chatear - charlar en Internet
colgar fotos - publicar fotos en una red social
el móvil - el teléfono portátil
navegar por internet - mirar sitios en la Red
el ordenador - la computadora
pasarlo bien - divertirse
las redes sociales - usar internet + el teléfono y demás dispositivos para socializar

Así se dice 2: ¿Cómo somos?

abierto/a - sincero/a; franco/a; espontáneo/a
apasionado/a - intenso/a; vehemente
capaz - cualificado/a; experto/a
comprometido/a - difícil; exigente
exigente - riguroso/a
juguetón/tona - travieso/a; bromista
melancólico/a - triste
orgulloso/a - satisfecho/a
perseverante - persistente
vivaz - vigoroso/a

Así se dice 3: ¿Qué hacíamos?

construir castillos de arena
disfrazarse
dormir con la luz encendida
ir a la guardería
jugar al escondite inglés
jugar al pillapilla
jugar con juguetes
jugar con plastilina
leer cómics
saltar a la comba
ser travieso
ser un/a devora libros
subir a los columpios y los toboganes
trepar árboles
volar cometas

Así se dice 4: Los gustos musicales

un/una artista - una persona que actúa en público
la cultura anglosajona - de habla inglesa
de todo tipo - de todas clases
un disco - un conjunto de canciones
un éxito - un triunfo comercial (triunfar)
los fans - los que siguen con mucha atención la música de un artista o grupo
jamás - nunca
triunfar - ser un éxito
únicos - exclusivos

Así se dice 5: Los gustos y las preferencias

aburrir - lo contrario de divertirte
apasionar - darte muchísimas ganas
apetecer - darte ganas
costar - ser un uso negativo de tu energía
desagradar - no gustarte nada
entusiasmar - darte muchas ganas
fascinar - parecerte fascinante
fastidiar - molestarte
llamar mucho la atención - parecerte muy interesante
molestar - fastidiarte
parecer genial - parecerte increíble
parecer horroroso - ser repugnante

Así se dice 6: Las cualidades positivas

la benevolencia - la característica de una persona comprensiva y tolerante
la bondad - la inclinación natural hacia el bien
el compromiso - la obligación que uno tiene porque dio su palabra de honor
la cualidad - el atributo o carácter positivo de una persona
la empatía - la inclinación de portarse con compasión y comprensión
la generosidad - la tendencia a portarse de una manera generosa
la honradez - la integridad de acciones
la justicia - lo que uno debe hacer según el derecho o la ley
la lealtad - el sentimiento de fidelidad
la simpatía - la inclinación amistosa entre personas
la tolerancia - el respeto a las ideas, creencias o prácticas de los demás

Así se dice 7: El voluntariado

darse cuenta (de) - ser consciente de lo que está pasando
desarrollar - llevar a cabo; crear
el entorno - lo que está cerca de nosotros
llevar a cabo - realizar; hacer
llevarse bien con - tener una buena relación con alguien
rodear - estar a nuestro alrededor
solicitar - pedir
la solicitud - la aplicación
tener lugar - pasar

Expresiones útiles

a consecuencia de eso
además
algunas veces
a pesar de
básicamente
casi nunca
casi siempre
casi todos los días
curiosamente
de vez en cuando
dos veces por semana
en realidad
entonces
frecuentemente
increíblemente
muchas veces
nunca/jamás
para empezar
pocas veces
por lo tanto
por supuesto
por último
sobre todo
solo una o dos veces en mi vida
todos los días
una vez por semana

Vive entre culturas

Solicita una plaza en la Ruta BBVA, un intercambio cultural

Pregunta esencial: ¿Cómo puedo crear un mundo mejor usando principios éticos?

Para crear un mundo mejor usando principios éticos, vas a solicitar una plaza en un intercambio cultural, la expedición Ruta BBVA. En preparación para la entrevista con el comité de selección de participantes, vas a describir tu personalidad, tus cualidades de persona compasiva, tus intereses y el servicio que prestas a tu comunidad.

Una expedición para jóvenes que buscan crear un futuro mejor

La expedición Ruta BBVA te ofrecerá la oportunidad de viajar, conocer a jóvenes de otros países y vivir experiencias únicas. En este viaje por América Latina y España conocerás los valores éticos de estas culturas, disfrutarás del intercambio cultural y tendrás muchas aventuras inolvidables.

Interpretive Assessment

Paso 1: ¿Qué es la Ruta BBVA?

Vas a leer un artículo, *Una expedición para jóvenes que buscan construir un futuro mejor*, que te explica lo que es el proyecto. Después vas a contestar a algunas preguntas.

Paso 2: Y los ruteros, ¿qué dicen de su experiencia?

Vas a escuchar los comentarios de algunos ruteros que hicieron este viaje y cómo describen el intercambio cultural. Después vas a contestar unas preguntas para demostrar tu comprensión.

Interpersonal Assessment

Paso 3: Y ahora la entrevista

Para participar en este viaje, es necesario hacer una entrevista con el comité de selección de participantes. En tu conversación con los miembros del comité, tendrás que explicar las características de tu personalidad y tus cualidades de persona compasiva que te hacen ser el/la candidato/a ideal para este programa.

También vas a explicar lo que vas a aprender en el programa. Después de prepararte para la entrevista vas a grabarla en la guía digital.

Presentational Assessment

Paso 4: ¡Enhorabuena!

¡Imagina que te seleccionaron para participar en LA RUTA BBVA! Uno de los representantes en Madrid te escribe un mensaje electrónico haciendo preguntas sobre cómo vas a prepararte para esta experiencia.

UNIDAD 2
#CiudadaníaDigital

Metas de la unidad

- Relacionarte con algunos jóvenes chilenos para comparar usos de las redes sociales e internet.
- Interpretar videos y blogs de adolescentes chilenos para conocer lugares de Chile y cómo usan los jóvenes chilenos las redes sociales e internet.
- Explorar, demostrar y reflexionar sobre el impacto que tiene la ciudadanía digital en la vida de los jóvenes chilenos y los de tu comunidad.

Preguntas esenciales

¿Qué significa la ciudadanía digital y qué papel juega en mi vida?

¿Cómo influyen las redes sociales e internet en mi vida y en la de los jóvenes chilenos?

¿Cómo puedo promover el uso de las redes sociales e internet para mejorar mi comunidad?

Conecta con Chile

Las redes sociales e internet nos han facilitado todo tipo de comunicación con nuestros amigos, nuestras familias, nuestras comunidades y hasta con el resto del mundo. Al mismo tiempo, el uso de las redes sociales e internet implica algunas responsabilidades. En esta unidad, compararás tu huella digital y tu uso de la tecnología con el de jóvenes en Chile. Explorarás la seguridad en la Red y la fiabilidad de la información digital que encuentras en ella. Luego, examinarás el uso de la Red para promover causas justas y acciones positivas.

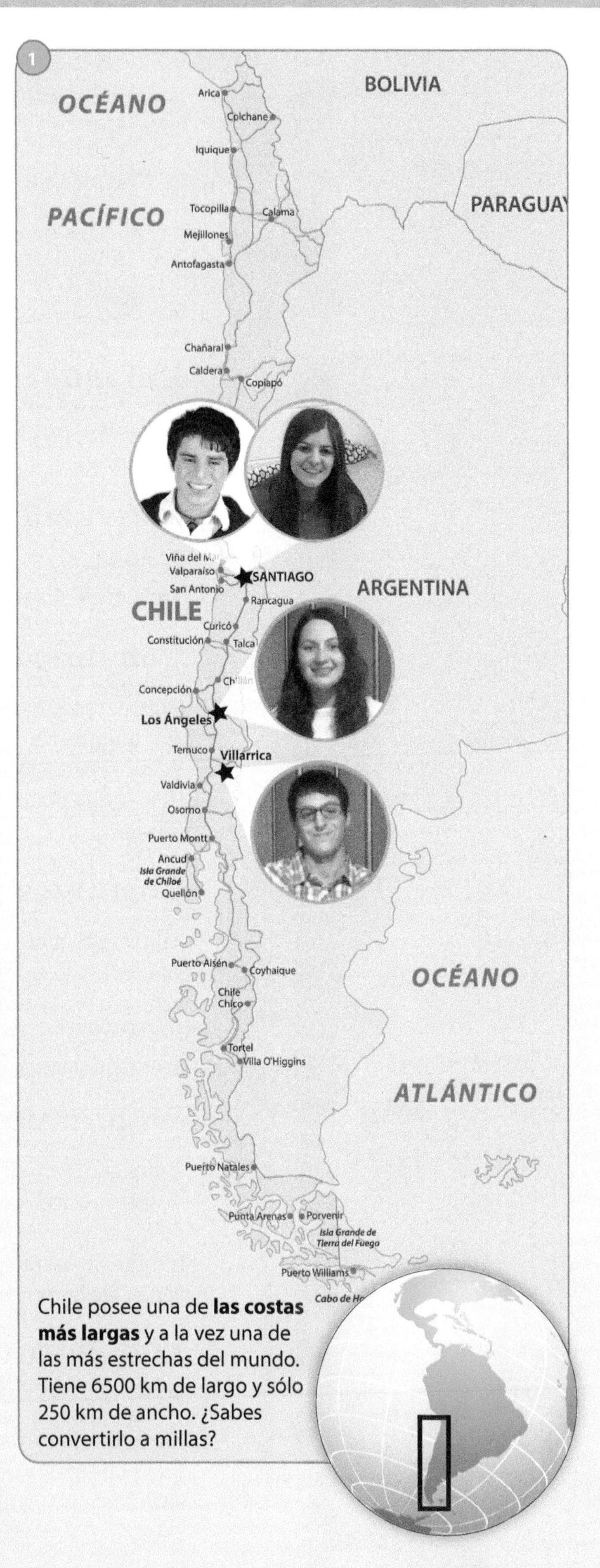

Chile posee una de **las costas más largas** y a la vez una de las más estrechas del mundo. Tiene 6500 km de largo y sólo 250 km de ancho. ¿Sabes convertirlo a millas?

2

Casi el 80% de Chile está cubierto de montañas. **Hay más de 1300 volcanes; 500 están activos**.

3

Chile es el mayor productor y exportador de **cobre;** produce un tercio de la producción mundial.

4

Adivina, ¿cuál es la comida chilena más popular? ¡Claro, **la empanada**! Esta delicia rellena de carne se come en todo el país.

5

Pablo Neruda y Gabriela Mistral son dos poetas chilenos que ganaron el Premio Nobel de Literatura.

6

Isabel Allende escribe novelas y cuentos. Una novela suya famosa es *La casa de los espíritus*.

7

El desierto de Atacama tuvo una sequía que duró 40 años. ¡Imagínate lo que fue pasar cuatro décadas sin lluvia!

8

El aeropuerto internacional más remoto del mundo es el Aeropuerto Internacional Mataveri, en **Isla de Pascua, la isla habitada más remota del mundo.**

9

El pueblo más al sur del mundo, Puerto Williams, es la capital de la Provincia de la **Antártica Chilena**.

10

Existen varias teorías sobre el origen de la palabra "Chile". Algunos dicen que viene de la palabra **"tchilli"**, que en mapudungun significa **"el lugar donde termina la tierra"**. Sin duda hay algo especial al decir que vas a viajar al fin del mundo.

Adaptado de chile.travel

Estrategias

El video de estrategias de aprendizaje para esta unidad se centra en **consejos para leer y comprender en español con más facilidad**. Tiene como meta facilitarte a comprender fuentes escritas para hispanohablantes.Te voy a enseñar a seguir estos pasos:

1. Haz predicciones.
2. Ojea el texto.
3. Lee con un objetivo en mente.
4. ¡Sé un/a lector/a activo/a!.
5. Usa tu sentido común y compara tu interpretación con la de un/a compañero/a.
6. Usa organizadores gráficos para tomar apuntes.

Actividad preliminar

¿Cómo se define la ciudadanía digital?

En esta unidad, vas a explorar el concepto de la ciudadanía digital, algo que afecta a todo el mundo. Para empezar, examina las siguientes imágenes. ¿Puedes adivinar la definición de la *ciudadanía digital*?

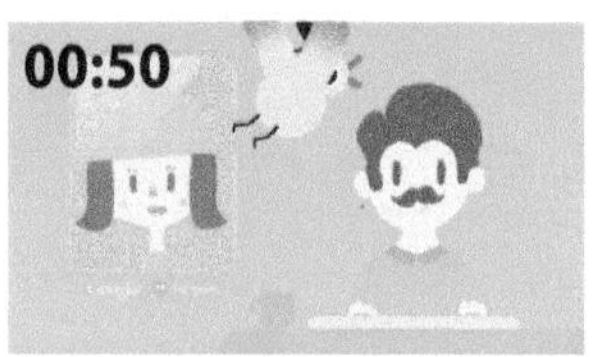

Chicos.net con el apoyo de Google. "Todo a un clic". Extraído de http://tinyurl.com/zw8s75h

Paso 1: Todo a un clic

Vas a ver un video musical, *Todo a un clic*, e identificar algunas palabras claves relacionadas con las redes sociales. Usa el organizador gráfico en la guía digital.

a. *¿Qué oyes?* La primera vez, apunta en el organizador gráfico las palabras y expresiones que reconoces.

b. *¿Qué ves?* La segunda vez, escribe lo que ves en la pantalla y añade más palabras y expresiones que conoces.

c. Comparte lo que anotaste en un grupo de tres o cuatro compañeros.

Paso 2: ¿Cómo se define "la ciudadanía digital"?

a. En los mismos grupos, piensen en palabras claves que pueden incluir para definir la ciudadanía digital.

   Pistas: ¿Quiénes necesitan hacerse responsables? ¿Cómo deben comportarse los ciudadanos digitales? ¿Dónde tiene lugar la ciudadanía digital?

b. Usen sus palabras claves para escribir su definición de "ciudadanía digital".

Comunica y Explora A

Pregunta esencial: ¿Qué significa la ciudadanía digital y qué papel juega en mi vida?

Así se dice 1: Huella digital 64

Conocerás a dos jóvenes chilenas, Margarita y Micaela, que te hablarán de su familia y amigos, de su ocio y del uso que hacen los chilenos de las redes sociales e internet. **Compararás los hábitos digitales de los chilenos con los tuyos.** Además, **explorarás el concepto de huella e identidad digital.**

Así se dice 2: Fiabilidad de internet 78

Aprenderás en qué consiste la fiabilidad de la información que encuentras en internet. **Explorarás algunos criterios para tener en cuenta cuando navegas por internet**. También tendrás la oportunidad de **indicar si algo que encuentras en internet es fiable o no.**

Así se dice 3: Protección en internet 80

Verás cómo puedes protegerte de posibles problemas en internet. Conocerás a Dan, de Villarrica, Chile, y su blog para que puedas **tomar medidas para protegerte en las redes sociales e internet. Escucharás lo que hacen alumnos chilenos para evitar riesgos y problemas** en las redes sociales e internet. Leerás uno o dos cuentos, *El celular mágico* o *El trompo bailarín*, para explorar cómo la tecnología ha afectado el hábito de comunicarnos cara a cara.

En camino A: Así es ser un/a ciudadano/a digital 86

Escucharás un *podcast* que hizo Margarita con un amigo en su cole donde hablan de los criterios para ser ciudadano/a digital. Después verás si tu comportamiento es el de un/a ciudadano/a digital. Al final, escribirás en el blog de Margarita que trata de este tema.

Actividad 1

Conoce a Margarita de Santiago de Chile

¿Conoces a alguien de Chile? Margarita es una de las jóvenes de Chile que conocerás en esta unidad. En su video blog, habla de su vida en Santiago, su uso de las redes sociales e internet y su opinión sobre las ventajas y desventajas de usar estos nuevos medios de comunicacion.

Paso 1: Pensándolo un poco

Pensarás un poco en lo que recuerdas de tus amigos en España y conocerás a una amiga nueva de Chile.

a. Piensa en lo que recuerdas de tus amigos de España. Trata de acordarte de cinco actividades que hacen ellos a menudo.

b. Escríbelas en el organizador gráfico.

c. A continuación, escribe las actividades que más haces tú.

d. Ahora, mira el video blog de Margarita y escribe en el organizador gráfico lo que hace ella.

Lo que hacen los españoles	Lo que haces tú	Lo que hace Margarita
Modelo: Leer libros	Ir a fiestas	Tocar la guitarra

e. Comenta con un/a compañero/a lo que tienes en común con los hispanohablantes y lo que es diferente. ¿Creen Uds. que los españoles y los chilenos tienen más en común que los chilenos y los jóvenes de su comunidad? ¿Por qué sí o no?

Paso 2: Datos personales

Margarita también te cuenta sobre su vida personal. Habla de su ciudad, de su familia y de su edad.

Mira el video otra vez para ver si puedes obtener esta información:

1. ¿Cómo es Santiago de Chile?
2. ¿Quiénes forman parte de su familia?
3. ¿Qué medios de transporte usan los chilenos para moverse por la ciudad?

Paso 3: Las redes sociales

¿Es posible tener más de una red social favorita?

a. Escribe una lista de tus redes sociales favoritas.

Modelo

Las redes sociales que yo uso a menudo son . . .

b. Mira el video otra vez y anota las redes que usa Margarita.

Modelo

Margarita usa . . .

c. Ahora, compara las redes sociales que tú usas con las que usa Margarita a menudo.

Modelo

Yo uso ________ para estar en contacto con mis amigos pero Margarita usa WhatsApp.

Una muralla pintada en Santiago

Enfoque cultural

Producto cultural: El Metro de Santiago

Actualmente, el tren subterráneo es un modelo de limpieza y buen servicio. Tiene bancos, tiendas, bibliotecas y obras de arte en algunas de las estaciones. Además, es un medio de transporte rápido y seguro.

El pasaje del Metro se paga con la **Tarjeta Bip!** que se usa también en los autobuses del sistema de transporte Transantiago, que opera en toda la ciudad. La tarjeta puede comprarse y cargarse en las boleterías de Metro y en las máquinas ubicadas dentro de cada estación.

Hay una *app* para el Metro de Santiago. El Metro Mobile te permite planificar tus viajes por la red de manera rápida y sencilla. Puedes conocer al instante el estado de las líneas, saber dónde está la estación más cercana, revisar el saldo de tu Tarjeta Bip! y mucho más.

El Metro de Santiago también está presente en las redes sociales. Tiene más de un millón de seguidores en varias redes sociales, lo que hace al Metro de Santiago la segunda cuenta de transportes más seguida del mundo.

Conexiones

1. ¿Usas tú un metro u otro medio de transporte público en tu comunidad? ¿En qué se parece al metro chileno? ¿En qué difiere?
2. Si el Metro tiene ahora 103 kilómetros de vías y 108 estaciones, ¿cuánto sería esa distancia en millas? ¿Cuáles son sus ventajas y desventajas?
3. ¿Qué hace la *app* del Metro? ¿Tienes una aplicación parecida en tu móvil? ¿Cuál? Si no tienes una, averigua si hay una aplicación similar en tu comunidad.
4. Haz una búsqueda de un medio de transporte en tu comunidad que tenga una página en una red social.

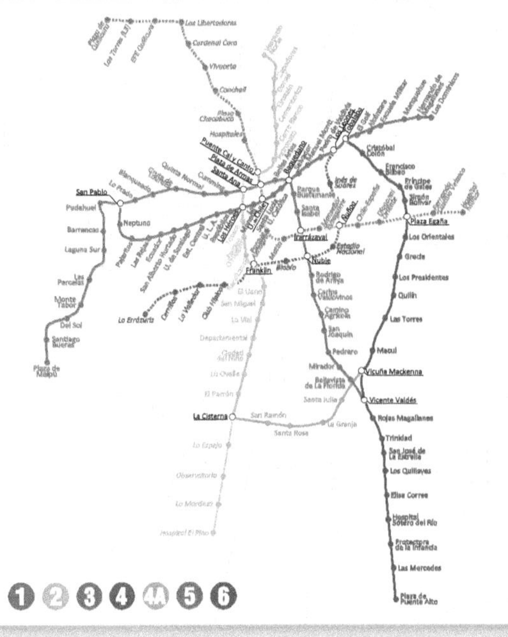

B1mbo. (2006). *Diagrama esquemático del Metro de Santiago, Chile.* Extraído de http://tinyurl.com/hwc7kc9

Paso 4: Las ventajas y desventajas de las redes sociales

Margarita menciona ventajas y desventajas de las redes sociales.

a. Mira el video una o dos veces más y pon una palomita ✔ si Margarita menciona lo siguiente:

Modelo

Es caro - ___ - D

1. Te desconectas de tu familia y tus amigos.
2. Siempre estás al día de lo que pasa en el mundo.
3. Puedes jugar juegos.
4. Puedes hacer tarjetas para aprender y estudiar con tu móvil.
5. Estás comunicado con tu familia y tus amigos en todo momento.
6. A veces no funcionan.
7. No haces la tarea o la haces mal para pasar más tiempo conectado.

b. Después escribe si es una ventaja (V) o desventaja (D).

Paso 5: Margarita empieza un blog

Margarita ha empezado un blog para hablar de una etiqueta para el comportamiento digital. Lee su blog y después podrás comentar sobre el tema.

He observado que mis amigos usan tanto las redes sociales que no me parece sano. Así que he decidido escribir un blog para hablar de "una etiqueta" para la gente que utiliza las redes a menudo. He visto que necesitan contactar con sus amigos y familiares en todo momento. Les he dicho que me parece un abuso el estar siempre conectado a un dispositivo. He puesto, en este mi primer blog, a mis compañeros como ejemplo. Incluso cuando salen a comer tienen su móvil en la mesa y chatean con los amigos que no están. He comido con ellos en restaurantes donde no han dicho más de dos oraciones. Me parece que tener estas vías sociales es más ventajoso que desventajoso pero a veces me pregunto si no sería bueno una etiqueta global sobre el uso de las redes. Les invito a ayudarme a crear una guía para respetar a la gente que está físicamente presente.

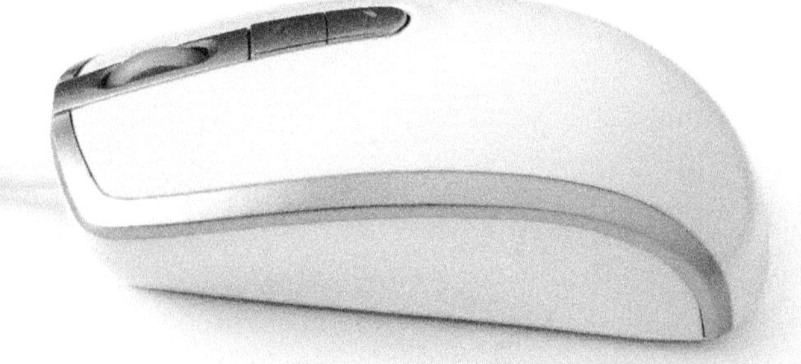

a. En un grupo de tres o cuatro alumnos, piensen en lo que sería esa etiqueta de la que habla Margarita.

b. Escriban cinco ideas.

c. Luego, comparen sus ideas con las de los otros grupos.

d. Decidan como clase: ¿Qué cinco normas de etiqueta se pueden implementar?

¿Qué aprendiste?

Ahora, explicarás lo que has aprendido.

a. Imagina que Margarita te escribe un mensaje usando una red social.

b. Contesta a sus preguntas y al final hazle **dos** preguntas a ella.

Margarita: Hablando de tu uso de las redes sociales, ¿para qué y cuánto las usas?

Tú:

Margarita: Yo las uso mucho. Pero suelo apagar todo un par de horas todos los días para relacionarme cara a cara con mi familia y mis amigos. Si no, me desconecto de la realidad. ¿Qué desventajas ves tú en el uso de las redes sociales?

Tú:

Margarita: Yo uso internet para ayudarme en el colegio y mensajes de texto para comunicarme con mis amigos y mi familia. ¿Y tú?

Tú:

Margarita: Creo que yo podría pasar un día sin mi teléfono móvil. ¿Podrías tú?

Tú:

Expresiones útiles

crear un perfil en una red social - abrir una cuenta en una red social

colgar/subir una foto o un archivo - poner una foto u otro documento para que tus amigos lo vean en la Red

escribir algo en tu muro - dejar un mensaje para tus amigos en las redes sociales

estar al día - conocer la información más reciente

hacer una solicitud de amistad - pedir a personas en internet que te acepten como su amigo/a; pedir que sean tus amigos

Mi progreso comunicativo

Sé hablar de mi uso de las redes sociales e internet.

Vista panorámica de Santiago

Expresiones útiles

a través de - por (movimiento)

debido a - a causa de

según - de acuerdo a la opinión de

tener en cuenta - considerar

todo lo anterior - todo lo de antes

Además se dice

entrever - deducir

realizar - hacer

revisar - reexaminar

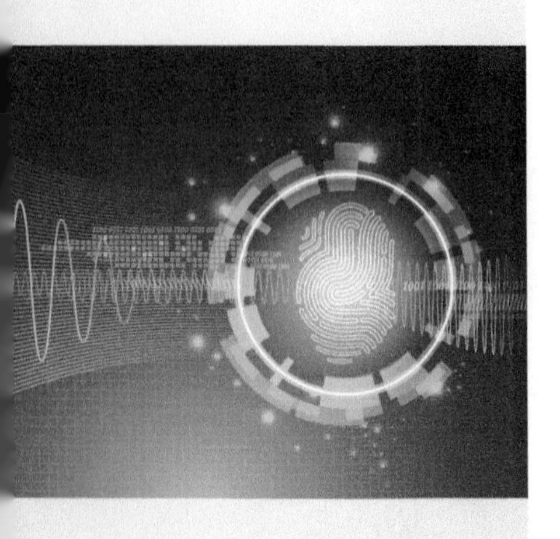

Actividad 2

¿Qué es una huella digital?

Hoy en día es sumamente importante pensar en tu huella digital y el impacto que tiene en tu vida.

Así se dice 1: Huella digital

el conjunto - la totalidad

una cuenta - una suscripción a un sitio web

una ganancia - el beneficio que se saca de algo

una huella - una señal; un rastro

el perfil - el conjunto de rasgos peculiares que identifican a una persona

rastrear - buscar huellas

el/la usuario/a - la persona que habitualmente usa algo

Visita la guía digital para practicar el vocabulario de **Así se dice 1.**

Paso 1: Una explicación

¿En qué consiste tu huella digital? Si usas internet tienes una. Pero, ¿cómo te afecta? Para poder contestar a estas preguntas, vas a ver una presentación con audio: *¿Qué es una huella digital?*

a. Primero, trabajen con un/a compañero/a para rellenar el organizador gráfico con sus ideas.

b. Luego, miren el video dos o tres veces para comparar y añadir ideas.

Ventajas de las redes sociales	Desventajas de las redes sociales
Modelo: Hablas con a tus amigos.	**Modelo:** Come tu tiempo libre.
1.	1.
2.	2.

c. Después de ver el video, ¿pueden pensar en algunas acciones explícitas (ya lo sabemos) y otras implícitas en la Red que nos quitan privacidad?

Acciones voluntarias que nos quitan privacidad	Acciones que nos quitan privacidad sin saberlo
Modelo: Dejar mensajes en una red social.	**Modelo:** Hacer clic en LIKE en un anuncio.
1.	1.
2.	2.

d. Ahora, escribe una definición de una huella digital.

"¿Qué es una huella digital?". Retrieved from http://internetsociety.org.

Paso 2: ¿Qué es la identidad digital?

Todos tenemos una identidad digital. Aprenderás más de este concepto y el impacto que tiene en tu vida.

a. Lee el artículo que tiene como meta el uso seguro de internet.

b. Luego, decide si las oraciones que vienen a continuación indican correctamente lo que explica el artículo o no.

¿Qué es la identidad digital?*

Cada momento que pasamos en internet estamos dejando **rastro** de lo que hacemos, estamos dejando una **huella** que va representando nuestra identidad en la Red. Si visitamos páginas de fotografías dejamos entrever nuestros gustos y aficiones, si entramos a una red social y participamos, lo queramos o no, estamos dejando nuestra opinión

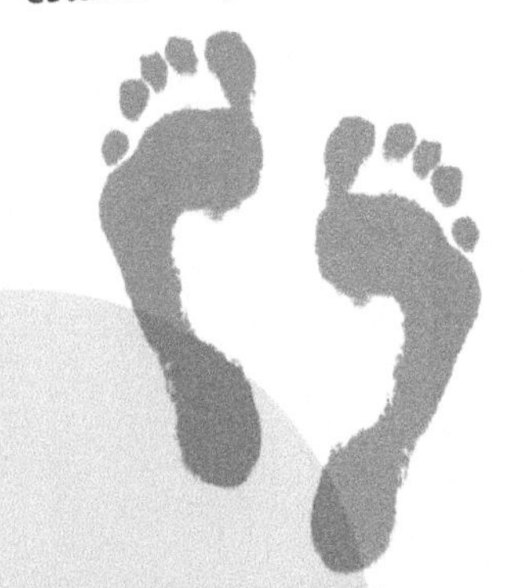

sobre muchos temas. **Según** nuestros contactos también se nos puede conocer y si se revisan las páginas por las que navegamos también se puede obtener mucha información sobre nosotros. **Todo lo anterior** y mucho más, y **debido a** que la Red está cada vez más presente en nosotros y nosotros en ella, va forjando (creando) lo que llamamos "identidad digital". Así pues, podríamos definir la identidad digital como el **conjunto** de características que nos definen dentro de la Red. La identidad digital excede el concepto de identificar, pues nuestra huella digital hace mucho más que identificarnos como individuos dentro de la Red. **A través de** ella pueden conocernos tanto o más que en la vida "real".

Lo queramos o no, internet ha venido para quedarse y cada vez es más importante en nuestras vidas y por añadido, también lo es nuestra identidad digital.

Antonio Omatos Soria y Víctor Cuevas. (2011).

c. Escribe si la oración es correcta o falsa según el artículo. Justifica tu respuesta con frases del artículo.

1. Nuestra huella digital es nuestra identidad digital.
2. Cuando visitamos una red social, solemos dejar nuestra opinión.
3. Cuando revisamos una página web normalmente damos información personal.
4. La verdad es que pasamos demasiado tiempo en las redes sociales.
5. La identidad digital son todas nuestras huellas digitales juntas.
6. Nuestra identidad digital se puede borrar si queremos.

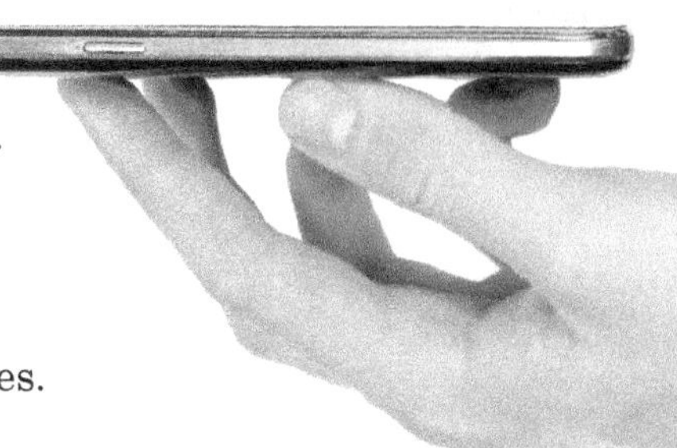

Mi progreso comunicativo
Sé describir y explicar mi huella digital.

¿Qué aprendiste?

Compara tus actividades en el mundo digital con las de algunos de tus compañeros.

a. Primero, contesta a las preguntas que están en el organizador gráfico en la guía digital.

b. Luego, haz cada pregunta a dos compañeros de clase y escribe las respuestas en el organizador gráfico.

c. Piensa en:

- Tu huella digital: los registros y rastros que dejamos al usar internet.
- Tu identidad digital: el conjunto de características que nos definen en internet.
- Las respuestas de tus compañeros y en las tuyas.

d. Luego, apunta actividades que hacen tus amigos y tú, y decide cómo esas actividades definen tu huella y tu identidad digital, y las huellas e identidades digitales de tus amigos.

Modelo

Hacer clic en un anuncio.

e. Ahora, escribe en el blog de Margarita, para informarle sobre tus conclusiones sobre este tema, según la información que has recogido. Empieza con la oración que sigue y continúa explicando las razones de tu manera de pensar.

Creo que mis compañeros y yo tenemos una huella e identidad digitales relativamente grandes/pequeñas/normales en internet. Pienso así porque...

____

Enfoque cultural

Práctica cultural: Kevin, Karla & La Banda

Kevin, Karla & La Banda es una banda de pop chilena formada por los hermanos Kevin y Karla Vásquez. La banda lanzó su primera canción, "Hit the Lights", una versión de la canción de la cantante y actriz, Selena Gómez. La banda se convirtió en una estrella de internet haciendo versiones de varios cantantes estadounidenses como Katy Perry, Demi Lovato, Ariana Grande, Miley Cyrus y muchos otros. Reciben por lo menos cinco millones de visitas al mes entre su canal y sus páginas en varias redes sociales.

 **Conexiones**

1. ¿Hay un grupo musical que sigues por internet que empezó en línea? ¿Cuál?
2. ¿Qué redes sociales usa el grupo para mantenerse en contacto con su audiencia?
3. ¿Crees que la idea de hacerse famoso por internet es una buena práctica y tan válida como sacar álbumes? Explica.
4. ¿Su música es parecida a la de un cantante o grupo que te gusta a ti?

Observa 1

El presente perfecto

¿Qué observas?

Paso 1: El blog de Margarita

¿Recuerdas el blog de Margarita? Lee esta parte otra vez y fíjate en los verbos que están en letra negrita. ¿Qué observas? Completa el organizador gráfico en la guía digital.

***He observado** que mis amigos usan tanto las redes sociales que no me parece sano. Así que **he decidido** escribir un blog para hablar de "una etiqueta" para la gente que utiliza las redes a menudo.*

***He visto** que mis amigos necesitan contactar con sus amigos y familiares en todo momento. Les **he dicho** que me parece un abuso el estar siempre conectado a un dispositivo. Incluso cuando salen a comer tienen su móvil en la mesa y chatean con los amigos que no están. ¿**Has comido** en restaurantes cuando tus amigos usan los dispositivos sin parar?*

Paso 2: ¿Qué has hecho tú?

Contesta a estas preguntas que tienen que ver con tu uso de internet.

¿**Has trabajado** en tu computadora hoy?	SÍ	NO
¿**Has subido** alguna foto de la que no estás orgulloso/a?	SÍ	NO
¿**Has hecho** otra cosa en internet de la que no estás orgulloso/a?	SÍ	NO
¿**Has visto** algún mensaje cruel en la Red alguna vez?	SÍ	NO
¿**Has escrito** un mensaje cruel alguna vez?	SÍ	NO
¿**Has dicho** algo desagradable en las redes sociales?	SÍ	NO
¿**Has puesto** tu nombre en un lugar donde no debías?	SÍ	NO
¿**Has podido** contestar a estas preguntas?	SÍ	NO

Paso 3: Reflexiona

a. De acuerdo a las respuestas del **Paso 2**, autoevalúa tu uso de internet como: espectacular, pasable o necesita mejorar.

b. Comparte tu autoevaluación con un/a compañero/a citando las respuestas del **Paso 2**.

Mi etiqueta en internet (incluye algunos ejemplos)		
Espectacular	**Pasable**	**Necesita mejorar**
Cambio mi contraseña frecuentemente.	Una vez mandé un mensaje cruel, pero ahora no lo hago.	No debo poner mi nombre en un lugar inseguro.

*Oye, Oscar, ¿**has trabajado** en nuestro proyecto de ciencias?*

*No **he podido**. Ya sabes que hay un bebé en mi casa ahora que llora mucho y mi madre **ha necesitado** mucho mi ayuda.*

*Bueno, yo **he encontrado** alguna información en la Red este fin de semana pero no es suficiente.*

*Entiendo. Quizás Adriana y Paul **han tenido** tiempo para trabajar. Mira, aquí vienen.*

*Hola. ¿**Han hecho*** algo para el proyecto que tenemos que entregar este viernes?*

*Pues, sí. Adriana y yo **hemos dividido** el trabajo y **hemos escrito** una lista de lo que cada uno tiene que hacer.*

*¡Qué bien! Nos **han hecho** un gran favor.*

*en España se dice: habéis hecho

Paso 4: Y ahora, las formas del presente perfecto

Lee la conversación con un/a compañero/a y fíjense en las formas de los verbos.

a. Después, encuentra los verbos que están en el presente perfecto.

b. ¿Qué más puedes incluir en el organizador gráfico de tus observaciones y conclusiones del presente perfecto?

c. A continuación, escribe cada verbo en la caja apropiada en tu cuaderno.

yo	nosotros
tú Ud.	*vosotros* Uds.
él/ella	ellos/ellas

Paso 5: Tus conclusiones

1. Se usa el presente perfecto cuando...
2. Se forma el presente perfecto con ....
3. Algunos participios pasados irregulares son . . .

Paso 6: Ahora a practicar

Cambia los verbos del infinitivo al presente perfecto.

1. Esta mañana (acabar) mi tarea en internet.
2. Nosotros (vender) nuestro coche en eBay hoy.
3. ¿Tú (salir) de la *app* ya?
4. ¿Uds. (ver) las noticias en CNN esta tarde?
5. Mi amigo (estar) en las redes sociales antes de venir hoy.

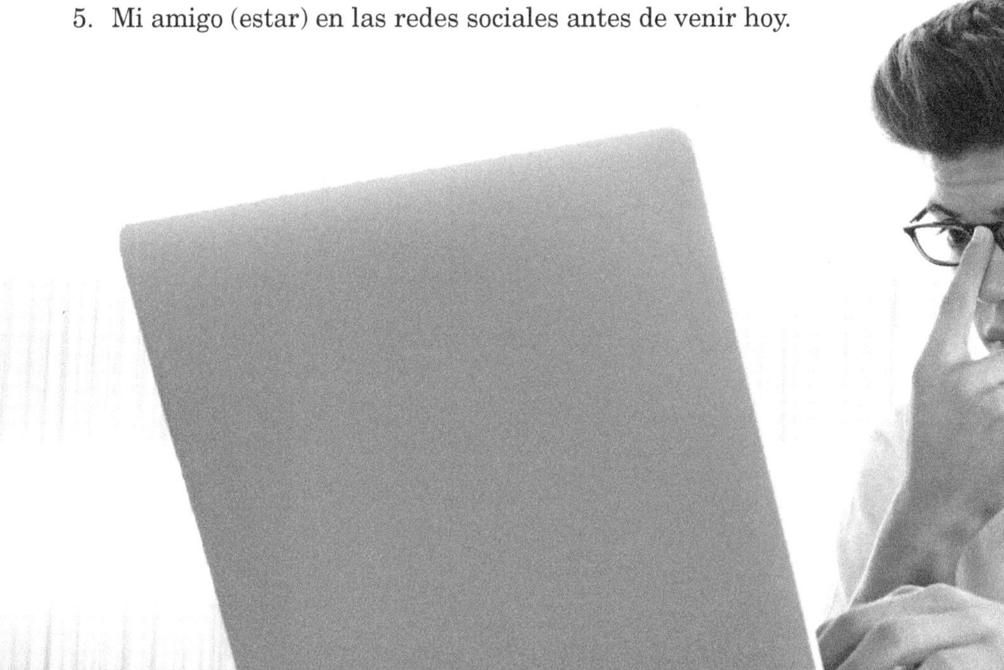

Actividad 3

¿Qué redes sociales usan los chilenos?

Margarita te contó sobre las redes sociales que usa ella. Pero ahora, vas a aprender más sobre los chilenos en general y su presencia en internet.

Paso 1: Los chilenos y sus redes sociales favoritas

Casi todas las personas que usan internet utilizan las redes sociales y la encuesta Chilescopio reveló cuáles son las más usadas por los chilenos.

a. Estudia la infografía.

b. Mientras lo haces, habla con un/a compañero/a sobre:

- lo que notan en general;
- lo que piensan sobre cómo usan los chilenos las redes;
- si las redes que usan los chilenos son iguales o diferentes de las que usan sus amigos y Uds.

Las redes sociales favoritas de los chilenos

% que usa redes sociales y aquellas más utilizadas

Facebook	WhatsApp	Youtube	Google +	Instagram	Twitter	LinkedIn	Tinder	My Space	Snapchat	Tumblr	Pinterest	Otra	Tuenti
95	85	69	44	29	26	8	5	5	5	4	3	3	2

94% Sí utiliza
6% No utiliza

Por Equipo de Diseño La Nación/Prensa - www.lanacion.cl

Paso 2: Un estudio

¿Cuántos contactos tienes tú? Mira las actividades que se encuentran después del artículo para ayudarte a comprenderlo bien.

a. Lee el artículo parte por parte, parando después de cada párrafo para verificar, con tu compañero/a, que lo han entendido bien.

b. Después, completen, en parejas, las actividades a continuación.

Estudio revela que los chilenos en Facebook tienen 324 contactos en promedio

SANTIAGO.- Una encuesta realizada en julio de este año por la empresa Adimark y Nescafé, llamada "Amigos de Verdad", reveló que los chilenos tienen en promedio 324,6 contactos en Facebook y, de ese total, 6,3 son "amigos de verdad" según los usuarios.

Basado en 862 casos de hombres y mujeres mayores de 15 años en Chile, el estudio arrojó que 56% de los usuarios utiliza Facebook, 31% WhatsApp y un 11% Twitter. Esto teniendo en cuenta que diariamente 6,7 millones de cuentas de Facebook se activan desde un computador y 5,3 millones desde un teléfono móvil.

"Chile es un país hiperconectado, donde las relaciones presenciales se han visto disminuidas por la fuerte presencia de las redes sociales", dijo Felipe González, gerente de Nestlé.

Un 81% de los encuestados afirma que un "amigo de verdad" es a quien se le ha confiado un secreto, un 55% cree que es por quien cambiaría los planes si lo invita al cumpleaños y que lo extraña si no lo ve en mucho tiempo (52%).

Un conocido, en cambio, es a quien se debe ir a visitar si está en el hospital (42%), es a quien se debe ir a ver una vez al mes (34%) y a quien se debe acompañar si fallece (muere) algún familiar de él (32%).

De la cifra de contactos, 126,3 son conocidos; 24,5 familiares; 35 excompañeros de colegio; 15,1 compañeros de trabajo; 27,4 amigos de la infancia; 8,9 famosos y 1,1 corresponden a exparejas.

"El chileno que está activo en las redes sociales y actualizando constantemente la información, se encuentra con sus amigos y sabe más de ellos", dice Felipe Lohse, vocero y director comercial de Adimark, agregando que una de las principales razones por las cuales el chileno no se junta con sus amigos es por falta de tiempo (67% de las preferencias).

En relación a la forma en que se comunican los chilenos con sus "amigos de verdad" y cómo les gustaría hacerlo, un 85% chatea mensualmente por mensajes de texto con ellos, pero un 70% preferiría invitarlos a su casa.

[FB]
Por Maximiliano Arce, www.emol.com.
jueves, 4 de septiembre de 2014

Paso 3: ¿Quiénes son estos contactos?

Escribe una definición para cada tipo de persona, según el artículo.

1. Amigo de verdad.
2. Contacto.
3. Conocido.

Paso 4: Los contactos

¿Qué opinas? ¿Son importantes todos los contactos?

a. Primero, completa la lista con los tipos de contactos que más figuran en las redes sociales de los chilenos.

b. Después, piensa en tus contactos y decide el lugar de importancia que ocupan en tu vida, ordenándolos de uno a cinco.

c. Luego, compara tus resultados con los de otros/as compañeros/as.

d. Comparen los resultados de su grupo con toda la clase para escribir una lista de los contactos más populares para un adolescente americano.

chilenos	yo
1. **Modelo:** El tipo que más tienen es *conocidos*	1. El tipo que más tengo ________
2. El segundo en números ________	2. El segundo en números ________
3. El tercero en números ________	3. El tercero en números ________
4. El cuarto en números ________	4. El cuarto en números ________
5. El quinto en números ________	5. El quinto en números ________

Paso 5: ¿En qué te pareces a los chilenos?

Mira de nuevo la infografía en **Paso 1**. Después, comenta las siguientes preguntas con tus compañeros/as. Escribe un correo electrónico a Margarita compartiendo esta información.

1. ¿Cuáles son las redes sociales que más usas tú?
2. ¿Por qué son importantes estas redes para ti?
3. ¿Has pasado un día sin estar en contacto con sus amigos? ¿Cómo fue la experiencia?
4. ¿Qué diferencias y semejanzas existen entre tu clase y los chilenos? ¿Por qué?

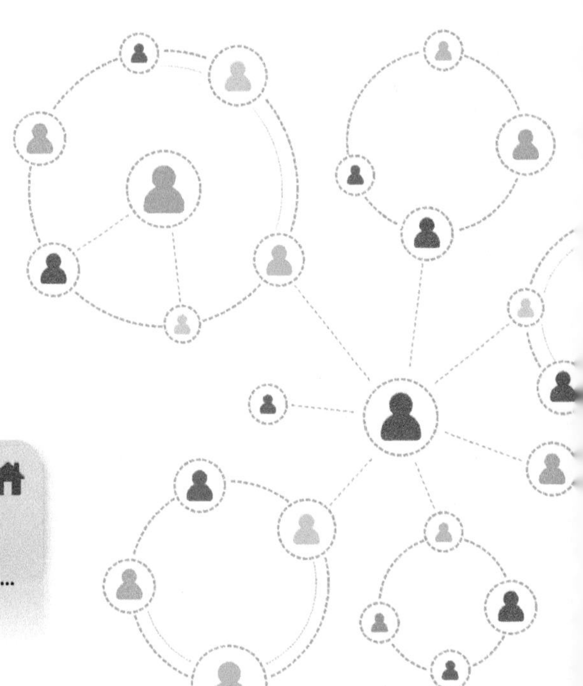

Hola Margarita, he leído un artículo sobre el tipo de contactos que tienen los chilenos en las redes sociales. Quiero contarte sobre mi experiencia en estos sitios....

Paso 6: ¿Conectado en todo momento?

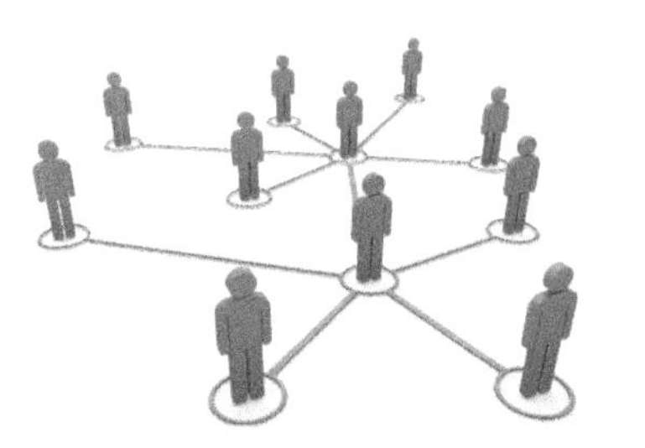

Según el gerente de Nestlé, "Chile es un país hiperconectado, donde las relaciones presenciales se han visto disminuidas por la fuerte presencia de las redes sociales".

a. En grupos de dos a cuatro alumnos, lean ahora la última oración del artículo.

b. Hablen en parejas y contesten a las preguntas:

1. ¿Cuál es el dilema que tiene el chileno?
2. ¿Se han visto alguna vez en el mismo dilema? Expliquen.

Mi progreso intercultural
Sé comparar mi uso de las redes sociales e internet con el de los jóvenes chilenos.

Reflexión intercultural

Vas a hacer una reflexión sobre lo que has aprendido sobre la presencia de los chilenos en las redes sociales. Para ayudarte, usa este organizador gráfico.

Antes pensaba que mi presencia en las redes sociales e internet . . .	Antes pensaba que la presencia de los chilenos en las redes sociales e internet . . .	Ahora sé que . . .	Ahora entiendo que . . .
Modelo: era igual que la de todo el mundo.	**Modelo:** era igual que la mía.	**Modelo:** los chilenos usan WhatsApp para chatear.	**Modelo:** los chilenos preferirían invitar a sus amigos a su casa.

Después de completar el organizador gráfico, escribe un párrafo en la guía digital reflexionando sobre lo que sabes y entiendes de lo que piensan los chilenos de las redes sociales que no sabías antes. Lee los párrafos de dos compañeros/as y deja tu opinión sobre lo que dijeron.

Observa 2

El *se impersonal*

Paso 1: Un uso de *se*

Al leer los siguientes datos sobre las redes sociales, fíjate en los verbos en **negrita**.

Según nuestros contactos, si **se revisan** las páginas por las que navegamos, **se puede** obtener mucha información nuestra.

Algunas de las causas por las que **se rechaza** a un candidato para un puesto tienen que ver con su uso de las redes sociales.

Diariamente más de 6,7 millones de cuentas de varias redes sociales **se activan** desde una computadora y 5,3 millones desde un teléfono móvil.

"Chile es un país hiperconectado, donde las relaciones presenciales **se han visto disminuidas** por la fuerte presencia de las redes sociales", dijo Felipe González, gerente de Nestlé.

¿Qué observas?

a. Usa el organizador gráfico en la guía digital para anotar tus observaciones del *se impersonal*.

b. Compáralas con dos o tres compañeros.

c. Escriban sus conclusiones.

Paso 2: A ver si puedes contestar a estas preguntas.

Pregunta	A veces	A menudo	Pocas veces	Nunca
1. En tu colegio, **¿se prohibe** usar el móvil en las clases?				
2. **¿Se usan** muchos aparatos electrónicos en tu casa?				
3. ¿Crees que **se dejan** muchos rastros en la Red?				

Reflexiona ¿Qué más puedes incluir en el organizador gráfico de tus observaciones y conclusiones del *se impersonal*?

 Paso 3: ¿Y si no usas el *se impersonal*?

Mira otra manera de expresar el sentido del *se impersonal*.

1. Uno escribe menos cartas por culpa de internet.
2. Uno habla menos por teléfono a causa de internet.
3. Uno no debe hablar con desconocidos en la Red.

¿Por qué crees que se llama el *se **impersonal***?

En español, no se utiliza mucho "uno". Se usa el *se impersonal* cuando lo importante es la acción de la que se habla, y no quién hace la acción.

Cambia las oraciones con *uno* al *se impersonal*.

 Paso 4: Más ejemplos

Mira otros ejemplos para ver si sabes construir el *se impersonal* y responde a las preguntas con un compañero.

Se hace clic en la *app*.	**Se revisan** los datos personales de la solicitud.
Se rastrea la información personal con facilidad.	**Se activan** las cuentas nuevas a una velocidad increíble.
Se dice que las redes ayudan con la comunicación.	**Se dejan** muchos rastros cada vez que usamos la Red.
La decisión **se basa** en la experiencia que uno tiene.	**Se rechazan** a los candidatos que no usan las redes sociales correctamente.

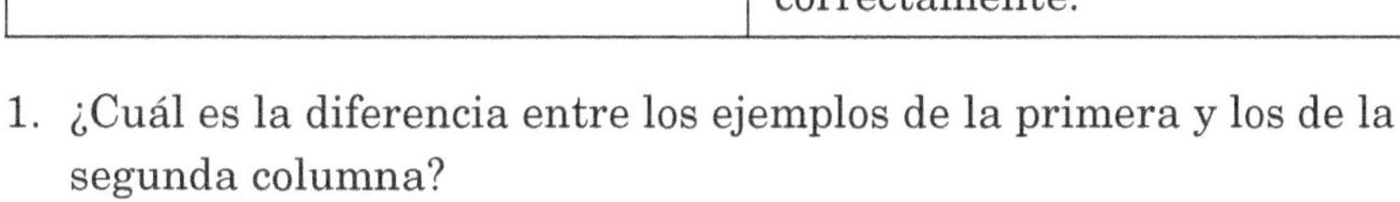

1. ¿Cuál es la diferencia entre los ejemplos de la primera y los de la segunda columna?
2. ¿Cómo se forma el *se impersonal*?
3. ¿Cuándo está el verbo en la forma plural y cuándo en la forma singular?

 Paso 5: Un poco de práctica

A ver si puedes cambiar estas oraciones para usar el *se impersonal* en vez de “uno”. Presta atención a si el verbo es singular o plural.

1. Uno ve frecuentemente los comentarios de los amigos en las redes sociales.
2. Uno lee más las noticias en línea que en un periódico.
3. Uno entra en un foro sin problemas.
4. Uno puede ofender a una persona fácilmente si no tiene cuidado.
5. Uno escribe invitaciones electrónicas con facilidad.

Actividad 4

Conoce a Micaela

Micaela es otra de las jóvenes de Chile que vas a conocer en esta unidad. En su video blog, va a hablar de su vida en Los Ángeles, Chile, su uso de las redes sociales e internet y su opinión sobre las ventajas y desventajas de las redes sociales.

Dos jóvenes chilenos usando los móviles para comunicarse.

Paso 1: Pensándolo un poco

Ya sabes qué redes sociales usan los chilenos con más frecuencia.

a. Mira el video de Micaela y escribe las redes sociales que ella usa en la primera columna del organizador gráfico en la guía digital.

b. Después, comenta con un/a compañero/a lo que tienes en común con Micaela y lo que es diferente.

c. Contesta a las siguientes preguntas.

- ¿Son iguales las redes sociales que usan Margarita y Micaela?
- ¿Por qué crees que es así?

Salto del Laja, Chile

Paso 2: Más sobre Micaela

Vamos a conocer más detalles de Micaela.

a. Observa el video de Micaela otra vez y completa el organizador gráfico con la información pedida.

Redes que usa Micaela	Familia de Micaela	Aspectos positivos de usar las redes	Aspectos negativos de usar las redes
Modelo: Facebook.	Sus padres.	Todos pueden mantenerse en contacto.	La gente no habla entre sí.

b. Ahora, escribe un mensaje a Micaela contándole lo que opinas del uso excesivo de las redes sociales. Usa el modelo para empezar tu mensaje.

Modelo

¡Hola, Mica! Estoy de acuerdo contigo con respecto al uso excesivo de las redes sociales. Por eso, opino . . .

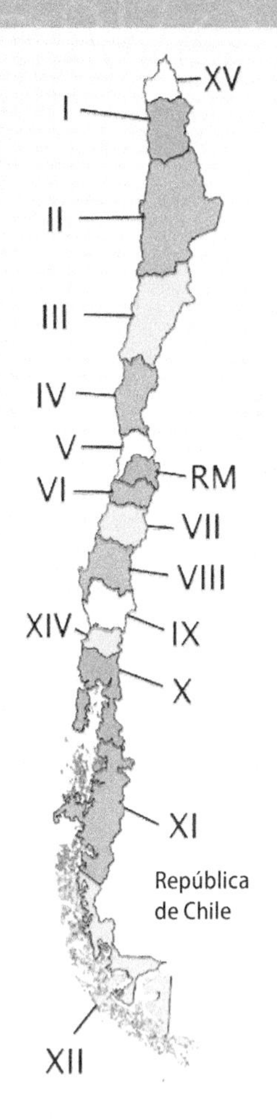

Enfoque cultural

Práctica cultural: Las regiones de Chile

¿Sabías que en Chile hay 15 regiones? Las regiones de Chile son las divisiones territoriales del país. Cada región chilena, a efectos gubernamentales y administrativos, se subdivide en provincias. La Región Metropolitana, o RM incluye la capital, Santiago, y está ubicada en el centro del país. Es importante señalar que cada región tiene su propia bandera y capital.

 **Conexiones**

1. ¿Hay zonas diferentes en tu estado o provincia? ¿Cómo se dividen?
2. ¿Hay banderas diferentes en los estados o provincias de tu país? ¿Por qué? ¿Qué representan?

Reflexión intercultural

Micaela participará en la Fiesta de la Chilenidad este fin de semana. Ella vio un mensaje en las redes sociales sobre la fiesta y piensa dejar un comentario y compartirlo con sus amistades. ¿Lo debe compartir? ¿Por qué? Contesta a las preguntas siguientes en el foro de la guía digital.

1. ¿Qué has aprendido de Micaela y su presencia en las redes sociales e internet?
2. ¿Qué harías tú en esta situación?
3. En tu comunidad, ¿es apropiado comentar o compartir mensajes en las redes sociales e internet? ¿Por qué?

Modelo

A Micaela le gusta usar las redes sociales. En mi opinión, Micaela debe/no debe compartir el mensaje porque . . .

 **miguel zapata**

Este fin de semana se realizará la Fiesta de la Chilenidad en Salto del Laja - Biobio es TUYO...

Mi progreso intercultural
Sé comparar mi uso de las redes sociales e internet con el de los jóvenes chilenos.

¿Te acuerdas?

confiar en alguien

los datos

el enlace

seguro

Además se dice

desempeñar - realizar

involucrarse - incluirse

ortográfico - cómo se escribe una palabra

vigente - actual; en uso; válido

Actividad 5

¿Es fiable la información de internet?

Puedes creer todo lo que ves en internet, ¿verdad?

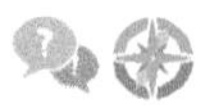 Paso 1: ¿Es fiable internet?

¿Y tú qué crees? En un grupo de cuatro alumnos, contesten a las siguientes preguntas.

1. ¿Creen que lo que encuentran en internet es de fiar o no?
2. ¿Por qué piensan así?
3. ¿Les sorprenden las respuestas de sus compañeros?
4. ¿Por qué sí o por qué no?

Así se dice 2: Fiabilidad de internet

la actualización - al día; la modernización
una cifra - un número en forma de dígitos
citar - mencionar las palabras de otro
contener - encerrar una cosa dentro de otra
descargar - bajar de la Red a la computadora
un/a destinatario/a - un/a receptor/a
un dominio - nombre que identifica a un sitio web, en este caso
la fiabilidad - la seguridad; la confianza
fiar - confiar; asegurar la verdad
pertenecer (a) - ser de alguien
un propósito - una intención
publicitario - relacionado con anuncios
verificar - examinar para estar seguro/a

Visita la guía digital para practicar el vocabulario de **Así se dice 2**.

 Paso 2: Algunos criterios para tener en cuenta

¿Has pensado en los criterios necesarios para navegar por internet?

a. Antes de leer los criterios, escribe algunos que usas tú para determinar si lo que encuentras en internet es de fiar o no.

   Modelo

   Si veo muchos anuncios, se puede decir que el sitio no es fiable.

b. Compara tus criterios con alguien más de tu clase para ver si puedes crear una lista más extensa.

c. Lee en la guía digital, *4 criterios para evaluar si el internet es de fiar o no,* y rellena el organizador gráfico con tus ideas para evaluar la fiabilidad de la información en internet según el autor, la página, la actualización y los objetivos del sitio web.

Paso 3: ¿Y tú, qué piensas?

Ahora, compara con tu compañero/a tu lista de ideas del artículo con la suya. Decidan cuáles son los criterios o ideas más importantes. Usen expresiones para empezar la conversación, como por ejemplo:

Para mí lo más importante es . . . porque . . .	Estoy de acuerdo con . . .
¿Y para ti?	No me gusta . . .
A mi modo de ver . . .	No lo veo así.
Yo opino de esa manera . . .	

Júntense con otra pareja y expliquen las ideas de sus compañeros. *Mi compañero/a dice que . . .*

¿Qué aprendiste?

Acabas de recibir un mensaje de tu mejor amigo. Su familia está pensando en cambiar la empresa que proporciona sus servicios de telefonía e internet y quiere saber qué empresa usa tu familia. Déjale un mensaje en su celular contándole todo lo que has aprendido y por qué debe cambiar de empresa.

a. Explícale lo que ofrece la compañía que usa tu familia, por qué es una buena opción y por qué tu amigo debe cambiarse a ella.

b. Indica lo que has aprendido sobre cómo verificar la fiabilidad de internet y por qué la compañía que usa tu familia es de fiar.

c. Graba tu mensaje en la guía digital. Después escucha los mensajes de dos compañeros y déjales un comentario por escrito sobre tu opinión de lo que dijeron.

Modelo

¡Hola, (nombre)! Acabo de oír tu mensaje. La compañía que usamos en mi familia es perfecta... (ahora continúas tú)

Además se dice

acreditar - identificar como algo

actualizar - poner al corriente

el cargo - la responsabilidad

la entidad - organismo o individuo

el lucro - la ganancia

Mi progreso comunicativo

Sé verificar que la información que encuentro en internet es fiable (verdadera).

Expresiones útiles

desconéctate - no continúes

entrar en un chat - hablar por internet con muchas personas

Enfoque cultural

Producto cultural: VTR.COM

VTR (empresa)
Acrónimo: VTR
Tipo: Sociedad anónima

Industria: Telecomunicaciones
Sede central: Las Condes, Santiago
Sitio web: http://www.vtr.com

VTR Globalcom S.A., conocida comercialmente por su acrónimo VTR, es una empresa chilena de telecomunicaciones. Provee servicios de televisión por cable, telefonía fija y acceso a internet en sus principales ciudades. Desde el 14 de marzo de 2014, la totalidad de su propiedad está en manos del grupo estadounidense *Liberty Global*.

 **Conexiones**

1. ¿Cuáles son las empresas de telecomunicaciones que usas en tu casa?
2. Compara VTR con tu compañía de telecomunicaciones. ¿Hay semejanzas o diferencias?

Actividad 6

Protección en internet

A continuación, conocerás a Dan y explorarás cómo ser más cuidadoso/a cuando usas las redes sociales e internet.

 Paso 1: Ofrece consejos a otros jóvenes

Dan, que es de Villarrica, Chile, está muy preocupado. Él no sabe solucionar los problemas que tienen muchos jóvenes por desconocer los riesgos que corren, pero quiere promover la seguridad en internet para todos. Las redes sociales e internet te ofrecen muchos beneficios y hay muchas ventajas como has explorado anteriormente. Pero, puede haber riesgos también.

Así se dice 3: Protección en internet

el comportamiento - la manera de actuar

una contraseña - una palabra secreta

un/a desconocido/a - una persona no conocida

etiquetar - identificar a una persona en cuanto a su carácter, profesión, ideología, etc.

localizar - situar

los remedios - las soluciones

el riesgo - la proximidad de un daño o peligro

la solicitud - la petición

Además se dice

una chapa - una hoja de madera u otro material

un lema - un eslogan

una pegatina - un adhesivo con dibujo

Para promover su causa, Dan ha escrito un blog para hablar de sus preocupaciones y buscar soluciones para los jóvenes de hoy.

En su primera entrada en el blog, ha explorado el tema de los blogueros y su fiabilidad y comportamiento en las redes sociales e internet. Le gustaría explorar el tema con más detalle y pide comentarios. Ha creado cuatro categorías de comentarios.

1. La fiabilidad en internet es un tema sumamente importante.
2. Los blogueros deben recibir el mismo respeto que los reporteros de los periódicos ya que ambos son autores.
3. El **comportamiento** en las redes sociales e internet afecta la huella digital de una persona.
4. La ciudadanía digital promueve la navegación por internet de forma apropiada y segura.

a. Piensa en las categorías mencionadas por Dan. Escoge la categoría que más te interesa comentar.

b. Vete al lugar marcado en tu sala de clase con tu categoría.

c. Forma un círculo con los otros alumnos que también escogieron tu categoría.

d. En tu grupo, habla de los comentarios que quieres escribir en el blog de Dan y explíca por qué escogiste la categoría.

e. Compartan las ideas de su grupo con la clase.

Para conocer más a Dan y ver su video blog, visita la guía digital.

Paso 2: Navegando por internet con seguridad

En grupos pequeños, escriban en el organizador gráfico en la guía digital por lo menos cinco criterios que siguen Uds. para usar internet de forma segura.

Paso 3: ¿Cuál es tu comportamiento?

Tu comportamiento en las redes sociales e internet dice mucho de ti.

a. Responde con sinceridad a esta encuesta, *¿Cuál es tu nivel de vulnerabilidad en el uso de redes sociales?* Puedes contestar, "Depende", pero tienes que estar preparado/a para explicar de qué depende.

Encuesta para comprobar si navegas por internet de forma segura

Contesta a las preguntas con *Sí* o *NO* de acuerdo al uso que tú haces de internet.

¿CUÁL ES TU NIVEL DE VULNERABILIDAD EN EL USO DE REDES SOCIALES?	SÍ	NO
¿Das todo tipo de detalles personales: dirección, amigos, familia, etc.?		
¿Usas siempre la misma **contraseña** y no la mantienes en secreto?		
¿**Enlazas** a tu perfil las fotos o comentarios de otras personas sin comunicárselo?		
¿Lees las condiciones de uso o cambias los perfiles de privacidad en las redes sociales?		
¿Aceptas todas las **solicitudes** de amistad que te mandan, sin pensar en si conoces a la persona o no?		
¿Chateas con personas que no conoces?		
¿Cuelgas todas tus fotos en las redes sociales sin pensar en quien puede tener acceso a ellas?		
Cuando una aplicación te pregunta si pueden **localizar**te, ¿le das permiso?		

¿Cuántas respuestas afirmativas tienes?

Cuántas más tengas, menos seguro es tu uso de internet. ¡Ten cuidado!

Expresiones útiles

cifras de visitantes - número de personas que visitan una página

diseño de la página - la aparencia de la página

Parque Nacional Torres del Paine Patagonia, Chile

San Fernando, Chile

Mi progreso comunicativo
Sé explicar las reglas que debo seguir para protegerme en internet.

b. Después, escribe una reflexión de tus resultados y lo que piensas que significa. ¿Qué relación hay con la definición de ciudadanía digital que creaste al principio de la unidad? ¿Por qué?

Modelo

Según la encuesta, mi nivel de vulnerabilidad en las redes sociales es . . .

Paso 4: Escucha a alumnos chilenos

Mirarás dos videos de alumnos chilenos de San Fernando y Villa Alemana, ambos en Chile.

a. Escucha mientras hablan de lo que aprendieron sobre cómo solucionar los **riesgos** de internet.

b. Mira cada video dos veces.

c. Después, completa el comentario con la palabra mencionada por los alumnos. También, escribe otros detalles de los videos.

Soluciones para los riesgos	Más detalles
Modelo: Hay que tener una contraseña buena.	
1. No subir __________ privadas.	
2. No dar los __________ personales a desconocidos.	
3. No aceptar como __________ a alguien con quien no tienes nada en común.	

d. Ahora, en grupos de tres o cuatro, comenten las ideas de los alumnos chilenos. Pónganse de acuerdo sobre cuáles serían sus tres consejos si tuvieran la posibilidad de aparecer en un video del mismo tema.

e. Después, defiendan sus tres sugerencias claves (más importantes) con los otros grupos, y como clase, decidan cuáles son los tres consejos más importantes para usar internet de forma segura.

¿Qué aprendiste?

Ahora que comprendes la importancia de la seguridad en internet, diseñarás una pegatina para un coche o una chapa para una mochila que muestre el concepto de "seguridad en internet". En tu diseño, debes incluir:

- Un lema (un eslogan); por ejemplo, "muestra la felicidad".
- Algunas fotos o dibujos para apoyar tu lema.
- Una descripción con el significado del lema.

a. Antes de escribir, piensa en tu opinión sobre este tema, lo que imaginas y lo que harás para informar al público.

b. Comparte tus ideas con un/a compañero/a, y después, empieza a crear tu pegatina o chapa.

c. Cuando tengas tu pegatina o chapa, preséntala a la clase y explica por qué debe ser la representante de la campaña de seguridad para la clase.

d. Después, tu profe va a pegar todas las pegatinas y chapas en la pared y toda la clase votará por la más impactante para la campaña de la seguridad en la Red.

Actividad 7

¿La tecnología en literatura?

Muchas personas dicen que con el uso de la tecnología, perdimos el hábito de comunicarnos cara a cara o en persona.

Paso 1: ¿Cuál es tu opinión?

¿Estás de acuerdo con esa afirmación? ¿Por qué? Deja un mensaje en la guía digital o habla con un/a compañero/a de clase.

Paso 2: ¡Haz predicciones!

Vamos a pensar en una predicción.

a. De estos dos títulos de historias, *El celular mágico* y *El trompo bailarín,* ¿cuál te gustaría leer?

b. Mira la imagen de tu lectura elegida y haz una predicción del tema explicando por qué. Escribe tu respuesta según el modelo.

Modelo

Mi lectura es . . .Creo que se tratará de . . . porque . . . (termina la oración)

Además se dice

acceder - aceptar

agregar - añadir

brindar - ofrecer

difundir - expandir

ejercer - aplicar algo

generar - producir

el hostigador - persona que molesta o se burla

ocultar - esconder

Expresiones útiles

bloquea a alguien en tu muro o red social - no aceptar como amigo/a

hacerte seguidor/seguidora del hilo de . . . - comenzar a ver con regularidad lo que una persona determinada publica sobre un tema en la Red

tu muro - donde dejas tus mensajes en una red social

Además se dice

el cajón - parte de un mueble

una herramienta - un utensilio para trabajar

la púa - la punta del trompo (en este contexto)

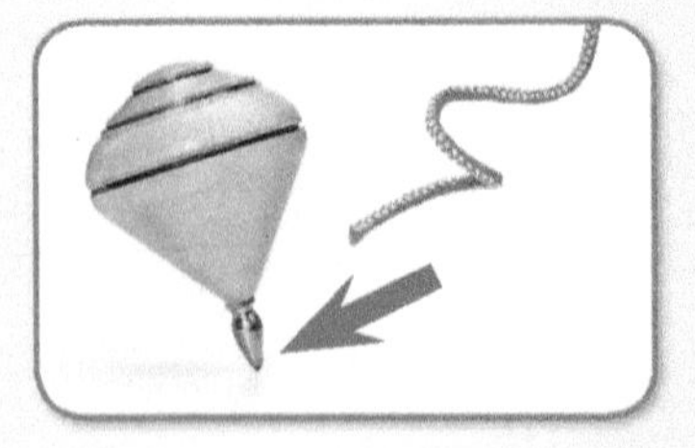

un trompo - un juguete que da vueltas, gira

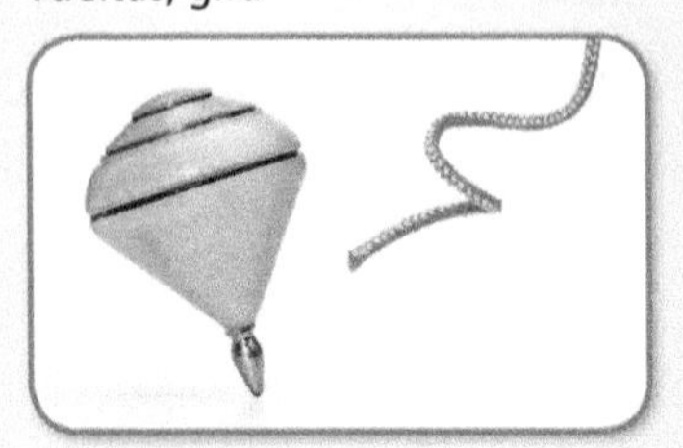

Paso 3: ¡Escoge tu lectura!

Ahora, tendrás la oportunidad de leer la historia cuyo título has elegido.

a. Lee una de las lecturas siguientes.

1. *El celular mágico*

El Celular mágico

Autora **Juanita Esther Álvarez San Martín**
Coyhaique, Región de Aysén

Ilustración **Carolina Schütte**

Nico vivía solo con su abuela, una viejita enferma que estaba triste y cansada.

Para su cumpleaños Nico recibió un celular y dijo: "¡No me sirve, no tengo familia que me llame!".

Un día su celular comenzó a sonar y una voz muy dulce le dijo: "eres muy importante para mi".

Antes de dormirse, el teléfono nuevamente sonó y le deseó "buenas noches".

Así sucedió durante mucho tiempo.

Nico se había convertido en un niño feliz.

Un día la abuelita se enfermó muy grave y el teléfono dejó de sonar.

Nico se dio cuenta de lo que pasaba.

Llamó a la abuelita y le dijo: "eres muy importante para mi".

La abuelita se puso feliz, se mejoró y nunca más dejaron de comunicarse.

más cuentos en www.crececontigo.cl

Extraído de: http://tinyurl.com/jcw2ooc

2. *El trompo bailarín*

El trompo bailarín

Autor **Luis Gerardo Berner Muñoz**
La Florida, Región Metropolitana

Ilustración **Mariana Muñoz**

En una vieja caja de recuerdos dormía un trompo olvidado.

Cuando despertaba, miraba tímidamente a los niños de la casa sentados frente al computador, donde pasaban horas y horas observando la pantalla.

Un día, buscando una herramienta en el cajón, el padre tomó al trompo y lo acarició melancólico.

Luego enrolló la cuerda en el cuerpo de madera dándole los giros que lo llenaban de felicidad cuando niño.

Sus hijos sacaron sus celulares y grabaron al bailarín.

Ahora, de vez en cuando, el trompo se observa en la pantalla vacilando mientras se estira la púa, su única pata.

más cuentos en www.crececontigo.cl

Extraído de: http://tinyurl.com/hq5f76h

Paso 4: ¡Dibuja tu lectura!

Antes de hablar de lo que has leído, resume la lectura con un dibujo.

Paso 5: En resumen

Después de leer, contesta a las preguntas siguientes en la guía digital.

1. ¿De qué se trata tu cuento? Escribe una o dos oraciones para resumir lo que has leído. Usa el modelo:

   Modelo

   Mi lectura se trata de . . . (termina la frase)

2. ¿Fue correcta tu predicción inicial? ¿Por qué?
3. ¿Todavía tienes preguntas sobre lo que leíste? ¿Cuáles son?

¿Qué aprendiste?

Haz algunas conexiones refiriéndote a las lecturas para contestar a las preguntas siguientes. Lee las preguntas y contéstalas con un/a compañero/a.

1. ¿Cuál es el mensaje de la lectura? ¿Estás de acuerdo con este mensaje? ¿Por qué?
2. ¿Qué relación existe entre tu lectura y la idea de la ciudadanía digital? ¿Por qué?
3. ¿Qué aspecto de la cultura chilena se transmite en tu lectura? Aparece algún producto, práctica o perspectiva cultural? Explica tu respuesta.

Mi progreso comunicativo
Sé demostrar lo que es la ciudadanía digital y expresar el impacto que tiene en mi vida.

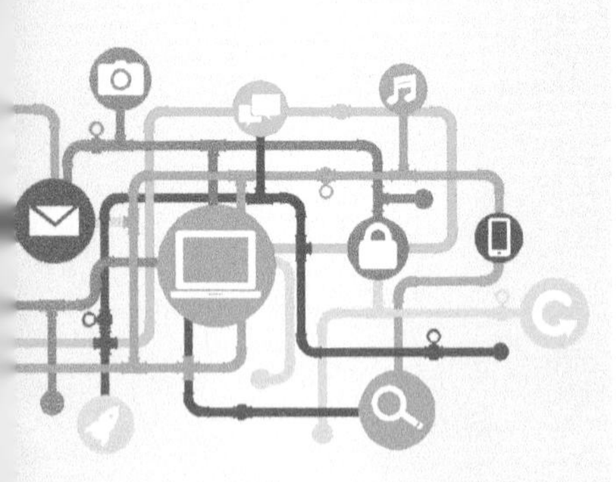
La conducta en las redes sociales e internet

¿Te acuerdas de los conectores?

además

de esa manera

en resumen

no solo . . . sino también

por lo tanto

por otra parte

por un lado

sin embargo

sobre todo

ya que

En camino A

Así es ser un/a ciudadano/a digital

Ya que entiendes lo que es tu huella digital, vas a analizar lo que necesitas para ser un/a ciudadano/a digital que acepta la responsabilidad de averiguar si un sitio web es fiable o no y de evitar los riesgos asociados con la presencia en las redes sociales e internet.

Para ti, ¿qué significa ser un ciudadano digital?

Paso 1: Margarita y Pedro charlan

Margarita y Pedro grabaron un *podcast* de una conversación que mantuvieron en su colegio. El tema fue: *¿Qué es un ciudadano digital?* Se puede decir que la ciudadanía digital incluye cuatro categorías: la legalidad, la ética, la seguridad y la responsabilidad, pero ¿en qué consisten?

Antes de escuchar el *podcast*, anota algunas conductas en las cuatro categorías en el organizador gráfico en la guía digital.

1. La legalidad

2. La ética

3. La seguridad

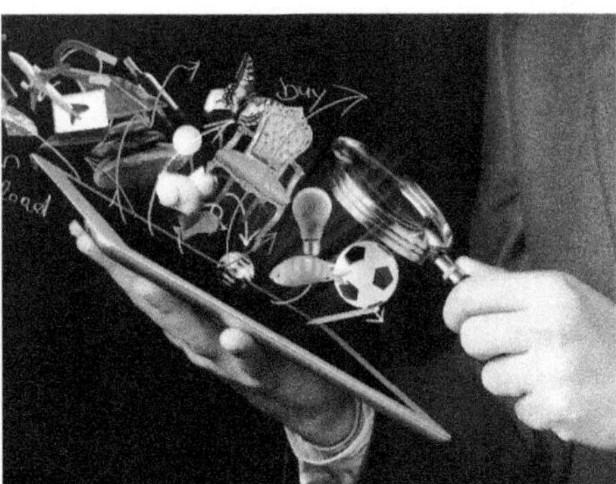
4. La responsabilidad

Paso 2: ¿Qué oíste?

Ahora, vas a escuchar el podcast entre Margarita y Pedro.

a. Escucha su conversación y pon una palomita (√) en las conductas tuyas que oyes.

b. Escucha el *podcast* otra vez y contesta a las preguntas en la guía digital.

Paso 3: ¿Eres o no eres un/a ciudadano/a digital?

Ahora, escribe lo que haces según las normas de un ciudadano digital y lo que debes hacer mejor.

Mi comportamiento personal	
Lo que hago bien	**Lo que puedo hacer mejor**

Paso 4: Escribe a Margarita

¿Te acuerdas de que Margarita tiene un blog? Esta semana ha escrito sobre la ciudadanía digital y ha explicado lo que estudian en su clase. Quiere saber si tu comportamiento en las redes sociales e internet es el apropiado de un/a ciudadano/a digital o no.

a. Escribe en su blog. Cuéntale lo que haces bien en cada categoría.

b. Explícale lo que harás mejor en cada categoría.

c. Dile por qué ser un/a ciudadano/a digital es importante.

d. No te olvides de usar conectores.

Modelo

Hola Margarita. Me gusta mucho lo que te he oído decir en el podcast en tu colegio. Quiero comentar mi experiencia en las redes sociales e internet.

Mi progreso comunicativo
Sé demostrar lo que es la ciudadanía digital y expresar el impacto que tiene en mi vida.

Mi progreso intercultural
Sé explicar cómo los jóvenes chilenos y los de mi comunidad son ciudadanos digitales.

Comunica y Explora B

Pregunta esencial: ¿Cómo influyen las redes sociales e internet en mi vida y en la de los jóvenes chilenos?

Actividad 8

Conoce a Fernando

Fernando, otro bloguero de Chile, mantiene un blog. ¿Puedes adivinar el tema del artículo por su título, *Usando las redes sociales para promover causas positivas?*

Así se dice 4: Causas

aprobar - decir que sí, en este caso
aprovechar - hacer uso de
aún - todavía
la campaña - la misión; la operación
disfrutar - divertirse
eficaz - efectivo
enterarse - descubrir
la excursión - el viaje corto
la farándula - actores, músicos y otras personas famosas
promover - iniciar o promocionar
superar - sobrepasar

Paso 1: Más usos de las redes sociales

Como los otros jóvenes chilenos que has conocido, Fernando te cuenta sobre su vida, su familia y sus intereses, incluyendo más detalles sobre su uso de las redes sociales.

a. Mientras lees, marca las palabras, expresiones u oraciones del texto con una figura para indicar cómo usa Fernando las redes sociales:

▲ un triángulo para comunicarse

★ una estrella para informarse

● un círculo para promover causas.

b. A continuación, completa el organizador gráfico con los usos que descubriste.

Modelo

para comunicarse	para informarse	para promover causas
	lo que les pasa a los amigos	

¿Te acuerdas?

acampar

dejar

la flora y la fauna

mantenerse

el medio ambiente

medioambiental

proteger

Además se dice

el caudal - la cantidad de agua en un río

cercano - cerca

los daños - los efectos negativos

fluir - correr (como agua)

generar - hacer; producir

innumerable - numeroso

el paraíso - un lugar maravilloso

reconocido - famoso

Usando las redes sociales para promover causas positivas

06-11-2015 • Santiago, Chile

Hola, soy Fernando Guerrero y actualmente vivo en Santiago de Chile con mis abuelos para poder estudiar en un colegio bilingüe. Sin embargo, nací y crecí en La Serena, en la Región de Coquimbo. La Serena es un sitio turístico al norte conocido por sus bellas playas que se llenan de gente en los meses del verano desde diciembre a febrero.

Mis redes sociales favoritas son Twitter, Facebook y WhatsApp. **Disfruto** mucho **enterándome** de todo lo que les pasa a mis amigos y a los actores, cantantes y demás gente de la **farándula** gracias a las redes sociales. Además, como mi familia **aún** vive en La Serena, los mensajes de texto son una forma muy buena para mantenerme conectado con ellos. Por ejemplo, le mando mensajes todos los días a mi hermana María Jesús, que tiene 11 años y está en sexto básico. Como tenemos tanta diferencia de edad, es la única manera de mantenernos cercanos.

Últimamente, he estado siguiendo las redes sociales informándome sobre algo súper importante - el medio ambiente y en particular, el río Puelo cerca de Puerto Montt. Este río nace en Argentina y va al océano Pacífico al sur de Chile. La zona por la que pasa el río es un paraíso y van turistas de todo el mundo para hacer *trekking* e ir de acampada.

Oye, incluso un actor famoso de los EE. UU. está interesado en el río. Ese actor es un reconocido activista de causas medioambientales y subió a las redes sociales una foto del río con un mensaje: "Protejan al río Puelo y déjenlo fluir". El Consejo de Ministros de Chile **aprobó** la construcción de la Central Hidroeléctrica Mediterráneo, que generará 210 megawatts desde la Región de los Lagos **aprovechando** el caudal del río Puelo. Los daños en la flora y la fauna son innumerables y se ha protestado mucho en contra del proyecto. El mensaje del actor **superó** miles de "likes" en las redes sociales.

Por mi parte, también he puesto mensajes en las redes sociales protestando en contra del proyecto. Además, soy miembro de un club del medio ambiente y he usado las redes sociales para **promover** nuestras **campañas** en la comunidad. Nosotros ofrecemos información sobre el medio ambiente y los proyectos en Chile para protegerlo. Hacemos **excursiones** a diferentes partes del país para participar en esos proyectos y siempre usamos las redes sociales para programar las excursiones y reportar lo que pasa. Las redes ofrecen una manera rápida y **eficaz** de compartir información con muchas personas y de comunicarnos.

Paso 2: ¿Y tú?

Charla con algunos compañeros de clase sobre su uso de las redes sociales y en qué se parece al de Fernando.

1. ¿Cómo usan Uds. las redes sociales - para comunicarse, informarse o promover alguna causa?
2. ¿En qué se parecen a Fernando?
3. ¿Cómo demuestra Fernando ser un ciudadano digital responsable?

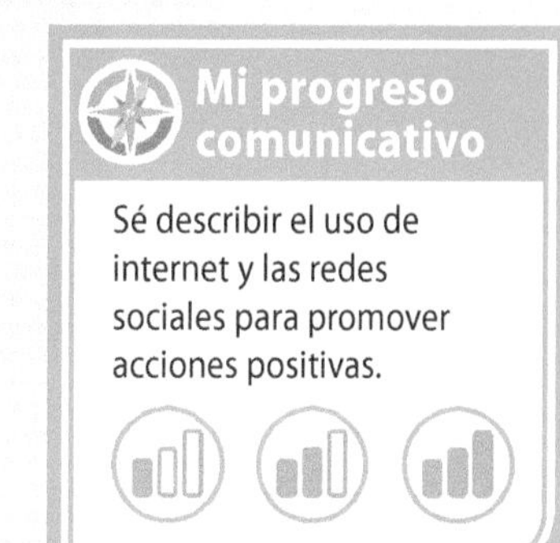

Mi progreso comunicativo
Sé describir el uso de internet y las redes sociales para promover acciones positivas.

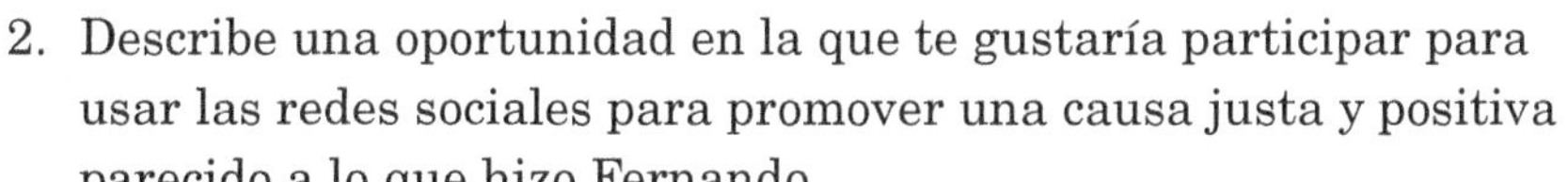

¿Cuáles son algunos usos de las redes sociales para promover causas justas?

a. Piensa en la información que leíste en el blog de Fernando y lo que comentaste con los compañeros de clase.

b. Graba una descripción de la oportunidad que tiene Fernando de usar las redes sociales para promover causas de apoyo al medio ambiente.

c. Luego, escoge una de las siguientes opciones y graba tu respuesta.

   1. Describe una oportunidad que tú tuviste o que oíste de un/a compañero/a de usar las redes sociales para promover una causa justa y positiva como la de Fernando.
   2. Describe una oportunidad en la que te gustaría participar para usar las redes sociales para promover una causa justa y positiva parecido a lo que hizo Fernando.

Sé explicar lo que otras culturas hacen en las redes sociales e internet para promover causas justas.

¡Hola! ¿Recuerdas esta descripción que leíste al principio de la unidad?

Observa 3

El futuro

Conocerás a Margarita de Santiago, Chile, y también a algunos de sus amigos de diferentes lugares del país.

Sus amigos te **contarán** sobre sus vidas para que veas lo que tienes en común con ellos.

Conocerás diferentes sitios en Chile y **podrás** ver cómo son estos lugares, cuál es su encanto y cuáles son sus peculiaridades.

También **explicarás** cómo usan los jóvenes chilenos varios medios de comunicación y las ventajas y desventajas de usarlos.

¿Qué observas?

Paso 1: ¿Presente, pasado o futuro?

Con un/a compañero/a, completen el organizador gráfico en la guía digital para indicar lo que les llama la atención del uso de los verbos en **negrita**. ¿Están hablando del presente, pasado o el futuro? ¿Cómo lo saben?

Paso 2: Más observaciones

Ahora lean la conversación entre Victoria y Oscar para añadir más observaciones y conclusiones en el organizador gráfico.

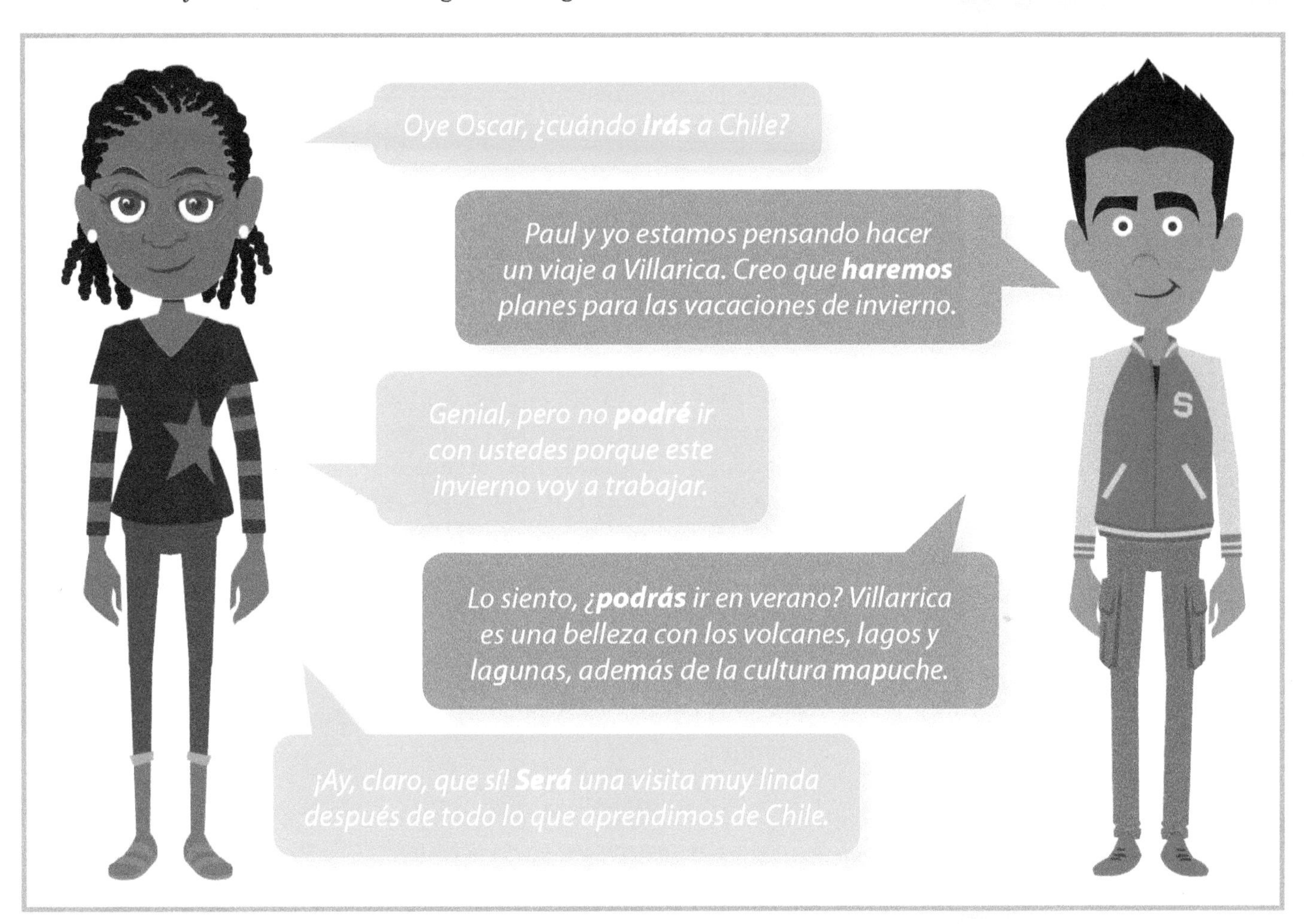

Oye Oscar, ¿cuándo **irás** a Chile?
Paul y yo estamos pensando hacer un viaje a Villarica. Creo que **haremos** planes para las vacaciones de invierno.
Genial, pero no **podré** ir con ustedes porque este invierno voy a trabajar.
Lo siento, ¿**podrás** ir en verano? Villarrica es una belleza con los volcanes, lagos y lagunas, además de la cultura mapuche.
¡Ay, claro, que sí! **Será** una visita muy linda después de todo lo que aprendimos de Chile.
S

Paso 3: Tus conclusiones

A ver si sabes la siguiente información del futuro simple. Completa el mismo organizador gráfico de los **Pasos 1 y 2**.

1. ¿Qué parte del verbo se usa para la formación del futuro?
2. ¿Cuáles son las terminaciones para cada sujeto del futuro? No te olvides de **vosotros**.
3. ¿Cuáles son los verbos irregulares en la conversación que no siguen esta formación?

¿Te acuerdas?

el cambio

el curso

los derechos

despertar

Paso 4: Descubre los otros verbos irregulares

Apunta otros verbos con formas irregulares en tu organizador gráfico.

1. Yo pondré una "X" en las cosas que voy a comprar en línea.
2. No saldrás con el chico que conociste en línea, ¿verdad?
3. Ella tendrá más cuidado en el futuro cuando esté en línea.
4. ¿Vosotros vendréis a la inauguración de nuestra página web?
5. Nosotros diremos la verdad en el futuro.
6. Habrá una inauguración en línea y otra en la oficina.
7. ¿Sabremos cuándo estará lista la página para inaugurarla? Ojalá.
8. ¿Uds. querrán ver lo que estamos programando en la página web?

¿Por qué crees que los verbos más utilizados en una lengua son los irregulares?

Actividad 9

Las redes sociales para promover acciones positivas

En la **Actividad 8**, tuviste la oportunidad de explorar cómo usa Fernando las redes sociales e internet para promover causas positivas. A continuación, conocerás algunas organizaciones que usan las redes para promover causas justas, hacer el bien o cambiar el mundo.

Paso 1: Las campañas

Piensa en las campañas de las que Fernando, tus compañeros y tú han hablado en esta unidad.

a. Completa el organizador gráfico con las respuestas a las siguientes preguntas.
   1. ¿En qué consistían?
   2. ¿Cómo se usaron las redes sociales?

b. Clasifica los tipos de campañas en tu lista, por ejemplo, a favor del medio ambiente, a favor de la salud, en contra de la discriminación o en contra de los malos hábitos.

Modelo

	Campaña	Uso de las redes sociales	Tipo de campaña
Fernando	Proteger al río Puele.	Escribir mensajes en las redes sociales.	A favor del medio ambiente.
mis compañeros			
yo			

Así se dice 5: Campañas

acumular - amasar; tener más de
agradecer - dar las gracias
a partir de - desde
apoyar - ayudar
la consigna - el lema; el eslogan
dar voz a - expresar su opinión
la discriminación - la exclusión o la segregación
distinto - diferente
la etiqueta - el *hashtag*
extraterrestre - de otro planeta
inscribirse - registrarse
lanzar - comenzar; poner en marcha
no pierdas la oportunidad - no dejes de hacer algo
tras - después de
viralizar - hacerse popular en poco tiempo

Paso 2: UNICEF y las redes sociales

UNICEF Chile tiene una campaña nueva para usar las redes sociales con fines positivos y ayudar a cambiar la vida de muchas personas.

a. Antes de leer el artículo, examina el título para contestar a las siguientes preguntas.

1. ¿Qué significa *la inclusión social?*
2. ¿Cómo será una campaña en pro de la inclusión social?
3. ¿Qué redes sociales serán buenas para una campaña en pro de la inclusión social?

b. Ahora, lee el artículo y busca esta información:

1. Las oraciones/palabras/expresiones que describen el tipo de campaña que usa UNICEF y subráyalas.
2. Las redes sociales que se usan y pon un círculo alrededor de ellas.

Además se dice

la cruzada - la campaña
diseminar - dar o mandar a otras personas
enfocarse - dar atención a
enmarcar - poner en un marco como una foto
erradicar - eliminar; borrar
lidiar - enfrentar
multitudinaria - popular; pública
novedosa - nueva; única
la pieza - la parte
protagonizado por - actuado por
la ratificación - la confirmación
la supervivencia - mantenerse con vida

UNICEF lanza campaña en pro de la inclusión social con exitosa recepción en redes sociales

"No pierdas la oportunidad de aceptar a alguien **distinto. No pierdas la oportunidad de** que te cambien la vida". Con esta **consigna**, UNICEF Chile **lanzó** en sus redes sociales una novedosa campaña que busca hacer un cambio cultural para erradicar la **discriminación** social no sólo en niños sino también en adultos.

El video, protagonizado por un niño **extraterrestre** que no es aceptado por sus compañeros de curso cuando llega a su nuevo colegio, ya **acumula** en sólo 72 horas más de dos millones de reproducciones en Facebook.

El lanzamiento de UNICEF Marciano se enmarca dentro de la celebración de los 25 años de la ratificación de la Convención sobre los Derechos del Niño por parte de Chile. El video, pieza central de la campaña, viene a continúar el llamado a no discriminar **tras** la multitudinaria y positiva recepción que tuvo la cruzada impulsada por UNICEF y Fútbol Más para Copa América Chile 2015, con lo que fue la campaña, "América nos une. No hagas tú la diferencia", cuya principal activación fue la ya famosa "Tarjeta Verde".*

"Queremos **agradecer** a las miles de personas que nos han **apoyado** en Facebook y Twitter, **viralizando** el mensaje de fin a la **discriminación** que, en tan sólo tres días, ya ha sido visto por más de 10 millones de personas", expresó la Representante de UNICEF para Chile, Hai Kyung Jun.

UNICEF Chile, (2015). *UNICEF lanza campaña en pro de la inclusión social con exitosa recepción en redes sociales.* UNICEF Marciano puede ser visto desde el canal de YouTube y redes sociales @UnicefChile.

c. ¿Qué detalles subrayaste y alrededor de qué palabras dibujaste un círculo?

d. Usa la información que encontraste para contestar a las siguientes preguntas.

1. ¿En qué consiste la nueva campaña de UNICEF?
2. ¿Cuál es la importancia de las redes sociales en el éxito de la campaña de UNICEF en Chile?

**Durante los partidos de fútbol en la Copa América Chile 2015, UNICEF y la Fundación Fútbol Más, una organización que promueve la felicidad en los niños por medio del fútbol, lanzaron una campaña de respeto. Cuando se tocaba el himno del país visitante, se levantaba una tarjeta verde en señal de respeto y de rechazo a la discriminación contra el otro equipo.*

Paso 3: Dos campañas

La Organización de las Naciones Unidas (la ONU) ha creado una campaña en las redes sociales que se centra en 17 historias de supervivencia y activismo humanitario en todo el mundo.

a. Lee el artículo del periódico, *El Universal,* de Caracas, Venezuela anunciando la campaña de la ONU y marca el texto como hiciste con el artículo sobre UNICEF.

1. Subráya la información que describe el tipo de campaña que usa la ONU.
2. Pon un círculo en las redes sociales que usa.

Juanes se une a la nueva campaña humanitaria de la ONU

La campaña en las redes sociales se enfoca en 17 historias de supervivencia y activismo humanitario en países que lidian con conflictos y desastres alrededor del mundo.

EL UNIVERSAL
miércoles 12 de agosto de 2015
02:53 PM

Juanes

El rockero colombiano Juanes, el futbolista brasileño Kaka y la tenista rusa Maria Sharapova se han unido al magnate británico Richard Branson, la joven paquistaní laureada con el Nobel de la Paz Malala Yousafzai y la actriz estadounidense Ashley Judd en una nueva campaña humanitaria de la ONU.

La campaña en las redes sociales se enfoca en 17 historias de supervivencia y activismo humanitario en países que lidian con conflictos y desastres alrededor del mundo, desde Siria y Afganistán hasta Sudán del Sur, Nepal y Sierra Leone.

"Llamamos a los jóvenes y a aquellos conectados digitalmente a que nos ayuden a diseminar estas emocionantes historias y a **dar voz a** quienes no la tienen", dijo el jefe de ayuda humanitaria de la ONU, Stephen O'Brien. "Creo que tenemos la responsabilidad compartida de despertar conciencia y ayudar a inspirar a la humanidad en estos asuntos globales".

Lo que piden la ONU y sus socios humanitarios es que los usuarios de Facebook y Twitter vayan al cibersitio worldhumanitarianday.org y **se inscriban** para permitir que la aplicación del Día Mundial de la Asistencia Humanitaria #ShareHumanity publique una de las 17 historias en sus páginas, en la red social de su elección, durante seis horas **a partir del** miércoles.

La campaña se realizará hasta el 19 de agosto, que es el Día Mundial de la Asistencia Humanitaria, y los usuarios pueden compartir tantas historias como quieran durante los ocho días. La gente también puede participar simplemente usando la **etiqueta** #ShareHumanity. La ONU no tendrá acceso a la lista de contactos de los participantes.

Extraído de: http://www.eluniversal.com/arte-y-entretenimiento/musica/150812/juanes-se-une-a-la-nueva-campana-humanitaria-de-la-onu

b. Compara esta campaña con la de UNICEF usando la información que encontraste en el texto para completar el organizador gráfico.

La organización	La campaña	La consigna	Uso de las redes sociales
UNICEF con la Federación Fútbol Más.	El respeto; una tarjeta.	"América nos une. No hagas tú la diferencia".	No sabemos.
UNICEF			
La ONU			

 Paso 4: La campaña en las redes sociales

Imagina que las dos campañas - UNICEF Marciano y #ShareHumanity - quieren compartir su mensaje a través de nuevas redes sociales.

a. Escoge una de las dos campañas y diseña un mensaje para compartir en una red social nueva.

1. Decide qué red social vas a crear.
2. Diseña un mensaje apropiado para esa red social con los siguientes elementos:
   - La consigna.
   - El símbolo.
   - Un *hashtag*.
   - Un mensaje.

b. Pon el mensaje en un formato que puedas compartir con tus compañeros de clase.

Reflexión intercultural

Acabas de aprender que varias organizaciones utilizan las redes sociales e internet para promover sus acciones o causas positivas: la Fundación Fútbol Más, UNICEF y la ONU. Escribe la respuesta a estas preguntas:

a. Si tienes la oportunidad, ¿a cuál de las tres te unirás? Explica por qué escogerás esa causa.

b. ¿Cuál de las tres será más popular entre tus amigos? ¿Por qué crees eso?

c. Describe dos redes sociales que tus amigos y tú usarán para promover la campaña de la organización. Explica por qué serán buenas opciones.

Mi progreso intercultural
Sé explicar lo que otras culturas hacen en las redes sociales e internet para promover causas justas.

Actividad 10

Las redes sociales ayudan a promover campañas

Las redes sociales e internet cada vez se usan más para que el mensaje de una organización o de una persona individual llegue a todo el mundo. Pero, ¿cómo se decide qué red social usar?

Así se dice 6: Redes sociales

animar - motivar
aportar - contribuir
el avance - el progreso
enlazar - conectar
incitar - estimular
liberar - salvar
una ONG - una organización no gubernamental; una organización privada no interesada en ganar dinero
recoger - reunir; juntar

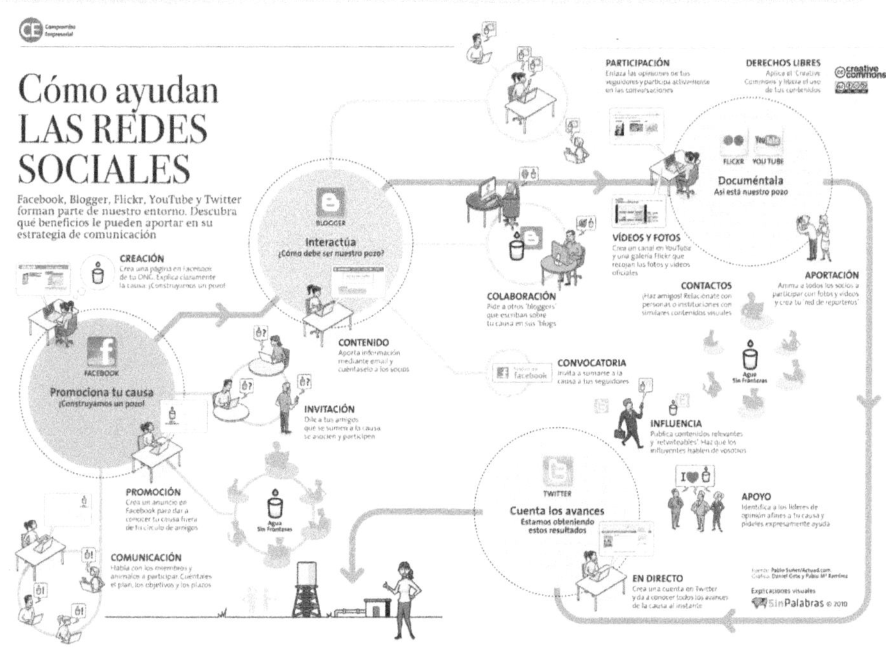

Compromiso Empresarial, Autor: Sin Palabras. Extraído de:
http://www.compromisoempresarial.com/entradas/2010/06/como-ayudan-las-redes-sociales/

¿Te acuerdas?

un anuncio

Además se dice

afines a - similar a

la convocatoria - un anuncio para que puedan participar todas las personas interesadas

extraviar - perder

el peluche - el muñeco de tela con pelo largo

el plazo - un paso

un pozo - un hueco lleno de agua

el socio - el miembro

sumarse - unirse a un grupo

el tatuaje - un dibujo grabado (en el cuerpo)

Paso 1: Cómo ayudan las redes sociales

Un grupo de estudiantes chilenos va a ayudar a una ONG a construir un pozo de agua limpia para su comunidad. Van a usar las redes sociales para solicitar ayuda a todos los miembros de su comunidad. Miren la infografía, *Cómo ayudan las redes sociales,* para descubrir los beneficios que cada red puede aportar a promover su causa. Hay una copia de la infografía en la guía digital.

a. Estudia la infografía y anota las redes sociales que los chilenos van a usar. Incluye algunas palabras claves que describan cómo van a usar cada red social.

Modelo

Red social	Cómo la usarán
Facebook	Promoción - anuncio del proyecto

b. En grupos de tres o cuatro, compartan su información y anoten si se usan varias redes sociales con el mismo objetivo.

Paso 2: Analizando ejemplos auténticos

Como has visto, hoy en día es bastante común usar las redes sociales para promover un mensaje o una causa.

a. Mira los ejemplos que aparecen en la guía digital para contestar a las siguientes preguntas.

1. ¿Cómo se llama la campaña?
2. ¿Qué dos redes sociales piensas que usaron para cada una de las siguientes promociones?
3. ¿Cómo las usaron?
4. ¿Por qué las usaron?

Sigue el modelo en el organizador gráfico.

1. ***Orgulloso de Ser*** – Coca-Cola quería ayudar a los latinos a celebrar el inmenso orgullo que rodea su cultura, sus raíces, y más que nada, sus apellidos. Así hicieron la lata de Coca-Cola tatuaje.
2. ***Terremoto Chile*** – Después del terremoto del 2015 en Chile, los chilenos querían comunicarse, solicitar ayuda, buscar a personas o simplemente informarse.
3. ***El respeto nos hace grandes*** – La campaña del Consejo Nacional de la Infancia en Chile, como parte de la conmemoración de los 25 años de la ratificación de la Convención sobre los Derechos del Niño.
4. ***Todos somos Armando*** – El padre de un pequeño niño quería encontrar el peluche de su hijo que se le extravió en un centro comercial capitalino (en Santiago).

5. ***Te invito a leer conmigo*** – Un proyecto del Ministerio de Educación Pública de Chile para que las personalidades más admiradas y queridas por la juventud de Iberoamérica inciten a la lectura por medio de mensajes audiovisuales creativos.

Modelo

Campaña	Redes sociales	Cómo las usaron	Por qué las usaron
Orgulloso de Ser	1. YouTube	un anuncio	YouTube es el buscador más popular en el mundo; muchas personas lo usan.

b. En los mismos grupos, miren las cinco campañas y hagan una lista de los elementos que las hacen exitosas. ¿Qué otra red social u otro medio de comunicación podrían usar y por qué sería una buena opción?

Mi progreso comunicativo
Sé describir el uso de internet y las redes sociales para promover causas justas.

¿Qué aprendiste?

Identifica al menos dos redes sociales más que no están en la infografía.

a. Explica cómo se usarían para promover acciones positivas.

b. Sigue el modelo para crear una infografía nueva con dos redes sociales adicionales.

c. Sigue el ejemplo de la infografía para explicar cómo se usarían para una campaña.

Enfoque cultural

Producto cultural: Los terremotos

Tras Japón, Chile se considera el segundo país sísmicamente más activo debido a su ubicación en el Anillo de Fuego del Pacífico. A lo largo de su historia, diversos terremotos han afectado a Chile siendo el más potente el terremoto de 1960 que figura como el más grande en todo el mundo con una magnitud de 9,5 MW.

El terremoto del 16 de septiembre del 2015 al norte de la ciudad costera de Valparaíso, en la región de Coquimbo, tuvo un magnitud de 8,4. Segundos después, usuarios de las redes sociales publicaron imágenes que mostraron los destrozos del terremoto en el Centro Comercial de la Serena, Chile.

Conexiones

1. ¿Qué clase de fenómeno climático sufre la región donde vives tú?
2. ¿Cómo afecta a tu comunidad?
3. ¿Cómo afecta a la gente vivir en una región con tantos terremotos?

En camino B

Una campaña para ayudar

Ya sabes que UNICEF, la ONU y la Fundación Fútbol Más (la Tarjeta Verde) son organizaciones no gubernamentales (ONGs) que promueven acciones positivas por todo el mundo. En Chile existe la Red de Alimentos, una corporación privada que ha organizado bancos de alimentos para reducir el hambre en el país. El club de español en tu colegio va a diseñar una campaña que utilice las redes sociales para ayudar a los bancos de alimentos en tu ciudad.

Primero vas a escuchar a jóvenes chilenos que quieren poner su granito de arena en el mundo.

Paso 1: ¿Qué dicen los jóvenes chilenos?

Estás en una teleconferencia con algunos jóvenes chilenos mientras describen su uso de internet y las redes sociales para generar cambios positivos en su comunidad. Escucha su conversación y luego, escribe la información en el organizador gráfico para compartirla más tarde con Fernando, uno de los jóvenes chilenos que has conocido. Escucharás cada comentario dos veces.

Mi progreso comunicativo
Sé diseñar y presentar una campaña que promueva el uso responsable de las redes sociales e internet.

Paso 2: ¿Qué tienen en común estos jóvenes?

Ahora, comparte con Fernando, en un correo electrónico, tus impresiones sobre lo que dijeron los jóvenes chilenos. Asegúrate de incluir en tu mensaje los temas más importantes para los jóvenes chilenos y la importancia de ellos para los jóvenes de tu comunidad también. Identifica los medios de comunicación que más usan los jóvenes chilenos y si son los mismos que usan los jóvenes en tu comunidad. Por último, habla de lo que más te interesó de la teleconferencia y por qué.

Paso 3: Una campaña para ayudar

Formas parte del club de español. Sus miembros y tú han decidido ayudar a una ONG, el banco de alimentos en su ciudad, con donaciones de alimentos no perecederos en preparación para el Día de Acción de Gracias. El club quiere solicitar donaciones de los estudiantes del colegio y de la comunidad. Con otros dos compañeros, piensen en una campaña que utilice tres redes sociales diferentes o sitios web para recoger las donaciones.

Paso 4: Presenta tus ideas al club

Ya te toca presentar las ideas del grupo al club de español. Escoge uno de los medios de comunicación elegido por tu grupo y convence a los miembros del club de que lo utilicen.

Explicarás tu idea y los detalles en el foro de la guía digital.

Síntesis de gramática

El presente perfecto

Uso

El *presente perfecto* es otro de los tiempos que se usa para hablar del pasado.

Se usa cuando uno quiere expresar una acción que en su mente ha sido reciente, porque ha pasado recientemente o porque todavía le afecta.

Ejemplos: Sí profe, **he hecho** la tarea (algo que hiciste recientemente y es importante).

Nunca he trabajado tanto como cuando hicimos ese proyecto para la clase de Inglés (algo que todavía te afecta mentalmente cuando lo dices, como si acabara de pasar).

También se usa con **alguna vez: ¿Has viajado** a Sudamérica **alguna vez?**

Los otros tiempos que conoces que hablan del pasado son:

- *el pretérito*, que se usa para expresar una acción o emoción en un momento determinado *(anoche, ayer, el año pasado)* y
- *el imperfecto*, que se usa para describir una acción o emoción a lo largo del pasado *(siempre, todos los días, cuando era pequeño)* y para una descripción en el pasado (hablar de la hora, el escenario, o el tiempo que hace, por ejemplo).

Formación

El presente perfecto se forma con el verbo auxiliar "haber" y el participio pasado del verbo principal.

Ejemplos:	**he trabajado**	**hemos vendido**
	has dormido	**habéis comprado**
	ha corrido	**han pedido**

Las formas del verbo auxiliar son:

Yo he	Nosotros hemos
Tú has	Vosotros habéis
Ud. ha	Uds. han
Él, Ella ha	Ellos, Ellas han

Las formas de los participios pasados son:

verbo "ar" - quitas "ar" y se añade -ado

verbo "er" e "ir" - quitas "er" o "ir" y se añade - ido

Hay participios pasados irregulares. Algunos son:

decir - dicho	hacer - hecho	escribir - escrito
poner - puesto	ver - visto	

Santiago

El futuro

Uso

El *futuro simple* es el tiempo que se usa para hablar de acciones en el futuro que no son definitivas. Esto se ve con los marcadores del tiempo (*si tengo tiempo, algún día, cuando pueda, etc*).

Ejemplos:
Si tengo tiempo, **empezaré** con el proyecto para la clase de Español.
Algún día, **iré** a Grecia.

El *futuro próximo* se usa para una acción más segura. Esto se ve también con los marcadores de tiempo *(mañana, a las seis, este verano)*.

Ejemplos: Mañana **voy a pasar** el día trabajando en el proyecto para la clase de Español.
Este verano **vamos a ir** a Grecia.

Formación

Se forma con el infinitivo + las terminaciones:

Yo - é	Nosotros - emos
Tú - ás	Vosotros - éis
Ud. - á	Uds. - án
El, ella - á	Ellos, ellas - án

Algunos verbos irregulares son:

poner - pondr	salir - saldr
tener - tendr	venir - vendr
decir - dir	hacer - har

haber - habr (futuro de "hay") solo existe habrá

saber - sabr

querer - querr

El se impersonal

Uso

Se usa el *se impersonal* cuando lo importante es la acción de la que se habla, no quién lo hace.

En inglés usaríamos la voz pasiva, "you" o "one".

Ejemplo: Se dejan muchos rastros cada vez que **se entra** en la Red.

A lot of traces are **left** (passive) every time that **you** (or **one**) go (or goes) on the Internet.

Formación

Se forma con "se" + la tercera persona del verbo + el sujeto.

El verbo está en singular o plural dependiendo del sujeto.

Ejemplos:
Verbo + sujeto singulares:
Se hace clic en la *app*.
Se rastrea la información personal con facilidad.
Se dice que las redes ayudan con la comunicación.

Verbo + sujeto plurales:
Se revisan los datos personales de la solicitud.
Se activan las cuentas nuevas a una velocidad increíble.
Se rechazan los candidatos que no usan las redes sociales correctamente.

Vocabulario

Así se dice 1: Huella digital

el conjunto - la totalidad
una cuenta - una suscripción a un sitio web
una ganancia - el beneficio que se saca de algo
una huella - una señal; un rastro
el perfil - el conjunto de rasgos peculiares que identifican a una persona
rastrear - buscar huellas
el/la usuario/a - la persona que habitualmente usa algo

Así se dice 2: Fiabilidad de internet

la actualización - al día; la modernización
una cifra - un número en forma de dígitos
citar - mencionar las palabras de otro
contener - encerrar una cosa dentro de otra
descargar - bajar de la Red a la computadora
un/a destinatario/a - un receptor/a
un dominio - nombre que identifica a un sitio web, en este caso
la fiabilidad - la seguridad; la confianza
fiar - confiar; asegurar la verdad
pertenecer (a) - ser de alguien
un propósito - una intención
publicitario - relacionado con anuncios
verificar - examinar para estar seguro/a

Así se dice 3: Protección en internet

el comportamiento - la manera de actuar
una contraseña - una palabra secreta
un/a desconocido/a - una persona no conocida
etiquetar - identificar a una persona en cuanto a su carácter, profesión, ideología, etc.
localizar - situar
los remedios - las soluciones
el riesgo - la proximidad de un daño o peligro
la solicitud - la petición

Así se dice 4: Causas

aprobar - decir sí, en este caso
aprovechar - hacer uso de
aún - todavía
la campaña - la misión; la operación
disfrutar - divertirse
eficaz - efectivo
enterarse - descubrir
la excursión - el viaje corto
la farándula - actores, músicos y otras personas famosas
promover - iniciar o promocionar
superar - sobrepasar

Así se dice 5: Campañas

acumular - amasar; tener más de
agradecer - dar las gracias
a partir de - desde
apoyar - ayudar
la consigna - el lema; el eslogan
dar voz a - expresar su opinión
la discriminación - la exclusión o la segregación
distinto - diferente
la etiqueta - el *hashtag*
un extraterrestre - de otro planeta
inscribirse - registrarse
lanzar - comenzar; poner en marcha
no pierdas la oportunidad - no dejes de hacer algo
tras - después de
viralizar - hacerse popular en poco tiempo popular

Así se dice 6: Redes sociales

animar - motivar
aportar - contribuir
el avance - el progreso
enlazar - conectar
incitar - estimular
liberar - salvar
una ONG - una organización no gubernamental; una organización privada no interesada en ganar dinero
recoger - reunir; juntar

Expresiones útiles

a través de - por (movimiento)
bloquear a alguien de tu muro o red social - no aceptar como amigo/a
cifras de visitantes - número de personas que visitan una página
colgar/subir una foto o un archivo - poner una foto u otro documento para que tus amigos lo vean en la Red
crear un perfil - abrir una cuenta en una red social
debido a - a causa de
desconéctate - no continúes
diseño de la página - la apariencia de la página
entrar en un chat - hablar por internet con muchas personas
escribir algo en tu muro - dejar un mensaje para tus amigos en las redes sociales
estar al día - estar informado de la información más nueva
hacer una solicitud de amistad - pedir a personas en internet que te acepten como su amigo/a; pedir que sean tus amigos
hacerte seguidor/a del hilo de - comenzar a ver con regularidad lo que una persona determinada publica sobre un tema en la Red
tu muro - donde dejas tus mensajes en una red social
según - de acuerdo a la opinión de
tener en cuenta - considerar
todo lo anterior - todo lo de antes

Vive entre culturas

¡Pongamos de nuestra parte para crear un mundo mejor!

Pregunta esencial: ¿Cómo puedo promover el uso de las redes sociales e internet para mejorar mi comunidad?

> Durante los partidos de fútbol de la Copa América Chile 2015, UNICEF y la Fundación Fútbol Más promovieron una campaña de respeto al levantar una tarjeta verde en señal de respeto y de rechazo a la discriminación contra el otro equipo.
>
> *Adaptado de Fundación Fútbol Más.*

Una tarjeta verde implica "seguir adelante" y es un símbolo de respeto.

En esta evaluación, te tocará a ti idear una manera de usar las redes sociales para crear un cambio positivo. Ya has leído sobre campañas poderosas de UNICEF y la ONU que utilizan redes sociales para iniciar cambios en el mundo. También has podido opinar sobre las redes sociales para promover campañas como *Orgulloso de Ser, Terremoto Chile, El respeto nos hace grandes y Te invito a leer conmigo Chile.* Ahora diseñarás una campaña, *Pongamos de nuestra parte para crear un mundo mejor*, que ponga en marcha una iniciativa usando las redes sociales e internet.

AMÉRICA NOS UNE
NO HAGAS TÚ LA DIFERENCIA
América es el reflejo de la belleza de todas sus culturas.
Valoremos lo positivo de nuestro continente y, en señal de respeto,
¡LEVANTEMOS ESTA TARJETA VERDE
durante el himno de nuestro país hermano!
Claudio Bravo. Capitán Selección chilena.
unicef
fútbolmás
ANFP
COPA AMÉRICA Chile2015

Interpretive Assessment

  Paso 1: La Tarjeta Verde

Leerás más sobre la Tarjeta Verde y pensarás en un plan de cómo crear un cambio positivo en Chile con tu campaña.

Presentational Assessment

  Paso 2: ¡Adelante!

Ahora tienes la oportunidad de usar tu huella digital para realizar un cambio positivo en tu comunidad. Con un compañero, vas a compartir tus ideas de las cualidades de la Tarjeta Verde que te gustaría incorporar en tu campaña. Después, diseña tu plan contestando a algunas preguntas de orientación en tu organizador gráfico.

Interpersonal Assessment

  Paso 3: La entrevista

Después, un reportero de un periódico digital te entrevistará sobre tu campaña de *Pongamos de nuestra parte para crear un mundo mejor,* y vas a grabar tus respuestas a sus preguntas.

UNIDAD 3
Una vida sana y equilibrada

Metas de la unidad

- Examinar cómo lograr y mantener una vida sana y equilibrada a base de la nutrición y el ejercicio.
- Explorar y recomendar ejemplos de prácticas saludables del mundo hispanohablante a mi comunidad.
- Ilustrar vías por las cuales puedo contribuir al bienestar de mi comunidad y de la comunidad global.

Preguntas esenciales

¿Cómo puedo lograr y mantener una vida sana y equilibrada?

¿Cómo puedo incorporar algunos hábitos saludables del mundo hispanohablante en mi comunidad?

¿Cómo puedo contribuir al bienestar de la comunidad local y global?

Explora Colombia

Una vida sana y equilibrada es una meta esencial para todo el mundo y se recomienda que incluya tres componentes importantes: la buena alimentación, la actividad física y la felicidad. En esta unidad, tendrás la oportunidad de explorar estos tres componentes comparando tu punto de vista con el de varios jóvenes de Colombia. Examinarás lo que ellos consideran importante para llevar una vida sana y equilibrada, y cómo están promoviéndola en sus comunidades. Tú también participarás planificando una feria que inspire comer bien, ser activo/a y vivir felizmente.

Colombia presenta una diversidad de zonas climáticas (selvas, desiertos, sabanas, montañas, etc.) pero el 86% del país disfruta de un clima tropical.

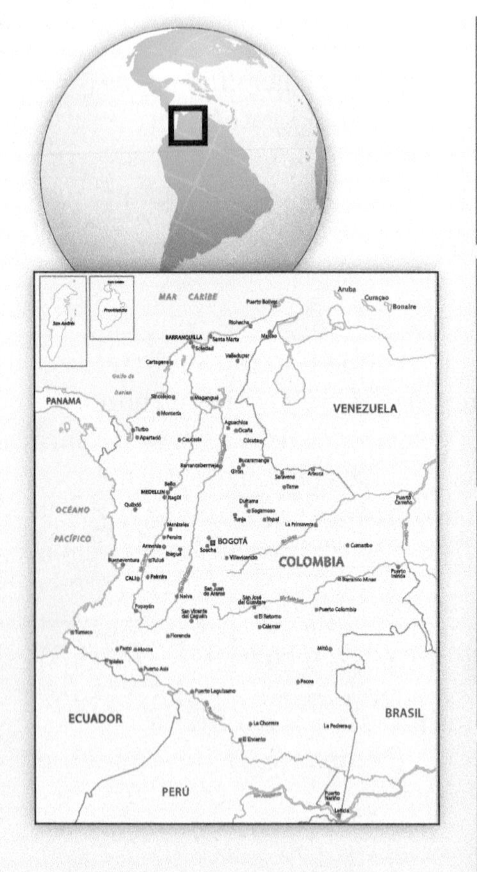

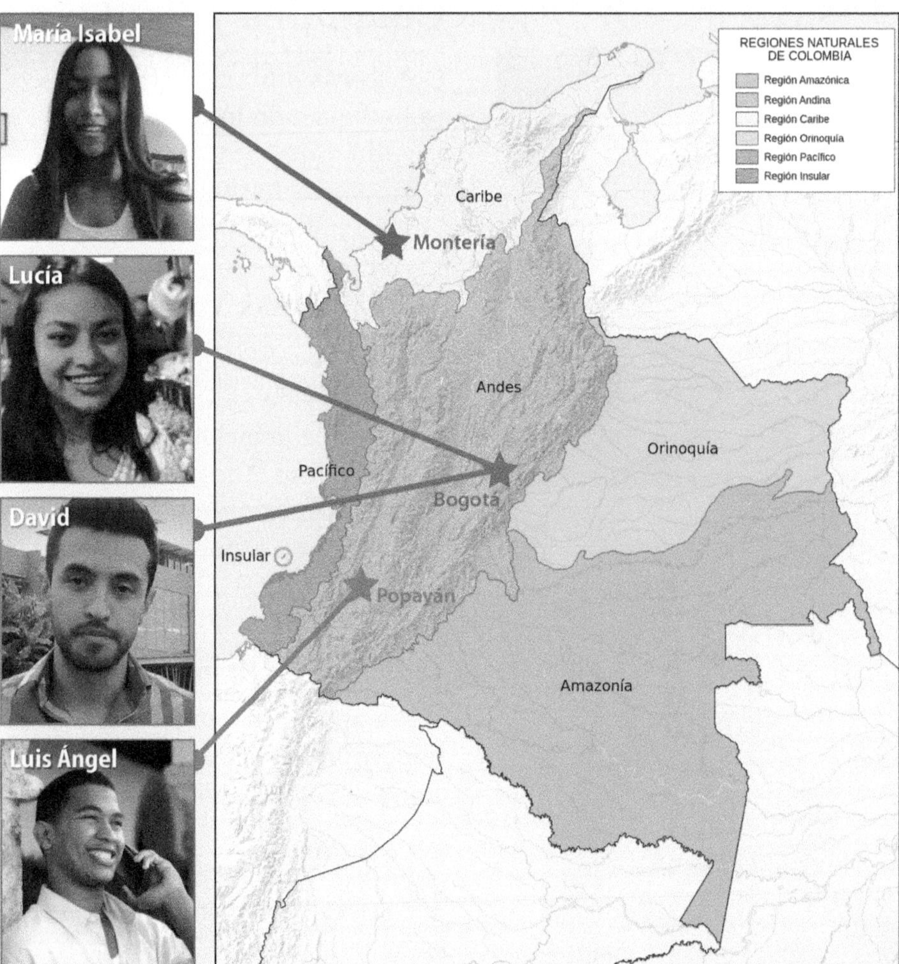

1

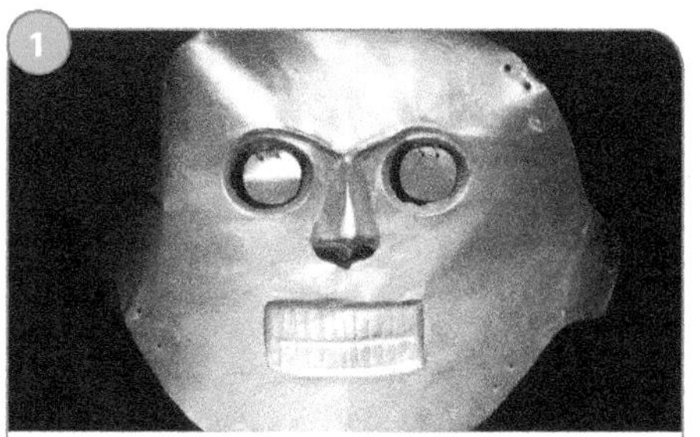

Los museos: La riqueza de la historia de Colombia se preserva en varios museos y sitios históricos, entre ellos el Museo del Oro en la capital, Bogotá, y el Parque Arqueológico de San Agustín, Patrimonio de la Humanidad de la UNESCO.

2

El café: La tradición cafetera de Colombia es bien conocida. Es uno del principales productores de café del mundo.

3

El arte: Por medio de artistas como Fernando Botero, la cultura de Colombia es bien conocida a través de su arte.

4

La danza y la música: En Colombia se entremezclan influencias europeas, africanas, indígenas y árabes reflejadas en la música de Carlos Vives, Juanes y Shakira entre otros.

5

Los festivales y el descanso: Los colombianos disfrutan de 18 días no laborales y unos cuantos días festivos que suelen usar para pasar más tiempo en familia y asistir a festivales como la Feria de Flores de Medellín y el carnaval de Barranquilla, el segundo más grande del mundo.

6

El transporte: Colombia tiene de todo para facilitar el viaje de una punta a otra del país- desde las chivas coloridas al transmilenio veloz.

7

La ciclovía: Bogotá cierra al tránsito la calle Séptima y otras calles principales cada domingo y los días festivos. ¿Por qué? Pues, para que la gente camine, corra o monte en bici por la ciudad.

8

El fútbol: El amor por el fútbol une a los colombianos. Llevan los colores del equipo nacional con orgullo.

9

La comida: Colombia tiene sus platos y postres regionales que contribuyen a la gran variedad de comidas colombianas típicas.

Actividad preliminar

¡Viva la vida sana!

¿Qué significa tener una vida sana? Una vida sana no es sólo comer bien y ser activo sino también ser feliz.

a. Identifica tres acciones que contribuyen a una vida sana en las tres categorías.

Modelo

Para mí, tener una vida sana es . . .

COMER BIEN	SER ACTIVO/A	SER FELIZ
Comer aguacates	Correr todos los días	Ver el atardecer

b. Ahora, comparte tus acciones con un/a compañero/a de clase.

Modelo

Para mí, tener una vida sana es . . .

c. Mientras escuchas a tu compañero/a, anota sus respuestas.

Modelo

Para mi compañero, Miguel, tener una vida sana es correr todos los días.

d. Mira las respuestas de tu compañero/a y compáralas con las tuyas. Mantén una conversación con tu compañero/a.

1. ¿Qué tipo de alimentos pertenecen a la categoría de "comer bien"?
2. ¿Qué tipo de actividades se incluyen?
3. ¿Qué tipo de acciones hay para "ser feliz"?
4. ¿Qué tienen en común?

e. Vamos a conocer a varios jóvenes de Colombia, un país muy diverso con playas, montañas, ciudades, campos, clima caluroso y clima frío, donde hay muchas opciones para tener una vida sana. Piensa en cómo contestarían a estas preguntas estos jóvenes. En tu opinión, ¿qué tendrán en común con tus compañeros y contigo? ¿Qué será diferente?

f. En el foro de la guía digital, escribe un resumen breve de qué tendrán en común tus amigos y tú con los jóvenes colombianos y qué será diferente.

Comunica y Explora A

Pregunta esencial: ¿Cómo puedo lograr y mantener una vida sana y equilibrada?

¿Te acuerdas?

el arroz con coco

la carne asada

el clima

el cuerpo

el ejercicio

una obligación

la patilla

el pescado frito

el sancocho

los tamales

Además se dice

nutritivamente - de modo saludable

tener/tomar en cuenta - considerar algo

Actividad 1

Conoce a María Isabel

María Isabel vive en el Departamento de Córdoba al norte de Colombia, en la región Caribe. Este territorio está en la zona tropical lluviosa, con temperaturas bastantes altas y un clima húmedo todo el año. Por eso, hay poca agricultura, pero es la capital ganadera del país. María Isabel nos habla de qué significa tener una vida sana. Mira el video de María Isabel en la guía digital.

Así se dice 1: Vida sana

me agrada - me gusta

el ajiaco

la alimentación - la nutrición

los alimentos - la comida

el descanso - el no hacer nada

ejercitar - hacer ejercicio

la gastronomía - la cocina

los patacones

Paso 1: Un resumen

Teniendo en cuenta donde vive María Isabel, ¿comerá mucha carne? Y con el calor que hace allí, ¿qué hará ella para mantenerse activa?

a. Mira el video blog de María Isabel y anota palabras que reconoces.

b. Compara tu lista con la de un/a compañero/a de clase. ¿Qué tienen en común?

c. En parejas, escriban una lista explicando lo que describió María Isabel en su video blog para llevar una vida sana.

Paso 2: Más detalles

A continuación, capta más detalles del video blog de María Isabel.

a. Míralo de nuevo y contesta a las siguientes preguntas con la ayuda de un/a compañero/a.

1. ¿Cuántos años tiene María Isabel y de dónde es?
2. Para ella, ¿en qué consiste tener una vida sana?
3. ¿Qué tipo de alimentación menciona María Isabel?
4. ¿Qué tipo de ejercicio recomienda?
5. María Isabel también habla de otro elemento esencial para una vida sana - el descanso. Explica por qué ella piensa que es esencial.

b. ¿Cómo puedes comparar lo que dice María Isabel con lo que tú anotaste en la **Actividad preliminar**? Coméntalo con un/a compañero/a.

Recuerda estas oraciones claves para charlar del tema:

- *Para mí, tener una vida sana es . . .*
- *Para mi compañero/a, Miguel, tener una vida sana es . . .*
- *Para nosotros dos, tener una vida sana es . . .*
- *Para María Isabel, tener una vida sana es . . .*

c. Ahora escribe un mensaje electrónico a María Isabel en el que le cuentas las ideas sobre la vida sana que tienes en común con ella.

Estrategias

El video de estrategias de aprendizaje para esta unidad se centra en **consejos para comprender y aprender vocabulario** en español con más facilidad. Te voy a enseñar a seguir estos pasos:

1. Presta atención a familias de palabras.
2. Examina los patrones, sufijos y prefijos.
3. Crea un diccionario personal.
4. Usa expresiones útiles.

Paso 3: Comidas favoritas

María Isabel habla de sus comidas favoritas, incluyendo algunas que son platos típicos de Colombia.

a. Mira el video blog de nuevo y anota las comidas que María Isabel menciona como sus favoritas en el organizador gráfico.

b. Contesta a las siguientes preguntas.

1. ¿Qué frutas menciona?
2. ¿Qué alimentos o comidas menciona que no conoces?

c. Haz una búsqueda para descubrir los ingredientes de las comidas colombianas que María Isabel menciona y en qué comida del día se comen.

d. En el mismo organizador gráfico, anota tu comida favorita. Escribe las comidas que tienen en común en el centro del organizador gráfico.

e. Compara tu organizador gráfico con el de dos o tres compañeros.

¿Qué aprendiste?

María Isabel valora tres elementos para una vida sana: comer bien, hacer ejercicio que le guste y descansar lo suficiente. ¿Estás de acuerdo o elegirías elementos diferentes? Explica tu respuesta dando ejemplos de tu vida. Graba tu respuesta en la guía digital.

Mi progreso comunicativo
Sé dar ejemplos de mi vida de productos y valores que contribuyen a una vida saludable.

Cartagena

Enfoque cultural

Productos culturales: Región del Caribe

La parte norte de Colombia bordea el mar Caribe; sus principales centros urbanos son Barranquilla, Cartagena de Indias, Santa Marta y Montería.

El **ritmo** y la **danza** más popular de esta zona es la cumbia, una mezcla de melodías indígenas y ritmos africanos que se ha extendido a toda América Latina.

El porro es un estilo musical importante de la región, especialmente en las ciudades de los departamentos de Córdoba, Sucre y Bolívar.

Las artesanías colombianas de la región Caribe incluyen la mochila arhuaca y el sombrero vueltiao, declarado símbolo de Colombia por el Congreso Nacional.

  **Conexiones**

1. ¿Dónde se ubica tu región en el país y cómo la describes a otra persona?
2. ¿Hay una danza o estilo musical que representa tu región o país?
3. ¿Cuáles son los productos o artesanías típicas de tu comunidad, región o país?
4. ¿Cuál de los productos de la región Caribe te gusta más y por qué?

¿Te acuerdas?

compartir
los cubiertos
los demás
encontrarse
el entretenimiento
exitoso
indicar
iniciar
intercambiar
lleno
una norma
poner énfasis
probar
satisfecho
soler (suele)
solicitar
tocar

Actividad 2

La etiqueta en las comidas

Lo que un pueblo considera importante se refleja en su comportamiento diario. Por eso es interesante conocer los modales de las comidas, porque comer es una de las actividades más importantes para cualquier hispanohablante. ¿Te exigen tus padres que sigas algunos modales en la mesa? Mira a ver si los modales comunes de Colombia son parecidos a los de tu país.

Así se dice 2: Etiqueta en las comidas

de su agrado - que gusta
bien/mal educado/a - de buenos o malos modales
chuparse los dedos - meter los dedos en la boca para limpiar restos de comida
cualquier - uno u otro
dejar - abandonar
descortés - maleducado/a
la etiqueta - el conjunto de normas sociales
evitar - impedir que pase
ligero/a - fácil de digerir
masticar - usar los dientes para cortar la comida en trozos muy pequeños
los modales - el comportamiento de una persona
suave - agradable; no fuerte
tender (e-ie) - demostrar una tendencia

Paso 1: Los modales

En grupos de tres, comparen sus respuestas a las siguientes preguntas.

1. ¿Cuándo son los **modales** más importantes?
2. ¿Qué debes decirle a un amigo cuando se porta de una manera **mal educada**?

Paso 2: ¿Sigue tu familia una etiqueta a la hora de comer?

Imagina que has invitado a un amigo a cenar con tu familia.

a. En un grupo de tres o cuatro alumnos, hagan una lista de lo que se debe y no se debe hacer para ser cortés.

b. Compartan su lista con la de otros dos grupos para añadir más ejemplos.

Se debe	No se debe
Modelo: Preguntar si puedes ayudar.	**Modelo:** Chuparse los dedos.

Además se dice

un bocado - la comida que entra en la boca de una vez

colocar - poner en su lugar

una palmada - un golpe con las manos

silbar - producir un sonido agudo expulsando aire por la boca

Expresiones útiles

A la hora de la comida

Antes de empezar a comer

¡Buen provecho! o ¡Que aproveche!

¡Disfruten de la comida!

¡Sírvanse, por favor!

¡Pruebe(n) este plato!

Durante la comida

¡Es exquisito!

¡Qué sabroso está!

¿Puede pasarme la sal, el agua, el azúcar,…?

¿Le sirvo una copita de vino, un vaso de agua, de limonada?

Propongo un brindis en honor a…

Necesita una pizca de sal

Lo siento pero todavía no estoy acostumbrado/a a estos sabores

Perdone(n) pero no puedo comer…por razones religiosas, soy alérgico/a

A la despedida/después de la cena

Muchas gracias por la invitación; me ha encantado pasar este rato con ustedes.

Muchas gracias por invitarme a cenar/comer. ¡Todo estaba tan delicioso/tan rico!

Paso 3: Y ¿en Colombia?

A continuación, tienes una lista de algunas normas de etiqueta en Colombia. Son un reflejo de los modales y la importancia de la comida para un/a colombiano/a.

a. Lee sobre la etiqueta colombiana.

b. Mientras lees, escribe las normas que también son válidas en tu comunidad y las que no se siguen.

Reglas de etiqueta en Colombia

Los colombianos **tienden** a ser muy formales cuando tiene que ver con las normas del buen comer. Son **corteses** y respetan los buenos **modales**.

1. La norma para una comida de carácter social es llegar de 15 a 20 minutos tarde.

2. Se considera maleducado comer con las manos y, sobre todo, no te **chupes los dedos.** **Mastica** con la boca cerrada y no hables con la boca llena.

3. Se usan los cubiertos al estilo "continental": el tenedor en la mano izquierda y el cuchillo en la mano derecha, y no se intercambian.

4. No puedes sentarte en **cualquier** sitio. Te indicarán dónde quieren que te sientes.

5. No empieces a comer hasta que todo el mundo se haya servido.

6. Prueba por lo menos un bocado de todo lo que se te ofrece, inclusive si no es de tu **agrado.**

7. **Deja** un poco de comida en el plato para demostrar que has quedado satisfecho/a.

8. Cuando hayas acabado de comer, **deja** los cubiertos sobre el plato.

Normas de etiqueta colombiana que también son válidas en mi comunidad	Normas de etiqueta colombiana que no son válidas en mi comunidad
Modelo: Es de mala educación chuparse los dedos.	**Modelo:** La norma es llegar de 15 a 20 minutos tarde.

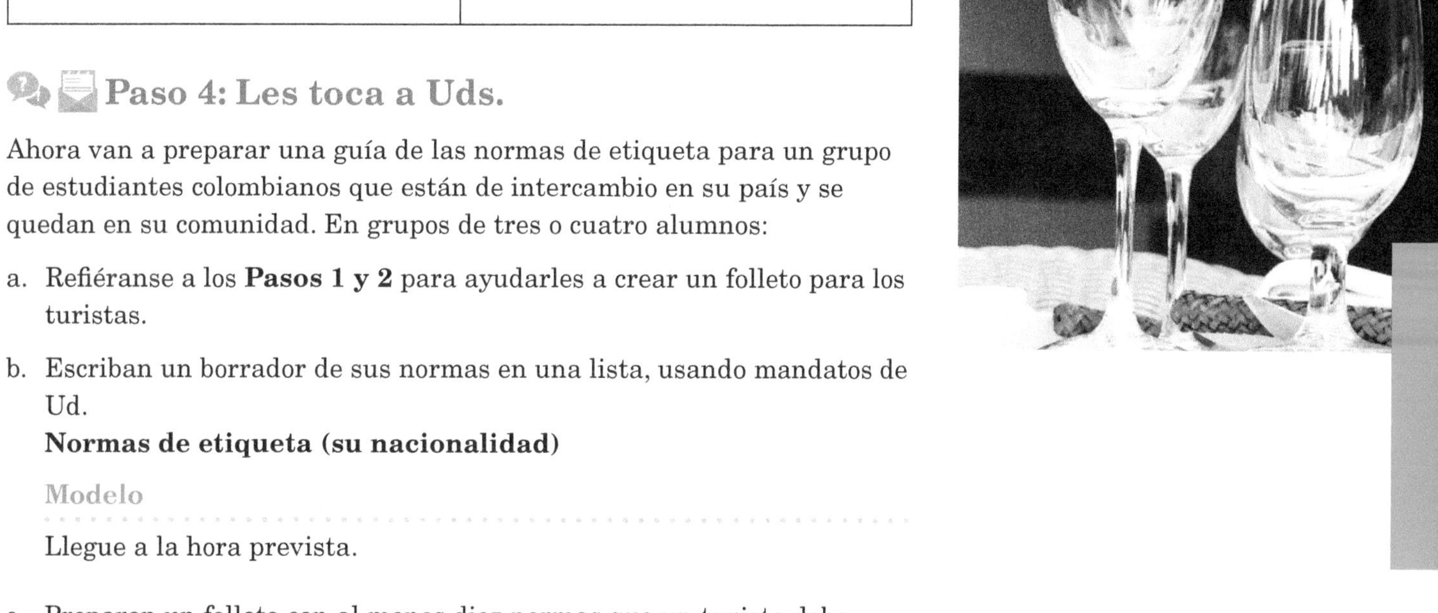

Paso 4: Les toca a Uds.

Ahora van a preparar una guía de las normas de etiqueta para un grupo de estudiantes colombianos que están de intercambio en su país y se quedan en su comunidad. En grupos de tres o cuatro alumnos:

a. Refiéranse a los **Pasos 1 y 2** para ayudarles a crear un folleto para los turistas.

b. Escriban un borrador de sus normas en una lista, usando mandatos de Ud.
Normas de etiqueta (su nacionalidad)

Modelo

Llegue a la hora prevista.

c. Preparen un folleto con al menos diez normas que un turista debe conocer si come en una casa o restaurante en su comunidad.

d. Incluyan imágenes para las comidas y las normas.

Mi progreso comunicativo
Sé recomendar las normas de etiqueta de mi comunidad a jóvenes de otra cultura.

Paso 5: ¿Qué es comer de manera bien educada?

Las normas cambian rápidamente. Lo que eran buenos modales en la época de tus abuelos ya parecen anticuados.

a. Lee la lista de lo que eran las normas del buen comer de tus abuelos, y posiblemente, tus padres. Escribe si siguen las normas en tu casa ahora.

Las normas	Sí o No
1. En mi casa, nos reunimos toda la familia para comer por lo menos una vez al día.	
2. No se permiten interrupciones durante la comida familiar.	
3. No se ve la tele.	
4. No se escucha música con audífonos.	
5. No se leen ni envían mensajes de texto.	
6. Se habla de lo que se ha hecho en el día.	
7. Se ríe juntos.	
8. Se cocina la comida diariamente.	

b. Hablen en grupos pequeños sobre si estas normas realmente ayudan a su salud o si no importan. Expliquen sus comentarios a sus compañeros y también a la clase.

Enfoque cultural

Práctica cultural: Invitación a comer

En el mundo hispanohablante cuando se te invita a comer o cenar, es costumbre que los adultos lleven unas flores para la señora de la casa o unos bombones y una botella de vino para el señor de la casa como agradecimiento por la invitación. Nunca van sin nada porque es de mala educación.

 **Conexiones**

1. En tu cultura, ¿es necesario llevar algo de regalo si uno es invitado a comer o a cenar?
2. Si es así, ¿qué se lleva normalmente y a quién?
3. ¿Hay otras ocasiones en tu cultura en las que se regalan flores o bombones en un evento social?
4. Si es así, ¿quién lo regala a quién y por qué?

Reflexión intercultural

Mi progreso intercultural
Sé comparar la importancia de los modales a la hora de comer en Colombia y en mi cultura.

Un recordatorio a mi familia

Debemos cambiar algunas rutinas en las comidas que tenemos en nuestra casa con respecto a las comidas. ¿Qué has aprendido de los modales de los colombianos y de tus reflexiones sobre la etiqueta en las comidas en tu país?

a. Escribe una lista para ponerla en un lugar común de tu casa para que todos la vean y recuerden.

b. Incluye sugerencias para cambiar normas referentes a las comidas (tres mínimo).

c. Incluye las normas de los colombianos que te parecen buenas (tres mínimo).

- No debemos leer en la mesa.
- Es importante al menos probar las comidas nuevas.

Recuerda

La formación de los mandatos formales

"Comenten, escriban, preparen, usen . . . " ¿Qué tienen en común estos verbos que acabas de leer en las instrucciones?

Son **mandatos** y se forman de la siguiente manera:

Mandatos de Ud. (formal)
Mandatos de Uds. (formal e informal - excepto en España)

La forma de **yo** en presente simple menos la **o**

Para un verbo **"ar"**, **"e/n"**

Para un verbo **"er"** o **"ir"**, **"a/n"**

comentar	- comento	**- coment**	- coment**e(n)**
escribir	- escribo	**- escrib**	- escrib**a(n)**
hacer	- hago	**- hag**	- hag**a(n)**
mantener	- mantengo	**- manteng**	- manteng**a(n)**

¡Ojo! Los verbos que acaban en **car, gar** y **zar** tienen un cambio de ortografía **(que, gue, ce)**

busque(n) **cuelgue(n)** **comience(n)**

Observa

El presente del subjuntivo con deseos y recomendaciones

Paso 1: Lee y piensa

En las descripciones de las actividades en **Comunica y Explora A**, leíste estas oraciones:

> María Isabel habla de las tres cosas que sugiere que tomemos en cuenta para estar sanos.
>
> ¿Qué quieres que cambie en tu familia?
>
> ¿Qué plato les recomiendas que añadan en tu cafetería para crear un plato nutritivo usando comida colombiana?
>
> ¡Ojalá* no te canses con tanta actividad!
>
> **Ojalá quiere decir "Si Dios lo permite"; viene del árabe como muchas otras palabras del español.*

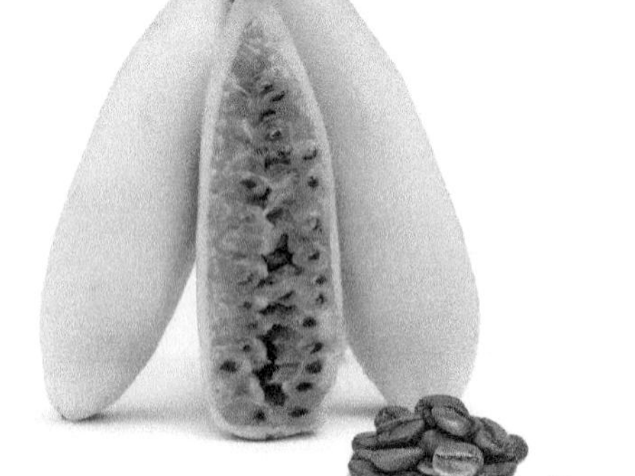

¿Qué observas?

¿Qué implica el significado de los verbos en azul? Usa el organizador gráfico en la guía digital para contestar a esta pregunta solo/a y después en un grupo pequeño.

Paso 2: Mira cómo cambia el significado

¿Cómo cambia el significado de las oraciones a la izquierda y a la derecha?

Tomen esto en cuenta.	Sugiero que tomen esto en cuenta.
Cambien la hora de la cena.	Quiero que cambien la hora de la cena.
Añadan las empanadas.	Les recomiendo que añadan las empanadas.
No se cansen demasiado.	¡Ojalá no se cansen demasiado!

Paso 3: ¿Y los verbos en rojo?

Habla con un/a compañero/a para contestar a estas preguntas:

¿Qué quieren decir los verbos en rojo?

- piensen en el sentido y
- también en la forma.

El subjuntivo es un modo de los verbos en español que tiene muchos usos. En esta unidad, vamos a concentrarnos en el subjuntivo que se usa con recomendaciones y deseos.

Paso 4: ¿Y cómo se forma el subjuntivo?

Con lo que ves en el **Paso 1,** ¿cómo crees que se forma el presente del subjuntivo? A diferencia de los mandatos, se puede conjugar con todos los sujetos. Sigue usando el organizador gráfico en la guía digital para opinar solo/a y después con uno o dos compañeros.

Paso 5: Más ejemplos

Mira los siguientes ejemplos para ver si acertaste en el **Paso 4**.

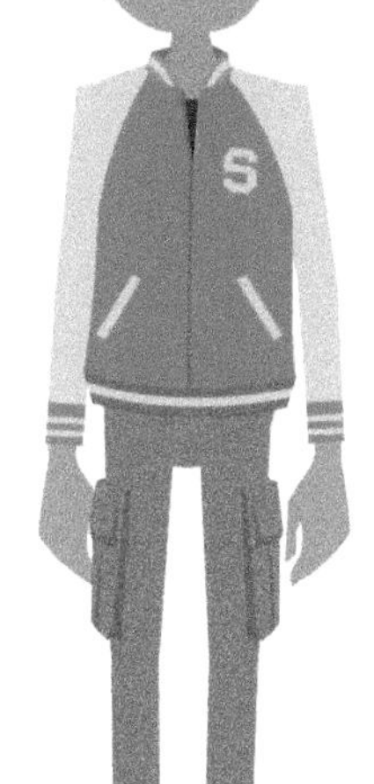

Mi madre **quiere** que yo coma tres comidas sanas al día.
Entonces, ¿qué **sugiere** ella que hagas tú cuando estás con tus amigos?
Nos **recomienda** que vayamos a un lugar que sirva comida saludable.
¡**Ojalá** que yo pueda salir a comer contigo pronto!
Y, ¿qué **prefiere** tu madre que hagan tú y tus hermanos a la hora de comer?
Mis padres **desean** que comamos juntos y que pasemos tiempo juntos después de comer.
¿Qué **aconsejan** tus padres que hagan como ejercicio?
Mis padres **exigen** que elijamos el ejercicio que más nos guste.

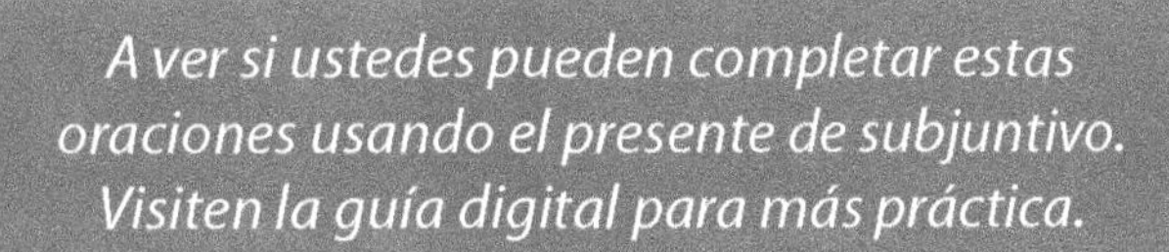

A ver si ustedes pueden completar estas oraciones usando el presente de subjuntivo. Visiten la guía digital para más práctica.

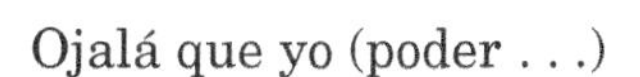

Ojalá que yo (poder . . .)

Recomiendo que tú (salir a comer . . .)

Mis amigos prefieren que usted (beber agua en vez de . . .)

Algún día, quiero que mi hermano (comer . . .)

Mis padres exigen que nosotros (pasar tiempo . . .)

Sugiero que vosotros (hacer . . .)

Ojalá que ustedes (divertirse . . .)

Deseamos que nuestros padres no nos (exigir . . .)

¿Te acuerdas?

los aceites

agregar

el azúcar

las bebidas

las comidas

las frutas

los granos

los lácteos

el postre

la proteína

las verduras

Además se dice

el aderezo - la salsa

escurrir - sacar el líquido de

magro/a - sin grasa; delgado

el pellejo - la piel

provenir - venir; derivar

recortar - cortar; quitar

Actividad 3

Mi plato saludable

Si uno de los elementos de una vida sana es comer bien, entonces es importante cuidar lo que ponemos en nuestro plato a la hora de las comidas. ¿Tienen alimentos saludables sus comidas diarias? Vamos a ver.

Así se dice 3: Comer bien

aconsejar - recomendar
consumir - comer
crudo - sin cocinar
desear - querer
elegir - seleccionar
los embutidos - la carne curada como las salchichas
exigir - obligar
los granos enteros - los frijoles; los garbanzos; las lentejas
los granos refinados - el arroz blanco; el pan blanco
la leche descremada - la leche sin grasa
las medias tardes - la merienda; el bocadillo
ojalá - Si Dios lo permite
las onces, las medias nueves - los alimentos que se toman entre comidas
la porción - la parte servida
la variedad - la selección de elementos diferentes

Paso 1: ¿Qué comes tú?

Has hablado de tus comidas favoritas y de las comidas típicas en tu región y has visto algunas de los colombianos. Pero, ¿qué comes tú diariamente en cada comida?

a. Completa el organizador gráfico, *Las comidas diarias,* con lo que generalmente comes y bebes en cada comida del día.

b. Clasifica lo que comes en las siguientes categorías: vegetales, frutas, granos, lácteos, proteínas u otros.

c. Comparte tus respuestas con un/a compañero/a; resalta con un marcador amarillo los alimentos y platos que tienen en común.

Paso 2: Comer bien

Cuando hablas de una vida saludable, comer bien siempre está en la conversación. Pero, ¿entiendes lo que significa comer bien?

a. Mira *MiPlato* en la guía digital; es una guía creada por expertos nutricionistas para enseñarte a llevar una alimentación sana y equilibrada.

b. Marca en tu organizador gráfico del **Paso 1** los alimentos más saludables con una +. Dibuja un círculo alrededor de la comida que sigue las recomendaciones del *Plato Saludable*.

c. A continuación, escoge una de tus comidas con círculo y forma un grupo pequeño con compañeros que escogieron la misma comida - el desayuno, el almuerzo, la cena, o ninguna (si ninguna de tus comidas corresponde con las recomendaciones) - y comparen sus platos.

Frutas
Granos
Lácteos
Vegetales
Proteína
MiPlato
ChooseMyPlate.gov

1. ¿Qué tienen en común?
2. ¿En qué difieren?
3. ¿Hay un plato de los de tus compañeros que prefieres? ¿Por qué?
4. ¿Qué quieres cambiar en tu plato para hacerlo más saludable?

Modelo

Quiero comer sólo una porción de granos en cada comida como el pan o el arroz, pero no los dos en la misma comida.

5. ¿Qué recomiendas que cambien tus compañeros?

Modelo

Quiero (deseo, prefiero) que mi amigo/a, ___, coma menos porciones de granos en las comidas.

Paso 3: Eres lo que comes

Ya sabes que la alimentación afecta a tu cuerpo.

a. Dibuja un autorretrato según lo que comes y la cantidad. Si comes muchas hamburguesas, la hamburguesa es una parte grande del cuerpo y si comes poca fruta, la fruta es una parte pequeña del cuerpo.

b. Luego, comparte tu ilustración con algunos compañeros de clase.

c. Tomen turnos dándose recomendaciones de cómo mejorar la dieta basándose en los alimentos en los autorretratos.

Modelo

Sugiero que comas más manzanas. Aconsejo que comas menos hamburguesas.

¿Qué aprendiste?

Estás invitado a participar en un panel de jóvenes para hablar sobre los buenos hábitos alimenticios. Comparte recomendaciones de qué comer y de qué no comer según *MiPlato* del Departamento de Agricultura de EE. UU. Graba tus recomendaciones en la guía digital.

Mi progreso comunicativo
Sé recomendar una dieta nutritiva y equilibrada aplicando modelos de Colombia.

¿Te acuerdas?

la panela

la yuca

Además se dice

una despensa - un lugar para guardar alimentos

a grandes rasgos - de modo general

las harinas - los carbohidratos como el arroz, la papa, la yuca y el plátano verde

ribereño - al lado del río

saltarse - pasar sin tomar

Actividad 4

Las comidas diarias

María Isabel habló un poco de la variedad de comida en Colombia, pero hay ciertos platos que se encuentran en las cinco o seis comidas del día en todas las regiones.

Así se dice 4: Comidas colombianas

adelgazar - perder peso
diluido/a - con agua adicional
endulzar - añadir algo para hacerlo dulce
la mitad - el medio
el/la nutricionista - una persona experta en comer saludablemente

el agua aromática

la carne de res

un tinto

Paso 1: ¿Qué comen los colombianos?

La mayoría de los colombianos toman tres comidas al día más onces por la mañana y las medias tardes por la tarde.

a. Mira la comida en la lista de la guía digital. Decide si se comen los platos para el desayuno, las onces, el almuerzo, las medias tardes o la cena.

Enfoque cultural

Práctica cultural: Las "medias nueves" o las "onces"

En Colombia, se llama "las medias nueves" a lo que se come después del desayuno alrededor de las diez de la mañana. Por la tarde, la merienda que se come alrededor de las cinco de la tarde se llama "las onces." ¡Se comen cosas deliciosas! Por ejemplo

buñuelos

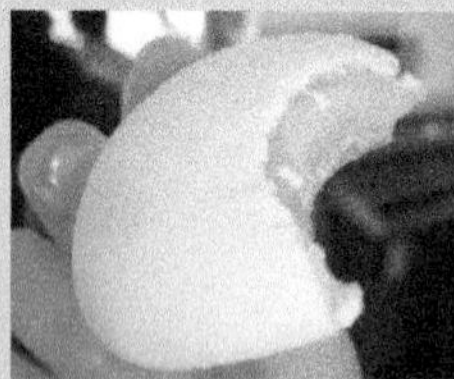

pan de bono

pan de yuca

almojábanas

galletitas de mantequilla

arepas

empanadas

con café con leche

Conexiones

1. ¿Qué comes entre comidas por la mañana?
2. ¿Has probado algunos de los platos mencionados aquí?

b. Luego, lee el artículo, *¿Qué comen los colombianos?*, para ver en qué consiste el menú de Colombia y compáralo con el trabajo que hiciste en la lista de la guía digital.

¿Qué comen los colombianos?

Entre ajiaco, bandeja paisa y cientos de frutas, los colombianos tenemos una amplia despensa para escoger nuestros alimentos diarios. Con tantas regiones y tradiciones alimenticias, los platos cambian, pero a grandes rasgos, estos son los alimentos que constituyen el menú del país.

El desayuno

En Colombia, el alimento más consumido a esta hora del día es el pan, normalmente acompañado del casi universal café o perico y comúnmente **endulzado** con panela.

El almuerzo

Como bien dicen muchas abuelas colombianas, almuerzo sin arroz es desayuno. Este grano no falta en el plato del mediodía y se acompaña con otros carbohidratos, conocidos coloquialmente como harinas, entre los que está la popular papa o yuca. El menú se completa con una porción de proteína, que suele ser **carne de res** o pollo. La costa y algunas pocas zonas ribereñas son, por razones obvias, las únicas en donde la gente prefiere consumir pescado.

Un elemento esencial que hace falta en los almuerzos nacionales son las verduras, que podrían reemplazar uno de los carbohidratos y crear un menú más balanceado.

En cuanto a las bebidas, uno de cada cuatro bogotanos consume gaseosa diariamente, pero la mayoría de colombianos prefiere acompañar el almuerzo con jugos, que al estar muy **diluidos** y contener mucho azúcar frecuentemente no tienen el valor nutricional adecuado.

Entre comidas

Solo **la mitad** de los colombianos toman onces o medias nueves. Los que lo hacen, acostumbran a consumir carbohidratos como empanadas o arepas que son alimentos típicos y fáciles de conseguir en **cualquier** tienda y toman un **tinto** o **agua aromática**.

La cena

Por la noche, los hombres comen el mismo tipo de comida que a la hora del almuerzo. En el caso de las mujeres, María Andrea Quintero, **nutricionista** y dietista de Pepsico, dice que con la idea de **adelgazar** o no dormir con el estómago lleno, muchas mujeres se saltan esta comida, costumbre no recomendada.

© PUBLICACIONES SEMANA S.A. (2015). "¿Qué comen los colombianos?". Adaptado de http://tinyurl.com/jbwhgkg.

la bandeja paisa

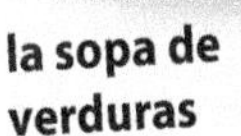
la sopa de verduras

el jugo de frutas

c. Lee el artículo por segunda vez y completa el organizador gráfico, *Las comidas diarias*, con los alimentos o platos que menciona el artículo para cada comida colombiana.

el perico y el pan

el pescado frito

las arepas y empanadas

la ensalada con pollo

Enfoque cultural

Práctica cultural: Las hormigas culonas

¿Han comido hormigas alguna vez? Pues, en Colombia, se han comido durante siglos, como una tradición heredada de culturas precolombinas. Las reinas son las únicas comestibles. Para prepararlas, es recomendable ponerlas en agua con sal para darles sabor y después freírlas. Se pueden usar las hormigas como ingrediente para pizzas, en una salsa picante o con chocolate. Dicen que las hormigas culonas tienen altos niveles de proteínas, muy bajos niveles de grasas saturadas y un alto nivel nutritivo general.

 Conexiones

1. ¿Hay alguna comida en tu familia o comunidad que forma parte de una tradición peculiar? ¿Cuál?
2. ¿Te gustaría probar las hormigas culonas? ¿Por qué?

Para obtener más información sobre las hormigas culonas, visita la guía digital.

Paso 2: Comiendo saludable

Ya analizaste tu dieta en la **Actividad 3**. Ahora, mira la dieta típica colombiana.

a. Toma la información del artículo y de *MiPlato* de la **Actividad 3, Paso 2** para analizar si la dieta típica de los colombianos es equilibrada. Usa el organizador gráfico para tu análisis.

Modelo

La comida	Vegetables	Frutas	Granos	Lácteos	Proteínas	Otros
DESAYUNO			el pan			el café

b. Basándote en el análisis, anota cinco recomendaciones para mejorar la dieta de tus amigos colombianos.

Modelo

- Recomiendo (sugiero) que mis amigos colombianos coman menos porciones de granos en sus comidas.

¿Qué aprendiste?

Tu colegio tiene un programa de intercambio con un cole en Colombia y el próximo mes un grupo de alumnos y sus profesores les vienen a visitar. La cafetería de tu cole quiere que tú les recomiendes algunos almuerzos saludables para servir a los visitantes. Quieren una mezcla de comidas típicas de tu región y también de Colombia, pero siguiendo las recomendaciones del *Plato Saludable*.

a. Diseña un menú con cuatro opciones.

b. Explica cómo siguen las recomendaciones del *Plato Saludable*.

Mi progreso comunicativo
Sé recomendar una dieta nutritiva y equilibrada aplicando modelos de Colombia.

Actividad 5

Conoce a Lucía

Lucía es una joven colombiana que vive en Suba, una zona de Bogotá, la capital de Colombia. Ella quiere comer bien y cambiar su dieta típica de esa zona colombiana.

Así se dice 5: Frutas y más

alcanzar - obtener

los ancestros - los miembros de la familia del pasado

apreciar - estimar

aumentar - incrementar

la cáscara - la piel de la fruta o los frutos secos

cítrico/a - ácido/a

la cosecha - los productos que se recogen de la tierra

estar ubicado - estar situado

los ingresos - el dinero que se recibe por el trabajo

el carambolo

la ciruela

el coco

la guanábana

el mango

el maracuyá

la papaya

el tamarindo

Ciclorruta, Suba, Bogotá, Colombia

¿Te acuerdas?

las costumbres

las manzanas (de agua)

Además se dice

la cosecha - la época del año en la que se recogen los frutos y alimentos

Paso 1: Las frutas tropicales

Las frutas son abundantes en Colombia y son una de las exportaciones más grandes del país. Los colombianos comen mucha fruta en todas sus formas - con cáscara o sin ella, en jugo, en dulces - pero como las frutas tropicales tienden a ser cítricas, las recetas indican agregar mucho azúcar para endulzarlas.

a. ¿Cuántas frutas puedes identificar en la foto?

b. ¿Qué frutas son tropicales? Las frutas tropicales son las que se cultivan todo el año en climas cálidos y se cosechan en varias épocas del año.

c. ¿Qué frutas se cultivan en la región donde vives tú? ¿Son tropicales o no? ¿Cuándo es la cosecha?

d. ¿Has comido frutas tropicales alguna vez? ¿Cuáles?¿Cómo estaban preparadas (i.e., con cáscara o sin ella, en ensalada, en batido, en jugo, en dulces, en mermelada)?

Paso 2: El video blog de Lucía

Lucía de Bogotá te contará un poco sobre la dieta colombiana y la abundancia de frutas que hay.

a. Mira el video blog de Lucía y usa el organizador gráfico para anotar las frutas que ella te muestra.

b. Después de ver el video, compara tu organizador gráfico con el de un/a compañero/a de clase.

c. Mira el video de nuevo para asegurarte que anotaste todas las frutas.

d. ¿Cuáles de esas frutas has comido? ¿Cuáles no has probado todavía?

Paso 3: Los beneficios de la fruta

La guía alimentaria, *MiPlato,* recomienda que comas por lo menos dos tazas de frutas al día porque tienen numerosos beneficios: aportan vitaminas, minerales y fibra. Pero, también, las frutas ofrecen beneficios para la prevención de varias enfermedades, según el color.

a. En el organizador gráfico en la guía digital, *La fruta, el color y la salud,* hay fotos de seis frutas y seis descripciones de beneficios. Combina la fruta con su beneficio según el color y anota dos o tres otras frutas del mismo color.

b. Unos amigos tuyos no se sienten bien. Lee su malestar y recomienda dos frutas que pueden ayudarles según la información en *La fruta, el color y la salud.*

1. Carmen tiene dolor de estómago.
2. Pedro se siente bastante cansado.
3. Tomás no recuerda bien los detalles.
4. Elena sufre de acné en la cara.
5. A Susana le duelen las rodillas y tiene los pies inflamados.

Modelo

Félix tiene la presión alta. Le recomiendo que coma fresas y cerezas.

c. Crea un cartel para la cafetería de su escuela en el cual recomiendas comer frutas por su color y el beneficio que tienen.

Modelo

Les sugiero que coman piña para mantener la piel saludable.

Mi progreso comunicativo
Sé recomendar una dieta nutritiva y equilibrada aplicando modelos de Colombia.

¿Qué aprendiste?

Visita un mercado en tu comunidad o en internet y anota cinco frutas que ves allí. Sácales fotos y prepara una descripción de las frutas. Incluye detalles de cómo son y qué beneficios tienen.

En internet, visita uno de los siguientes mercados colombianos:

- *Fruvirtual* - es una nueva manera de hacer mercado por internet y con entrega a domicilio, sin salir de casa.
- *Éxito* - es una cadena de supermercados presente en toda Colombia que tiene de todo: ropa, muebles, electrodomésticos y comestibles.

¿Te acuerdas?

el baile

barato

barrer

la cola

fregar (ie)

el guante

el miedo

la nuca

quitar el polvo

el suelo

Además se dice

alzar la copa - levantar el vaso

la dueña - la propietaria

la escudilla - un objeto redondo similar a un bol grande normalmente de madera

una espina- un hueso pequeño en el pescado

el nabo

la tortuga

Actividad 6

Mirringa Mirronga - Un poema del escritor colombiano Rafael Pombo

¿Alguna vez te has aprovechado de la generosidad de otras personas? ¿Cómo? Los colombianos tienden a ser muy generosos, pero como vemos en el poema del escritor colombiano Rafael Pombo, *Mirringa Mirronga*, hay un límite para todo.

Paso 1: Imagina

Imagina que tendrás una cena en casa e invitarás a tus mejores amigos. Es una celebración formal y quieres impresionarlos. Habla con un/a compañero/a de los detalles:

1. La comida que servirás - ¿Qué comerán en la cena?
2. La mesa del comedor donde servirás la comida - ¿Qué decoraciones, cubiertos, platos y vasos tendrán en la mesa?
3. Las actividades que tendrás en la celebración - ¿Qué harán durante la celebración? ¿Hablarán? ¿Bailarán? ¿Escucharán música?

Así se dice 6: Cena formal

amanecer - salir el sol por la mañana

la bandeja - un objeto para colocar la comida

brindar - levantar la copa de vino en honor de algo o alguien

la canasta - un cesto para el pan o la fruta

el chorizo - una salchicha

oler - usar la nariz para apreciar el aroma de algo

rajar/rajado - romper/roto en pedazos

romper/roto - hacer/hecho pedazos o trozos

Detalle gramatical

En español el futuro también se puede usar para expresar "posibilidad".

¿Recuerdas estas preguntas de la **Actividad 1, Paso 1**? Te preguntaban sobre María Isabel:

"Teniendo en cuenta donde vive María Isabel, ¿**comerá** mucha carne?"

"Y con el calor que hace allí, ¿qué **hará** ella para mantenerse activa?"

Los verbos están en futuro pero no te preguntan sobre el futuro. ¿Qué crees que te quieren preguntar?

Pues sí, el futuro también sugiere posibilidades en español:

"Teniendo en cuenta donde vive María Isabel, ¿**es posible que** ella coma mucha carne?"

"Y con el calor que hace allí, ¿**cuáles son las posibilidades** que ella tiene para mantenerse activa?"

Este es un uso que no tenemos en inglés, así que si no entiendes por qué un verbo está en futuro, considera este significado.

Paso 2: El vocabulario en contexto

Rafael Pombo nació en Bogotá en 1833, pero su familia era de Popayán, Cauca, al sur de Colombia. Fue diplomático, periodista, traductor, fabulista y poeta. Es considerado uno de los grandes poetas del país y fue nombrado *Poeta Nacional de Colombia*.

a. Lee uno de sus poemas infantiles, Mirringa Mirronga, y marca las palabras que ya conoces. ¿De qué piensas que se trata?

b. b. Hay mucho vocabulario nuevo en el poema. Pero, después de leerlo, puedes inferir del contexto qué significan algunas palabras. Visita la guía digital para completar la tarea para este paso.

Mirringa Mirronga

1 Mirringa Mirronga, la gata candonga
va a dar un convite jugando escondite,
y quiere que todos los gatos y gatas
no almuercen ratones ni cenen con ratas.

5 "A ver mis anteojos, y pluma y tintero,
y vamos poniendo las cartas primero.
Que vengan las Fuñas y las Fanfarriñas,
y Ñoño y Marroño y Tompo y sus niñas.

9 Ahora veamos qué tal la alacena.
Hay pollo y pescado, ¡la cosa está buena!
Y hay tortas y pollos y carnes sin grasa.
¡Qué amable señora la dueña de casa!

13 Venid mis michitos Mirrín y Mirrón.
Id volando al cuarto de mamá
Fogón por ocho escudillas y cuatro **bandejas**
que no estén **rajadas,** ni **rotas** ni viejas.

17 Venid mis michitos Mirrón y Mirrín,
traed la **canasta** y el dindirindín,[1]
¡y zape, al mercado!
que faltan lechugas y nabos
y coles y arroz y tortuga.

22 Decid a mi amita que tengo visita,
que no venga a verme, no sea que se enferme
que mañana mismo devuelvo sus platos,
que agradezco mucho y están muy baratos.

26 ¡Cuidado, patitas, si el suelo me embarran[2]
¡Qué quiten el polvo, que frieguen, que barran
¡Las flores, la mesa, la sopa! . . . ¡Tilín!
Ya llega la gente. ¡Jesús, qué trajín!".

30 Llegaron en coche ya entrada la noche
señores y damas, con muchas zalemas,
en grande uniforme, de cola y de guante,
con cuellos muy tiesos[3] y frac[4] elegante.

34 Al cerrar la puerta Mirriña
la tuerta[5] en una cabriola se mordió la cola,
mas **olió** el tocino y dijo "¡Miaao!
¡Este es un banquete de pipiripao!"

38 Con muy buenos modos sentáronse todos,
tomaron la sopa y alzaron la copa;
el pescado frito estaba exquisito
y el pavo sin hueso era un embeleso.

42 De todo les **brinda** Mirringa Mirronga:
– "¿Le sirvo pechuga?" –
"Como usted disponga,
y yo a usted pescado, que está delicado".

46 – "Pues tanto le peta,[6] no gaste etiqueta:
Repita sin miedo".
Y él dice: – "Concedo".
Más ¡ay! que una espina se le atasca[7] indina,
y Ñoña la hermosa que es habilidosa
metiéndole el fuelle le dice: "¡Resuelle!"

52 Mirriña a Cuca le golpeó en la nuca
y pasó al instante la espina del diantre,
sirvieron los postres y luego el café,
y empezó la danza bailando un minué.

56 Hubo vals, lanceros y polka y mazurca,
y Tompo que estaba con máxima turca,
enreda en las uñas el traje de Ñoña
y ambos van al suelo y ella se desmoña.

60 Maullaron de risa todos los danzantes
y siguió el jaleo más alegre que antes,
y gritó Mirringa: "¡Ya cerré la puerta!
¡Mientras no **amanezca,** ninguno deserta!"

64 Pero ¡qué desgracia! entró doña Engracia
y armó un gatuperio un poquito serio
dándoles **chorizo** de tío Pegadizo
para que hagan cenas con tortas ajenas.

1 el dindirindín - una frase que se usa en una canción para anadir una melodía; similar a 'lalarala'

2 embarrar - ensuciar

3 tieso - duro

4 el frac - el traje; la chaqueta

5 la tuerta - alguien que tiene sólo un ojo

6 petar - dar las gracias

7 atascar - bloquear

Rafael Pombo. "Mirringa Mirronga". Cuentos Pintados

 Paso 3: Dibujando el argumento

Presta atención al argumento, o sea, de qué se trata el poema.

a. Lee el poema una segunda vez y encuentra por lo menos seis situaciones diferentes e indica las líneas que las describen.

Modelo

Mirringa Mirronga, la gata madre, está escribiendo las invitaciones para la cena. (líneas 1 a 8).

b. Ahora, dibuja seis escenas de la historia. Usa el organizador gráfico en la guía digital para completar tus dibujos.

 Paso 4: Una cena formal

El poema hace referencia a varios elementos de una cena formal en la comida, los códigos de etiqueta, la ropa y las actividades. ¿Los puedes identificar?

a. Completa el organizador gráfico con los detalles de la cena.

Modelo

La comida	Los códigos de etiqueta	La ropa	Las actividades	Otros detalles
el pollo	las cartas o las invitaciones	el uniforme	el minué	barren el suelo

b. Comparen con un/a compañero/a los detalles de la cena formal del poema con los de la celebración que describiste en el **Paso 1**. ¿Qué celebración te gusta más? ¿Por qué?

Además se dice

moraleja - enseñanza o lección que se aprende al leer algo

Mi progreso intercultural
Sé aplicar la moraleja de una obra literaria colombiana a mi experiencia personal.

Reflexión intercultural

 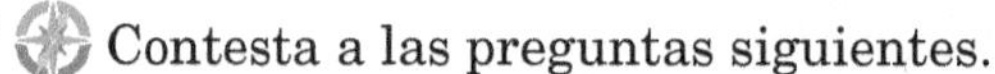 Contesta a las preguntas siguientes.

1. ¿Cómo se ha aprovechado Mirringa Mirronga de su dueña, Doña Engracia?
2. ¿Cuál piensas que es la moraleja o mensaje principal de este poema? ¿Por qué?
3. Describe una situación que conoces a la que se pueda aplicar la moraleja o mensaje principal del poema.

Actividad 7

Publicidad que engorda

En varios países de Latinoamérica, así como en los EE. UU., la obesidad infantil ha aumentado pero también el número de comerciales de alimentos y bebidas ultraprocesados.

Así se dice 7: Publicidad que engorda

los comerciales - la publicidad en televisión
la comida chatarra - la comida de muy poca calidad
la obesidad - la gordura
la publicidad - los anuncios
la regulación - la reglamentación
el riesgo - la posibilidad de que pase algo malo
el sobrepeso - pesar más de lo saludable
ultraprocesados - productos demasiado artificiales para el ser humano

Además se dice

contundente - irrevocable; concluyente

desarrollado - progresado

la franja infantil - el horario de programas infantiles en la tele

el patrón - el tipo; el ejemplo

la prevalencia - la continuidad

Paso 1: Evolución de los tamaños

La expresión, *Eres lo que comes,* indica que la salud de uno depende en gran manera de sus hábitos alimenticios, de lo que uno come de manera habitual. Vamos a comparar tus hábitos con los de los colombianos.

a. Compara lo que tú comes diariamente con los hábitos que tienen los colombianos actuales según la infografía.

b. ¿Se parecen en algo a los tuyos? Si es así, ¿qué rasgos tienen en común y en qué se diferencian? Usa el siguiente organizador gráfico para anotar tus resultados.

Semejanzas	Diferencias

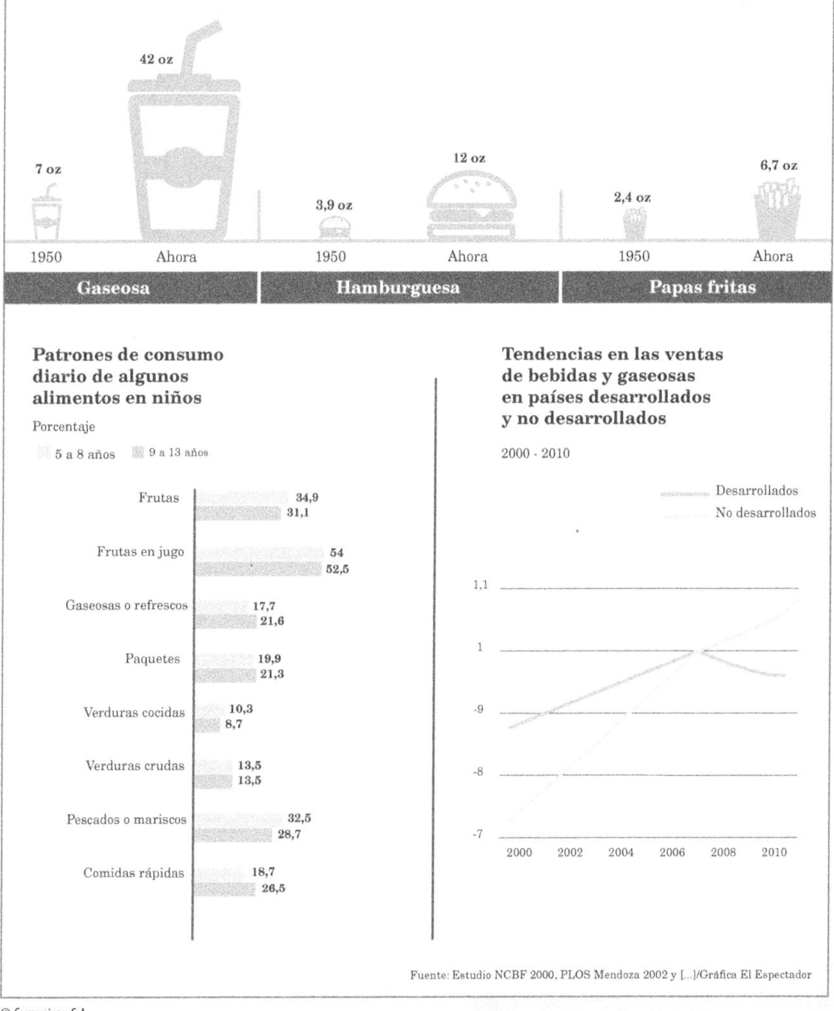

© Comunican S.A.

Paso 2: ¿Cómo ha cambiado Colombia?

Lee el texto sobre los cambios en la alimentacion que se han producido en Colombia en los últimos años y las consecuencias que han tenido en la población.

a. ¿Qué es una bebida o un alimento procesado?

b. Escribe una lista de bebidas y alimentos procesados que comes tú, tu familia y tus amigos.

Bebidas procesadas	Comidas procesadas

c. Ahora lee el artículo, pensando en si sería lo mismo o diferente donde tú vives.

Publicidad que engorda

Por: Redacción Vivir

¿Cómo influye **la publicidad** de alimentos y bebidas **ultraprocesados** en los **patrones** de **alimentación** de los niños? ¿Podría relacionarse este tipo de mensajes con **la obesidad** infantil? ¿Cuánta **publicidad** están consumiendo los menores?

Un grupo de investigadores de la Universidad Javeriana de Bogotá, liderado por el profesor Luis Fernando Gómez, del Departamento de Medicina Preventiva y Social, hizo un estudio piloto para identificar qué tipo de **publicidad** están consumiendo los niños.

Eligieron el canal RCN y analizaron **la franja infantil** del 29 de julio de 2012. El resultado fue **contundente:** el 96,43% de los mensajes publicitarios estaba relacionado con alimentos **ultraprocesados** y el 3,57% con alimentos no procesados.

"Es muy preocupante encontrar, por ejemplo, que los niños desde los tres años ya reconocen marcas de alimentos y bebidas", señala el profesor Gómez, y da un dato más: "Los niños menores de ocho años no entienden que detrás de ese mensaje hay un interés comercial y no lo diferencian del programa que están viendo".

En otros países de América Latina la realidad es similar: un estudio de 2010 de la organización mexicana El Poder del Consumidor encontró que durante **la franja infantil,** el número de **comerciales** de alimentos **ultraprocesados,** con altos contenidos de azúcares agregados, grasas o sal, representaba el 58%, principalmente de marcas como Kellogg's, Nestlé y Bimbo.

La Organización Mundial de la Salud (OMS) ha señalado que **la obesidad** es la epidemia del nuevo siglo y las cifras así lo demuestran: en Colombia hubo un aumento de 25,9% en **el sobrepeso y la obesidad** en los niños de 11 a 17 años en un período de cinco años (2005-2010), mientras que **la prevalencia del sobrepeso y la obesidad** en niños mexicanos de 5 a 11 años **aumentó** de 18,6% en 1999 a 26,6%.

Para Gómez la falta de **regulación** en **la publicidad** ha sido crucial en el crecimiento de **la obesidad** infantil, "un serio problema de salud que está asociado con mayores cifras de presión arterial y un incremento en el **riesgo** de desarrollar diabetes tipo 2".

© Comunican S.A., El Espectador (2013).
"Publicidad que engorda". Extraído de http://tinyurl.com/zd9r63n

d. Decide si las siguientes afirmaciones son **ciertas o falsas**, según el texto. Debes citar la oración del texto que justifique tu elección.

1. Los investigadores de la Universidad Javeriana de Bogotá están interesados en averiguar qué tipo de comida consumen los niños.

   ____

2. Según la investigación llevada a cabo, lo que los niños ven en los anuncios es principalmente comida que no es ni natural ni sana.

   ____

3. Según el profesor Gómez, los niños no relacionan la publicidad con el mercadeo.

   ____

4. La publicidad busca un consumo basado en el control y la salud.

   ____

5. Colombia ha establecido regulaciones en la publicidad de alimentos procesados con gran éxito.

   ____

e. Completa las siguientes oraciones basándote en la lectura:

1. Generalmente, los anuncios publicitarios que se pueden ver en la tele en Colombia para los niños son . . .
2. Las grandes compañías de comida rápida y alimentos ultraprocesados buscan . . .
3. Algunas de las estrategias que se usan son . . .
4. Algunas de las consecuencias que tiene la obesidad infantil son . . .

Paso 3: ¡Les toca a Uds. actuar!

¿Qué medidas deben tomar los padres en Colombia para poner fin a la epidemia de la obesidad infantil?

a. En parejas o en grupos de tres o cuatro, piensen en hábitos alimenticios y una vida activa, actividades en familia, después de la escuela, horario y programas para ver la televisión, etc. Hagan una lista de al menos seis recomendaciones.

Modelo

Recomendaciones para solucionar la epidemia que sufren los niños
1. No crean todo lo que ven en la televisión; no siempre es cierto.

b. Compartan sus recomendaciones con toda la clase. ¿En cuáles coinciden y en cuáles no?

c. Como clase, decidan, de entre todas las recomendaciones, ¿cuáles deben ser las diez que se deben mantener?

d. Pónganlas en orden de importancia del 1 al 10, siendo el 1 el más alto y el 10 el más bajo.

e. Comenten como clase el porqué de su elección.

Paso 4: Comenta el proyecto de la clase a Lucía

Comparte con Lucía las recomendaciones que la clase ha hecho para reducir la obesidad infantil.

Hablando sobre la salud, en mi clase de español estamos pensando no solo en nuestros hábitos sino también en los hábitos de los jóvenes en todo el mundo. Leímos un artículo sobre Colombia y quiero compartir las ideas que tenemos. Recomendamos que no se consuman productos ultraprocesados . . .

Paso 5: ¡Hagamos algo para resolver este asunto!

¿También hay publicidad de comida rápida y procesada en donde vives tú?

a. Busca anuncios o comerciales de televisión relacionados con comida o bebida dirigidos a niños.

b. Mira un mínimo de seis.

c. Si hay canales de televisión en español, míralos también.

d. Anota la siguiente información.

Análisis de los anuncios	Escribe lo que ves y lo que dicen
la marca del alimento	
lo que se intenta vender	
las imágenes y los trucos que usan, con ejemplos	
el tipo de lenguaje que se usa; anota las palabras más impactantes del anuncio o comercial	
justificación de si la comida es saludable o procesada	

e. Compara uno de los anuncios que has visto en la tele con lo que leíste sobre los anuncios en Colombia.

¿Qué aprendiste?

Ya que has estudiado los anuncios televisivos de tu país:

1. ¿Crees que esta epidemia también ocurre en tu comunidad?
2. ¿De qué manera se presenta?
3. ¿A quién afecta mayormente?
4. ¿Cómo se debería actuar para combatirla tanto en Colombia como en tu país?

Modelo

Considero que esta epidemia . . .

Mi progreso comunicativo
Sé explicar cómo la publicidad ha influido en la dieta tradicional de varios países hispanohablantes.

¿Te acuerdas?

bailar

la caminata

comprobar

la confianza

el dolor

las enfermedades

mejorar

montar en bicicleta

nadar

pasear al perro

patinar

practicar deportes

Además se dice

el compromiso - la promesa; el contrato

generar - hacer; crear

liberarse - independizarse

Actividad 8

¡Muévete!

Has estudiado mucho sobre la influencia de los alimentos saludables en **llevar una vida equilibrada**, pero no solamente hay que comer bien. ¡También, hay que moverse!

Así se dice 8: Actividad física

dejar de lado - no continuar

el equipo - un grupo de personas organizado para realizar una tarea

estar en forma - estar en buena condición física

la gratitud - el acto de dar gracias

un lazo - algo como una cinta que sujeta; una conexión

llevar una vida equilibrada - tener una vida balanceada

la plenitud - la abundancia; la felicidad

un relajante natural - algo que quita estrés naturalmente

estirar

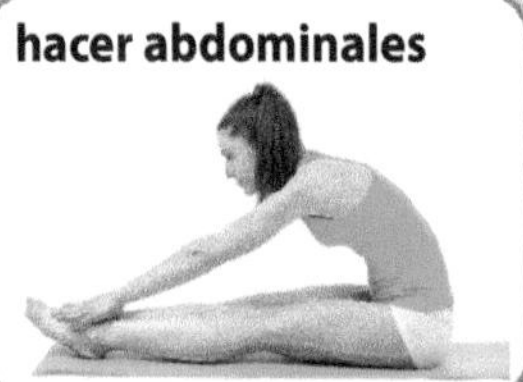
hacer abdominales

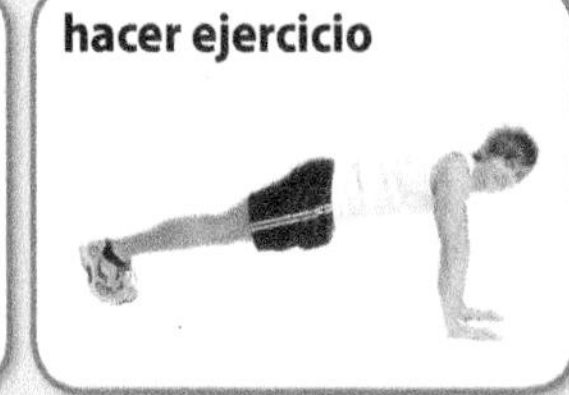
hacer ejercicio

hacer footing; trotar

levantar pesas

practicar yoga

Paso 1: Los beneficios del ejercicio

Son innumerables las ventajas de ser activo a cualquier edad, pero se recomienda que los jóvenes establezcan rutinas de actividad diaria que los llevarán lejos en el futuro.

a. Piensa en algunas de las cosas que tus amigos y tú hacen para ser activos. Anótalas en pósits, notas adhesivas.

b. Forma un grupo pequeño con tres o cuatro compañeros de clase y compartan sus pósits. Organícenlos en categorías y den nombre a cada categoría. Por ejemplo: *actividades en **equipo**, actividades en el interior, actividades en el exterior, actividades sin equipamiento,* etc.

c. En sus grupos, hagan recomendaciones sobre la frecuencia con que se debe participar en las actividades. Intercambien actividades entre categorías o creen nuevas categorías, si es necesario.

d. Diseñen un cartel o una infografía que muestre la frecuencia con que se debe participar en las actividades y presenten sus recomendaciones a los otros compañeros.

Modelo

Les sugerimos que participen treinta minutos cada día en actividades como caminar o subir y bajar escaleras.

Enfoque cultural

Práctica cultural: Zumba

La Zumba es un ejercicio aeróbico creado por un colombiano, Alberto Pérez, en 1986 con el fin de fortalecer y dar flexibilidad al cuerpo. Usa ritmos musicales de la salsa, el merengue, la cumbia, la samba y el reggaetón, y los mezcla con ejercicios aeróbicos. En cada sesión de zumba, se pueden llegar a quemar 1500 calorías. La zumba se puede practicar a cualquier edad y en cualquier momento ya que existe: Zumba Kids, Zumba Gold, Zumba Basic, Zumba Step, Zumba Toning, Aqua Zumba, Zumba Sentao, entre otros.

Conexiones

1. ¿Hay bailes aeróbicos en tu comunidad?
2. ¿Has bailado zumba alguna vez? ¿Te gustó?
3. Si no, ¿te gustaría probarla? Explica tu respuesta.

Paso 2: ¡La actividad te hace feliz!

Sabemos que ser activo/a es esencial para una vida saludable, pero ¿es esencial para ser feliz? ¿Qué piensas?

a. Habla con un/a compañero/a de clase y comparte tu opinión justificando tu respuesta

b. Ahora, lee el artículo, *8 razones por las que la actividad física te hace feliz*, y dibuja imágenes que representen el sentido del texto.

Modelo

1.

c. Después de leer, muestren sus dibujos a otro/a compañero/a y hagan que él/ella adivine a qué parte del texto se refiere.

8 razones por las que la actividad física te hace FELIZ

Todos los días recibes diversos mensajes invitándote a realizar actividad física. Entre los argumentos que te dan para hacerlo, encuentras: "vas a tener músculos más marcados", "estarás más saludable" y la más sorprendente de todas, "te hará feliz".

Y es justamente cuando escuchas este último argumento que tú te preguntas: ¿cómo es posible que una actividad que **exige** un gran esfuerzo y que puede causar dolor puede hacerme sentir feliz? Hoy queremos contarte que SÍ, que la actividad física genera una sensación de **plenitud**.

Para comprobarlo, te presentamos **8 razones por las que la actividad física te hace FELIZ.**

1. **Las "hormonas de la felicidad" o endorfinas se liberan** en nuestro sistema nervioso cuando estamos haciendo alguna actividad agradable. Media hora de caminata o baile son ejemplos que pueden hacerte sentir muy bien.
2. **¡Menos estrés, más felicidad!** Recuerda que la actividad física es **un relajante natural**.
3. **SÍ PUEDO HACERLO.** Cuando **dejas de lado** las excusas, sientes una gran satisfacción.
4. **Todo se hace más fácil.** ¡Qué bueno sería subir escaleras o llevar bolsas del mercado sin hacer gran esfuerzo!
5. **Te vuelves más sociable.** Tienes la posibilidad de conocer a personas que comparten tus intereses y con las que puedes generar buenos **lazos** de amistad.
6. **Mejor te ves, mejor te sientes.** Cuando estás feliz con tu apariencia física y gozas de buena salud, inevitablemente tu confianza aumenta.

7. **Es una actividad que despierta pasión.** Terminas tu día, estás cansado y con ganas de dormir, pero sacas tiempo para moverte. Es ahí donde te das cuenta de lo mucho que amas sentirte activo.
8. **Sales de la rutina.** Esta es tu oportunidad para romper con los hábitos, hacer algo diferente y disfrutar de otras actividades que te hagan feliz.

¿Necesitas más razones? Realizar actividad física no sólo te da salud, también te da muchos motivos para ser feliz.

Cuídate que yo te cuidaré. "8 Razones por las que la actividad física te hace feliz". Extraído de http://tinyurl.com/ze2xxbw

Paso 3: Todo lo que me hace feliz

La actividad física proporciona alegría, pero también hay otras cosas que te pueden hacer feliz, un elemento esencial de una vida sana y equilibrada.

a. Piensa en ocho cosas que te hacen feliz y anota por qué.

b. Explícale a la clase cómo esas cosas te hacen feliz creando una tira cómica.

Mi progreso comunicativo
Sé explicar y dar ejemplos de oactividades necesarias para una vida equilibrada.

¿Qué aprendiste?

¿Recuerdas que Lucía te explicó en su video blog la gran diversidad de frutas en Colombia y la importancia de una dieta saludable?

a. Explícale, usando una red social, la importancia de la actividad física y de una mentalidad positiva para tener una vida equilibrada.

b. Tu mensaje se titulará: **'mens sana in corpore sano'**. Los romanos ya tenían este lema: "mente sana en un cuerpo sano" para hablar de la importancia de un equilibrio físico y mental en nuestras vidas.

c. Tu mensaje tiene que incluir lo que se debe hacer respecto a la nutrición, el ejercicio físico, y la felicidad para tener una vida equilibrada.

Enfoque cultural

Práctica cultural: El deporte tejo

El tejo es un juego que está considerado el deporte nacional de Colombia. Para ver cómo se juega al tejo visita la guía digital y mira el video.

Conexiones

1. ¿Tiene tu país un deporte nacional? ¿Cuál es? ¿Cómo se juega?
2. ¿Crees que jugar al tejo puede tener beneficios para la salud ?
3. ¿Te gustaría aprender este deporte? ¿Por qué?

En camino A

Mi plan personal

Con toda la información que tienes sobre una vida sana y equilibrada, vas a:

- responder a un cuestionario para saber si estás manteniendo una vida saludable;
- diseñar un plan personal para incorporar los hábitos saludables que has aprendido en tu vida;
- escribir sobre tus planes.

Paso 1: ¿Estás manteniendo una vida saludable?

Haz el cuestionario completo en la guía digital para saber si sigues una vida saludable.

a. Contesta a las preguntas del cuestionario honestamente.

b. Suma tu puntaje.

c. Lee los resultados. ¿Estás de acuerdo? Escribe tu reacción al cuestionario en el foro digital.

Cuestionario: ¿Mantienes una vida saludable?

1) ¿Te sientes conectado/a a tu cuerpo?
   a. Sí.
   b. Un poco.
   c. No.

2) ¿Te haces un chequeo médico todos los años?
   a. Sí.
   b. No todos los años.
   c. No, solo voy en caso de enfermedad.

Extraído de http://tinyurl.com/jxtbh8f.

Paso 2: ¡Mi plan personal!

De acuerdo a tus respuestas, diseña tu plan personal.

a. Primero, piensa en cómo puedes incorporar los hábitos saludables de los colombianos en tu propia vida: los alimentos saludables, las actividades físicas y las cosas que te hacen feliz.

b. Usa el organizador gráfico para organizar tus ideas sobre cómo incorporar más aspectos saludables en tu plan. Sé específico en tus acciones.

Paso 3: ¡Comparte y da consejos!

Comparte las tres categorías de tu plan de los hábitos saludables con un/a compañero/a. Después, intercambien algunos consejos para mejorar sus planes.

Paso 4: ¡Decídete y pide consejos!

Ahora que tienes una idea más clara de tu plan, escribe a María Isabel o Lucía e incluye lo siguiente:

a. Tus cambios respecto a la nutrición, el ejercicio y la felicidad.

b. Hábitos saludables colombianos para incorporarlos en tu vida.

c. Preguntas sobre lo que ellas creen que debes modificar e incluir para tener una vida más sana.

Mi progreso intercultural
Sé comparar los valores de una vida sana en Colombia con los míos.

Comunica y Explora B

Pregunta esencial: ¿Cómo puedo incorporar algunos hábitos saludables del mundo hispanohablante en mi comunidad?

Cartagena, Colombia

Actividad 9

Ciclovía de Bogotá

En Bogotá, hay momentos en que se reserva un área pública para el uso exclusivo de la actividad física y se cierra a los carros; esta zona reservada se llama la ciclovía.

Así se dice 9: Ciclovía en acción

acogido/a - favorecido; popular
dejar a un lado - no hacer más
ejercitarse - hacer ejercicio
hacer aeróbicos - hacer ejercicios físicos que aumentan el ritmo cardiaco
hidratar - dar o tomar agua
el préstamo - algo que se le da a alguien con la idea de que lo devuelva

Paso 1: Se cierran las calles

Hay ocasiones en que se cierran algunas calles de una ciudad para alguna actividad o deporte.

a. En parejas o en grupos pequeños, hagan una lista de ocasiones o eventos cuando se cierran las calles a los carros.

b. Túrnense para hacer y contestar a las siguientes preguntas.

1. ¿Qué tipo de evento o actividad es?
2. ¿Dónde y por qué se hace?
3. ¿Cuándo y con qué frecuencia ocurre?
4. ¿Quién(es) participa(n)?
5. ¿Qué sucede cuando se cierran las calles?

Ciclovía

Origen del uso de *usted*

En Colombia, es más común usar la forma de *usted* que de *tú,* aún para situaciones informales. Incluso, hay regiones de Colombia donde el tuteo no existe. En el Departamento de Boyacá, se oye "su merced" entre los campesinos, una forma antigua que viene de vuestra merced que se transformó a vusted (Vd.) y ahora a usted (Ud.).

¿Te acuerdas?

la ciudadanía

el espacio

mantener

los participantes

Además se dice

los corredores - las calles

emplear - usar

habilitar - preparar

en promedio - media aritmética

Paso 2: ¿Por qué una ciclovía?

A veces en Bogotá se cierran las calles a los autos y se convierten en ciclovías. David, nuestro bloguero, te va a mostrar cómo funciona y te va a hablar de su importancia para la ciudad.

a. Mira el video por primera vez y anota de manera general cómo funciona la ciclovía.

Modelo

La ciclovía de Bogotá
Detalles de la ciclovía
Personas en bicicleta, familias, . . .

b. La segunda vez, explica con tus palabras los términos que aparecen en el organizador gráfico.

Modelo

La ciclovía de Bogotá	
El vocabulario	**La definición o explicación**
1. el guardián	• la persona que vigila la ciclovía y ayuda a las personas. • Jesús Omen, la persona que habla de la ciclovía.
2. la juventud	
3. la recreovía	
4. los capitalinos	
5. los ciclousuarios	

c. Mira el video por tercera vez y contesta a las siguientes preguntas:
   1. ¿Cuándo se habilita la ciclovía?
   2. ¿Quiénes participan en la ciclovía?
   3. De promedio, ¿cuántas personas participan?
   4. ¿Qué actividades se hacen en la ciclovía?
   5. ¿Qué eventos especiales hay en la ciclovía?
   6. ¿Qué recomendaciones hace el jefe de la ruta ciclovía?

d. Imagina que tienes que explicarle a tus padres en qué consiste la ciclovía. Usando la información que tienes, haz un resumen breve de este programa.

Paso 3: Ventajas y desventajas

Estás en un parque con tus amigos y se dan cuenta que se han cerrado las calles de alrededor porque hay un evento público donde la gente hace ejercicio físico.

a. Trabajen en un grupo de tres o cuatro personas y comenten:
   1. Cuántas calles y por cuánto tiempo se cierran a los carros.
   2. Qué actividades tienen lugar cuando se cierran las calles.
   3. Qué tipo de personas participan.
   4. Ventajas y desventajas de tener programas de este estilo para los ciudadanos.

b. ¿Les ha resultado difícil hablar de este tema en grupo? ¿Qué estrategias usarás la próxima vez para que funcione mejor?

Mi progreso intercultural
Sé intercambiar información con otros sobre un evento en mi comunidad y compararlo con la ciclovía de Bogotá.

Reflexión intercultural

La ciclovía es bastante popular en una ciudad grande como Bogotá y también existe en otras ciudades del mundo como Buenos Aires, Argentina y Los Ángeles, California.

Analiza la información que tienes sobre la ciclovía y haz una evaluación del programa contestando a las siguientes preguntas. Graba tu evaluación en la guía digital.

1. ¿Será que la ciclovía es sólo para las ciudades o es buena idea para las comunidades más pequeñas también?
2. ¿Tienes algo parecido en tu comunidad? ¿En qué se parece o difiere del ejemplo que viste en el video blog?
3. Si no tienes una, ¿te gustaría tener una ciclovía en tu comunidad? ¿Por qué?

Mi progreso comunicativo
Sé explicar la importancia de buena salud física y mental en Colombia y comparar algunos ejemplos con los de mi comunidad.

Actividad 10

¡Actívate! ¡Anímate!

Los hábitos para una vida sana no solamente incluyen la actividad física, sino también la alimentación saludable, el descanso, las acciones positivas y la felicidad. En Colombia, como en Estados Unidos, hay una agencia del Gobierno que ofrece programas que promueven hábitos para llevar una vida sana.

Paso 1: Un evento en el parque

Con el fin de promover una vida sana, una agencia de recreo y deportes en Colombia organiza un evento gratis en el parque.

a. Mira la ilustración. ¿Qué actividades se representan en el dibujo?

¿Te acuerdas?

el sabor

el sueño

b. Con un/a compañero/a de clase, inventa una conversación entre dos de las personas en la ilustración en la que hablan del evento en el parque. Incluyan detalles como:

- los tipos de actividades en que pueden participar;
- la importancia de hacer actividad física;
- los detalles positivos de las personas que están participando en las actividades.

Modelo

Estudiante A: Veo que se puede montar en bicicleta hoy en el parque. Me gustaría hacer eso porque es bueno para la salud cardiovascular.

Estudiante B: Estoy de acuerdo contigo. Esas dos personas en bici son mis primos y les presté mis bicicletas.

Paso 2: Una canción original

El Departamento de Salud de tu región quiere organizar un evento similar y quiere que tu clase escriba la letra para una canción o rap para el anuncio que lo promueve.

a. En grupos de tres o cuatro alumnos, escriban su propia canción o rap. Incluyan recomendaciones de cosas que se deben hacer y recomendaciones de cosas que no se deben hacer para llevar una vida sana.

Modelo

Ojalá camines treinta minutos al día.

No mires tanta televisión.

b. Anota en el organizador gráfico en la guía digital las acciones que incluyeron en su canción o rap que promueven una vida sana y las acciones que no.

Modelo

Hábitos o estilos de vida					
Acciones en mi canción	**Acciones en otras canciones/raps**				
Acciones que promueven una vida sana	**1**	**2**	**3**	**4**	**5**
Ojalá camines treinta minutos al día.					
Acciones que no promueven una vida sana	**1**	**2**	**3**	**4**	**5**
No mires tanta televisión.					

Además se dice

fumar - usar cigarillos

el humo - el vapor que sale de un cigarrillo

la pasividad - el no hacer nada

quejarse - protestar

c. Pueden cantar o recitar la canción (como un rap) y presentarla en vivo o grabada.

d. Escucha las canciones o raps de tus compañeros de clase y pon una palomita (✔) en las acciones que incluyeron que son similares a las que tú tienes en tu canción.

Modelo

Hábitos o estilos de vida					
Acciones en mi canción	**Acciones en otras canciones/raps**				
Acciones que promueven una vida sana	**1**	**2**	**3**	**4**	**5**
Ojalá camines treinta minutos al día.	✔			✔	
Acciones que no promueven una vida sana	**1**	**2**	**3**	**4**	**5**
No mires tanta televisión.		✔		✔	

Mi progreso comunicativo

Sé convencer a otras personas de la necesidad de mantener una vida sana y equilibrada.

¿Qué aprendiste?

Tu canción o rap ha sido tan popular que el Departamento de Salud de tu región quiere ponerla en su página de web con un póster que promueva la vida sana y equilibrada. Diseña el póster con:

- un título;
- recomendaciones para llevar una vida sana;
- recomendaciones de qué evitar;
- imágenes.

Actividad 11

Conoce a Luis Ángel

A continuación, vas a leer el blog de Luis Ángel, un joven del Departamento de Cauca, al sur de Colombia.

Así se dice 10: Hábitos de una vida sana

culpar - acusar
de hoy en ocho - en una semana
patrocinar - promover
reconocido - identificado

Paso 1: Los sitios y eventos de interés

Muchas de nuestras comunidades son de interés turístico como la de Luís Ángel.

a. En un grupo de tres o cuatro, hagan una búsqueda de lugares o eventos turísticos en su comunidad o en una comunidad cercana y contesten a las siguientes preguntas. Anoten las respuestas en el organizador gráfico.

- ¿Qué sitios visita la gente? ¿A qué eventos asiste?
- ¿Por qué va la gente a estos sitios o eventos?
- ¿Cuáles de estos sitios o eventos promueven hábitos de una vida sana? ¿Cómo?
- ¿Quién patrocina estos sitios o eventos? ¿Una persona en particular, una empresa privada, el Gobierno del estado, el Gobierno nacional o una organización internacional?

Modelo

Sitios y eventos de interés en mi región

Nombre	Propósito	Cómo promueve hábitos de una vida sana y equilibrada	Persona o organización que patrocina el sitio o el evento
el sitio			

b. Creen una lista de sitios o eventos que sí promueven la actividad física y la alimentación sana en su comunidad.

c. Comparen su lista con las de otros compañeros. ¿Hay lugares o eventos en que se practiquen tanto la actividad física como la alimentación sana?

Paso 2: Luis Ángel, un joven payanés

Hay un evento especial que tendrá lugar en Popayán en una semana y nuestro bloguero, Luis Ángel, nos hablará de ello.

a. Lee el blog de Luis Ángel y anota los lugares o eventos de interés en su región en el organizador gráfico del **Paso 1**.

¿Te acuerdas?

el edificio

los indígenas

la meta

el nivel

tratar de

Además se dice

caucano/a - una persona de Cauca

una empresa - una compañía

payanés, payanesa - una persona de Popayán

una tumba - donde está sepultado un cadáver

Luis Ángel

¿Q'ubo? Soy Luis Ángel, tengo 17 años y vivo en Popayán, la capital del Departamento de Cauca al sur de Colombia. Popayán, la Ciudad Blanca (llamada así porque todos los edificios son de estilo colonial, como en partes de España), fue designada Ciudad UNESCO de la Gastronomía. La cocina caucana fue seleccionada por mantener métodos tradicionales con influencias españolas e indígenas.

Mis padres tienen un restaurante donde sirven comida tradicional y saludable. Muchos turistas entran en nuestro restaurante cuando pasean por Popayán para conocer su historia precolombina. También, visitan Silvia, un pueblo de indígenas guambianos, y el Parque Arqueológico Tierradentro con sus tumbas precolombinas.

Trabajo en el restaurante y además estudio en Unicomfacauca (la Corporación Universitaria Comfacauca) en el programa de Gastronomía y Cocina Profesional. Mi meta es que nuestro restaurante sea **reconocido** a nivel nacional e internacional.

De hoy en ocho, presentaré nuestros platos a la comunidad como ejemplos de comida para una dieta balanceada, dentro del programa de Hábitos y Estilos de Vida Saludable (HEVS) que se llama, *Cauca en movimiento*. Mostraré a la comunidad la importancia del consumo de verduras y frutas. El programa HEVS tiene como objetivo promover la práctica de actividades físicas, de salir al aire fresco y de una alimentación sana.

La idea es mantener estas prácticas saludables como parte de la rutina diaria y no de un solo día. Yo como bien. Siempre desayuno y trato de incluir comidas de los cinco grupos. Monto en bici, aunque no hago mucho ejercicio durante la semana. **Culpo** a los estudios y la falta de tiempo - como hace mucha gente.

b. Después de leer, identifica el propósito de los lugares y eventos que anotaste. ¿Son para turismo, educación, diversión - o tienen otro propósito? ¿Quién los patrocina?

c. Mira la lista de eventos y lugares que generaste en el **Paso 1**. ¿Hay algunos parecidos a los que mencionó Luis Ángel? ¿Qué tienen en común y en qué difieren?

d. En el foro de la guía digital, escribe una comparación entre los lugares y eventos de interés del Departamento de Cauca y los de tu región.

Paso 3: Integrando los hábitos y estilos de una vida sana

En tu escuela quieren organizar un evento similar al de Cauca en movimiento. Trabajen un grupo de tres o cuatro personas para organizarlo.

a. Piensen en un nombre para el evento que ponga énfasis en la integración de hábitos y estilos de una vida sana.

b. Describan tres actividades basadas en lo que han aprendido en esta unidad. Incluyan los siguientes detalles:

- un nombre para la actividad (i.e., *Ensaladas frescas, Zumba Pop, Fotos de sonrisas*);
- una descripción de la actividad;
- un horario de las actividades con el orden, la hora del día y la duración.

c. Preparen un folleto con la información del evento para compartir con el público (con los compañeros de clase).

¿Qué aprendiste?

Comparte con Luis Ángel el evento que organizaste con tus compañeros de clase. Prepara un mensaje para una red social.

a. Escribe una descripción breve del evento y las tres actividades.

b. Anota una explicación de cómo representan hábitos de una vida sana.

c. Incluye dos *hashtags* (etiquetas) que representan tu evento.

d. Comparte tu mensaje en el foro de la guía digital.

Sé preparar un mensaje para una red social que describe y explica los hábitos de una vida sana.

En camino B

¡Hay que ser activista!

El público necesita conocer la importancia de mantener una vida sana y equilibrada. ¡Ayuda siendo activista!

Imagina que los directores de la escuela primaria de tu comunidad necesitan tu ayuda. Están organizando una feria de salud en la escuela para promover una vida sana y ayudar a los estudiantes a ser más activos. Los directores les han pedido a ti y a tus compañeros que les compartan información sobre los beneficios de una vida activa a las familias hispanohablantes en la comunidad y que les enseñen algunas actividades físicas. Así que podrás ser voluntario/a y participar en la feria. ¡Qué tengas suerte!

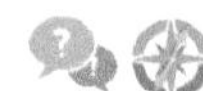

Paso 1: Colabora con unos compañeros

Colabora con tus compañeros para pensar en todo lo que han aprendido de una vida sana y equilibrada para convencer a las familias de su comunidad que sus hijos sean más activos.

Paso 2: ¡A leer!

Ahora lee una cita de una campaña de la Universidad del Rosario en Colombia, *Actividad física para niños,* en la guía digital.

Paso 3: ¿Qué ideas tienes tú?

Próximo, lee la infografía, *Actividad física para niños,* y anota algunas ideas adicionales que puedes usar en la feria de salud. Compara tus ideas con las de un compañero/a.

Además se dice

corporal - del cuerpo

prolongado - de larga duración

ósea - de hueso

el rendimiento - la utilidad o productividad

 Paso 4: ¡Ayuda a las familias de la comunidad!

Ahora, prepara tu presentación para la feria de salud que incluya imágenes y una demostración de una actividad física.

Paso 5: Contestando una carta

Acabas de recibir una carta de uno de los niños que participó en tu sesión en la feria de salud.

a. Lee la carta.

b. Contesta a las preguntas.

c. En tu respuesta, no te olvides de incluir lo que has aprendido sobre la importancia de convencer al público de mantener una vida sana y equilibrada.

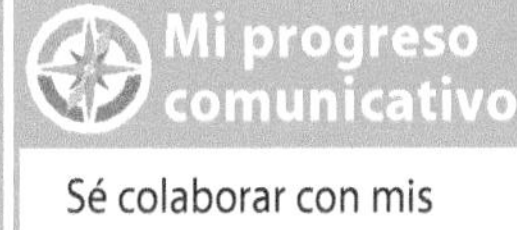

Sé colaborar con mis compañeros para organizar un evento que contribuya al bienestar de mi comunidad.

¡Hola!

Fui a la feria de salud y me gustaron mucho tus ideas pero tengo algunas preguntas. Mis padres quieren que reduzca el tiempo que paso en la computadora. ¿Me puedes ayudar? ¿Cómo puedo hacer esto? ¿Qué puedo hacer en vez de usar la computadora? ¿Por qué tengo que hacerlo? ¡Muchas gracias!

Tu amigo,

Carlo

Síntesis de gramática

El subjuntivo con deseos y recomendaciones

Uso

El subjuntivo es un modo verbal con muchos usos diferentes en español. Vas a empezar aprendiendo un uso común del subjuntivo después de una expresión de deseo o recomendación seguido por la palabra "que".

Algunas de las expresiones de deseo o recomendación son:

querer que	recomendar que
desear que	esperar que
preferir que	sugerir que
aconsejar que	necesitar que
ojalá (que)	pedir que

Ejemplos:

Mi madre **quiere que** yo **vaya** a la tienda para comprar los ingredientes para la cena.

Yo **deseo que** mi amiga **se mejore** pronto para que pueda hacer ejercicio conmigo.

¿Qué **recomiendas que hagan** ellos para estar más sanos?

¿**Esperas que** tus padres te **permitan** ir al gimnasio hoy?

Preferimos que tú **te sientes** en la otra mesa, por favor.

Mi amiga me **ha sugerido que** yo **vuelva** mañana para ayudarla con su dieta.

¿Vosotros **aconsejáis que** nosotros **nos divirtamos** mientras somos jóvenes?

Yo **necesito que** tú me **des** la dieta que sigues.

Ojalá que ustedes **prefieran** la carne al pescado.

Mis tíos **piden que** nosotros les **enviemos** las recetas que estamos creando.

Formación

Para formar el presente de subjuntivo:

1. usa la forma de **yo** en el presente simple;
2. quita la **o**.
3. Si es un verbo **-ar**, añade:

Yo **e**	Nosotros **emos**
Tú **es**	Vosotros **éis**
Ud. **e**	Uds. **en**
Él, ella **e**	Ellos, ellas **en**

4. Si es un verbo **-er** o **-ir**, añade:

Yo **a**	Nosotros **amos**
Tú **as**	Vosotros **áis**
Ud. **a**	Uds. **an**
Él, ella **a**	Ellos, ellas **an**

Ejemplo: Mi madre quiere que yo (hacer)

- La forma de **yo** = hago
- Quitar la **o** = hag
- Es un verbo **-er** = yo haga

5. Si es un verbo **-ar** o **-er** que tiene un cambio de raíz, haz los siguientes cambios, menos en las formas de **nosotros** y **vosotros**:

- la **e** por **ie**
- la **o** por **ue**

Ejemplo:	yo enc**ue**ntre	nosotros enc**o**ntremos
	tú enc**ue**ntres	vosotros enc**o**ntréis
	él enc**ue**ntre	ellos enc**ue**ntren

6. Si es un verbo **-ir** de la bota que tiene un cambio de raíz, haz los siguientes cambios, menos en las formas de **nosotros** y **vosotros**:

- la **o** por **u** (nosotros durmamos)
- la **e** por **i** (vosotros os divirtáis)

Hay algunos verbos irregulares que necesitas aprender de memoria:

1. **Ser - sepa, sepas, sepa, sepamos, sepáis, sepan**
2. **Estar - esté, estés, esté, estemos, estéis, estén**
3. **Dar - dé, des, dé, demos, deis, den**
4. **Ir - vaya, vayas, vaya, vayamos, vayáis, vayan**
5. **Saber - sepa, sepas, sepa, sepamos, sepáis, sepan**
6. **Haber - haya, hayas, haya, hayamos, hayáis, hayan**

Detalle gramatical: El futuro para sugerir "posibilidad"

En español el futuro también se puede usar para expresar "posibilidad".

Cuando conocimos a María Isabel, te preguntamos:

> "Teniendo en cuenta donde vive María Isabel, ¿**comerá** mucha carne?"
>
> "Y con el calor que hace allí, ¿qué **hará** ella para mantenerse activa?"

Los verbos están en el futuro pero no te preguntan sobre el futuro. Este es un futuro para sugerir "posibilidad":

"Teniendo en cuenta donde vive, ¿**es posible que** ella coma mucha carne?"

"Y con el calor que hace allí, ¿**cuáles son las posibilidades que tiene ella** para mantenerse activa?"

Este es un uso que no tenemos en inglés, así que si no entiendes por qué un verbo está en futuro, considera este significado.

Bogotá

Cabo San Juan de Guía en el Parque Nacional Natural Tayrona

Vocabulario

Así se dice 1: Vida sana

me agrada - me gusta
la alimentación - la nutrición
los alimentos - la comida
el descanso - el no hacer nada
ejercitar - hacer ejercicio
la gastronomía - la cocina

el ajiaco

los patacones

Así se dice 2: Etiqueta en las comidas

de su agrado - que gusta
bien/mal educado/a - de buenos y malos modales
chuparse los dedos - meter los dedos en la boca para limpiar restos de comida
cualquier - uno u otro
dejar - abandonar
descortés - maleducado/a
la etiqueta - el conjunto de normas sociales
evitar - impedir que pase
ligero/a - fácil de digerir
masticar - usar los dientes para cortar la comida en trozos muy pequeños
los modales - el comportamiento de una persona
suave - agradable; no fuerte
tender (e-ie) - demostrar una tendencia

Así se dice 3: Comer bien

aconsejar - recomendar
consumir - comer
crudo - sin cocinar
desear - querer
elegir - selecionar
los embutidos - la carne curada como las salchichas
exigir - obligar
los granos enteros - los frijoles; los garbanzos; las lentejas
los granos refinados - el arroz blanco; el pan blanco
la leche descremada - la leche sin grasa
las medias tardes - la merienda; el bocadillo
ojalá - si Dios lo permite
las onces, las medias nueves - los alimentos que se toman entre comidas
la porción - la parte servida
la variedad - la selección de elementos diferentes

Así se dice 4: Comidas colombianas

adelgazar - perder peso
diluido/a - con agua adicional
endulzar - añadir algo para hacerlo dulce
la mitad - el medio
el/la nutricionista - una persona experta en comer saludablemente

el agua aromática

la carne de res

un tinto

Así se dice 5: Frutas y más

alcanzar - obtener
los ancestros - los miembros de la familia del pasado
apreciar - estimar
aumentar - incrementar
la cáscara - la piel de la fruta o los frutos secos
cítrico/a - ácido/a
la cosecha - los productos que se recogen de la tierra
estar ubicado - estar situado
los ingresos - el dinero que se recibe por el trabajo

el carambolo

la ciruela

el coco

la guanábana

el mango

el maracuyá

la papaya

el tamarindo

Así se dice 6: Cena formal

amanecer - salir el sol por la mañana
la bandeja - un objeto para colocar la comida
brindar - levantar la copa de vino en honor de algo o alguien
la canasta - un cesto para el pan o la fruta
el chorizo - una salchicha
oler - usar la nariz para apreciar el aroma de algo
rajar/rajado - romper/roto en pezados
romper/roto - hacer/hecho pedazos o trozos

Así se dice 7: Publicidad que engorda

los comerciales - la publicidad en televisión
la comida chatarra - la comida de muy poca calidad
la obesidad - la gordura
la publicidad - los anuncios
la regulación - la reglamentación
el riesgo - la posibilidad de que pase algo malo
el sobrepeso - pesar más de lo saludable
ultraprocesados - productos demasiado artificiales para el ser humano

Así se dice 8: Actividad física

dejar de lado - no continuar
el equipo - un grupo de personas organizado para realizar una tarea
estar en forma - estar en buena condición física
la gratitud - el acto de dar gracias
un lazo - algo como una cinta que sujeta; una conexión
llevar una vida equilibrada - tener una vida balanceada
la plenitud - la abundancia; la felicidad
un relajante natural - algo que quita estrés naturalmente

estirar

hacer abdominales

hacer ejercicio

hacer footing; trotar

levantar pesas

practicar yoga

Así se dice 9: Ciclovía en acción

acogido/a - favorecido; popular
dejar a un lado - no hacer más
ejercitarse - hacer ejercicio
hacer aeróbicos - hacer ejercicios físicos que aumentan el ritmo cardiaco
hidratar - dar o tomar agua
el préstamo - algo que se le da a alguien con la idea de que lo devuelva

Así se dice 10: Hábitos de una vida sana

culpar - acusar
de hoy en ocho - en una semana
patrocinar - promover
reconocido - identificado

Expresiones útiles: A la hora de la comida

Antes de empezar a comer
¡Buen provecho! o ¡Que aproveche!
¡Disfruten de la comida!
¡Sírvanse, por favor!
¡Pruebe(n) este plato!

Durante la comida
¡Es exquisito!
¡Qué sabroso está!
¿Puede pasarme la sal, el agua, el azúcar,...?
¿Le sirvo una copita de vino, un vaso de agua, de limonada?
Propongo un brindis en honor a...
Necesita una pizca de sal
Lo siento pero todavía no estoy acostumbrado/a a estos sabores
Perdone(n) pero no puedo comer...por razones religiosas, soy alérgico/a

A la despedida/después de la cena
Muchas gracias por la invitación; me ha encantado pasar este rato con ustedes.
Muchas gracias por invitarme a cenar/comer. ¡Todo estaba tan delicioso/tan rico!

Vive entre culturas

Prueba la felicidad a la colombiana

Pregunta esencial: ¿Cómo puedo contribuir al bienestar de la comunidad local y global?

Tu comunidad está organizando un festival intercultural al final del mes de mayo para celebrar su aprecio por otras culturas. Tu colegio ha decidido patrocinar un camión de comida para obtener fondos que apoyen proyectos en partes del mundo donde los niños y adolescentes no tienen acceso a servicios básicos. Tú has decidido participar en este evento y crear un camión de comida que proporciona a tu comunidad una experiencia culinaria sana y equilibrada usando ingredientes colombianos.

Interpretive Assessment

Paso 1: ¿Cómo funcionan los camiones de comida en Colombia?

Entérate de cómo los camiones de comida, algo tan intrínseco a la cultura de EE. UU., han llegado a ser una opción popular en algunas ciudades colombianas. Vas a ver un video de una entrevista con el dueño de un negocio de comida rápida que vende en un camión por las calles de Barranquilla.

Interpersonal Assessment

Paso 2: Compartiendo ideas

Basándote en lo que aprendiste de la experiencia de Alfonso Caballero en Barranquilla, y aplicando lo que sabes de las comidas que se ofrecen en Colombia, planea los platos y bebidas naturales que te gustaría ofrecer en tu camión. Luego, compartan sus ideas con sus compañeros de clase para recibir y dar sugerencias de cómo mejorar sus ideas.

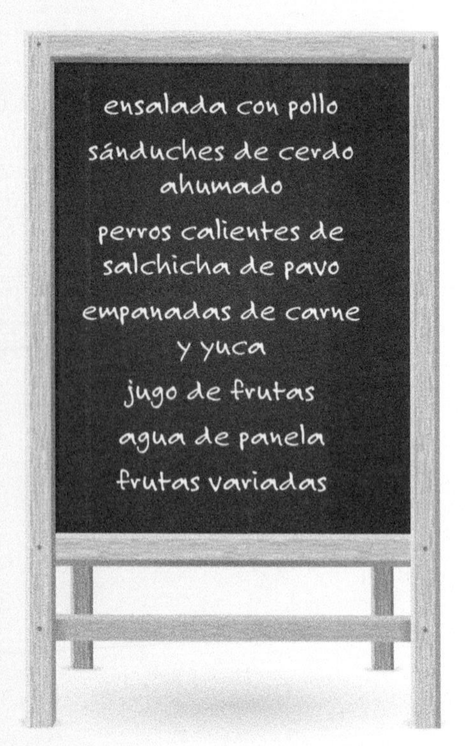

ensalada con pollo
sánduches de cerdo ahumado
perros calientes de salchicha de pavo
empanadas de carne y yuca
jugo de frutas
agua de panela
frutas variadas

Ensalada con pollo

Empanadas de carne y yuca

Sánduche de cerdo ahumado

Presentational Assessment

Paso 3: El camión de comida

Quieres participar en el concurso del mejor camión de comida que tu escuela organiza cada año para recaudar fondos para proyectos sociales a nivel global que ayuden a niños y adolescentes que no tienen acceso a las necesidades básicas. ¡Quieres que tu proyecto sea el ganador, por supuesto!

Vas a diseñar un camión de comida rápida bien chévere con un menú intercultural y una manera única de dar a conocer tus consejos para una vida sana y equilibrada en tu comunidad. Después, graba tu presentación en español y muestra tu proyecto para que el jurado de la escuela decida cuál es el mejor camión de comida. Sigue los pasos en la guía digital.

¡Buena suerte y diviértete!

UNIDAD 4
Una comunidad sostenible

Metas de la unidad

- Elaborar las características de una comunidad sostenible.
- Analizar cómo los hábitos ecológicos influyen en una comunidad sostenible.
- Evaluar si mi comunidad y las comunidades hispanohablantes son sostenibles y cómo se pueden mejorar.

Preguntas esenciales

¿Cómo es una casa ecológica?

¿Qué valores del mundo hispanohablante favorecen la creación de comunidades sostenibles?

¿Qué debemos hacer para crear una comunidad sostenible?

Conecta con dos ciudades innovadoras

Es importante que vivamos bien, satisfaciendo nuestras necesidades básicas, pero siempre sin poner en peligro el ecosistema local o mundial. Por eso hay que cuidar las necesidades diarias de nuestra comunidad con una visión a largo plazo. En esta unidad, vas a conocer a dos jóvenes que viven en "comunidades sostenibles" que tienen esta visión. Mariana y Marta van a presentarte dos ciudades y pedirte que hagas lo que puedas para ayudarles a crear un mundo del que puedan disfrutar generaciones futuras.

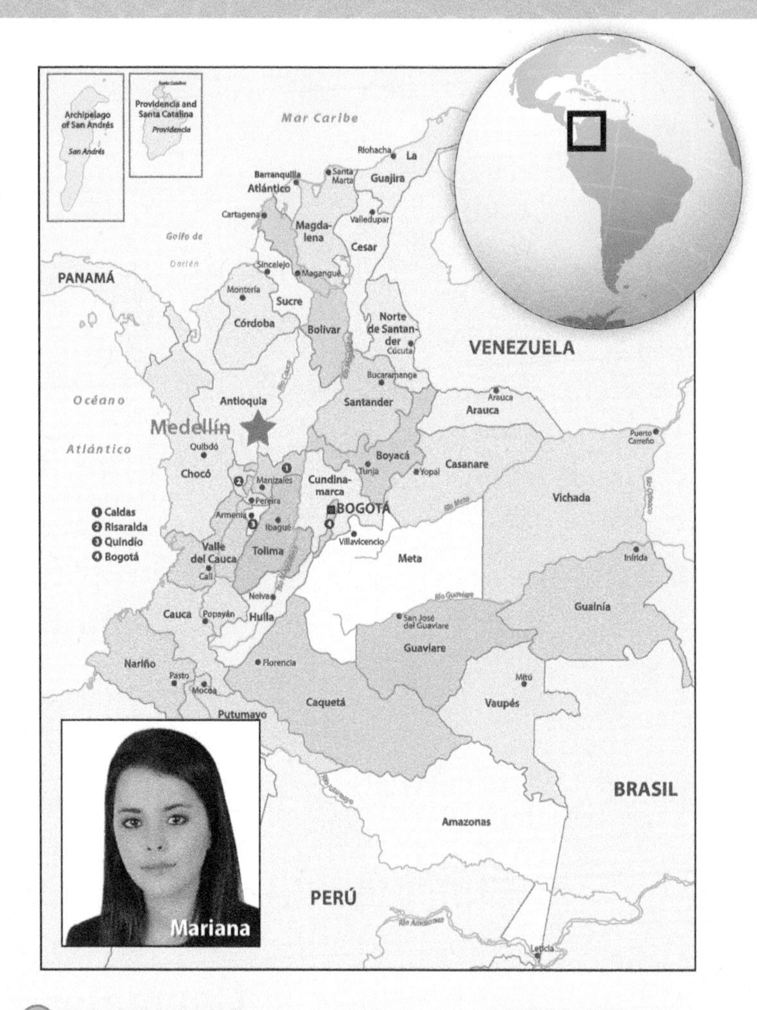

MEDELLÍN

1

En la Feria de Flores se despliegan millones de flores cargadas en silletas a la espalda como esta. Más del 75% de las flores en los EE. UU. vienen de Colombia.

2

¡Qué bonita es! Es conocida como la ciudad de la eterna primavera.

3

Encicla es el primer sistema de bicicletas públicas de Latinoamérica que funciona junto con el resto del sistema de transporte público.

4

Premios: Hace una década, Medellín pasó de ser la ciudad más peligrosa del mundo, a ser una de las mejores para vivir en Latinoamérica. Ganó el premio a la ciudad más innovadora del mundo en 2013, y el *Lee Kuan Yew World City Prize,* considerado el "Nobel de las ciudades" en 2016.

5

Concepto Parque Biblioteca: Se trata de una biblioteca rodeada de amplias zonas verdes para uso público. La mayoría de estas bibliotecas están en la periferia de la ciudad, en los barrios más pobres.

VITORIA-GASTEIZ

Zonas verdes: Vitoria-Gasteiz es famosa por su gran número de zonas verdes y parques.

Transporte público: Es rápido, barato y eficaz. Los niños pueden ir a la escuela sin la compañía de sus padres.

Premios: En el año 2012 fue declarada Capital Verde Europea, la ciudad más ecológica de Europa.

Espíritu comunitario: Los ciudadanos en Vitoria-Gasteiz tienen servicios básicos a 300 metros de su casa, y viven cerca de espacios verdes abiertos.

Sostenibilidad: Hay zonas peatonales por toda la ciudad que permiten que el 54% de los desplazamientos se hagan a pie. Hay rampas para las personas con movilidad física limitada.

Actividad preliminar

La sostenibilidad de una casa y una ciudad

Para cuidar el medio ambiente, se debe prestar atención a la sostenibilidad en la casa y la ciudad. Basándote en lo que ya sabes sobre el medio ambiente y la sostenibilidad, piensa en las palabras que usarías para describir una casa y una ciudad sostenibles.

a. Usa las palabras en la infografía para organizar tus ideas.

energías renovables
formas alternativas de energía
reducir el uso de recursos
recursos renovables
ahorradora
programas de reciclaje
jardines
accesible
productos reutilizados
zonas verdes

b. Pon las palabras en las categorías de este organizador gráfico: casa sostenible, ciudad sostenible, ambas.

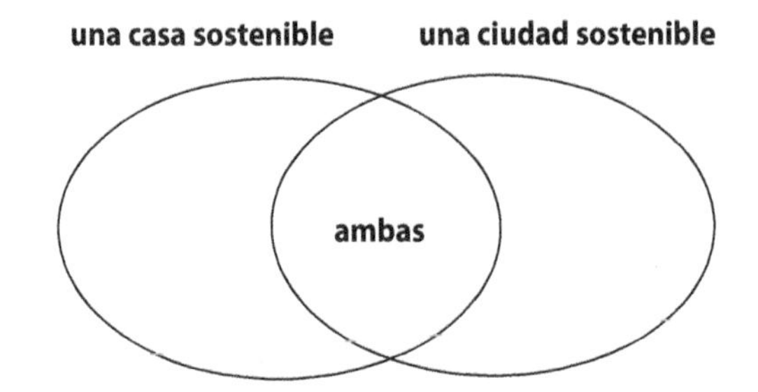

c. Compara tu organización de palabras con la de un/a compañero/a y expliquen de qué manera y por qué las palabras deben estar en las categorías que eligieron.

Modelo

En una casa sostenible, hay huertas para cultivar hortalizas saludables.

Comunica y Explora A

Pregunta esencial: ¿Cómo es una casa ecológica?

¿Te acuerdas?

conservar

el edificio

eficiencia

funcionar

el lugar

el medio ambiente

Los envases

la botella **el cartón**

el envase **la lata**

el plástico **el vidrio**

Además se dice

despilfarrar - gastar grandes cantidades de dinero o energía de manera descontrolada e innecesaria

malgastar - hacer un mal uso de algo

Actividad 1

¿Qué es una comunidad sostenible?

Vas a aprender algunos significados de la palabra *sostenible* en nuestra época.

Así se dice 1: Comunidad sostenible

ahorrar - no gastar o consumir

el consumo - el uso de un producto

el entorno natural - el medio ambiente de un lugar

las materias primas - los bienes de la naturaleza en su estado puro, sin alterar

los productos ecológicos - productos naturales no procesados de manera química o artificial

reciclar - dar nueva vida a algo ya usado

los recursos naturales - los bienes de la naturaleza

reducir - disminuir

reutilizar - volver a usar de manera diferente

Paso 1: Elige tu definición

¿Cúal es la definición de una *comunidad sostenible*?

a. Elige la que creas más apropiada.

1. Utiliza los recursos naturales que tiene, cuida su entorno natural, y busca en otros lugares los recursos de los que no dispone. Usa las nuevas tecnologías, a pesar del impacto que pueda tener en el planeta.
2. Usa los recursos naturales y su entorno natural utilizando las nuevas tecnologías cuando tiene problemas o no tiene ya recursos de los que vivir.
3. Usa los recursos naturales de manera responsable, cuida su entorno natural, y hace cambios para vivir cómodamente con los recursos que tiene usando las nuevas tecnologías.

b. Hablen en parejas para identificar las palabras claves que les ayudaron a escoger la definición y expliquen por qué es la mejor.

Paso 2: Piensa y comenta

Mira la infografía y trabaja con otro/a compañero/a.

a. En parejas, piensen en ejemplos de algo que Uds. usen o consuman regularmente en la casa, la escuela o la comunidad. Clasifiquen los productos según las siguientes categorías.

b. Compartan sus ejemplos con toda la clase para ver qué tienen en común y en qué ejemplos difieren.

Mi progreso comunicativo
Sé identificar las características esenciales de una comunidad sostenible.

Paso 3: Lo que yo hago normalmente

En *La regla de las tres erres,* hay tres palabras para definir una comunidad sostenible.

ReDuce · ReUtiliza · ReCicla

a. Piensa en lo que haces en tu casa, en la escuela, en tu ciudad o en tu región normalmente que ayuda a

   1. reducir tu consumo diario
   2. reciclar materiales
   3. reutilizar objetos.

b. Comparte tus respuestas con toda la clase y hagan una lista de los buenos hábitos que ya tienen como grupo que ayudan a crear una comunidad sostenible.

   Modelo

   En mi casa, reciclamos el papel, el vidrio y los plásticos.

c. ¿Estás de acuerdo con el mensaje del póster? ¿Qué otras palabras claves añadirías para hacerlo más impactante?

Paso 4: Mi definición

Con la información que tienes hasta ahora, escribe tu propia definición de *sostenible* en el foro de la guía digital. Después, lee lo que escribieron tres de tus compañeros para tener más ideas.

¿Qué aprendiste?

Usa una red social para informar a tus amigos de lo que ya sabes sobre las características esenciales de una comunidad sostenible. Continúa el mensaje.

Oye, una de las alumnas nuevas me habló hoy de la comunidad donde vive. Dice que es sostenible.¿Sabes lo que me contó?

¿Te acuerdas?

bicicletas

carros

cerrar

Además se dice

desperdiciar el agua o la comida - hacer un uso abusivo del agua o la comida

deterioro - cuando la situación pasa a peor

Actividad 2

Conoce a Mariana de Medellín

Vas a ver a Mariana, que te cuenta cómo se ahorra energía en casa y cómo se recicla en los hogares de Colombia.

Así se dice 2: Hogar sostenible

adoptar medidas - tomar resoluciones
apagar las luces - cerrar las luces
cerrar el grifo - cortar el paso del agua
desenchufar los aparatos - desconectar los aparatos de una red eléctrica
los desperdicios - los restos de algo que ya no usamos
enjabonarse - acción de usar jabón para lavarse
evitar el deterioro - prevenir que algo se ponga peor
los peatones - las personas que caminan o andan
reducir las emisiones - disminuir el humo emitido por los vehículos
las vías vehiculares - las calles y carreteras por donde circulan automóviles

Paso 1: Mariana desde Colombia

Al mirar el video, presta atención a lo que te cuenta Mariana sobre lo que hacen en Colombia para ser más sostenibles, tanto en casa como en las ciudades.

a. En parejas, miren el video de Mariana y completen el organizador gráfico.

En las ciudades

Lo que hacen en Bogotá y por qué	Lo que hacen en Medellín y que la ha hecho famosa
Ciclovía: Beneficios de la ciclovía:	Premio en 2013: Sistema de transporte:

En casa

Acciones que les enseñan en casa y en el colegio	Reciclaje
1.	¿Qué reciclan?
2.	¿Qué se separa en contenedores diferentes?

b. Comprueben sus respuestas con otras parejas en clase y hagan cambios si es necesario.

Paso 2: Y en mi casa

¿Suena familiar lo que Mariana te cuenta? Piensa en lo que tú y tu familia hacen en casa para conservar los recursos naturales.

a. Ahora en parejas, comenten si algo de lo que hace Mariana lo hacen Uds. también en sus casas.

Modelo

Nosotros también apagamos las luces cuando salimos de un cuarto.

b. Compartan su información con toda la clase.

Reflexión intercultural

¿Qué valores ecológicos compartes con el mundo de Mariana?

a. Todos tenemos puntos de vista diferentes pero en la diferencia está lo bueno. Graba tus respuestas a estas preguntas en la guía digital.

1. ¿Haces algo de lo que menciona Mariana en casa o en la escuela para conservar el medio ambiente? ¿Qué?
2. Según Mariana, hay que cuidar nuestro entorno. ¿Qué piensas tú?
3. ¿Qué otras acciones puedes añadir a las que ella ha mencionado? Menciona un mínimo de tres acciones más.

b. Usa una red social para mandarle un mensaje breve a Mariana explicándole **tres o más acciones** que se hacen en tu comunidad y en tu casa para ser más sostenibles.

Mi progreso intercultural
Sé comparar cambios sostenibles en casas en Colombia o España con los de mi comunidad o región.

Mariana, yo sé que vives en una comunidad bastante sostenible y me interesa este tema. Quiero contarte lo que ya hacemos en mi casa y ciudad para que veas que estamos haciendo un esfuerzo.

Además se dice

la anchura - la amplitud

asumir - aceptar

la fachada - la parte delantera de la casa

la pérdida - el mal uso de algo

la arcilla

la barrera

el ladrillo

la leña

el muro

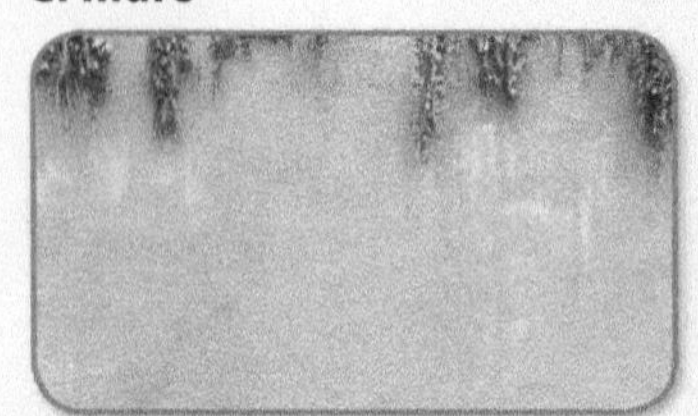

la paja

Actividad 3

La casa ecológica

Con la crisis climática y económica de nuestros tiempos es fundamental que los países **asuman** la **sostenibilidad** como una parte esencial en la construcción de casas y edificios.

Así se dice 3: Casa ecológica

el aislamiento - el sistema que impide la transmisión del calor, del sonido o de la electricidad para ahorrar energía

la calefacción - el sistema para calentar un edificio o un espacio

la eficiencia - la capacidad de tener algo con el mínimo de recursos posibles

energético - con energía

el inodoro - el aparato para desechar orina y excrementos

renovable - capaz de continuar y usar de nuevo

la sostenibilidad - el mantenimiento de los recursos en su entorno

la ubicación - el lugar de algo

la zona verde - una área dedicada a las plantas y los animales

Paso 1: En mi casa

Ya hablaste de algunas cosas que puedes hacer para vivir de una manera sostenible usando los recursos naturales.

a. Examina la ilustración y describe los ejemplos de la sostenibilidad en casa.

b. Habla con un/a compañero/a de los ejemplos y piensen en otras soluciones que pueden añadir.

Paso 2: Las características básicas

Sabes identificar acciones que adoptas para conservar energía en casa, pero, exactamente ¿qué es una casa sostenible y ecológica?

a. Lee la descripción de una casa sostenible en el siguiente artículo.

b. Identifica en la ilustración del **Paso 1** las partes de la casa en las que se observan los cinco criterios mencionados en la descripción.

- ¿Hay un criterio que no está presente en la ilustración? ¿Cuál es un ejemplo de ese criterio?
- ¿Hay ejemplos en la ilustración que no correspondan a ningún criterio? ¿Cómo describirías el nuevo criterio?

c. Comparen sus respuestas con un/a compañero/a y luego, con la clase.

UNA CASA BIOCLIMÁTICA
SOSTENIBLE Y ECOLÓGICA

Una casa bioclimática es la casa sostenible ideal ya que aprovecha las condiciones naturales para disminuir las necesidades energéticas. Para ser sostenible, una casa debe seguir ciertos criterios:

1. Tener una **ubicación** y orientación adecuadas para aprovechar la luz y el calor solar.
2. Disponer de sistemas de **aislamiento** para evitar pérdidas de energía, calor, sonido o agua.
3. Usar energías o materiales **renovables** y naturales.
4. Tener menor demanda **energética**.
5. Aprovechar al máximo las **zonas verdes**.

En las áreas rurales de Colombia y España, muchas casas siguen estos criterios; la gente vive más en contacto con la naturaleza. Por ejemplo, para tener **calefacción**, se recogía **leña** en el bosque. Sin embargo, con los años, se ha aprendido que si la **fachada** principal de la casa está orientada al sur, el sol da todo el día y la temperatura en el interior durante el invierno es mucho más elevada que si se le da una orientación diferente.

Otro ejemplo es el uso del adobe como material de construcción de las casas en Colombia y España, y otras partes de Latinoamérica. El adobe es un bloque hecho de una masa de **barro** (**arcilla** y **arena**) mezclada con **paja** u otras fibras, moldeada en forma de **ladrillo** y secada al sol. Las características **energéticas** del adobe son:

- Mantener el interior agradable en todas las estaciones por la **anchura** de los **muros** que permite moderar los cambios de temperatura externos.

- La creación de una **barrera** contra el ruido.
- La regulación de la humedad que impide la condensación.

Hoy en día tanto pueblos como ciudades intentan seguir estos criterios y se han creado nuevas tecnologías para promover la casa ecológica.

Casa tradicional en Cartagena de Indias, Colombia

Paso 3: La construcción tradicional

En el artículo, se presentaron algunos ejemplos de construcción tradicional que se usan actualmente.

a. Identifica los ejemplos del artículo y los criterios a los que corresponden.

b. Después de encontrar los ejemplos, observa las siguientes fotos de estructuras de construcción tradicional.

- Identifica el criterio que sigue cada estructura (del artículo en **Paso 2**).
- Explica por qué hace la casa más eficiente y sostenible.

Modelo

La foto	La construcción tradicional	El criterio	La sostenibilidad
	el adobe	sistemas de aislamiento	crea una barrera contra el ruido y los cambios de temperatura
	el sistema de recolectar la lluvia		

c. Algunas de las técnicas de construcción son buenas en cualquier parte, pero no todas las técnicas son buenas en cada región. Escoge una técnica que consideres buena en donde vives y otra que no. Justifica tus respuestas.

- En la región donde vivo, es una buena idea que se use ____.
- Sin embargo, donde vivo, es extraño que haya una casa ____.
- Donde yo vivo, es esencial que las casas tengan ____.

Enfoque cultural

Producto cultural: Molinos de viento, La Mancha, España

Un molino de viento es una máquina que sirve para moler utilizando un tipo de energía: la fuerza del viento o del agua. Se ha usado como fuente de energía desde hace siglos, sobre todo en España, donde en la actualidad la energía del viento es una de las más usadas junto con la energía solar. Aparte de ser un producto importante en una comunidad sostenible, ha servido como icono en la literatura española. Miguel de Cervantes, el creador de la novela moderna, en su libro, *Don Quijote de la Mancha,* narra una escena donde el protagonista, Don Quijote, lucha contra los molinos de viento creyendo que son gigantes. La expresión, *luchar contra molinos de viento,* significa "pelear contra enemigos imaginarios".

 **Conexiones**

1. ¿Hay algún producto sostenible en tu comunidad que existe desde hace mucho tiempo? ¿Por qué y cómo lo usaron?
2. ¿Qué puede ocurrir si no tenemos una comunidad sostenible?

Paso 4: La construcción moderna

El desarrollo de la tecnología ha abierto las puertas a la creación de innovaciones para la casa basadas en las energías renovables.

Escucha las descripciones de las innovaciones y escoge la foto de la tecnología que se describe en el organizador gráfico.

Modelo

Nuevas tecnologías

La nueva tecnología	El criterio	La sostenibilidad
1 A. La energía solar térmica 	sistema basado en las energías renovables y naturales	permite aprovechar el calor del sol para generar agua caliente y para la calefacción
__ B. Los pellets		

Paso 5: Los criterios

Piensen en todo lo que ya saben y lleguen a una conclusión.

a. En parejas, identifiquen **el criterio** al que corresponde cada tecnología y completen el organizador gráfico en **Paso 4**.

b. Con otra pareja, hablen de las descripciones y los criterios de las tecnologías nuevas.

c. A continuación, en el mismo grupo de cuatro, expliquen por qué hacen la casa más eficiente y sostenible completando la tercera columna, **la sostenibilidad**.

Mi progreso comunicativo

Sé explicar y dar ejemplos de las características de una casa ecológica.

Enfoque cultural

Producto cultural: El Solar Decathlon

En Colombia, están haciendo muchos cambios en el estilo de las casas. El evento, el Solar Decathlon América Latina y el la Caribe 2015 que tuvo lugar en Cali, dio el premio de "la casa solar más sostenible del mundo" a Casa Uruguaya de la Universidad de ORT de Uruguay. El Solar Decathlon América Latina y el Caribe es un programa que invita a las universidades del mundo a diseñar y construir casas sostenibles basadas en la innovación, el uso de la tecnología y la energía limpia.

Conexiones

1. Mira las fotos diseñadas por el Solar Decathlon. ¿Te gustaría vivir en una casa así? Explica tu respuesta.
2. Imagina que vas a ser parte del equipo Solar Decathlon y tienes el reto de diseñar una casa sostenible. ¿Qué incluirás? ¿Por qué?

Para más información de Solar Decathlon, visita la guía digital.

Adaptado de http://www.solardecathlon2015.com.co/

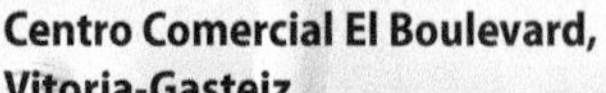

Centro Comercial El Boulevard, Vitoria-Gasteiz

¿Qué aprendiste?

Escribe un plan para una casa bioclimática. Incluye una técnica para cada uno de los criterios de una casa sostenible.

a. Describe una técnica para cada criterio.

b. Defiende por qué las técnicas hacen la casa más eficiente y sostenible.

c. Indica en una ilustración donde en la casa se implementan las cinco técnicas. Sigue el modelo de la casa en el **Paso 1**.

Palacio de Congresos Europa, Vitoria-Gasteiz

Observa 1

El uso del subjuntivo con expresiones impersonales

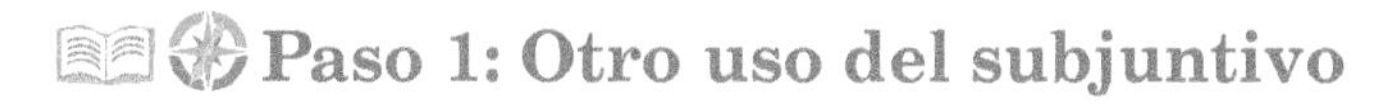

Paso 1: Otro uso del subjuntivo

¿Reconoces estas oraciones de la **Actividad 3, Paso 3**?

- En la región donde vivo, es una buena idea que se use ____.
- Sin embargo, donde vivo, es extraño que **haya** una casa ____.
- Donde vivo yo, es esencial que las casas **tengan** ____.

¿Qué implican las expresiones en azul seguidas de subjuntivo?

Usa el organizador gráfico en la guía digital para contestar a esta pregunta solo/a y después en un grupo pequeño.

Paso 2: ¿Qué tienen en común estas expresiones?

En la **Unidad 3,** aprendiste que hay muchos usos del subjuntivo y aprendiste cómo y cuándo usar algunos. En esta unidad, vas a aprender el subjuntivo **con expresiones impersonales**.

¿Es normal que **una casa sea solar hoy en día?**

¿Es fundamental que **reduzcamos nuestro uso de la calefacción en casa?**

¿Es importante que **exista esta nueva tecnología solar?**

¿Es curioso que **no haya más personas que hagan todo lo posible para conservar energía?**

¿Puedes contestar a estas preguntas?

Ahora, en parejas, contesten a las preguntas de Adriana usando las expresiones impersonales.

Paso 3: ¿Qué dicen Oscar y Victoria?

Vamos a observar este uso del subjuntivo en una conversación de Oscar y Victoria. Mientras lees su conversación,

- identifica la expresión impersonal en cada oración y
- el verbo en subjuntivo.

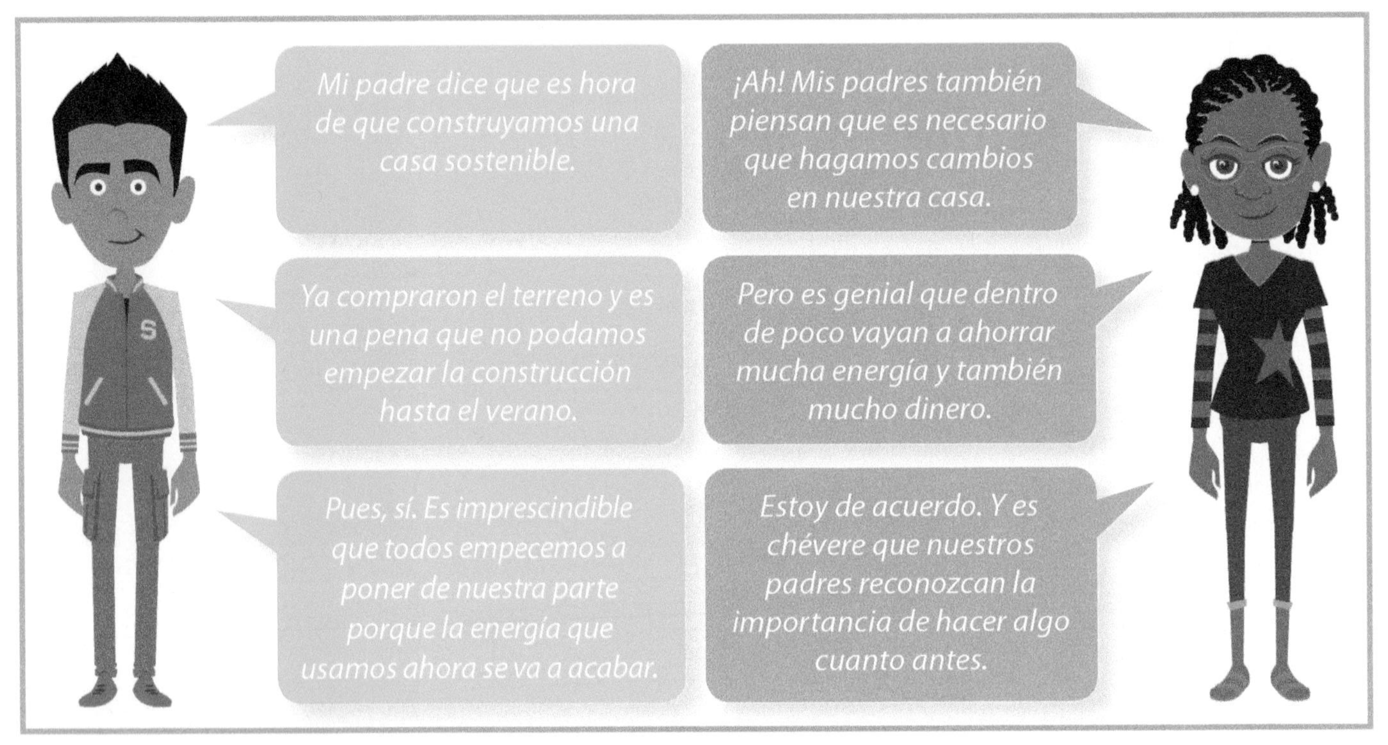

Mi padre dice que es hora de que construyamos una casa sostenible.
¡Ah! Mis padres también piensan que es necesario que hagamos cambios en nuestra casa.
Ya compraron el terreno y es una pena que no podamos empezar la construcción hasta el verano.
Pero es genial que dentro de poco vayan a ahorrar mucha energía y también mucho dinero.
Pues, sí. Es imprescindible que todos empecemos a poner de nuestra parte porque la energía que usamos ahora se va a acabar.
Estoy de acuerdo. Y es chévere que nuestros padres reconozcan la importancia de hacer algo cuanto antes.

¿Qué observas?

Paso 4: ¿Entiendes la regla?

Usa el organizador gráfico del **Paso 1** para anotar tus observaciones.

a. Explica lo que es una expresión impersonal y por qué se llama así.

b. Compara tu respuesta con la de dos compañeros.

c. Discutan las respuestas como clase hasta que quede claro lo que es una expresión impersonal.

Paso 5: Aplica tus conocimientos

En la **Unidad 3,** aprendiste que se usa el subjuntivo después de verbos de deseo y recomendación. En esta unidad, acabas de aprender el segundo uso - después de expresiones impersonales.

Escribe una lista de los verbos de deseo y recomendación que recuerdas, y una lista de expresiones impersonales.

Verbos de deseo y recomendación	Expresiones impersonales
1.	1.
2.	2.

Actividad 4

Reducir: La primera de las tres "erres"

Hay varias cosas que tú puedes hacer en casa para seguir *La regla de las tres erres: reducir, reutilizar y reciclar.* Primero, examina algunas de tus prácticas encaminadas a *reducir* el uso de los recursos naturales.

Así se dice 4: Reduce y reutiliza

alejar - separar; apartar
ambos - los dos
apagar - desactivar un aparato
un apagón - una interrupción de electricidad
la autoconstrucción - la construcción por uno mismo
el diploma - el certificado
encender/encendido - activar un aparato/activado
enjuagar - limpiar con agua para
faltar/la falta de - estar escaso de algo/la escasez
funcionar - marchar bien
gasta/ un gasto - agotar; consumir/el consumo
llenar/lleno - ocupar por completo un espacio/el consumo
una medida - una decisión
la plataforma - las ideas de un grupo de personas
regar/riego/regadera - echar agua a las plantas/acción de regar/aparato para regar
rodearse- situarse alrededor de algo
los talleres - la clase; el curso
vaciar - quitar el contenido de algo

Los aparatos

el aire acondicionado/ enfriar

el lavaplatos/lavar

la plancha/planchar

la aspiradora/aspirar

la licuadora/licuar

el refrigerador/ enfriar

la calefacción/calentar

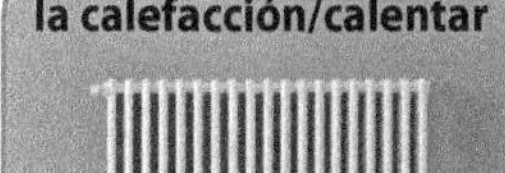

la maceta plantar

la secadora de ropa/ secar

el grifo /abrir; cerrar

la nevera; un refrigerador refrigerar

el tostador de pan/ tostar

la lavadora de ropa/ lavar

¿Te acuerdas?

la ducha

el jardín

el tamaño

la terraza

Además se dice

a plena luz - con toda la claridad del día

de madrugada - entre la 1:00 y las 6:00 am

enjuagar - limpiar con agua para quitar el jabón

un gesto - una muestra de algo

por culpa de - debido a

poner en marcha - activar un aparato

Paso 1: Reducir el uso del agua

Vas a analizar el uso del agua en tu casa para determinar cómo puedes reducir el uso de este recurso natural.

a. ¿Cuáles de estas acciones se hacen en tu casa para reducir el consumo de agua? Para cada acción de la columna a la izquierda encuentra una solución a la derecha.

El agua que utilizamos en casa	Cómo podríamos reducir la cantidad de agua que utilizamos
1. lavarme las manos	a. llenar la lavadora antes de ponerla en marcha
2. usar el inodoro	b. cerrar el grifo mientras lo haces
3. lavar los dientes	c. no vaciarlo cada vez que lo usas
4. ducharme	d. tratar de usarlo solo cuando sea absolutamente necesario
5. enjuagar los platos antes de meterlos en el lavaplatos	e. dejar correr el agua lo menos posible
6. lavar la ropa sucia	f. llenar un cubo con el agua que utilizas en la cocina durante el día para usarlo cuando haces esto
7. usar el lavaplatos	g. quedarse bajo el agua el menos tiempo posible

Medidas para ahorrar agua:

- **cerrar el grifo** mientras lo haces
- no **vaciarlo** cada vez
- utilizar un cubo con agua
- tratar de hacerlo solo cuando sea absolutamente necesario
- quedarse bajo el agua menos tiempo
- llenar el aparato antes de **ponerlo en marcha**

b. Comenta en un grupo de tres o cuatro alumnos, cuáles de las medidas ya pones en marcha y cuáles son fáciles de implementar.

c. Después, con toda la clase, comenta qué medidas son las más difíciles de poner en práctica y por qué.

d. Mira la infografía y comenta también cuál de las medidas que se indican puedes llevar a cabo en tu casa.

Paso 2: Mi promesa

Acabas de ver algunas medidas para reducir tu consumo de agua. Mira lo que añade un artículo de esta revista.

a. Lee parte de un artículo sobre el consumo normal de agua y electricidad en una casa.

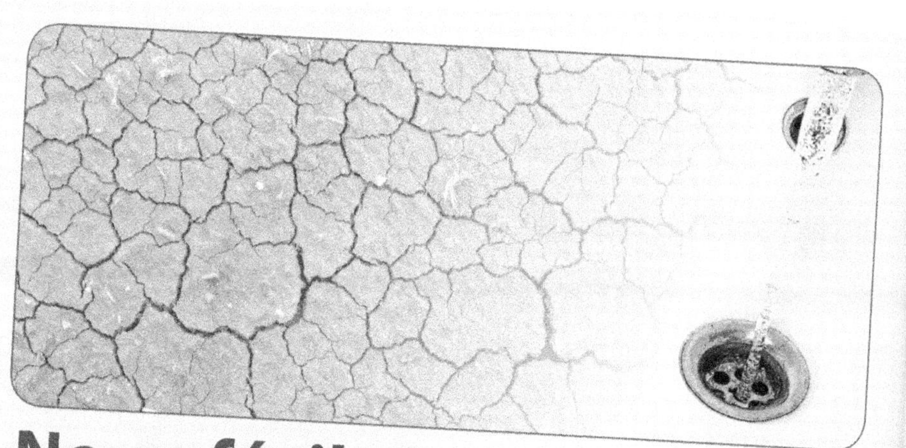

No es fácil ahorrar agua.

Algunas veces hay que tomar **medidas** que resultan caras a corto plazo, aunque a largo plazo los resultados ahorren dinero. Una medida importante sería reemplazar los electrodomésticos viejos con modelos más eficientes. Esto ahorra energía y, con el tiempo, dinero también.

Pero, también habrá que cambiar la manera en la que vivimos para incluir hábitos más ecológicos, como cerrar **el grifo** cuando tengamos el agua que necesitamos y quedarnos menos tiempo en la ducha o no tomar baños largos sino ducharnos. Es un compromiso que no solo ahorra dinero sino que ayuda a proteger la Tierra.

Si tienes un jardín, necesitas saber que, según un estudio ecológico, la cantidad de agua usada para mantener la hierba y las flores, es responsable del 29% del consumo total de agua de un hogar mediano. Este gráfico muestra el consumo promedio de agua en una casa en Estados Unidos, según un estudio publicado en una revista.

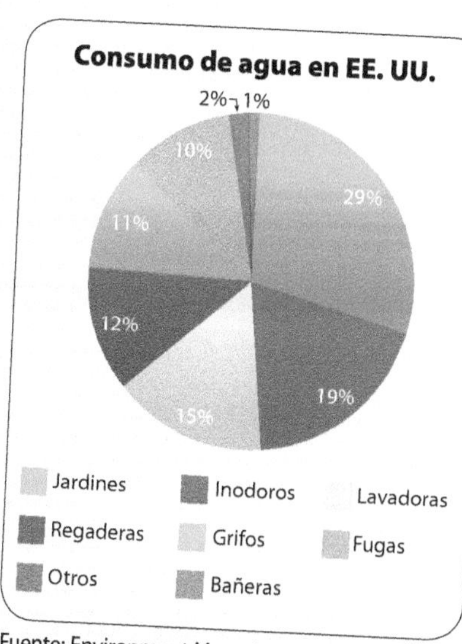

Fuente: Environment Magazine, July-August 2014, as cited in Consumer Reports Magazine, June 2015.

Y a continuación, puedes ver cuánta energía usan los aparatos eléctricos que tienes en tu casa. Si todos somos un poco más conscientes del agua y la energía que utilizamos, estaremos poniendo nuestro granito de arena para salvar el planeta.

b. Contesta a las siguientes preguntas con un/a compañero/a.

1. ¿Han pensado en el uso de agua fuera de la casa?
2. ¿Qué actividades hacen fuera de la casa que utilizan agua?
3. De la misma manera que hay medidas para usar menos agua dentro de la casa, ¿qué pueden hacer para usar menos agua fuera de la casa?

c. Ahora, escriban "un compromiso" y cuélguenlo en una pared de la clase. ¿A qué se compromenten para ahorrar agua?

Paso 3: La electricidad que usas

¿Cuánta electricidad gastas en un día típico? En un grupo de tres o cuatro alumnos, examinen su uso de esta energía.

a. Dibujen todos los aparatos que usan energía y que Uds. utilizan en un día típico. No se olviden de cosas sencillas como la luz.

b. Después, decidan, como grupo, cuál sería el promedio de horas o minutos que utiliza cada aparato y escriban este tiempo debajo de cada dibujo.

c. Intercambien sus papeles con dos de los demás grupos y presten atención a lo que ellos tienen que su grupo no tenía.

d. Cuando tengan de nuevo su papel, añadan lo que se les olvidó.

e. Sumen todos juntos el promedio de tiempo de cada grupo para llegar a un promedio para la clase.

f. Hablen de este uso de energía. ¿Habían pensado antes en cuánta energía usan? ¿Creen que deben reducir su uso de energía? Comenten por qué sí o no.

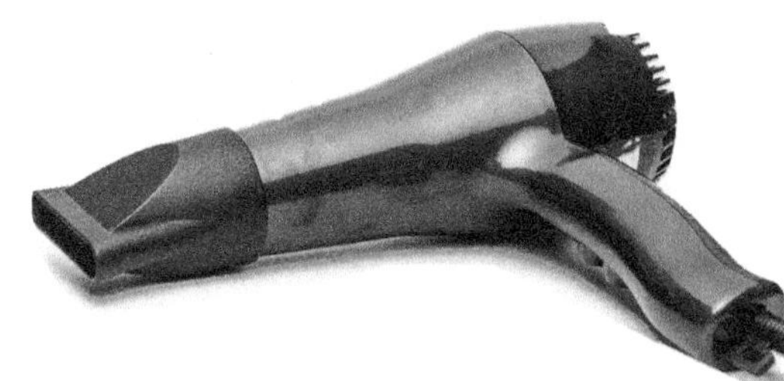

g. Ahora, miren la cantidad de energía que algunos aparatos usan y comparen esto con su análisis de energía usada en la clase. ¿Cuánta energía piensan ahora que pueden reducir?

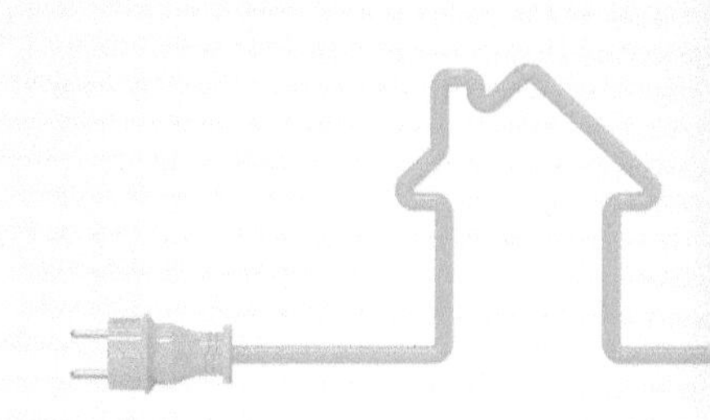

 Paso 4: Una semana sin electricidad

Ya que has analizado tu uso de electricidad, imagina una semana sin ella. Ha habido **un apagón** de luz en tu escuela no sabes cuánto tiempo va a durar. Sin embargo, tu escuela va a estar abierta porque entra suficiente la luz naturala través de las ventanas.

a. En tu clase de español, después de haber pasado un día en estas condiciones, tu profe te pide que, en tu casa, le escribas un mensaje electrónico a uno de los amigos nuevos que tienes en Colombia explicando lo que pasó ayer, el peor día de tu vida.

b. Escribe lo horrible que fue tu día ayer con todo detalle, explicando no solo lo que hiciste sino también lo que aún no puedes hacer en la escuela **por culpa de la falta** de energía.

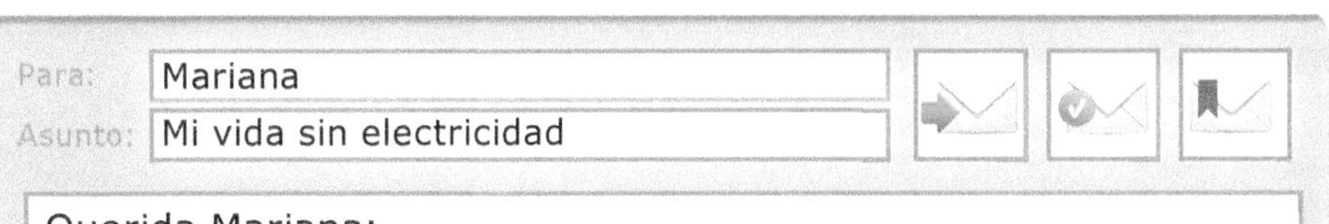
Para: Mariana
Asunto: Mi vida sin electricidad

Querida Mariana:
Sé que sabes lo del apagón aquí. Es un desastre. Tenemos que ir al cole porque podemos ver con la luz natural que entra por las ventanas, pero es como vivir en el siglo diecinueve. No creo que pueda sobrevivir esto. Quiero explicarte con detalle cómo fue mi día ayer - el peor día de mi vida.

Expresiones útiles

Ahorrar no es sólo guardar sino saber gastar

Apaga la luz, enciende el planeta

Aprovecha el día y ahorra energía

Cuando conservas el agua, conservas la vida

Da luz verde a tu vida, ahorra energía

El que guarda, siempre tiene

Luz que apagas, luz que no pagas

 Paso 5: Uso de energía

¿Cómo podemos gastar menos energía al usar los electrodomésticos?

a. Con un/a compañero/a, lean el folleto en la siguiente página.

b. Después, dibujen las cuatro formas de ahorrar energía, pero NO en el mismo orden del folleto.

Modelo

c. Intercambien sus dibujos con los de otra pareja y traten de escribir debajo de cada dibujo el consejo SIN mirar el folleto.

d. Devuelvan los dibujos a los dibujantes originales para que corrijan los consejos, según el folleto (sobre todo palabras de vocabulario importantes).

e. Después, cada pareja presentará un consejo con gestos y la clase tendrá que adivinar cuál de los consejos presentan. Se van a repetir los consejos. Si no les toca la primera ronda, traten de hacerlo diferente de las parejas anteriores.

Modelo

Nos aconsejan que no usemos el lavaplatos si no está lleno.

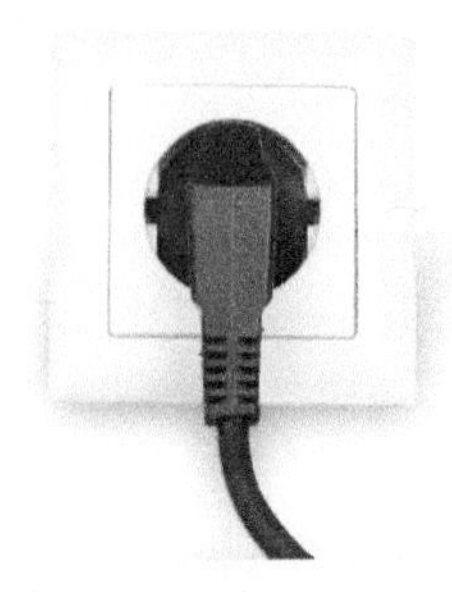

4 FORMAS DE AHORRAR ENERGÍA EN EL USO DE ELECTRODOMÉSTICOS

Los electrodomésticos son una de las principales fuentes de consumo energético en el hogar. Si aprendes a utilizarlos de forma eficiente y consciente, reducirás significativamente su impacto en el medio ambiente.

1 Utiliza el lavaplatos sólo cuando esté totalmente **lleno**.

2 Abre el frigorífico sólo cuando sea necesario. **Cuantas más veces** se abra la puerta de la nevera, más escarcha (hielo) se produce, y solo con una formación de 5 milímetros de espesor (densidad), el consumo energético aumenta en un 30%.

3 Deja **enfriar** los alimentos antes de meterlos en la nevera.

4 No **amontones** (acumular) los alimentos dentro de la nevera.

¿Qué aprendiste?

Piensa en todos los aparatos que consumen energía en tu casa.

a. Elige al menos cinco aparatos que tú u otros miembros de tu familia deben usar de una manera diferente y así reducir su consumo energético.

b. Escríbelos en una lista con el cambio que vas a sugerir. Usa el subjuntivo de recomendaciones y sugerencias junto con expresiones impersonales.

c. Graba en la guía digital una explicación de los cambios que harías y por qué los harías.

d. Entrega tu grabación a tu profesor/a.

e. Crea un imán para la nevera de tu casa donde todos vean tus sugerencias.

Modelo para la grabación

La nevera: Tenemos comida amontonada en la nevera. Parte de ella está ya en malas condiciones. Esto gasta mucha energía. Sugiero que tiremos la que no esté en buenas condiciones . . .

Modelo para el imán

Sugiero que apaguemos las luces al salir de la habitación.

Mi progreso comunicativo

Sé hacer recomendaciones en la vida diaria para lograr una casa más ecológica.

Actividad 5

Reutiliza los desechos

¿Se puede volver a usar lo ya reciclado? Pues, claro que sí.

Paso 1: Reutilizar el reciclaje

Además de reducir el uso de los recursos naturales y los materiales, es importante reutilizarlos.

a. En grupos de tres o cuatro, contesten a las siguientes preguntas.
   1. ¿Qué materiales o qué objetos se pueden reciclar de nuevo y para qué?
   2. ¿Has comprado un producto sabiendo que ha sido reciclado más de una vez? ¿Cuál o cuáles?

b. Compartan su información con toda la clase.

c. Van a ver un video. En su mismo grupo, predigan de qué puede tratarse el video.

Además de dice

desechar - botar o tirar algo a la basura

sanitarios - inodoros

los tejados verdes - la parte superior y exterior de la casa hecha con plantas

Detalle gramatical

El uso de para seguido de un verbo

Mira estos ejemplos de ***para***:

- Es importante que sepa hacer cambios **para vivir** cómodamente con los recursos que tengo usando las nuevas tecnologías.
- Compartan su opinión con toda la clase **para ver** qué tienen en común.
- Hablen en parejas **para identificar** las palabras claves que les ayudaron a escoger una de las definiciones.
- Si puedes leer en tu teléfono, tienes energía suficiente **para que** el dispositivo **funcione**.
- Devuelvan los dibujos a los dibujantes originales **para que corrijan** los consejos.
- Mis padres me dicen que me van a pasar la factura y hacerme pagarla **para que me dé cuenta** de lo que cuesta.
- ¿Qué cambios se deberían hacer ***para que sea** como una ecohuerta?

*This use of para will be explained in more detail in Unit 5

Cuando un **verbo sigue para**, y no hay sujeto, **se usa el infinitivo**. Es igual en inglés.

1) Hago esto para **enseñar el uso de para + el infinitivo**.

2) Hago esto para que **veas el uso de para que + el subjuntivo**.

Cuando el sujeto no cambia (#1 = yo hago, yo enseño) usa el infinitivo después de para.

Cuando el sujeto cambia (#2 = yo hago, tú ves) usa el subjuntivo después de para que.

Mi progreso comunicativo
Sé convencer a otros de cómo reducir, reutilizar y reciclar para tener una casa ecológica.

Fundación Organizmo (2016), http://www.organizmo.org/

Paso 2: Construcción sostenible

Vas a ver un video sobre la promoción de hábitats sostenibles. Descubre más sobre la organización Organizmo y sus talleres de bioconstrucción en Colombia.

a. Mira el video por primera vez sin sonido. ¿Qué ves? Apunta en el organizador gráfico todo lo que puedes ver sobre tres temas diferentes.

Parte I	
Tema	**Veo**
Aspectos de comunidad	

b. Al ver el video por segunda vez, intenta completar la información correspondiente de la parte I del organizador gráfico.

c. A continuación, escribe tus ideas en la parte II.

Parte II	
Idea	**Mis comentarios**
La idea principal	

d. Compartan con el grupo para comprobar las respuestas. Añade ideas nuevas mencionadas por tus compañeros/as.

e. Al ver el video de nuevo, completa las afirmaciones siguientes.

1. Según la narradora del video, el énfasis de este trabajo consiste en el empoderamiento comunitario a través de una ____________ de ____________ de ____________.
2. Los objetivos de Ana María Gutiérrez y Organizmo son que el trabajo sea práctico y que la ____________ sea ____________. Ella comenta que la idea de Organizmo es que sea un modelo ____________ y que ____________ al país.
3. En la escuela se enseña a construir viviendas ____________.

f. Para concluir, contesta a las preguntas siguientes y escribe tus respuestas.

1. ¿Qué opinas de este nuevo uso de las casas sostenibles? ¿Te gustaría vivir en una construcción de este tipo? ¿Por qué? Justifica tu respuesta.
2. ¿Qué representa esta nueva construcción para la comunidad colombiana? ¿Por qué? Justifica tu respuesta. Usa el anuncio para informarte y formar tus ideas.

¿Qué aprendiste?

Ahora que tienes mucha información sobre cómo reutilizar lo que ya ha sido reciclado, crea un póster informativo para la escuela donde expliques las ventajas de reutilizar los objetos ya reciclados. Recuerda que el póster debe llamar la atención a la gente, debe tener un título llamativo y un mensaje que insista en que todo el mundo reutilice lo ya reciclado.

Actividad 6

Reciclaje por colores

Hace ya cierto tiempo que el mundo ha tomado conciencia de la necesidad de reciclar. Concienciar a todos los seres humanos no es una tarea tan complicada, pero tomará su tiempo. Para hacerlo más sencillo, muchos países han adoptado un sistema de reciclaje por colores.

Además se dice

una cuota - una cantidad fija

la factura - el documento que muestra la compra y venta de algo

ni siquiera - ni tan solo

Así se dice 5: Recicla

el abono - lo que se pone a la tierra para hacerla más productiva

los desechos - la basura

¡Es un rollo! - es muy aburrido o muy frustrante

el reciclaje - los objetos que se reciclan

recoger - recolectar

Paso 1: Reciclar en casa

Se habla mucho de reciclar la basura y probablemente sabes mucho de lo que se necesita hacer.

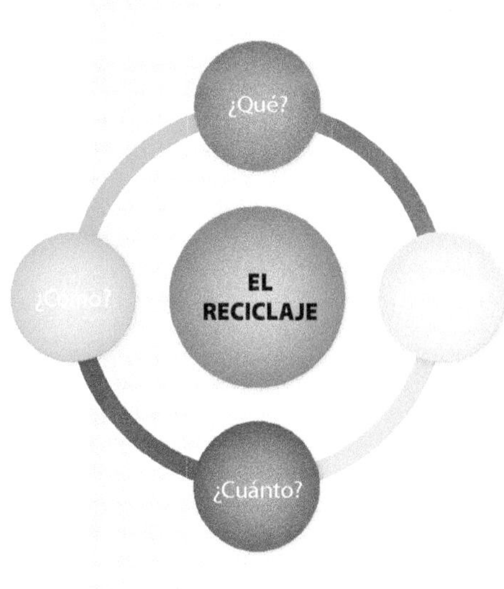

a. ¿Qué? ¿Cuánto? ¿Cómo? ¿Por qué? Su profesor/a les va a dar una de las palabras interrogativas del diagrama; en grupos de tres o cuatro alumnos, escriban todo lo que saben o hacen para reciclar la basura en casa de acuerdo a la palabra que tienen.

b. Cuelguen lo que tienen en su palabra en la clase; vayan mirando todos los papeles colgados y añadan algo que creen que sería necesario pero que no está anotado.

c. Tomen ahora su palabra interrogativa de nuevo y decidan cuáles son las mejores sugerencias o ideas para **el reciclaje** según la pregunta.

d. Compartan su mejor idea con toda la clase y escríbanla en el diagrama con las mejores ideas de otros grupos.

Paso 2: Los colores del reciclaje

En Colombia y España el reciclaje va unido a ciertos colores para ayudar a la gente a identificar los deshechos con los contenedores de reciclaje.

a. Examina la descripción de los diferentes contenedores en la hoja, *Los colores del reciclaje y complete la tarea.*

Los colores del reciclaje

En casas de Colombia y España, están reciclando **los desechos** que no pueden reducir ni reutilizar. Los reciclan en contenedores de diferentes colores, según su clasificación.

1. Examina la descripción de los diferentes contenedores.
2. Luego, echa **los desechos** en el contenedor apropiado trazando una línea del desecho al contenedor.

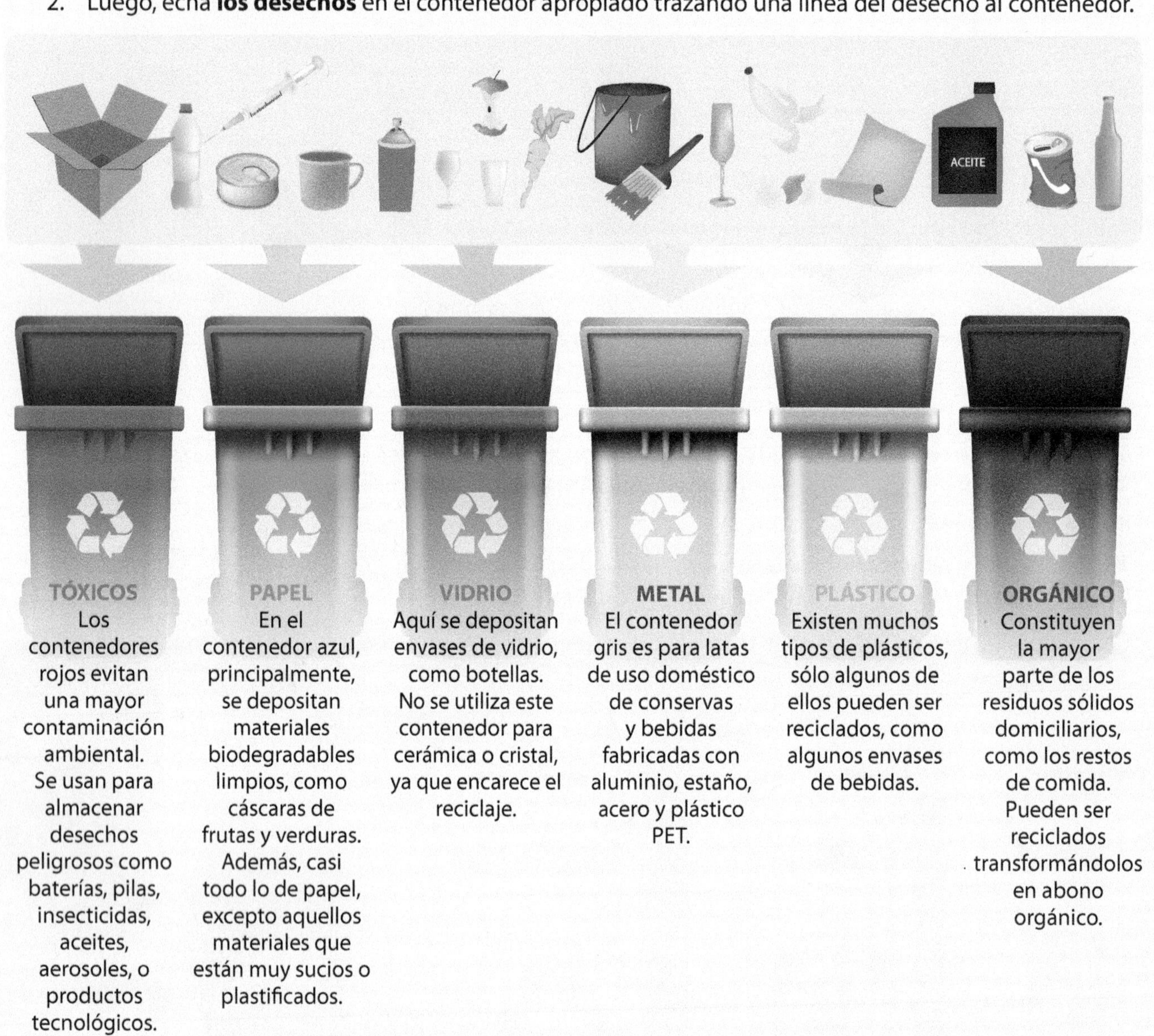

ACEITE
TÓXICOS
Los contenedores rojos evitan una mayor contaminación ambiental. Se usan para almacenar desechos peligrosos como baterías, pilas, insecticidas, aceites, aerosoles, o productos tecnológicos.
PAPEL
En el contenedor azul, principalmente, se depositan materiales biodegradables limpios, como cáscaras de frutas y verduras. Además, casi todo lo de papel, excepto aquellos materiales que están muy sucios o plastificados.
VIDRIO
Aquí se depositan envases de vidrio, como botellas. No se utiliza este contenedor para cerámica o cristal, ya que encarece el reciclaje.
METAL
El contenedor gris es para latas de uso doméstico de conservas y bebidas fabricadas con aluminio, estaño, acero y plástico PET.
PLÁSTICO
Existen muchos tipos de plásticos, sólo algunos de ellos pueden ser reciclados, como algunos envases de bebidas.
ORGÁNICO
Constituyen la mayor parte de los residuos sólidos domiciliarios, como los restos de comida. Pueden ser reciclados transformándolos en abono orgánico.

b. ¿Tienes algo parecido en tu casa o comunidad? ¿Qué piensas de este sistema? Habla con un/a compañero/a y compartan sus opiniones sobre el sistema de *Los colores del reciclaje*.

Paso 3: Tu opinión

Tu amigo Esteban, que ahora vive en Medellín, Colombia, te ha escrito un correo electrónico en respuesta al correo donde le contabas una charla en clase sobre la casa sostenible y **el reciclaje**.

a. Lee el correo electrónico que Esteban te ha escrito.

Para: Ti
Asunto: El reciclaje

Es curiosísimo lo que acabas de contarme de la charla en tu clase. Tu profe debe de haber sacado ese ejemplo de aquí en Medellín. ¡**Es un rollo**! Mis padres se enfadan siempre porque no me acuerdo de poner los restos de la comida en el plato que tenemos para convertirlo en **abono**. O tiro un papelito al contenedor gris. ¡Madre mía! Ya sé que tenemos que pagar **una cuota** por el peso de la basura, pero mis padres me dicen que me van a pasar **la factura** y hacerme pagarla para que me dé cuenta de lo que cuesta. Te digo que vivir aquí me ha hecho pensar mucho más serio en **el reciclaje**. Y ¡**ni siquiera** vienen a **recogerlo** a casa! Aquí tenemos sitios donde tenemos que llevar nosotros mismos los productos y meterlos en contenedores de categorías específicas.

b. Ahora, contesta con tu opinión de lo que Esteban te ha escrito.

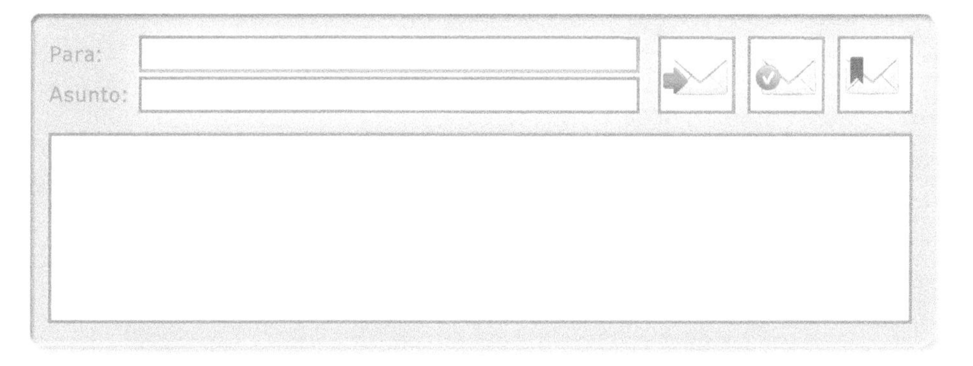

c. ¿Qué piensas de la idea de los padres de Esteban? ¿Te molestaría tener que pagar **una cuota** por el peso de tu basura? O sea, lo que no reciclas o conviertas en abono. ¿Lo pagarías? Mantengan una conversación con un/a compañero/a sobre la idea.

Modelo

(No) me gustaría tener que pagar una cuota por el peso de la basura. Yo (no) lo pagaría porque . . .

Mi progreso comunicativo
Sé desarrollar un plan para reducir, reutilizar y reciclar con el fin de tener una casa ecológica.

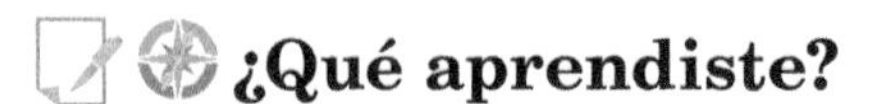

¿Qué aprendiste?

¿Cómo es tu huella ecológica? ¿Cómo llevas a cabo la regla de las tres erres: reducir, reutilizar y reciclar?

a. Piensa si tú haces algo para reducir, reutilizar y reciclar, según el caso.

b. Ahora escribe un plan para tu familia en el que reduzcan, reutilizen y reciclen los recursos naturales y los materiales para tener una casa eficiente, sostenible y ecológica.

1. Piensa en el agua, la energía, los residuos o materiales y sugiere al menos tres cosas en cada categoría que cada miembro de la familia debe hacer en una casa sostenible.
2. Escribe todo en una lista que vas a contar a tu familia en la mesa esta noche mientras cenan.
3. Usa expresiones impersonales diferentes, verbos e ideas como:
   - Es imprescindible que . . .
   - Es buena idea que . . .
   - Es recomendable que . . .
   - Es mejor que . . .

Modelo

Es importante que reciclemos el papel que ahora tiramos a la basura.

En camino A

La eco-identidad

Ya que tienes información sobre casas ecológicas y la importancia de ahorrar energía y reciclar en casa; entiendes que todo el mundo necesita reducir, reutilizar y reciclar. Todos tienen que poner de su parte o poner su granito de arena para que tengamos comunidades sostenibles.

Mi progreso comunicativo
Sé convencer a otros de cómo reducir, reutilizar y reciclar para tener a una casa ecológica.

Paso 1: Poniendo tu granito de arena

¿Cómo se crea un entorno ecológico ? Pensando en lo que has aprendido de las tres erres, escribe ejemplos de cómo puedes poner tu granito de arena para cuidar el medio ambiente.

Paso 2: El poder de la colaboración

Mira un anuncio publicitario de la empresa Ecoembes (www.ecoembes.com) la organización que administra los residuos en España.

a. En parejas, miren el video sin sonido y comenten lo siguiente:
   1. ¿Quién aparece en el video?
   2. ¿Qué lugares se ven?
   3. ¿Qué hace la gente?
   4. ¿Cuál es la actitud de las personas?
b. En las mismas parejas, escuchen y lean "el poema" del anuncio.
c. Escriban una lista de las acciones, según el anuncio, de la gente que cuida el medio ambiente y otra lista de los elementos del medio ambiente que se benefician de estas acciones.

Paso 3: ¿Qué opinan del anuncio?

Con otro compañero/a, presenten su opinión del anuncio a su profesor/a, explicando tu reacción con ejemplos del **Paso 2**.

Paso 4: Las tres erres

El anuncio de Ecoembes intenta convencer al público para que siga la regla de las tres erres. Es importante que todo el mundo contribuya a esa iniciativa. Crea un poema o rap usando la información que adquirieron en la unidad y el anuncio. Usa expresiones impersonales con el subjuntivo en tu poema o rap.

Paso 5: Y, ahora las presentaciones . . .

Presenta tu poema o rap a la clase.

Medellín, Colombia

Vitoria-Gasteiz, España

Comunica y Explora B

Pregunta esencial: ¿Qué valores del mundo hispanohablante favorecen la creación de comunidades sostenibles?

Actividad 7

¡Movilidad en las ciudades!

Vas a ver cómo una buena red de transporte público ayuda a las ciudades a ser más sostenibles.

Así se dice 6: Movilidad

asequible - se puede adquirir o comprar por la mayoría de la gente

el bono mensual - una tarjeta mensual para usar el transporte público a un precio inferior de un billete normal

la calle peatonal - solo para peatones y donde se prohíbe circular los vehículos

el contaminante - lo sucio y malo para el medio ambiente

el descuento - una disminución en el precio de algo

gratis - no hay que pagar por ello

llegar/salir a la hora o puntual - llegar o salir a la hora establecida

llegar/salir con retraso - llegar o salir más tarde de la hora fijada

¿Te acuerdas?

barato

caro

cómodo

fiable

incómodo

limpio

peligroso

rápido

seguro

sucio

Además se dice

jubilado/a - una persona que ya no trabaja debido a su edad

Paso 1: Cómo se mueve una ciudad sostenible

Ahora, vas a ver cómo se mueve una ciudad sostenible. Trabaja con un/a compañero/a y hagan lo siguiente.

a. Miren las siguientes imágenes y pongan una palomita (✔) si su ciudad dispone de uno de los servicios de transporte público que muestran las fotos.

b. Expliquen cómo es el servicio de esos medios de transporte y el porqué de su opinión.

c. Contesten a las siguientes preguntas.

1. ¿Qué ventajas existen para que los jóvenes usen esos medios de transporte? ¿Hay descuentos, son gratis, hay tarjetas para estudiantes y jubilados? ¿Hay bonos mensuales?
2. Si no tienen estos servicios de transporte, ¿han estado en una ciudad o lugar que los ofrezca? ¿Cuál y dónde?
3. Si no han estado en ningún lugar, ¿les gustaría tener acceso a este tipo de transporte público en su comunidad? Justifiquen su respuesta.
4. ¿Qué mantendrían y qué cambiarían en el sistema de transporte de la comunidad donde viven Uds.?

Medios de transporte público en algunas ciudades de Colombia y España

Autobús con rampa
Vitoria-Gasteiz, España

Tren de cercanías
Vitoria-Gasteiz, España

Tranvía
Vitoria-Gasteiz, España

Bicicletas
Barcelona, España

Metro
Barcelona, España

Motocicleta eléctrica
Barcelona, España

Transmilenio
Bogotá, Colombia

Carro eléctrico
Medellín, Colombia

Calle peatonal
Medellín, Colombia

Metrocable
Medellín, Colombia

Paso 2: La movilidad sostenible

Para ampliar tu idea de cómo operan las ciudades sostenibles, vas a ver un video que habla de la movilidad sostenible. El video habla de cuatro ejemplos básicos.

a. Antes de mirar el video, trata de llenar los espacios con la palabra correcta del banco de palabras.

b. Después, escucha el video para confirmar si has acertado o te has equivocado en algunas palabras.

Banco de palabras				
el transporte público	energía	los carriles bici	automóvil	la salud de los ciudadanos
la seguridad	metros	caminar	autobuses	aumentando
gastos	la bicicleta	compartir coche	la contaminación	no contaminantes

Consejos para ayudarte a poner tu granito de arena

1. El medio de transporte más sustentable es ____________. Las ciudades con calles peatonales, espacios verdes y paseos que invitan a caminar tienen otras ventajas: ayudan a mejorar ____________, la actividad económica de la ciudad y ____________.
2. Otro medio de actividad sostenible es ____________, ya que se trata de un medio de transporte que se mueve usando tu propia ____________. Se debería fomentar su uso creando vías seguras para los ciclistas como es el caso de ____________.
3. Para los trayectos largos, ____________ es una forma rápida, segura y eficiente, de llegar a tu destino. ____________, ____________, trenes y tranvías son algunos de los medios de transporte público que puedes encontrar.
4. Disminuir el uso del ____________ es otro de los consejos para lograr una movilidad eficiente y ecológica. Si no es posible, siempre es bueno plantearse la posibilidad de ____________. De esta manera, no sólo se dividen los ____________ sino también ____________ y la emisión de gases de efecto invernadero provocados por los automóviles. Además, muchas ciudades tienen medidas para disminuir el uso del coche, como por ejemplo:
   - eliminando las vías rápidas;
   - ____________ el costo de los estacionamientos; y
   - creando zonas ecológicas exclusivas para vehículos ____________.

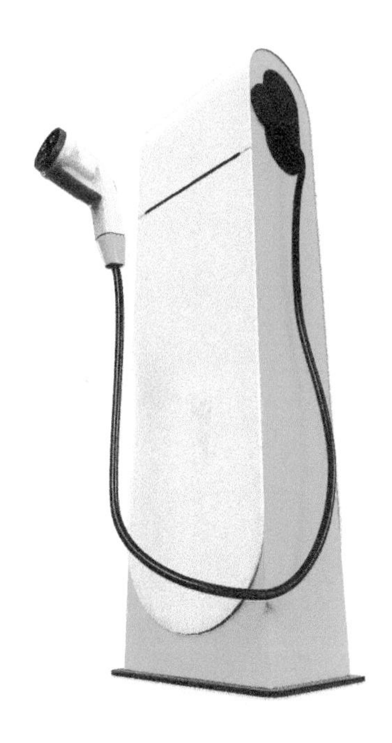

¿Qué aprendiste?

Usando una de tus redes sociales favoritas y algunas expresiones impersonales con el subjuntivo, escríbele un mensaje a alguien de tu familia que es adicto al automóvil y explícale las ventajas que presentan el uso del transporte público y la movilidad sostenible. Anímale a que cambie de opinión.

Mi progreso comunicativo
Sé convencer a otros de la necesidad de implementar cambios en la comunidad para hacerla más sostenible.

Observa 2

El condicional

Paso 1: ¿Qué observas?

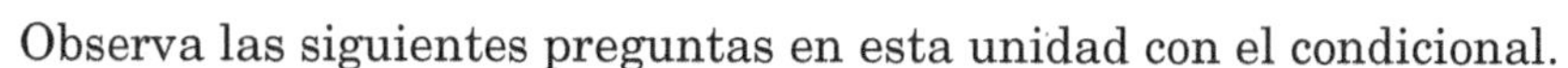

Observa las siguientes preguntas en esta unidad con el condicional.

- ¿Cuáles son algunas actividades que protegerían el medio ambiente?
- ¿Qué palabras usarías para describir una casa y una ciudad sostenible?
- Si tuvieras* la oportunidad de diseñar una casa sostenible, ¿qué incluirías?
- ¿Te gustaría tener que pagar **una cuota** por el peso de tu basura?, ¿la pagarías?

*¡OJO!: tuvieras es una forma de tener que aprenderás más tarde en tus estudios. Se usa con el condicional en una oración donde la acción no es segura, sino posible.

¿Qué observas?

Examina los verbos en letra azul. Usa el organizador gráfico en la guía digital para contestar a estas preguntas solo/a y después en un grupo pequeño.

a. ¿Reconoces algunas expresiones que has usado antes?

b. ¿Son parecidos los verbos en azul a otro tiempo verbal que ya sabes?

c. Este tiempo verbal se llama el condicional. ¿Puedes ver cómo se forma?

d. ¿Se usa el condicional si la acción es cierta o solamente con ciertas condiciones?

¿Puedes contestar a estas preguntas?

Paso 2: Adriana te hace preguntas

¿Qué podrías hacer para hacer tu casa más ecológica?

¿Querrías venir conmigo para ver una casa solar y saber cómo funciona?

¿Qué harías si pudieras construir una casa nueva?

¿Crees que tendrías el dinero para construir una casa sostenible?

Hablen con un/a compañero/a de clase para comparar sus respuestas. ¿Observas más usos del condicional?

Paso 3: Una conversación entre Oscar y Victoria

Lee la conversación y después determina más usos del condicional para añadir a tus observaciones.

Oscar: *¿**Sabrías** crear una casa ecológica?*

Victoria: *Bueno, en primer lugar, **trataría** de orientarla para que la fachada diera al sur.*

Oscar: *Es un buen comienzo. ¿**Dirías** algo a tus vecinos para convencerles de que también deben poner su granito de arena?*

Victoria: *Pues, claro. Yo **diría** que es responsabilidad de todos ser más ecológicos.*

Oscar: *Y, ¿qué crees que **deberíamos** hacer todos?*

Victoria: *Más que nada seguir la regla de las tres erres: reducir, reutilizar y reciclar. Eso **produciría** un cambio enorme.*

Paso 4: ¿Qué tiene en común con el futuro?

Trabaja con un/a compañero/a. Mira los ejemplos del futuro y del condicional. ¿Qué tienen en común y en qué difieren? Después compartan sus ideas con la clase.

el futuro	el condicional
Yo **sabré** todas las respuestas sobre la sostenibilidad en el examen.	Yo las **sabría** también, pero no tuve tiempo para estudiar.
¿Tú les **dirás** a tus padres que tienen que cambiar sus hábitos?	¿Tú les **dirías** a tus padres que deberían hacer cambios si no siguieran las tres erres?
¿**Trabajará** tu hermano para una compañía verde cuando se gradúe?	Bueno, **querría** hacerlo, pero vivimos en un pueblo muy pequeño.

Paso 5: ¿Cómo se forma el condicional?

a. Pues, igual que el futuro, pero con terminaciones diferentes. ¿Cuáles son las terminaciones del condicional? Son las mismas que usas con el imperfecto, pero con el condicional usas el infinitivo completo.

yo	nosotros
tú	*vosotros*
Ud.	Uds.
él, ella	ellos, ellas

b. ¿Cuál es la raíz del condicional de los verbos siguientes?

poner -	poder -	querer -	hacer -	salir -
haber -	saber -	decir -	tener -	venir -

¿Te acuerdas?

el autobús

impactar

el metro

el metrocable/cable

la movilidad

la tarjeta

Actividad 8

Los cambios de una ciudad sostenible

Ahora que has visto cómo funciona la movilidad sostenible, vas a conocer ciudades en Colombia y España que han recibido premios por sus cambios para mejorar la calidad de vida de sus habitantes y hacer la ciudad un lugar más habitable. Empezaremos con dos ciudades de Colombia: Bogotá y Medellín.

Así se dice 7: Ciudad sostenible

abordar - entrar y bajar de un medio de transporte público

el andén - la acera al borde de una vía del tren o del autobús

una apuesta - una inversión

la cicloruta - la parte de la calle donde va la bicicleta; también llamado carril bici

golpeada por la violencia - con violencia

la tarjeta cívica - una tarjeta para usar el transporte público en Medellín

el vagón - cada sección o vehículo del metro

las vías - caminos; calles; carreteras

Paso 1: Ciclorutas en Colombia

En la **Unidad 3,** David, un bloguero de Bogotá, te presentó la ciclovía, un concepto que promueve no solo la vida sana, sino también la sostenibilidad en la ciudad.

a. En parejas, hagan una lista de lo que recuerdan sobre la ciclovía en Colombia de la unidad anterior.

b. Compartan sus respuestas con los otros alumnos de su clase y anoten las características que la hacen sostenible.

c. Formen un grupo pequeño con otra pareja y comenten las respuestas a las siguientes preguntas.

- ¿Qué se consigue con andenes y ciclorutas en las ciudades?
- ¿Por qué no es un lujo hacer las ciudades para los peatones y los ciclistas y no solo para carros?
- ¿Qué tipo de ciudad se crea al proteger al peatón y al ciclista?
- ¿Les gustaría vivir en una comunidad donde hubiera este tipo de movilidad sostenible? ¿Por qué?

d. Usen las respuestas de una de las preguntas para crear un eslogan para promover la ciclovía. Este e slogan se pondrá en una pegatina para carros.

Paso 2: Medellín, la cultura metro

Vas a ver un video sobre el transporte público en Medellín. Esta ciudad sufrió tal transformación que ganó el premio a la ciudad más innovadora del planeta en 2013.

a. En parejas, miren el video y tomen apuntes.

b. Lean las afirmaciones que ven a continuación y cambienlas para indicar la información que indica el video.

MEDELLÍN, LA CULTURA METRO

1. El METRO de Medellín existe desde hace cincuenta años.
2. Las voces femeninas tranquilizan al viajero.
3. Los vendedores y músicos se han hecho famosos en el país.
4. El Metrocable se ha construído para los turistas que visitan Medellín.
5. El Metrocable ha disminuido la prosperidad de la ciudad.
6. Antes de construir el Metrocable la gente de los suburbios no podían trabajar en la ciudad.
7. La gente de los suburbios necesita llegar a Medellín para hacer sus compras.
8. Hay un millón de personas que viven en los suburbios de Medellín.

9. El precio de una **Tarjeta Cívica** es 550 pesos.
10. La Cívica se usa para el Cable.

c. Comprueben sus respuestas con toda la clase.

d. Contesten a las siguientes preguntas.

1. ¿Creen que la solución que buscó Medellín para el problema del transporte en los barrios más marginados es efectiva? Justifiquen sus respuestas.
2. ¿Conocen algún otro lugar o ciudad en el mundo que haya hecho algo semejante? Explíquenselo a la clase.
3. ¿Les gustaría viajar en Metrocable? Justifiquen su respuesta.

e. Usa tu red social favorita para mandarle un mensaje a Mariana en Colombia comentandole tu opinión sobre el Metrocable en Medellín.

Sé explicar los cambios que han realizado ciertas ciudades en Colombia y España para hacerlas más sostenibles.

¿Te acuerdas?

bonos

una red de transporte público

situada

tarjetas

Además se dice

cargar - añadir

los enseres - objetos de la casa

la tarjeta monedero - tarjeta a la que se le añade dinero

¿Qué aprendiste?

Imagina que has prometido hacer una mini presentación para el Club Internacional de tu colegio.

a. Prepara una presentación en la que expliques cómo los cambios en las ciudades de Colombia y su uso del transporte público han creado una sostenibilidad digna de reproducirse en tu comunidad. A continuación, mira un ejemplo de cómo empezar tu presentación.

Compañeros:

Me gustaría explicarles lo mucho que han cambiado algunas ciudades en Colombia. Son dinámicas e innovadoras.

b. En grupos de cuatro compañeros, compartan sus presentaciones. Hagan como grupo una lista de las mejores ideas compartidas.

c. Escriban una presentación nueva que representa estas ideas.

d. Entreguen la presentación al la profe o preséntenla a la clase.

Actividad 9

Conoce a Marta de Vitoria-Gasteiz

Marta te hablará de las ventajas de vivir en una ciudad tan ecológica y verde como Vitoria-Gasteiz.

Así se dice 8: Ventajas

los ámbitos - los aspectos

el desplazamiento - el movimiento de un lugar a otro

desplazarse - moverse de un lugar a otro

las mejoras - el progreso

la minusvalía física - la discapacidad física o intelectual

la rampa - un mecanismo que permite unir dos elementos que están a una altura diferente

Paso 1: Verde por dentro, verde por fuera

Van a conocer a Marta que les hablará de lo verde que es Vitoria-Gasteiz y de lo bien que se vive en esta ciudad del norte de España. Miren el video de la bloguera en la guía digital y después, trabajen en grupos de cuatro para completar cada sección del organizador gráfico.

Paso 2: Comparen a las dos blogueras

Las dos blogueras hablaron de la sostenibilidad en la casa y en la comunidad. Viven en distintos países, pero dijeron cosas similares.

a. Piensen en qué se parece lo que dijeron.

b. En parejas, contesten a las siguientes preguntas y anoten las respuestas de la otra persona.

   1. Si se pudieran conocer estas dos jóvenes, ¿de qué hablarían?
   2. Si pudieras elegir una de las dos ciudades para vivir, ¿en cuál te gustaría vivir y por qué?
   3. ¿Hay alguna ciudad así en tu país? ¿Cuál?

c. Compartan sus respuestas con otra pareja y comenten las ideas que tienen en común.

Reflexión intercultural

 Convéncelos de un cambio verde.

1. Basándote en lo que Marta te explicó sobre Vitoria-Gasteiz, comenta qué cambios se deberían realizar en tu comunidad para hacerla más sostenible.
2. Justifica tu respuesta con ejemplos claros y comparte tus ideas con todo el grupo en el foro de la guía digital.
3. Lee las respuestas de tus compañeros y escribe un comentario a dos compañeros diferentes.

Sé explicar a otros qué cambios se pueden llevar a cabo en mi comunidad para hacerla más sostenible.

Enfoque cultural

Producto cultural: El Anillo Verde, España y el Cinturón Verde, Colombia

El **Anillo Verde** es un conjunto de parques periurbanos de alto valor ecológico enlazados estratégicamente mediante corredores eco-recreativos. El objetivo principal de su creación era restaurar y recuperar la periferia de Vitoria, en el País Vasco, para crear una gran área verde de uso recreativo en torno a la ciudad. Fue seleccionado por la ONU entre las 100 mejores actuaciones mundiales en el III Concurso Internacional de *Buenas Prácticas para la mejora de las condiciones de vida de las ciudades*. En el Anillo Verde hay huertos urbanos, marismas, un lago, animales y especies autóctonas, y parques y zonas verdes donde practicar todo tipo de actividades al aire libre.

El **Cinturón Verde** del Jardín Circunvalar de Medellín, Colombia, es un proyecto de planificación de transformar una zona a medias entre lo urbano y lo rural para conservar áreas de vegetación salvaje o terreno agrícola alrededor de los núcleos urbanos.

Conexiones

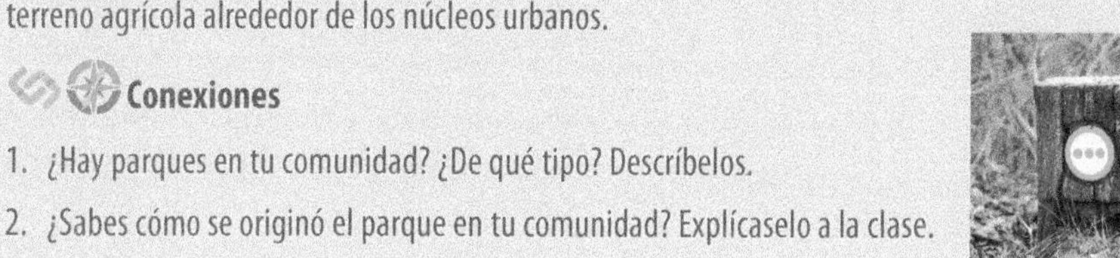

1. ¿Hay parques en tu comunidad? ¿De qué tipo? Descríbelos.
2. ¿Sabes cómo se originó el parque en tu comunidad? Explícaselo a la clase.
3. ¿Cuál de las dos zonas verdes te interesaría más visitar? ¿Por qué?

Adaptado de https://es.wikipedia.org/wiki/Anillo_Verde_de_Vitoria y https://cinturonverde.wordpress.com/about/

¿Te acuerdas?

aumentar

un conjunto

conseguir

Además se dice

disponer de - tener algo que es asequible

en torno a - alrededor

gestión - administración

el impulso - el énfasis

otorgar - dar

la periferia - la zona que rodea una ciudad

Actividad 10

Una ciudad ecológica a imitar

Vitoria-Gasteiz en España ha hecho cambios muy importantes que la han convertido en un modelo para muchas otras ciudades. Ahora aprenderás más de esta ciudad verde por dentro y por fuera.

Así se dice 9: Ciudad a imitar

rechazar - no aceptar
recuperar - rescatar
reflejar - manifestar
respirar - inhalar
responsabilizar - hacer responsable
restaurar - reparar
la superficie - los metros cuadrados de un lugar
suponer/supuesto - implicar; significar /implicado; significado

Paso 1: Una ciudad ecológica ejemplar

Vas a leer una entrada de blog sobre cómo Vitoria-Gasteiz se ha convertido en un modelo de ciudad sostenible y ecológica.

a. Antes de leer el texto, predice:

1. qué servicios ofrecerá Vitoria-Gasteiz a sus habitantes;
2. qué tipo de transporte tendrá; y
3. cómo será la ciudad en general.

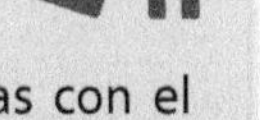

Vitoria Gasteiz es una de las ciudades del planeta más respetuosas con el medio ambiente y por ese motivo ha sido premiada recientemente con la obtención del galardón "European Green Capital 2012".

La ciudad es todo un ejemplo en calidad de vida y respeto por la naturaleza, pero, ¿cómo lo consigue? Vitoria es una de las ciudades europeas con mayor **superficie** de espacios verdes y ajardinados por persona (alrededor de 42 metros cuadrados por habitante). Dispone de más de diez millones de metros cuadrados de parques y zonas verdes donde pasear, andar en bici, observar una gran cantidad de animales o dar paseos a caballo, entre otras muchas actividades.

El Plan de Movilidad Sostenible y Espacio Público de Vitoria-Gasteiz, es otro de los grandes protagonistas. El impulso de una nueva red de autobús, junto con las líneas del tranvía y la nueva regulación del aparcamiento en zona OTA han **supuesto** un aumento del 44% de viajes mensuales en transporte público. A estas actuaciones hay que sumar las realizadas para incrementar el uso de la bicicleta en la ciudad.

También impulsó la creación de El Anillo Verde, un conjunto de parques periurbanos de alto valor ecológico y paisajístico enlazados estratégicamente mediante corredores eco-recreativos; su objetivo principal es **restaurar** y **recuperar** la periferia de Vitoria-Gasteiz, tanto desde el punto de vista ambiental como social, para crear una gran área verde de uso recreativo en torno a la ciudad. Así, el aire que **respira** la ciudadanía vitoriana es de la más alta calidad, y así lo **refleja** la puntuación que le otorga la Unión Europea frente a otras ciudades, la más alta de todas.

En 2010 Vitoria-Gasteiz aprobó el nuevo Plan Integral de Gestión de Residuos Municipales basado en la estrategia de las "5-erres":

Reducir la cantidad de residuos que se generan.

Reutilizar los residuos.

Reciclar.

Rechazar, no comprar productos envueltos en envases que generan residuos innecesarios.

Responsabilizar a quienes generan un residuo difícilmente reciclable o peligroso.

El Ayuntamiento de Vitoria-Gasteiz viene desarrollando el Plan Futura. Este programa se desarrolla bajo la concepción de que la gestión eficiente del agua debe ser un medio para promover un uso sostenible de dicho recurso y una reducción de los costes totales de gestión.

Como podemos ver, Vitoria es Capital Verde Europea por méritos propios. Esperamos que pronto otras ciudades de nuestro país sigan el ejemplo y puedan ser designadas en un futuro como ***"European Green Capital".***

Biolandia (2012). "Vitoria Gasteiz, todo un ejemplo de ciudad ecológica". Adaptado de http://www.blog.biolandia.es/vitoria-gasteiz-todo-un-ejemplo-de-ciudad-ecologica/

b. Trabajen en parejas y completen el organizador gráfico con información del texto.

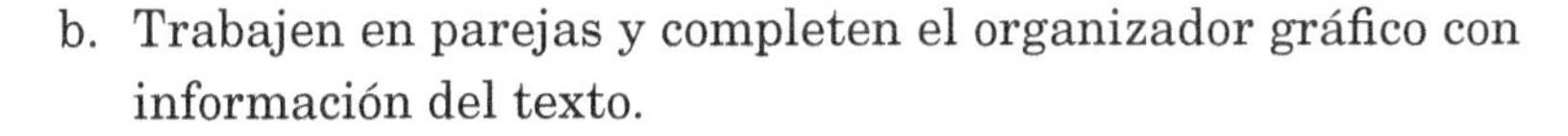

Ejemplos de espacios y zonas verdes	Actuaciones en el transporte sostenible	Estrategias de las 5-Rs	Plan Futura

c. Comprueben su información con la de otra pareja y miren si les falta algo; si es así, anótenlo en su organizador gráfico.

d. Vuelvan a leer las predicciones que hicieron sobre Vitoria-Gasteiz al principio. ¿En qué aspectos acertaron y en cuáles no?

e. Si fueran de vacaciones a España, ¿les gustaría ir a Vitoria-Gasteiz? ¿Por qué? Expliquen su respuesta.

Paso 2: Sacando conclusiones

Miren la entrada de blog de nuevo y lleguen a conclusiones de cómo se presenta esta ciudad.

a. Decidan en parejas si las afirmaciones siguientes corresponden a lo que han leído sobre Vitoria-Gasteiz. Anoten si las afirmaciones son ciertas o falsas.

1. Vitoria-Gasteiz mezcla lo histórico con lo moderno.
2. El plan de movilidad ha incrementado el uso de la bicicleta por la ciudad.
3. La mayoría de la gente se pasa el día en sus casas acristaladas.
4. Parece que hay mucha contaminación por el uso masivo de los coches.
5. Da la sensación de que hay poca participación ciudadana.

b. Ahora, expliquen por qué las oraciones son verdades o falsas con ejemplos de lo que han leído en el blog.

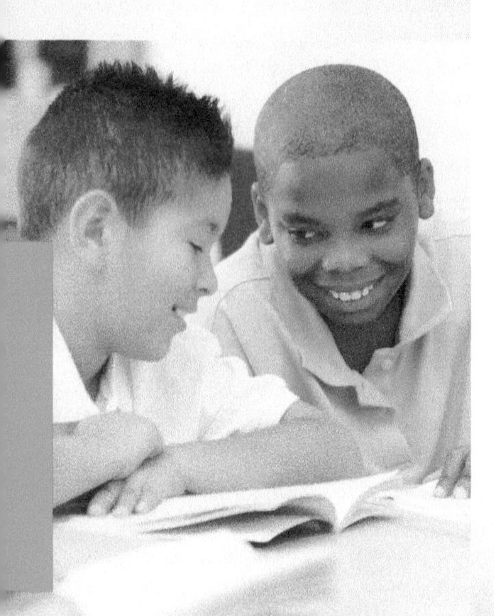

¿Qué aprendiste?

Usando toda la información que ya tienes de Vitoria-Gasteiz, selecciona una red social de tu preferencia para mandarle un texto a Mariana en Colombia. Explícale lo bien que se vive en esta ciudad. Puedes empezar de esta manera.

Hola Mariana,
Gracias por explicarme cómo los colombianos son cuidadosos con el medio ambiente y cómo ahorran energía en el hogar. A mí también me gustaría explicarte cómo Vitoria-Gasteiz se ha convertido en la ciudad más verde de Europa . . .

Mi progreso comunicativo

Sé explicar y dar ejemplos de las características de una ciudad sostenible.

El Parque de Salburua, Vitoria-Gasteiz, España

Actividad 11

Literatura: El río recién nacido

¿Has pensado en la literatura para promover una comunidad sostenible? Exploremos un ejemplo.

Paso 1: ¿Qué piensas?

Cuando viajas al campo, ¿qué piensas ver? ¿qué piensas oler? ¿cómo piensas que te vas a sentir?

a. Haz una lista con tres columnas para ver, oler y sentir para contestar a estas preguntas.

b. ¿Prefieres el campo o la ciudad? ¿Por qué?

c. Comparte tus ideas con un/a compañero/a y explícale por qué piensas así.

Paso 2: ¡Lee el poema!

Lee el poema de Gloria Fuertes.

a. Al leerlo, subraya las palabras mencionadas en tu lista del **Paso 1**.

b. Añade palabras para ampliar tus respuestas.

El río recién nacido

Por: Gloria Fuertes

El poeta de ciudad
se va al campo a respirar.
Montado en su bicicleta,
se va a la montaña el poeta.
-¡Mira un lirio!
¡Qué delirio!
Huele a tomillo y a menta,
Este aire puro alimenta.

No se oye nada ¡Silencio!
Sólo se oye el viento lento.
(El poeta canta
y a los mosquitos espanta).

De pronto, una cosa mágica descubre,
chorrito de agua a la montaña cubre.

El río recién nacido,
un hilo de agua entre las piedras,
míralo, no te lo pierdas.
(El agua recién nacida aún sabe
a nieve).
Es agua clara y fresca,
El poeta se refresca.
¡Agua en la piedra!

Es algo de belleza que nace.
El saltamontes salta,
la oveja pace.

El poeta volvió alegre a la ciudad
del ruido y del coche,
volvió de noche,
y dijo: -¿Sabéis por qué me río?
¡Porque he visto nacer un río!

Gloria Fuertes, "El río recién nacido". Published by permission of Fundación Gloria Fuertes. All rights reserved.

Además se dice

el lirio - una planta con flores de colores variados

recién nacido - recientemente venido al mundo

reírse (me río) - acción de explotar de alegría/hilaridad

saber a - tiene el sabor de

el saltamontes - un insecto

el tomillo - una especia

Paso 3: ¡Dibuja la escena!

Dibuja una escena para representar el poema.

a. Lee cada estrofa del poema.

b. Dibuja lo que la poeta comunica en cada una de las estrofas del poema.

c. En tu dibujo, escribe una palabra para representar la emoción que siente la poeta.

Paso 4: ¿Cómo contestarías . . . ?

Habla con un/a compañero/a para contestar a las preguntas a continuación.

1. ¿Qué imágenes te vienen a la mente al leer este poema?
2. ¿Cómo se siente la poeta ¿Cómo lo sabes?
3. ¿Cómo se puede relacionar el poema con la idea de la sostenibilidad? Explica.
4. Si tiene que escoger, ¿qué lugar prefiere la poeta ¿Cómo lo sabes?

Mi progreso intercultural

Sé recomendar programas que promueven comunidades sostenibles tanto en el mundo hispanohablante como en mi comunidad.

Reflexión intercultural

Después de leer el poema, ¿tienes ganas de estar en la naturaleza? ¿Qué cambiarías en tu comunidad para poder disfrutar de la naturaleza?

1. Piensa en lo que sabes de algunas ciudades de Colombia y España. Escoge un programa que proteja la naturaleza de una de esas ciudades que te gustaría promover en tu comunidad.
2. Escribe cinco razones que convencerían a tu comunidad a implementar el programa.

Parque Arvi, Medellín, Colombia

Actividad 12

Las ecohuertas urbanas

La sostenibilidad en las ciudades también se centra en conservar los recursos naturales según los conceptos de reducir, reutilizar y reciclar. Así, se han desarrollado varios proyectos ambientales, entre ellos, el de las ecohuertas urbanas en las que se cultivan flores, vegetales y plantas medicinales.

Así se dice 10: Ecohuertas urbanas

el abono - el fertilizante

las aromáticas - las plantas o hierbas medicinales que se toman en un té

el bolsillo - la parte de la ropa donde se guardan objetos; donde se guarda el dinero

casero/a - de la casa

la compostera - un sitio donde poner los desechos orgánicos para hacer el abono

fortalecer - hacer más fuerte

la huerta/ el huerto - el jardín de verduras y árboles frutales

el invernadero - un lugar con las condiciones ambientales adecuadas para el cultivo de plantas

el lazo - la unión

la línea de riego - un tubo para llevar agua a las plantas

sembrar - cultivar; plantar semillas en la tierra

el xerojardín - el jardín con plantas que no necesitan tanta agua

Además se dice

en convenio con - en colaboración con

una especie autóctona - una planta nativa de una zona

el horticultor - la persona que cultiva plantas

incentivar - motivar

la merendola - la merienda

el semillero - el sitio donde se cultivan los vegetales antes de transplantarlos al huerto

Paso 1: Posibles beneficios

En algunas ciudades de Colombia y España, diferentes organizaciones comunitarias colaboran para promover **huertas** y zonas verdes que las embellecen. Estas **ecohuertas** benefician al medio ambiente y al desarrollo sostenible de la ciudad de varias maneras.

a. En parejas, hagan una lista de posibles beneficios de las ecohuertas. Recuerden la regla de las tres erres: reducir, reutilizar y reciclar.

b. Compartan sus ideas con otra pareja.

Enfoque cultural

Práctica cultural: ¿Huerta o Huerto?

¿Sabes cuál es la diferencia entre una huerta y un huerto? Un huerto es normalmente un terreno de corta extensión generalmente cerca de una pared en que se plantan verduras, legumbres y a veces árboles frutales. Una huerta es un terreno de mayor extensión que un huerto y es para el cultivo de legumbres y árboles frutales. Pero, como vas a ver, frecuentemente se intercambian estos términos.

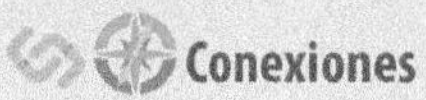

Conexiones

1. ¿Tienes una huerta o huerto? ¿Cuál? ¿Qué cultivas?
2. ¿Cuál preferirías tener si pudieras, una huerta o un huerto? ¿Por qué?

Paso 2: Elaborar los beneficios

HierbaBuena es un proyecto de la Red de Bibliotecas de la Fundación EPM de Colombia, **en convenio con** el Jardín Botánico de Medellín, para incentivar las ecohuertas caseras. HierbaBuena demuestra que, además de ser divertido, **sembrar una ecohuerta** tiene varios beneficios.

Con su pareja del **Paso 1**, anoten en la columna, *Nuestros ejemplos*, sus ideas y detalles del **Paso 1** que corresponden a las cinco razones identificadas por el proyecto HierbaBuena.

Razones para tener ecohuertas o ecohuertos

Razón	Nuestros ejemplos	Ejemplos de España	Recomendaciones
1. Es bueno para la salud, el medio ambiente y **el bolsillo**.			
2. Se **fortalecen los lazos** de la comunidad.			

Paso 3: Más pruebas de los beneficios

Agrohuerto TV es un canal de YouTube en el que sus organizadores, tres jóvenes **horticultores** ecológicos españoles, te enseñan cómo cultivar **un huerto** urbano.

a. Mira el video, *Agrohuerto Visita: Esta es una Plaza,* de una visita a **un huerto** urbano en Madrid, España. Mientras miras el video, anota los ejemplos de las cinco razones para **sembrar un huerto.** También encontrarás más información en su blog, Agrohuerto.com. Escribe tus apuntes en la columna, Ejemplos de España, del organizador gráfico, *Razones para tener* ***ecohuertas o ecohuertos***.

b. Trabajando con su pareja, examinen sus apuntes y escriban una lista de dos detalles y dos recomendaciones para cada razón en el organizador gráfico.

Enfoque cultural

Producto cultural: La yerbabuena

Conocida popularmente como hierbabuena o yerbabuena, es una planta del género *Mentha*, una hierba **aromática** muy empleada en gastronomía por su aroma intenso y fresco. Tiene beneficios medicinales y también gastronómicos.

Adaptado de https://es.wikipedia.org/wiki/Mentha_spicata

 Conexiones

1. ¿Has probado la yerbabuena? ¿Te gusta el sabor?
2. ¿En qué comidas y bebidas has visto la yerbabuena?
3. ¿Por qué cultivar esta planta sería beneficioso para una comunidad sostenible?

Paso 4: Diseña tu propio huerto o huerta

Ahora, les toca a Uds. poner en acción sus recomendaciones.

a. En grupos pequeños, diseñen un plan para un huerto urbano o una huerta casera. Tomen en cuenta las recomendaciones que escribieron en el **Paso 3**.

b. Trasladen sus planes del papel al modelo. Produzcan su propio video o maqueta (un diorama) de su diseño. Piensen en qué van a decir y qué imágenes o modelos van a usar.

c. Presenten su información y recomendaciones a sus compañeros de clase.

Reflexión intercultural

Una ecohuerta tiene beneficios para las ciudades y casas en Colombia y España. También podría tenerlos para tu región.

1. De lo que has visto, ¿qué sugerencias tienes para mejorar **las huertas** en Colombia y España?
2. ¿Tienes **una huerta casera** o un huerto comunitario? ¿De qué manera son sostenibles y ecológicos? ¿Qué cambios se deben hacer para que sean como una ecohuerta?
3. Si no tienes **una huerta casera** o un huerto comunitario, imagina que tu familia quiere poner una en casa. ¿Qué recomendaciones darías para hacerla bien sostenible?

Mi progreso intercultural
Sé hacer recomendaciones para que comunidades en el mundo hispanohablante sean más sostenibles.

En camino B

Los mejores proyectos sostenibles

Existen ONGs (organizaciones no gubernamentales) de jóvenes colombianos que desarrollan proyectos en sus ciudades para hacerlas más sostenibles. Con sus proyectos, han plantado árboles, construido parques, canchas de fútbol y algunas viviendas. Una conocida ONG de tu país ha invitado a tu clase a planificar su propio proyecto para mejorar la sostenibilidad de su comunidad. Va a darles los recursos necesarios para poner su plan en marcha.

Paso 1: Los proyectos más sostenibles

Imagínate lo que se puede hacer para crear un mundo que sea sostenible en el futuro: el medio ambiente, las personas, las comunidades, las casas, etc.

a. Lee el artículo en la guía digital, *El avance de proyectos ecológicos e innovadores,* sobre el progreso de la sostenibilidad en el mundo.

b. Mientras lees, apunta las características sostenibles de las que habla el artículo en el organizador gráfico. Usarán este organizador como referencia cuando creen sus propios proyectos.

Mi progreso intercultural
Sé recomendar programas que promueven comunidades sostenibles tanto en el mundo hispanohablante como en mi comunidad.

Paso 2: Tu comunidad

Con un/a compañero/a, empiecen a organizar su proyecto. Hablen de proyectos que harían su comunidad más sostenible. Piensen en soluciones ecológicas como la energía renovable, la eficiencia energética o las casas ecológicas. Completen el organizador gráfico en la guía digital con sus sugerencias para cinco proyectos sostenibles con una descripción breve del proyecto y el previsible impacto en la comunidad. Recuerden que esta preparación les ayudará a planificar su proyecto.

Paso 3: El grupo de cinco

Compartan sus proyectos con otras parejas. Basándose en los comentarios de sus compañeros, elijan los cinco proyectos, entre todas sus listas, que más ayudarían a crear una comunidad sostenible donde viven. Después, preséntenlos a sus compañeros de clase. Como clase, elijan dos a tres proyectos que van a sugerir a la ONG que les va a dar los recursos necesarios para ponerlos en práctica.

Mi progreso comunicativo
Sé convencer a otros de la necesidad de implmentar cambios en la comunidad para hacerla más sostenible.

Paso 4: Una carta a la ONG

Escribe una carta formal a la representante de la ONG (Sra. Blanca Cruz) agradeciéndole su ayuda con los proyectos. En la carta incluye la identificación de los proyectos y una descripción de su impacto en la comunidad.

Síntesis de gramática

El subjuntivo con expresiones impersonales

Una expresión impersonal no tiene sujeto:

es bueno que	**es malo que**	**es necesario que**	**es urgente que**
es fundamental que	**es imprescindible que**	**es importante que**	**es genial que**

Cuando usas "que" con una expresión impersonal es necesario que utilices el subjuntivo:

Es increíble que puedan hacer casas de materiales que tiramos a la basura.

Es esencial que tengamos más cuidado con la energía.

Es maravilloso que haya tantas ideas para crear ciudades sostenibles.

* Visita la guía digital para ver un video de Observa y Enfoque en la forma sobre este punto gramatical.

Detalle gramatical: El uso de para seguido de un verbo

1. **Quiero hacer algo para crear una casa más sostenible.**
2. **Quiero hacer algo para que nosotros podamos vivir una vida más sostenible.**

Cuando el sujeto no cambia (#1 = yo hago, yo creo) usa el infinitivo después de para.

Cuando el sujeto cambia (#2 = yo hago, nosotros podamos) usa el subjuntivo después de para que.

El condicional

- Los usos: para hablar de posibilidad o probabilidad en el pasado:
  Si tuvieras que vivir en Medellín, ¿podrías?
  para invitaciones:
  ¿Te gustaría ir conmigo a ver la casa solar?
  para sugerencias:
  Podrías reducir el consumo eléctrico si apagaras la luz al salir de un cuarto.
- La formación: las raíces del futuro y las terminaciones del imperfecto:

las raíces del futuro		+	**las terminaciones del imperfecto**	
intentar - intentar	dividir - dividir		yo - ía	nosotros - íamos
devolver - devolver	hacer - har		tú - ías	vosotros - íais
poner - pondr	tener - tendr		Ud. - ía	Uds. - ían
poder - podr	salir - saldr		él, ella - ía	ellos, ellas - ían
venir - vendr	haber - habr			
decir - dir	saber - sabr			
querer - querr				

*Visita Explorer para ver un video de Observa y Enfoque en la forma sobre este punto gramatical.

Vocabulario

Así se dice 1: Comunidad sostenible

ahorrar - no gastar o consumir
el consumo - el uso de un producto
el entorno natural - el medio ambiente de un lugar
las materias primas - los bienes de la naturaleza en su estado puro, sin alterar
los productos ecológicos - productos naturales no procesados de manera química o artificial
reciclar - dar nueva vida a algo ya usado
los recursos naturales - los bienes de la naturaleza
reducir - disminuir
reutilizar - volver a usar de manera diferente

Así se dice 2: Hogar sostenible

adoptar medidas - tomar resoluciones
apagar las luces - cerrar las luces
cerrar el grifo - cortar el paso del agua
desenchufar los aparatos - desconectar los aparatos de una red eléctrica
los desperdicios - los restos de algo que ya no usamos
enjabonarse - acción de usar jabón para lavarse
evitar el deterioro - prevenir que algo se ponga peor
los peatones - las personas que caminan o andan
reducir las emisiones - disminuir el humo emitido por los vehículos
las vías vehiculares - las calles y carreteras por donde circulan automóviles

Así se dice 3: Casa ecológica

el aislamiento - el sistema que impide la transmisión del calor, del sonido o de la electricidad para ahorrar energía
la calefacción - el sistema para calentar un edificio o un espacio
la eficiencia - la capacidad de tener algo con el mínimo de recursos posibles
energético - con energía
el inodoro - el aparato para desechar orina y excrementos
renovable - capaz de continuar y usar de nuevo
la sostenibilidad - el mantenimiento de los recursos en su entorno
la ubicación - el lugar de algo
la zona verde - una área dedicada a las plantas y los animales

Así se dice 4: Reduce y reutiliza

alejar - separar; apartar
ambos - los dos
apagar - desactivar un aparato
un apagón - una interrupción de electricidad
la autoconstrucción - construcción por uno mismo
el diploma - el certificado
encender/encendido - activar un aparato/activado
enjuagar - limpiar con agua para quitar el jabón
faltar/la falta de - estar escaso de algo /la escasez
funcionar - marchar bien
gastar/un gasto - agotar; consumir/el consumo
llenar/lleno - ocupar por completo un espacio/espacio ocupado
una medida - una decisión
la plataforma - las ideas de un grupo de personas
regar/riego/regadera - echar agua a las plantas/acción de regar/aparato para regar
rodearse - situarse alrededor de algo
los talleres - la clase; el curso
vaciar - quitar el contenido de algo

Así se dice 5: Recicla

el abono - lo que se pone a la tierra para hacerla más productiva
los desechos - la basura
¡Es un rollo! - es muy aburrido o muy frustrante
el reciclaje - los objetos que se reciclan
recoger - recolectar

Así se dice 6: Movilidad

asequible - se puede adquirir o comprar por la mayoría de la gente

el bono mensual - comprar una tarjeta mensual para usar el transporte público a un precio inferior de un billete normal

la calle peatonal - solo para peatones y donde se prohíbe circular a los vehículos

el contaminante - lo sucio y malo para el medio ambiente

el descuento - una disminución en el precio de algo

gratis - no hay que pagar por ello

llegar/salir a la hora o puntual - llegar o salir a la hora establecida

llegar/salir con retraso - llegar o salir más tarde de la hora fijada

Así se dice 7: Ciudad sostenible

abordar - entrar y bajar de un medio de transporte público

el andén - la acera al borde de una vía del tren o del autobús

una apuesta - una inversión

la cicloruta - la parte de la calle donde va la bicicleta; también llamado carril bici

golpeada por la violencia - con violencia

la tarjeta cívica - una tarjeta para usar el transporte público en Medellín

el vagón - cada sección o vehículo del metro

las vías - caminos; calles; carreteras

Así se dice 8: Ventajas

los ámbitos - los aspectos

el desplazamiento - el movimiento de un lugar a otro

desplazarse - moverse de un lugar a otro

las mejoras - el progreso

la minusvalía física - la discapacidad física o intelectual

la rampa - un mecanismo que permite unir dos elementos que están a una altura diferente

Así se dice 9: Ciudad a imitar

rechazar - no aceptar

recuperar - rescatar

reflejar - manifestar

respirar - inhalar

responsabilizar - hacer responsable

restaurar - reparar

la superficie - los metros cuadrados de un lugar

suponer/supuesto - implicar; significar /implicado; significado

Así se dice 10: Ecohuertas urbanas

el abono - el fertilizante

las aromáticas - las plantas o hierbas medicinales que se toman en un té

el bolsillo - la parte de un vestido donde se guardan objetos; donde se guarda el dinero

casero/a - de la casa

la compostera - un sitio para poner los desechos orgánicos para hacer el abono

fortalecer - hacer más fuerte

la huerta/el huerto - el jardín de verduras y árboles frutales

el invernadero - un lugar con las condiciones ambientales adecuadas para el cultivo de plantas

el lazo - la unión

la línea de riego - un tubo para llevar agua a las plantas

sembrar - cultivar; plantar semillas en la tierra

el xerojardín - el jardín con plantas que no necesitan tanta agua

Expresiones útiles

Ahorrar no es sólo guardar sino saber gastar - Es importante saber cómo hacer un buen uso de los recursos naturales que tenemos

Apaga la luz, enciende el planeta - Si haces un uso responsable de la energía, estas alargando la vida de nuestro planeta

Aprovecha el día y ahorra energía - Usa la luz del sol para trabajar durante el día y así no necesitas encender la luz

Cuando conservas el agua, conservas la vida - Si no hay agua, no hay vida. El agua es un bien indispensable.

Da luz verde a tu vida, ahorra energía - Si ahorras energía, cuidas el planeta

El que guarda, siempre tiene - El que ahorra siempre tiene algo para cuando lo necesite

Luz que apagas, luz que no pagas - Si apagas la luz cuando no la usas, ahorras energía y dinero.

Vive entre culturas

Un proyecto innovador para tu comunidad

Pregunta esencial: ¿Qué debemos hacer para crear una comunidad sostenible?

Hay organizaciones internacionales que tienen programas para llevar a cabo proyectos ideados por jóvenes de 15 a 26 años que ayudan a mejorar la sociedad. Los jóvenes presentan sus ideas innovadoras y si la organización aprueba sus proyectos, les proporciona los medios para poder hacerlos realidad.

Imagina que has decidido presentar una idea innovadora a una de esas organizaciones diseñando o adaptando un proyecto que ya existe para ayudar a que tu comunidad sea más sostenible.

Interpretive Assessment

Paso 1: Proyectos innovadores

Para ayudarte a pensar en un proyecto innovador para tu comunidad, leerás algunos que ya existen en comunidades sostenibles: *Mapeando tu comunidad, Huertos ecológicos, No malgastar alimentos* y *Ecoescuelas*.

Paso 2: Compartiendo apuntes

Trabajarás en grupos de cuatro para compartir lo que han aprendido sobre los proyectos sostenibles y tendrás la oportunidad de añadir más ideas sobre estos proyectos a tus apuntes.

Paso 3: ¿Qué proyecto quieres desarrollar?

Identifica el proyecto que quieres adaptar para tu comunidad, usando los proyectos sobre los que leíste en el **Paso 1**. Pensarás en por qué tu comunidad necesita el proyecto que elegiste y por qué se podría implementar fácilmente. Adaptarás el proyecto que elegiste para hacerlo más posible de implementar en tu comunidad.

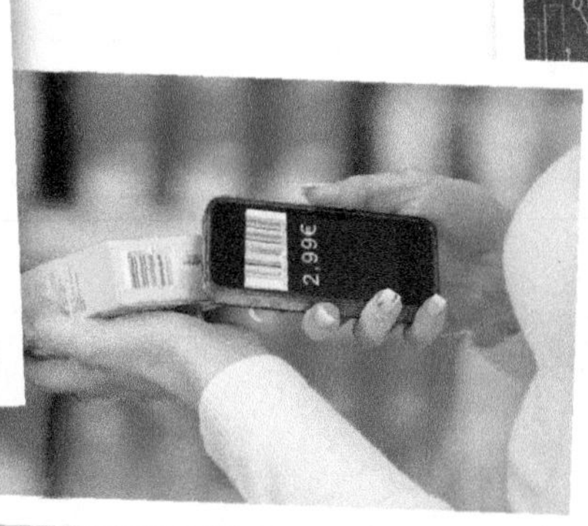

Interpersonal Assessment

Paso 4: ¡Explícaselo a tu compañero/a!

Vas a explicar el proyecto que escogiste a un/a compañero/a y él/ella te dará recomendaciones para mejorarlo. Después de escuchar a tu compañero/a, tú también le darás recomendaciones.

Presentational Assessment

¡Anúncialo en tu comunidad!

Paso 5: Busca voluntarios para ponerlo en marcha

Ahora que has elegido un proyecto para tu comunidad, necesitarás voluntarios para ponerlo en marcha. Para dar a conocer tu proyecto en tu comunidad y alistar voluntarios, vas a hacer una presentación en un lugar céntrico de tu comunidad.

UNIDAD 5
El mundo laboral

Metas de la unidad

- Entender los beneficios y las motivaciones de por qué los adolescentes trabajan.
- Analizar los perfiles de los profesionales del futuro.
- Averiguar diferentes opciones al terminar la escuela secundaria.

Preguntas esenciales

¿Por qué y para qué trabajan los adolescentes?

¿Cuál es el perfil de los profesionales del futuro?

¿Cómo voy a elegir mi futuro profesional?

Descubre la República Dominicana

En esta unidad, vas a ver los trabajos que hacen los jóvenes mientras están en el colegio y vas a averiguar cuáles serán las profesiones del siglo XXI. Conocerás a jóvenes de la República Dominicana y compararás lo que hacen los jóvenes dominicanos cuando entran en el mundo laboral con lo que hacen los jóvenes en tu comunidad. Explorarás cómo puede ayudarte el trabajo que tengas de adolescente a decidir lo que quieres hacer cuando entres en el mundo profesional. Por último, descubrirás el concepto de año sabático y los beneficios que tiene para prepararte para tu futura carrera.

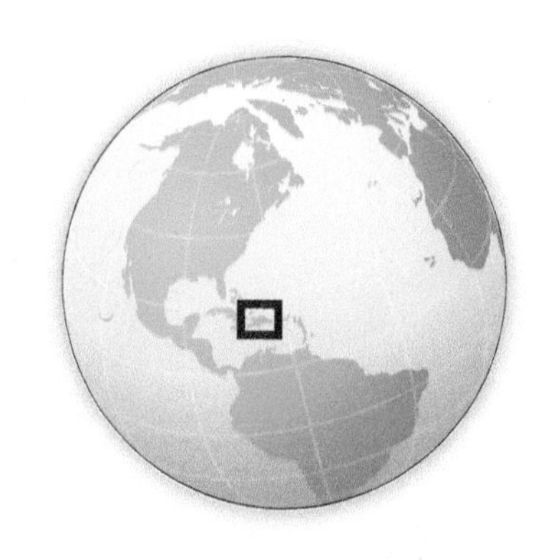

NATURALEZA

En la República Dominicana se cultiva azúcar y café. En Jarabacoa se accede a la montaña más alta del país; además se pueden ver los tres ríos que la atraviesan y saltos de agua.

PLAYAS

Puerto Plata ofrece playas de arena blanca y dorada, casas victorianas, y 28 saltos o cascadas.

LA CAPITAL, SANTO DOMINGO

La capital, Santo Domingo, es una ciudad grande y cosmopolita, animada y acogedora.

Estrategias

El video de estrategias de aprendizaje para esta unidad se centra en la habilidad de **comunicarse de manera efectiva y apropiada** con personas de otras culturas. En esta unidad, escribirás algunas cartas formales para mejorar tu comunicación.

CIUDADES Y PUEBLOS

Hay varios pueblos y ciudades bonitos pero Samaná es el lugar que debes visitar. Además de las casas de colores diferentes, es algo increíble poder ver las ballenas jorobadas durante el invierno y principio de la primavera.

ENTRETENIMIENTO

¿Te gusta divertirte? La República Dominicana tiene de todo. Una cocina exquisita donde el plátano es el rey, una música que anima a bailar al ritmo de bachata y merengue o escuchando a Juan Luis Guerra, el dominicano más universal, y la emoción del deporte nacional: el béisbol o como lo llaman los dominicanos juego de pelota.

Fray Antonio Montesinos, misionero español que defendió a los indígenas de La Española (Haití y la República Dominicana).

Nada es fácil; nada se regala en este mundo . . .

Actividad preliminar

Nada es fácil

Paso 1: Tu futuro empleo

Nada es fácil; nada se regala en este mundo. Todo tiene que aprenderse con mucho esfuerzo. Un hombre que va en busca del conocimiento debe comportarse de la misma manera que un soldado que va a la guerra: bien despierto, con miedo, con respeto, y con absoluta confianza. Siguiendo estos requisitos, podrá perder alguna que otra batalla, pero nunca se lamentará de su destino.

Carlos Castaneda

From *Los Enseñanzas de Don Juan: Una Forma Yaqui de Conocimiento*, (Mexico: Fondo de Cultura Económica, 1974).

a. Escribe las cinco palabras o expresiones que te parecen claves de esta cita literaria.

b. Compara tu lista con la de otras tres personas en la clase explicando por qué.

c. Cambia tu lista si alguien te convence de que una de sus palabras o expresiones es mejor.

d. Escribe las cinco palabras o expresiones que te quedan en los círculos pequeños.

e. Piensa en lo que estas palabras indican sobre tu futuro empleo y dibuja en el rectángulo la imagen de cómo crees que será para ti.

f. Cuelga tu dibujo en la pared y circula por la clase mirando los dibujos y las palabras claves de los demás y observa las diferencias y semejanzas entre ellos.

 Paso 2: Un cuestionario

¿Sabes cuál es la profesión ideal para ti según tu personalidad?

a. Piensa en cuál es tu profesión ideal y anota por qué crees que representa tu personalidad.

b. Haz el cuestionario, *¿Cuál es tu perfil profesional?,* en la guía digital para descubrir algunas recomendaciones.

c. ¿Qué dicen los resultados? Escribe las recomendaciones en el organizador gráfico.

Pon en orden los adjetivos que reflejan tu perfil	Según el cuestionario, algunas profesiones ideales para mí son . . .
_____ **Pragmático/a** _____ **Conservador/a** _____ **Indagador/a** _____ **Resuelto/a** _____ **Sociable** _____ **Creativo/a**	

  Paso 3: ¿Será verdad?

La encuesta te ha mostrado posibles profesiones futuras.

a. Escribe en el foro de la guía digital un resumen de lo que la encuesta ha indicado sobre tu futuro profesional. Incluye los siguientes detalles:

1. Las profesiones que, según la encuesta, representan tu personalidad y gustos.
2. Por qué estas profesiones son ideales para ti.
3. Si estás de acuerdo o preferirías tener otra profesión y cuál sería.
4. Cuál será la educación que crees que necesitarás para poder ejercitar la profesión de tu elección.

Yo siempre he querido ser _______________

Según la encuesta, (continúa, incluyendo los puntos de arriba)

b. Ahora, mira lo que escribieron dos compañeros de tu clase y comenta sus respuestas en el foro de la guía digital.

Comunica y Explora A

Pregunta esencial: ¿Por qué y para qué trabajan los adolescentes?

Actividad 1

Conoce a María

María es una joven dominicana de la ciudad de San Pedro de Macorís. La conocerás y te hablará de sus opiniones sobre el trabajo y los estudios.

Así se dice 1: Conoce a María

el/la abogado/a - la persona especializada en leyes
la carrera - la profesión
convertirse - transformarse; llegar a ser
una destreza - una habilidad para hacer algo
hacer su sueño realidad - lograr sus aspiraciones
el/la ingeniero/a - la persona que se dedica a invenciones y construcciones útiles para el hombre
el punto de vista - la perspectiva de alguien
por su cuenta - por uno mismo; solo

Además se dice

darse bien - resultarte fácil

suplir - completar algo o ayudar con las necesidades básicas

trazar - planear

 Paso 1: ¿Qué te cuenta María?

María quiere contarte brevemente sobre su vida y darte algunos consejos sobre el mundo del trabajo.

a. Lee su presentación. Mientras la lees, subraya las palabras y expresiones que hablan de:

1. lo que hace en su tiempo libre;
2. lo que piensa de los motivos para que un adolescente trabaje; y
3. las cualidades que uno debe poseer para tener éxito en el mundo del trabajo.

¡Hola! Me llamo María Luisa Hernández y tengo 15 años. Vivo en San Pedro de Macorís, que queda a unos ochenta y tres kilómetros, a más de una hora de la capital, Santo Domingo. Me encanta leer porque aprendo cosas nuevas y encuentro que los libros son mi forma de escape. También me gusta mucho cocinar y escuchar música, además de salir con mis amigas y estar en familia. No me gusta mucho practicar deportes porque no se me dan bien.

¿Por qué trabajan los jóvenes de hoy?

En mi opinión, una de las razones principales por las cuales los jóvenes, y con eso hablo de los jóvenes que ya acabaron sus estudios al nivel de secundaria, trabajan es para tener su propio dinero y comenzar a **mantenerse por su cuenta.** Con ese dinero, se independizan. Además, así pueden prepararse para obtener un trabajo mejor en el futuro. Por norma general, los adolescentes no trabajan en mi país porque necesitan esforzarse en tener éxito con sus estudios.

¿Cuál es el perfil, habilidades necesarias y motivaciones de los profesionales del futuro?

Todo depende de **la carrera**. Obviamente un **ingeniero** no puede tener la misma preparación que un **abogado**. Por lo general, para **convertirte** en un buen profesional, lo ideal es tener determinación y tus metas trazadas; además de ser perseverante, y responsable y tener pasión por lo que se hace. Creo que esos factores caracterizan a un buen profesional. Sin embargo, lo que realmente lo ayudan a tener éxito es organizar bien sus planes y **hacer su sueño realidad**.

b. Dibuja y completa el organizador gráfico con las palabras que hayas encontrado.

Tiempo libre	Motivos para trabajar	Cualidades

c. Compara tus listas con las de un/a compañero/a y añade palabras a tu lista.

Paso 2: ¿Qué le interesaría a María?

María mencionó que le gustaba hacer varias cosas diferentes. ¡Ayúdale a planear un fin de semana!

a. Al escuchar un *podcast* sobre diferentes personas famosas en la República Dominicana, anota cuáles serían los eventos de interés para María y por qué.

b. Usa el organizador gráfico, *Famosos o eventos de la República Dominicana,* para comentar y apuntar tus ideas.

c. Apunta los eventos a los que a María (no) le gustaría asistir y a los famosos a los que (no) le gustaría ver. Justifica/Explica tus respuestas.

d. Escribe un mensaje a tu profesor/a en la guía digital explicándole qué evento recomendarías a María y por qué. En el mensaje, incluye si tú también tendrías interés en asistir al evento.

Enfoque cultural

Práctica cultural: Béisbol y San Pedro de Macorís

San Pedro de Macorís es una provincia situada en el sureste de la República Dominicana. En esta ciudad, fue donde comenzó a jugarse béisbol por primera vez en este país. De ahí, surge la pasión por ese deporte en la ciudad. Obviamente, el deporte de béisbol (conocido como "Pelota"), tiene una influencia muy grande en los sueños de los niños y lo que desean ser de mayores. Para más información, visita la guía digital.

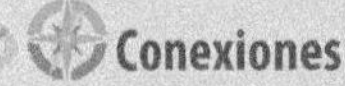

Conexiones

1. ¿Cuántos jóvenes con deseos de ser un/a deportista logran su meta? Explica lo que debe hacer un/a joven que tiene esperanzas de convertirse en un deportista profesional.
2. ¿Cuáles son los deportes populares en tu comunidad? ¿Por qué?

El puente Mauricio Baez, el atirantado más largo del Caribe sobre el río Higuamo cerca de San Pedro de Macorís

Famosos o eventos de la República Dominicana

Famosos o eventos	¿Qué le interesa a María? ¿Por qué?
Junot Díaz y Julia Álvarez, autores	**Modelo** Pienso que a María le interesaría (no le interesaría) uno (ninguno) de los libros de estos autores porque . . .
José Bautista, jugador de béisbol	
Prince Royce, cantante	
Zoe Saldaña, actriz	

Zoe Saldaña

Para: Mi profesor/a
Asunto: Evento

Mensaje para mi profesor/a:

Sr/Sra. ________________,

Le recomiendo a María que asista al evento . . .

Paso 3: ¡Diseña tu collage!

¡Es importante pensar en tus intereses y cómo te ayudarán en el futuro! Diseña un *collage* con tus intereses.

a. Escoge unas tres o cuatro actividades que te interesan.

b. Diseña un *collage* con fotos de tus intereses y algunos famosos relacionados con tus preferencias.

c. En la parte de atrás de tu *collage,* escribe un párrafo explicando cómo lo que te interesa te puede ayudar en el futuro. Sigue el modelo.

Modelo

Yo, tengo varios intereses que me ayudarán en el futuro. Por ejemplo, . . . me ayudará a . . . (termina el párrafo).

Mi progreso intercultural

Sé comparar el mundo laboral de los jóvenes dominicanos con el de los jóvenes de mi comunidad.

¿Te acuerdas?

los gastos

escolar

el hogar

ligero

perezoso

Expresiones útiles

a pesar de - en contra de la voluntad de alguien

contarle - explicarle

cuidar a tus amigos - ayudar a los amigos

Reflexión intercultural

Todos tenemos **puntos de vista** diferentes. Está bien tener ideas opuestas, pero hay que respetar las ideas de todos. Graba tus respuestas a estas preguntas usando la guía digital.

1. ¿Qué tienes en común con María? Explica.
2. ¿Estás de acuerdo con los motivos para trabajar que mencionó María? ¿Por qué?
3. ¿Cuáles son los trabajos o profesiones más comunes en tu comunidad? ¿Se necesitan tener las cualidades que mencionó María para hacer estos trabajos? Explica.
4. Según María, dos cualidades que hay que tener son determinación y pasión por el futuro. ¿Qué piensas tú? ¿Qué otra **destreza** se necesita para tener éxito en el mundo laboral?

Actividad 2

¿Por qué trabajan los jóvenes de hoy?

En la República Dominicana, como en los Estados Unidos, hay padres que aceptan que sus hijos trabajen al mismo tiempo que asisten al cole. ¿Será por las mismas razones en los dos países?

Así se dice 2: Motivos para trabajar

el campo - el área

la contratación - emplear a una persona para un trabajo

culminar - terminar

cursar - estudiar

un establecimiento - un lugar donde se ejerce una actividad

la jornada - el día

perjudicial - que puede causar algún daño

Paso 1: ¡Manos a la obra!

Los jóvenes en Estados Unidos trabajan por varios motivos.

a. Contesta a las preguntas del organizador gráfico en la guía digital.
b. Habla con tres compañeros de la clase para que compartan sus ideas.
c. Apunta las ideas de tus compañeros en el organizador gráfico.

 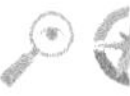 Paso 2: ¡No me digas!

Las razones por las que los jóvenes dominicanos trabajan son tan diversas como las de tus compañeros de clase. Pero, ¿qué tienen en común con las de tus compañeros?

a. Lee las cifras y los motivos de por qué trabajan los jóvenes dominicanos en el gráfico de sectores.

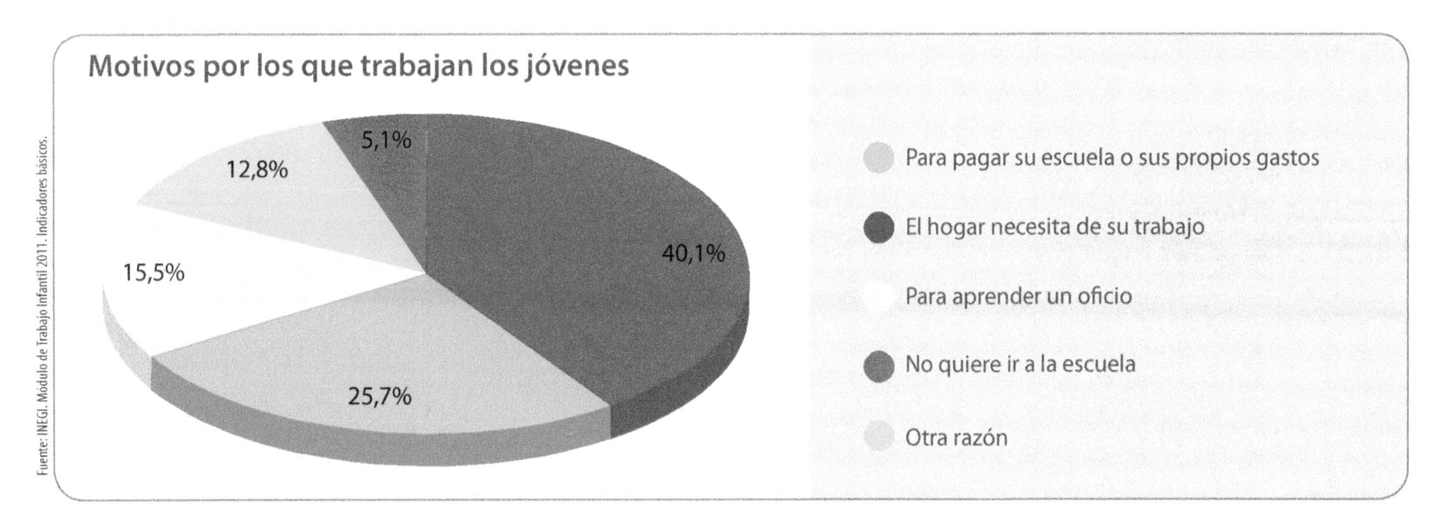

b. Escribe los motivos que son parecidos en las dos culturas y los que son diferentes.

Parecidos en las dos culturas	Sólo en mi país	Sólo en la R. D.

c. A continuación, identifica el motivo que

- es más común en tu comunidad y menos común en la R. D.;
- es menos común en tu comunidad y más común en la R. D.;
- es o sería tu razón para trabajar y en qué se parece o se diferencia a la de los jóvenes en la R. D.

Algunas casas en Santa Bárbara de Samaná en la República Dominicana

Mi progreso comunicativo
Sé identificar los motivos por los que los jóvenes de hoy trabajan.

Paso 3: Las normas para los jóvenes

Antes de pensar en un trabajo, es necesario saber las normas.

a. Estudia la lista de normas del trabajo juvenil.

OFICINA DE
TRABAJO JUVENIL

Según el Código de la Organización Internacional del Trabajo, existen normas que tanto el menor como la empresa que lo acoge deben cumplir.

- **Deben ser trabajos ligeros.**
  Se prohíbe **la contratación** de menores de 18 años en actividades que sean peligrosas o que puedan resultar **perjudiciales** para su salud y seguridad o afectar el desarrollo físico, psicológico o moral del menor.
- **Contar con autorización expresa.**
  La ley expresamente señala que para contratar a un menor de 18 años y mayor de 15 años es necesario contar con autorización expresa del padre o la madre o un guardador.
- **Acreditar haber culminado la educación media.**
  En el caso de que el menor se encuentre **cursando** la enseñanza básica o media, deberá indicar **la jornada** escolar para no dificultar su asistencia regular a clases.
- **Su jornada diaria no podrá exceder, en ningún caso, las ocho horas diarias.**
  En el caso del menor que se encuentre cursando su enseñanza básica o media, su jornada laboral no podrá exceder de 30 horas semanales durante el periodo escolar.
- **Se prohíbe a los menores de 18 años todo trabajo nocturno en establecimientos industriales y comerciales de diez de la noche a siete de la mañana.**

Organización Internacional del Trabajo (2001). Adaptado de http://tinyurl.com/zyqlo3m

b. En grupos de tres o cuatro alumnos, comenten cada norma de la lista. Hablen de lo siguiente:
   1. ¿Creen que se cumple con la normativa en su país? Expliquen.
   2. ¿Cambiarían algo de esa normativa? ¿Qué? ¿Por qué? ¿Depende? ¿De qué?

c. Elijan la opción que cambiarían y por qué. Compartan la información con toda la clase.

Reflexión intercultural

Imagina que tú y dos compañeros van a grabar un *podcast* en el que hablan de los motivos de por qué los jóvenes quieren trabajar. Van a comparar los motivos de los adolescentes dominicanos y de los jóvenes norteamericanos. Hay tres papeles: 1) el/la entrevistador/a, 2) un/a joven de la República Domincana y 3) un/a joven de tu país.

a. Primero, prepara cinco preguntas o respuestas, según el papel que hagas.

b. Luego, practiquen su conversación una o dos veces.

c. A continuación, graben su *podcast* en el foro de la guía digital.

Mi progreso intercultural

Sé explicar los motivos por los que trabaja un adolescente dominicano y compararlos con los motivos por los que trabaja un joven norteamericano.

Detalle gramatical
Los pronombres relativos

Hay preguntas **que** explican **lo que** significa el mundo laboral para los jóvenes. Por ejemplo, ¿cuáles son los motivos ***por* los que** los jóvenes **que** están en el colegio trabajan? ¿Puedes organizarlos en el orden ***con* el que** te sientes más identificado? ¿Cuáles son las razones ***por* las que** algunos jóvenes no quieren estudiar y la razón principal ***por* la que** trabajan? ¿Hablarías con alguien ***en* quien** tienes confianza sobre un amigo ***a* quien** no le gusta esforzarse y piensa dejar sus estudios?

Un pronombre relativo es una palabra o frase que une dos oraciones para que no tengas que escribir dos oraciones separadas.

- Se usa **que** para objetos, ideas o personas:
  - . . . palabras **que** representan . . .
  - . . . y gente **que** trabaja . . .
- Se usa **quien(es)** para persona(s) después de una preposición, como a, en, de, con, por, para:
  - . . . ***en* quien** tienes confianza . . .
  - . . . ***a*** quien no . . .
- Se usa **el que**, **la que**, **los que**, o **las que** para objetos después de una preposición:
  - el orden ***con* el que...**,
  - la razón ***por* la que...**,
  - los motivos ***por* los que...**, y
  - las razones ***por* las que....**
- Se usa **lo que** para referirse a una idea y no un objeto o persona específicos.

Enfoque cultural

Práctica cultural: Horarios de trabajo

La mayoría de los negocios en la República Dominicana abren de las 8:00 o 9:00 de la mañana hasta las 5:00 o 6:00 de la tarde los días laborables y hasta la 1:00 de la tarde los sábados. Los grandes centros comerciales normalmente cierran a las 9:00 de la noche y abren los sábados desde las 9:00 de la mañana hasta las 8:00 de la tarde. Los restaurantes habitualmente permanecen abiertos hasta medianoche, de domingo a jueves, y hasta las 2:00 de la mañana los viernes, sábados y días feriados. Para más información, visita la guía digital.

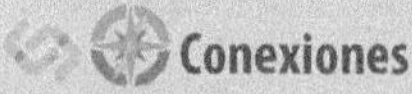

Conexiones

1. ¿Cuáles son los horarios de trabajo en tu comunidad?
2. ¿En qué se parecen y se diferencian los horarios de trabajo de la República Dominicana con los de tu comunidad?
3. ¿Qué horario prefieres y por qué?

¿Te acuerdas?

el/la camarero/a; el/la mesero/a

cuidar a niños

el/la recepcionista

el/la vendedor/a en una tienda

Además se dice

un aporte - una contribución

el desempeño - el desarrollo correcto de tareas y actividades

girar en torno a uno - centrarse en uno mismo

trabajos disponibles - empleos que existen

las pericias - las habilidades (en este contexto)

Actividad 3

Los beneficios de trabajar

En la **Actividad 2**, hablaste de los motivos que tienen los jóvenes para trabajar. Ahora vas a identificar los beneficios de trabajar siendo un/a adolescente.

Así se dice 3: Beneficios de trabajar

apetecer - tener ganas de

apto/a - que tiene la capacidad para el trabajo

los beneficios - las ventajas de algo

los conocimientos y las habilidades - lo que sabes y puedes hacer

ganarse dinero por su cuenta - recibir dinero por trabajar

involucrarse - tomar parte

laborioso/a - que requiere trabajo

los meses veraniegos - los meses de verano

un puesto en el mercado laboral - un trabajo

seguir un horario - trabajar ciertos días u horas a la semana

solucionar problemas - resolver problemas

un trabajo de medio tiempo - un trabajo de solo unas horas al día

Paso 1: ¿Qué piensas?

Para ti, ¿cuál es el mayor beneficio de tener un trabajo de adolescente?

a. Escribe este beneficio y comparte tu idea con un/a compañero/a.

b. Trata de convencer a tu compañero/a que el mayor beneficio es el tuyo y no el suyo.

c. Compartan el mayor beneficio con la clase. Sigan el modelo.

Modelo

Nosotros pensamos que el mayor beneficio de tener un trabajo de adolescente es . . . (terminen la oración) porque . . .

Paso 2: ¡Los beneficios!

El que un/a adolescente trabaje es importante y beneficioso.

a. Mira el video de los cinco beneficios de los primeros trabajos para adolescentes.

b. Apúntalos en una lista.

c. Compara tu lista con la de un/a compañero/a para comprobar si está completa y es correcta.

Paso 3: ¿Qué más?

Explica los cinco beneficios de trabajar.

a. Escribe el nombre del beneficio que se describe a continuación, según la información del video.

b. Añade una idea más a cada beneficio.

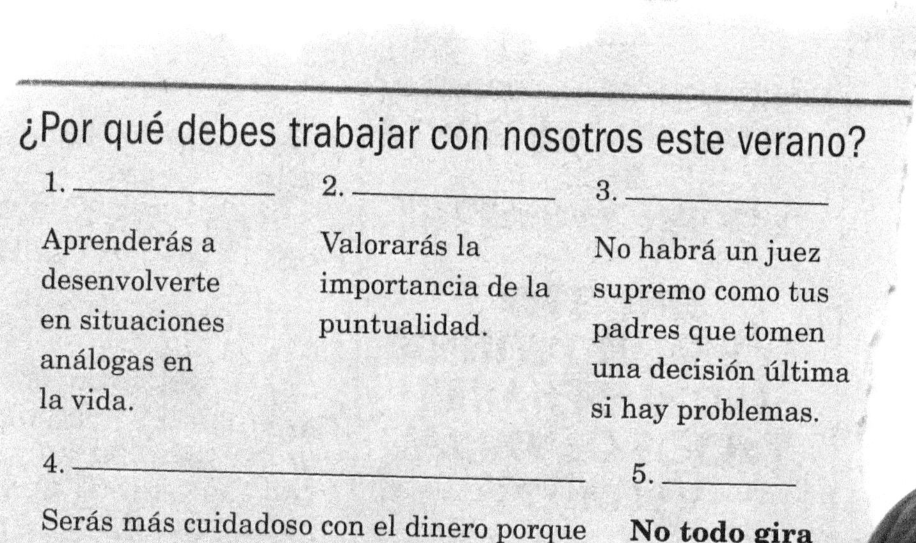

¿Por qué debes trabajar con nosotros este verano?

1. ____________

Aprenderás a desenvolverte en situaciones análogas en la vida.

2. ____________

Valorarás la importancia de la puntualidad.

3. ____________

No habrá un juez supremo como tus padres que tomen una decisión última si hay problemas.

4. ____________

Serás más cuidadoso con el dinero porque te darás cuenta que has tenido que trabajar muchas horas para ganar poco.

5. ____________

No todo gira en torno a ti.

Expresiones útiles

aprender el sentido del deber - aprender a saber lo que debes hacer

económicamente remunerada - pagada

los empleos de verano (veraniegos) - los trabajos en verano

sacarle provecho - obtener los mayores beneficios

tener experiencia previa - haber trabajado antes

trabajar en equipo - trabajar con un grupo de personas

Mi progreso comunicativo
Sé explicar los beneficios de trabajar siendo adolescente.

Paso 4: ¡Explica!

Razona la importancia que trabajar tiene para ti.

a. Escribe en el foro de la guía digital por qué un trabajo ahora te ayudará en el futuro. Explica con ejemplos personales de cómo te va a beneficiar.

b. Lee uno de los comentarios de un/a compañero/a y comenta. ¿Te ves en la misma situación o es diferente tu caso? Usa al menos una expresión útil de la lista de expresiones.

¿Qué aprendiste?

Tienes ganas de trabajar este verano, pero tus padres quieren que tomes cursos de verano.

a. Piensa en todos los beneficios de trabajar que has visto en los pasos anteriores.

b. Usa el organizador gráfico de la guía digital para anotar tus ideas.

c. Prepara lo que vas a decirles a tus padres tratando de convencerles de que te dejen trabajar este verano.

d. Practica tu presentación con uno/a de tus compañeros/as de clase.

Modelo

Quiero que me dejen trabajar este verano. Es importante que yo . . .
Un trabajo es bueno para que yo . . .

Observa 1

El uso del subjuntivo con antecedentes indefinidos y negativos

Paso 1: ¿Qué son los antecedentes indefinidos y negativos?

Antes de ir a una entrevista de trabajo, necesitas hacer una búsqueda de las necesidades de la empresa. Es posible que veas anunciado:

- Se busca a alguien que **sepa** de informática, o
- Queremos emplear a gente que **hable** español e inglés, o
- ¿Conoces a alguien que **busque** un trabajo en el que sea imprescindible saber diseñar?

Los ejemplos anteriores contienen antecedentes indefinidos. A continuación vas a ver algunos antecedentes negativos.

Cuando te prepares para la entrevista o escribas tu carta de agradecimiento por haber sido entrevistado, para destacar tus habilidades, puedes decir algo como:

- No hay nadie que **tenga** más imaginación para resolver problemas que yo, o
- No hay nada que yo no **vaya** a hacer para que esta empresa sea la mejor de todas.

¿Qué observas?

¿Qué tienen en común las expresiones que están en azul? Es la clave de por qué todas están seguidas de subjuntivo. Usa el organizador gráfico en la guía digital para contestar a esta pregunta solo/a y después en un grupo pequeño.

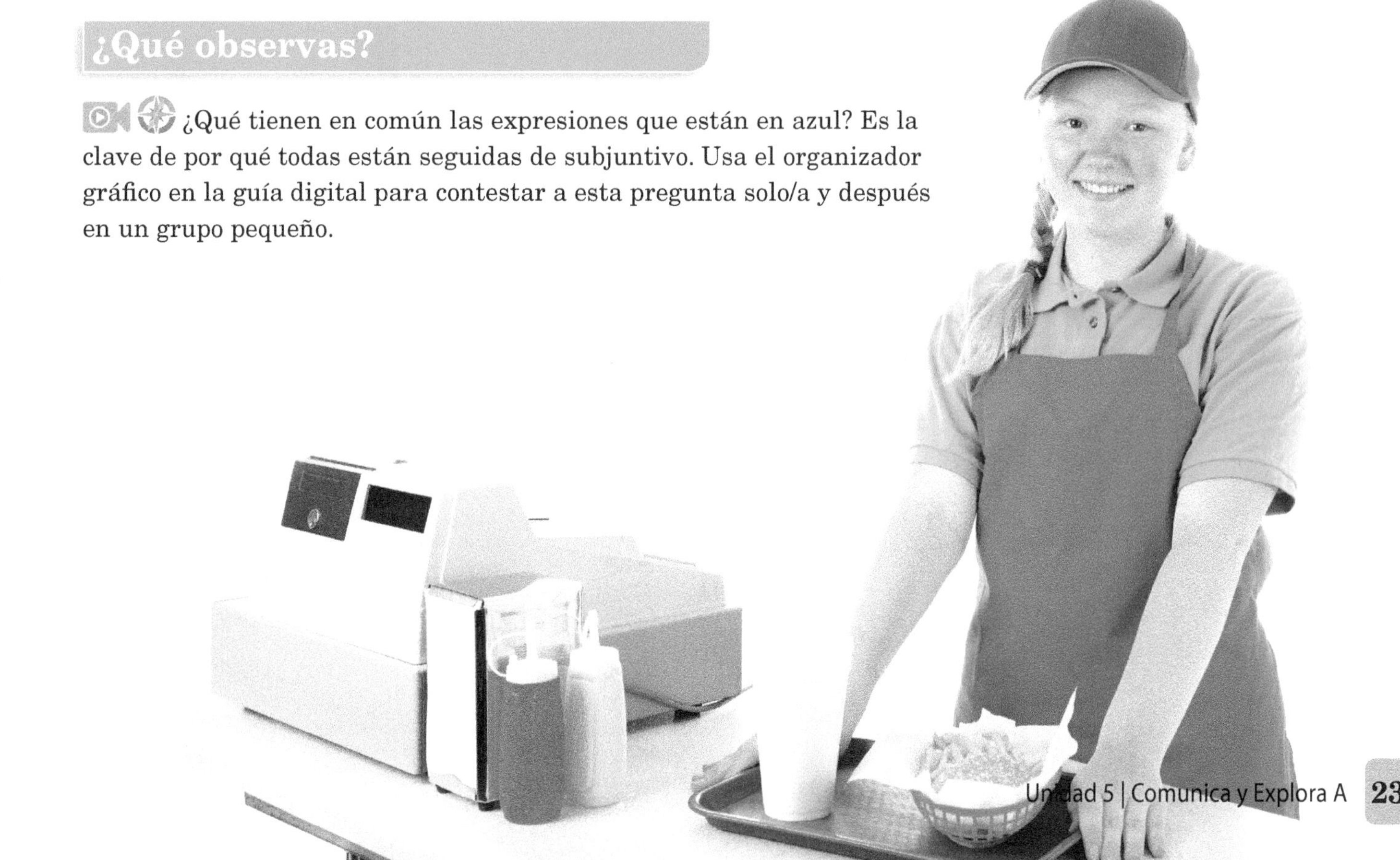

Paso 2: ¿Sabes de quién hablan?

Mira la conversación de Oscar y Victoria con más ejemplos del subjuntivo con el antecedente indefinido o negativo.

No sé, Victoria. Quiero trabajar este verano pero no hay trabajos disponibles para mí.
No puede ser. **No hay nadie que sea** más responsable que tú.
1

Sí, pero las empresas **buscan a gente que tenga** experiencia.
¿Y **conoces tú a alguien de nuestra edad** que la **tenga**?
2

No. Ese es el problema. Y **no hay nada que podamos** hacer para cambiar el sistema.
¡Qué pena! **Quieren gente que tenga** experiencia pero, ¿cómo vamos a tener experiencia si no nos emplean?
3

Habla con los compañeros de tu grupo para ver si tienen una idea mejor de por qué estas expresiones en azul usan el subjuntivo. Escribe los resultados nuevos en el organizador gráfico.

Paso 3: Ah, ¡ya entiendo!

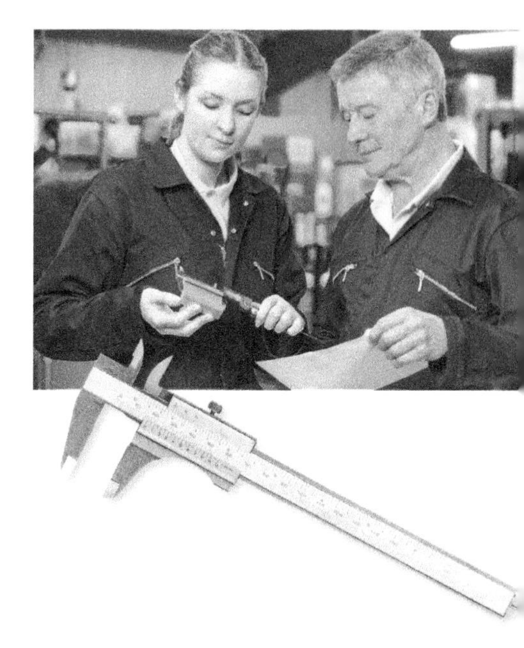

Lee las dos oraciones de cada grupo. Al lado de cada oración, escribe si sabes de quién hablan (Sí) o no (No).

1. Buscamos a Marta, la chica rubia que trabaja aquí. ______
2. Buscamos a una persona que hable español. ______

3. ¿Conoces al chico nuevo que empezó ayer? ______
4. ¿Conoces a un chico que no quiera ser el jefe? ______

5. Manuel no quiere trabajar en esta oficina. ______
6. No hay nadie que quiera trabajar en esta oficina. ______

¿Cuáles son las oraciones que hablan de una persona conocida, las pares (2, 4, 6) o las impares (1, 3, 5)?

Así pues, si hablas de alguien que no sabes si existe o no, usas el subjuntivo. Verás que es el mismo caso para los antecedentes indefinidos que para los antecedentes negativos.

Paso 4: Ponlo en práctica

Imagina que te acaban de entrevistar para el puesto de cajero en una tienda de deportes este verano.

- Escribe un mensaje electrónico al entrevistador (el que te entrevistó) diciéndole otra vez por qué debes de conseguir el trabajo.
- Usa como mínimo tres de estas expresiones (buscar . . . que, querer . . . que, conocer . . . que, no hay nadie que, no hay nada que).

Para: Romero@sutienda.com.do
Asunto: Agradecimiento

Estimado Sr. Romero:

Le agradezco mucho haberme dado la oportunidad de entrevistarme para el puesto de cajero en su tienda este verano. Quiero explicarle otra vez por qué creo que soy un/a buen/a candidato/a para el puesto. . . . .

Atentamente, (tu nombre)

Además se dice

entrante - que entra

Actividad 4

Ana busca un trabajo de verano

Ana, una amiga de María, es una dominicana que vive en tu país. Como habla español, ha decidido buscar un trabajo en internet en el que se necesite hablar este idioma. En su país de origen, los adolescentes no suelen trabajar en el verano, pero muchos de sus nuevos amigos tienen trabajos. Por eso también está pensando en conseguir un trabajo.

Así se dice 4: Trabajo de verano

adjuntar - enviar juntamente con una carta u otro escrito

atender - ocuparse de alguien o algo

un/una cajero/a - la persona que en un comercio está encargada de la caja

una función - una actividad propia de alguien

mayor - más; que supera en cantidad

una oferta - una propuesta para contratar o ejecutar algo

la presentación - la manera de presentarse; aspecto exterior

el turno - cuando le corresponde realizar una tarea que alterna con otros

Paso 1: La idea

Primero, Ana y su amigo Manuel hablan por teléfono sobre la idea de que Ana busque un trabajo.

a. Escucha su conversación dos veces.

b. Apunta las ventajas y desventajas de trabajar en el verano.

Ventajas	Desventajas

Paso 2: Una búsqueda

Manuel y Ana buscan en un periódico de su comunidad en la Red donde hay anuncios de trabajos que un/a adolescente puede solicitar.

a. Lee los anuncios.

b. Escucha su conversación telefónica sobre los anuncios que vieron.

c. Determina de cuál anuncio se habla en cada parte de su conversación y escribe tus respuestas en la guía digital.

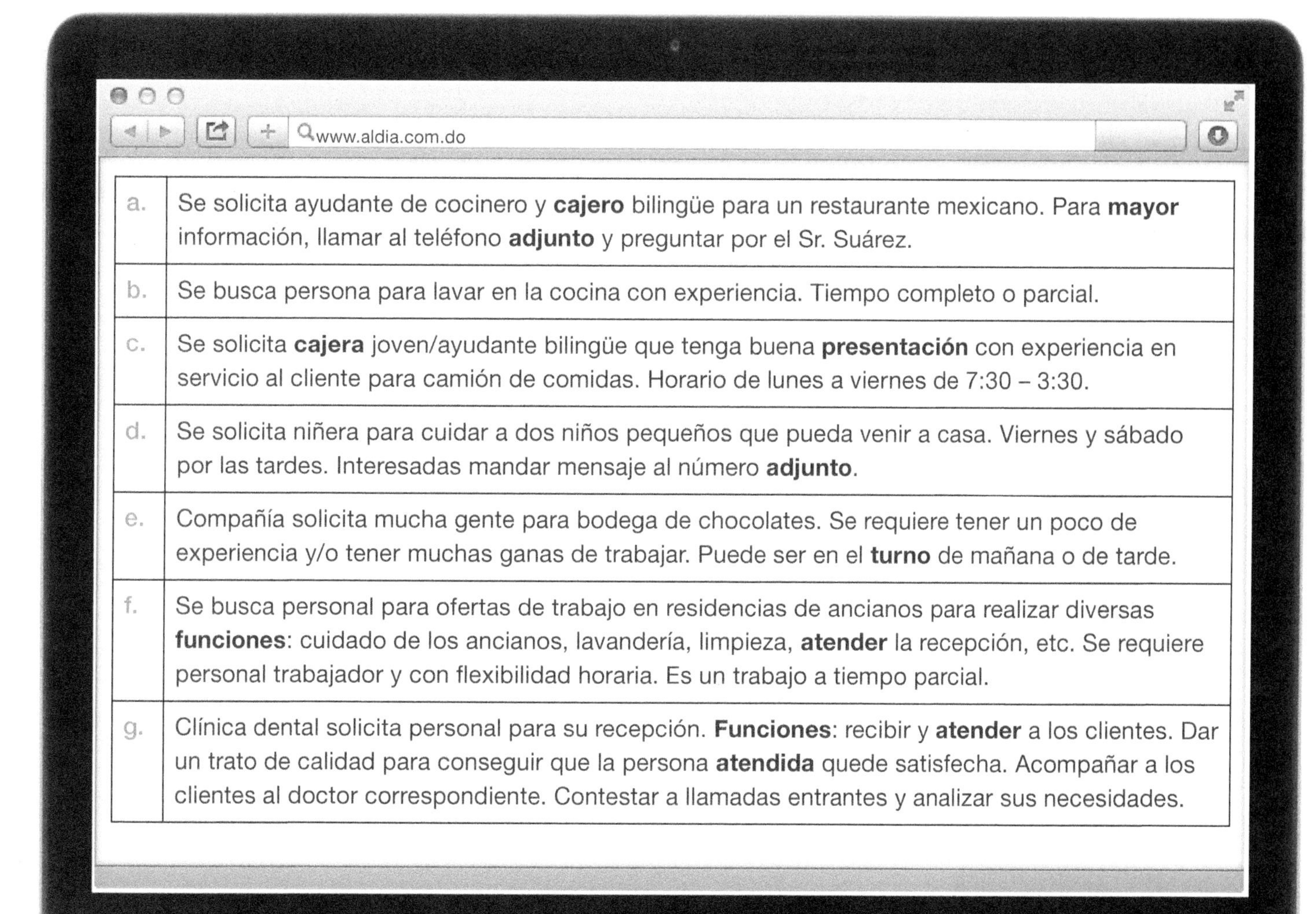

a.	Se solicita ayudante de cocinero y **cajero** bilingüe para un restaurante mexicano. Para **mayor** información, llamar al teléfono **adjunto** y preguntar por el Sr. Suárez.
b.	Se busca persona para lavar en la cocina con experiencia. Tiempo completo o parcial.
c.	Se solicita **cajera** joven/ayudante bilingüe que tenga buena **presentación** con experiencia en servicio al cliente para camión de comidas. Horario de lunes a viernes de 7:30 – 3:30.
d.	Se solicita niñera para cuidar a dos niños pequeños que pueda venir a casa. Viernes y sábado por las tardes. Interesadas mandar mensaje al número **adjunto**.
e.	Compañía solicita mucha gente para bodega de chocolates. Se requiere tener un poco de experiencia y/o tener muchas ganas de trabajar. Puede ser en el **turno** de mañana o de tarde.
f.	Se busca personal para ofertas de trabajo en residencias de ancianos para realizar diversas **funciones**: cuidado de los ancianos, lavandería, limpieza, **atender** la recepción, etc. Se requiere personal trabajador y con flexibilidad horaria. Es un trabajo a tiempo parcial.
g.	Clínica dental solicita personal para su recepción. **Funciones**: recibir y **atender** a los clientes. Dar un trato de calidad para conseguir que la persona **atendida** quede satisfecha. Acompañar a los clientes al doctor correspondiente. Contestar a llamadas entrantes y analizar sus necesidades.

Paso 3: Ana decide

Ana ha encontrado tres trabajos que le gustan mucho; dos de ellos son a tiempo parcial.

a. Lee de nuevo los tres anuncios de trabajo: en una residencia de ancianos, de niñera y de recepcionista.

b. Escucha la última llamada telefónica entre Manuel y Ana.

c. Toma nota de las ventajas y desventajas de cada trabajo.

	Ventajas	Desventajas
Residencia de ancianos		
Niñera		
Recepcionista		

d. Ana te ha dado información sobre sus posibles trabajos este verano y quiere saber tu opinión sobre cuál le vendría mejor. Escríbele un mensaje por correo electrónico. Cuéntale cuál esperas que consiga y por qué. Usa mandatos de tú, afirmativos y negativos, y el subjuntivo.

Oye, Ana. Creo que el mejor trabajo para ti este verano . . .

Mi progreso comunicativo
Sé comparar y dar ejemplos de los trabajos disponibles para adolescentes donde yo vivo.

¿Qué aprendiste?

Imagina que quieres practicar tu español este verano, haciendo un trabajo en el que tengas que utilizar la lengua que estudias. Mira de nuevo los empleos en internet que miró Ana y elige el que quieres solicitar. Llama al número de contacto y explica a la persona apropiada:

1. qué trabajo solicitas;
2. por qué te interesa el trabajo;
3. tu experiencia relacionada al puesto;
4. por qué tu nivel del español es suficiente; y
5. lo que esperas ganar.

Usa antecedentes negativos (No hay nada/nadie que), claúsulas adverbiales (cuando, para que, etc.) y pronombres relativos (que, con el/la que, etc.) Graba tu respuesta en la guía digital.

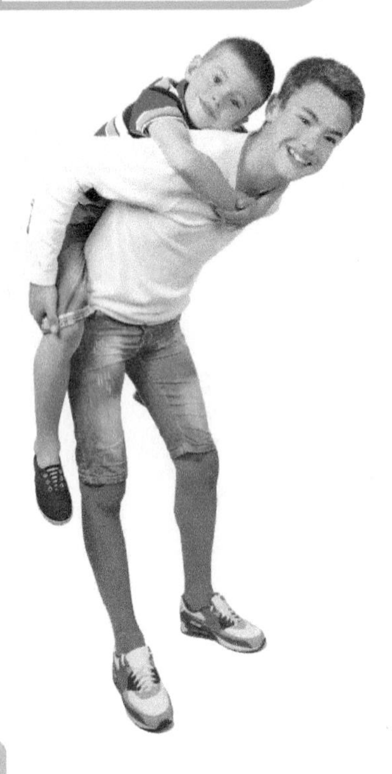

Enfoque cultural

Práctica cultural: El mundo laboral y los jóvenes hispanohablantes

En la mayoría de los países de habla hispana, no se espera que los jóvenes trabajen en las vacaciones del verano y menos durante el curso escolar a no ser que su familia necesite que aporten algo de dinero en casa. Hay variaciones importantes entre los países dependiendo de su situación económica pero los países con una economía estable y desarrollados normalmente comparten todos la misma tendencia.

Durante el curso escolar los colegios suelen tener clase hasta las cinco de la tarde y los estudiantes tienen tarea y suelen ir a actividades extraescolares que incluyen deportes, música, teatro, aprender otro idioma, etc.

En las escuelas secundarias hay estudiantes que hacen la especialidad de "formación profesional" porque no quieren ir a la universidad por cuatro o cinco años. Esos estudiantes sí compaginan sus estudios con trabajos en prácticas en empresas o compañías que colaboran con los sistemas educativos. Esas prácticas, también llamadas en algunos países pasantías, a veces se pagan y otras no.

En verano, los estudiantes suelen pasar su tiempo disfrutando de su ocio con los amigos y la familia. Se suelen apuntar a actividades educativas y recreativas en diferentes clubs que hay en sus barrios o van a campamentos de verano por unas semanas. No acostumbrana trabajar. Los trabajos de verano son más para estudiantes que están en la universidad.

Conexiones

1. ¿Qué opinas del hecho de que los estudiantes no trabajen normalmente hasta que están en la universidad?
2. ¿Te gustaría pasar tu tiempo libre dedicado a actividades de tu interés en vez de tener un trabajo?
3. ¿Qué desventajas ves en esa actitud respecto al mundo laboral? Justifica tu respuesta.

Enfoque cultural

Producto cultural: Productos dominicanos que ayudan a la economía

La economía dominicana gira principalmente en torno a la agricultura, debido a sus altas cantidades de caña de azúcar. El uso de zonas francas y el turismo también son importantes para su economía. En las zonas francas suelen crearse grandes centros de compra, y se instalan con frecuencia industrias maquiladoras, plantas procesadoras o almacenes especiales para la mercancía en tránsito.

Conexiones

1. ¿Cómo se describiría la economía de tu comunidad?
2. ¿Hay un producto específico que promueve la economía de tu comunidad? ¿Cuál?

Actividad 5

Estudiante Variación

Vas a leer un fragmento de la novela, *¡Yo!*, de la escritora de origen dominicano, Julia Álvarez, que se ha convertido en una de las escritoras latinas más populares en Estados Unidos.

Julia Álvarez

Paso 1: Lectura

Lee el fragmento para familiarizarte con la situación de un joven llamado Lou que cambia de opinión sobre su carrera universitaria cuando ya está en la universidad. Mientras lees, escribe una idea o una oración resumiendo lo que has leído.

Estudiante Variación

A Lou Castelucci le había ido bien. Alto. **Buen mozo**, con una **cautivante sonrisa** de atleta profesional cuyo equipo va directo al campeonato, Lou había ganado casi todos los partidos que había jugado en su vida. En la escuela secundaria, había sido el futbolista estrella, llevó el equipo de su pequeño pueblo al campeonato estatal por primera vez.

Gracias a sus **proezas** en la secundaria, obtuvo una beca en una pequeña universidad de artes liberales, donde cada año, sucesivamente, su participación en el campo de deportes fue menos impresionante. **Mas**

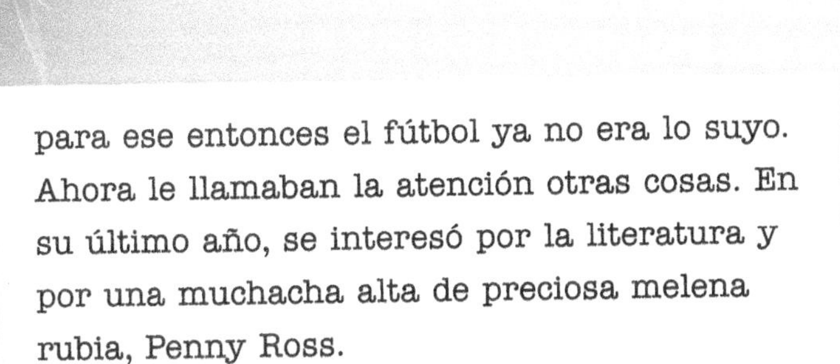

para ese entonces el fútbol ya no era lo suyo. Ahora le llamaban la atención otras cosas. En su último año, se interesó por la literatura y por una muchacha alta de preciosa melena rubia, Penny Ross.

No había logrado captar la atención de Penny, aunque había hecho todo lo posible por lograr un encuentro. Había tomado el curso de novela contemporánea con la esperanza de que Penny, quien se especializaba en literatura inglesa, también estuviera en el popular ciclo de conferencias. No estuvo, pero la clase resultó ser una de las favoritas de Lou. Ahora **se arrepentía** de haber seguido con tanta tenacidad su concentración en ciencias de computación. Envidiaba a los estudiantes de inglés que, con sus suéteres negros de cuello de tortuga, fumaban y discutían apasionadamente el significado de un libro. **Se metían de lleno** en la literatura, y hacían sentir a Lou, quien escuchaba sus conversaciones en el comedor o en los salones, que él no era un ser humano tan inteligente, tan sensible, tan vital como ellos.

En la primavera de su último año, Lou se matriculó en un taller de redacción. Si él pudiera escribir novelas como las que había leído, podría impresionar a Penny o a cualquiera. Pero no fue sólo por impresionarla que tomó aquel curso. Escribir era el nuevo deporte que quería aprender a jugar. En los libros de Updike o Mailer, el final de cada capítulo era como un *touchdown*. A veces, mientras leía, se sorprendía a sí mismo cerrando el puño, y martillando el aire como si dijera: "¡Dale, Mailer, dale!".

From ¡Yo! Copyright © 1997 by Julia Álvarez. Published by Plume, an imprint of Penguin Group (USA). Translation copyright © 1999 by Dolores Prida. Originally published in English by Algonquin Books of Chapel Hill. By permission of Susan Bergholz Literary Services, New York, NY and Lamy, NM. All rights reserved.

buen mozo: físicamente atractivo

una cautivante sonrisa: una sonrisa encantadora

una proeza: una acción valiente

mas: pero, sin embargo

arrepentirse: sentía remordimientos o pena por algo hecho en el pasado

meterse de lleno: estar completamente absorto en algo

Paso 2: Analiza y comparte

Después de haber leído lo que le está pasando a Lou, trabaja con un/a compañero/a.

a. Contesten a las siguientes preguntas.

   1. ¿Por qué creen que Lou ha dado un giro tan radical respecto a sus intereses en los estudios?
   2. ¿Piensan que centrarse demasiado en algo muy específico puede ser contraproducente a largo plazo? ¿Por qué? Justifiquen su respuesta.
   3. ¿Creen que la situación de Lou es algo frecuente hoy en día? ¿Conocen a alguien en su familia o entre sus amigos que haya vivido situaciones semejantes?

b. Compartan su información con toda la clase.

Paso 3: ¡Un final para la historia!

Trabajen en parejas y piensen cómo puede terminar esta historia.

Piensen en el cambio radical de Lou, un deportista que acaba interesándose por la literatura y perdiendo su interés en la carrera de computación en la que está matriculado. Contesten a las siguientes preguntas.

1. ¿Cómo creen que ese cambio afectará el futuro de Lou a nivel profesional y emocional?
2. ¿A qué se dedicará a partir de ahora? ¿Creen que compaginará la literatura con su pasión por los deportes? ¿Podrá usar sus conocimientos de computación para aplicarlos a su nueva pasión: la literatura?
3. ¿Conseguirá finalmente llamar la atención de Penny? Si es así, ¿cómo lo hará?

¿Qué aprendiste?

Basándose en lo que hicieron en los pasos anteriores, imagínense que tienen la posibilidad de terminar este capítulo de la novela de Julia Álvarez, *¡Yo!*.

a. Escriban el final del capítulo en forma de diálogo, en una tira cómica, un guión para una película, siguiendo la narración del capítulo, etc.

b. Preséntenlo a toda la clase o grábenlo en la guía digital.

Mi progreso comunicativo
Sé explicar cómo los jóvenes toman decisiones respecto a su futuro laboral.

En camino A

Consiguiendo un trabajo

Para conseguir un trabajo, necesitarás estar preparado/a para solicitarlo, entrevistarte y agradecer a la persona que te entrevistó. Con todo lo que has aprendido, vas a:

- escribir una carta de presentación;
- leer sobre cómo entrevistarte con confianza;
- escribir un correo electrónico de agradecimiento.

Paso 1: Preséntate para un trabajo

Cuando estés listo/a para solicitar tu empleo, es esencial que te presentes de una manera positiva. En la carta de presentación que envíes, podrás indicar tus talentos y tu experiencia. Este tipo de correspondencia es formal y sirve para crear una buena impresión y de esta manera, conseguir una entrevista.

a. Sigue los pasos siguientes para escribir tu carta de presentación, usando la información que anotaste en el **Qué Aprendiste** de la **Actividad 4**. Incluye:

- datos personales – tu dirección, tu número de teléfono y tu correo electrónico;
- un saludo apropiado, en este caso para una carta formal;
- una introducción única – la primera oración debe llamar la atención;
- la razón por la que escribes – el trabajo que te interesa;
- una presentación personal – incluyendo tus cualidades personales que te ayudarán a hacer bien este trabajo;
- tu experiencia laboral – los trabajos con sueldo o de voluntario/a que has tenido y tus principales responsabilidade; y
- una despedida apropiada, en este caso para una carta formal;

b. Relee y revisa tu carta para que te asegures de haber destacado quién eres y por qué deben emplearte a ti.

Mi progreso comunicativo
Sé seguir los pasos para entrevistarme y conseguir un trabajo de verano.

Expresiones útiles Para escribir correspondencia formal

Saludos: Para empezar

Estimado/a señor/a

Muy señor/a mío/a

Despedidas: Para concluir

Atentamente

Reciba un saludo afectuoso

Paso 2: La entrevista

Ya que has mandado tu carta de presentación, tienes que estar preparado por si te invitan a una entrevista. Vas a ver lo que necesitas para estar preparado/a y después, vas a hacer una entrevista de práctica.

a. Lee la guía, *Para entrevistarte con confianza,* y escribe una lista de lo que te saldría con facilidad y lo que tendrías que practicar o preparar antes de acudir a una entrevista.

Me sería fácil	No me sería fácil

b. Ahora vas a entrevistarte para el trabajo que solicitaste en el **Paso 1**.

 Paso 3: ¡Dar las gracias!

Se acabó la entrevista. Ahora, es una buena idea escribir una tarjeta o un correo electrónico de agradecimiento.

a. Escribe un correo electrónico o una tarjeta para expresar tu agradecimiento por haber tenido la oportunidad de participar en la entrevista.

b. En tu correo electrónico o tarjeta, debes incluir lo siguiente:

- un saludo formal;
- el agradecimiento por haber tenido la oportunidad de entrevistarte;
- una breve repetición de tu interés en trabajar en la compañía; y
- una despedida formal.

GRACIAS

Comunica y Explora B

Pregunta esencial: ¿Cuál es el perfil de los profesionales del futuro?

Actividad 6

Conoce a Carolina

Mira el video de la bloguera Carolina para conocerla y averiguar sus aspiraciones para el futuro.

Paso 1: Carolina se presenta

Vas a ver un video sobre una adolescente llamada Carolina.

a. Mira el video de Carolina y completa la ficha.

Edad ______________________

Lugar de residencia ______________________

Dos comidas que identifican a todo dominicano y que ella adora

____

____

Dos tipos de música que no pueden faltar en una fiesta dominicana

____

____

Tres lugares que le gustan de la zona donde vive

____

____

____

La carrera universitaria que quiere estudiar

____

La universidad a la que quiere ir

____

Punta Cana, una de las playas donde trabajan muchos jóvenes dominicanos en turismo y hotelería.

b. Habla con un/a compañero/a, y comenten:

1. ¿Qué tienen en común con Carolina?
2. De lo que ella ha explicado, ¿qué les gustaría probar y por qué?
3. Compartan su información con toda la clase.

Paso 2: ¿Qué crees tú?

Carolina dice lo siguiente en su video:

Quisiera estudiar Publicidad en la Universidad Unibe en Santo Domingo, simplemente porque me gusta buscarle las posibilidades y las opciones a nuevas cosas haciéndolas creativas.

a. ¿Te parece una buena razón para estudiar Publicidad? Explica por qué a un/a compañero/a de la clase.

b. Escribe lo que te gustaría hacer a ti en el futuro explicando tus razones.

Reflexión intercultural

Escribe un correo electrónico a Carolina para explicarle tu reacción a su video. Contesta a las siguientes preguntas.

1. ¿Cómo ve Carolina su futuro en el mundo laboral?
2. ¿Qué conexión personal puedes establecer con lo que ha contado Carolina? Explica.

Mi progreso intercultural
Sé describir cómo los jóvenes de la República Dominicana ven su futuro laboral.

Enfoque cultural

Práctica cultural: "Música por la educación"

En la República Dominicana, hay una organización que se llama la Asociación Nacional de Jóvenes Empresarios, ANJE. Han organizado varios eventos por el país para promover el gran impacto que los maestros tienen en la educación de los jóvenes. Un evento que hicieron fue con música. Grupos musicales dominicanos fueron invitados al evento para convencer a la comunidad de hacer un esfuerzo para mejorar la calidad del sistema educativo. Visita la guía digital para aprender más sobre esta organización.

 **Conexiones**

1. ¿Existen eventos en tu comunidad para promover causas? ¿Cuáles?
2. ¿Crees que la música es un buen medio para promover causas? Justifica tu respuesta.

¿Te acuerdas?

el aprendizaje

la informática

la salud

Además se dice

archivar - guardar

brindar - proporcionar

brusco - rápido

los efluentes - los residuos de una planta industrial

imprevisible - que no se espera

Actividad 7

Las carreras necesarias para los profesionales del futuro

Se dice que las carreras del futuro aún no existen. Sin embargo, hay predicciones de cómo serán los trabajos de mañana y las destrezas y habilidades que requerirán.

Así se dice 5: Carreras del futuro

abarcar - incluir

aún así - a pesar de; todavía

complejo - complicado

cuyas - sus; perteneciente a

especializarse - limitarse a un campo determinado

el funcionamiento - la marcha; la forma de proceder

el mantenimiento - la conservación

prevenir - evitar que suceda

solicitado - demandado; requerido

el/la traductor/a - una persona que dice en un idioma lo expresado en otro

volverse - convertirse; hacerse

Paso 1: ¿Cómo ves tu futuro laboral?

Con un mundo que cambia tan rápidamente, tendremos que adaptarnos y prepararnos para las profesiones del futuro.

a. Usa el organizador gráfico en la guía digital para escribir las profesiones que, en tu opinión, se destacarán en el futuro.

b. Después, habla con otro/a compañero/a para compartir tus ideas.

c. Apunta en tu lista ideas de tu compañero/a en las que no habías pensado.

d. Comparen su lista con la clase para escribir las profesiones en las que todo el mundo está de acuerdo.

Paso 2: ¿Existirá la profesión que me interesa?

Con tantos cambios a nivel mundial, las profesiones también se verán afectadas.

a. Lee el artículo, *Los 10 empleos más necesarios del futuro.*

b. En la guía digital, escribe una reacción al artículo. ¿Te interesa alguna de estas profesiones? ¿Cuál? ¿Por qué?

c. Lee los comentarios de tus compañeros de clase y haz un comentario a una de las reacciones escritas en la guía digital.

Los 10 empleos más necesarios del futuro

publicado por ***Ehowenespanol.com***

Las necesidades laborales cambian permanentemente, se adaptan a la realidad del mundo y marcan nuevas tendencias en carreras universitarias. Según las estadísticas y los estudios del mercado laboral, también es importante tener en cuenta lo imprevisible. Un descubrimiento científico o un cambio brusco en la sociedad pueden modificar rápidamente el panorama. **Aún así**, existen tendencias con raíces más sólidas para utilizar como guía aproximada de los trabajos que seguirán siendo necesarios.

- Genética
- Ingeniería ambiental
- Psicología y salud mental
- Ciencia de los alimentos
- Ingeniería de *software*
- Seguridad informática
- Medicina
- **Traductores** e intérpretes
- Ingeniería informática
- Ingeniería civil

"Los 10 empleos más necesarios del futuro" by Marco Niere [http://www.ehowenespanol.com/10-empleos-mas-necesarios-del-futuro-galeria_33219/#pg=1] (originally published on eHow Español). Copyright Demand Media, Inc. All rights reserved

Enfoque cultural

Práctica cultural: Psicología Industrial

Esta carrera es importante en la República Dominicana ya que es una de las más estudiadas. Según el Informe General sobre Estadísticas de Educación Superior, publicado por el Ministerio de Educación Superior, Ciencia y Tecnología (Mescyt), 30.255 personas la eligieron en el 2011.

Pero, ¿cuál es el perfil de un/a psicólogo/a industrial? Este profesional estudia los métodos de selección, formación, consejo y supervisión de personal en las empresas o instituciones. El análisis del trabajo, la adaptación del empleado a sus tareas y el acomodo del trabajo al trabajador son los temas que se tratan en Psicología Industrial.

Conexiones

1. ¿Te interesaría ser psicólogo/a industrial? ¿Por qué?
2. ¿Por qué piensas que las empresas necesitarán esta profesión?

Para leer más sobre este tema, visita la guía digital.

Paso 3: ¿Qué profesión es para mí?

¿Puedes identificar de qué profesión están hablando?

a. Escucha lo que dicen las personas sobre lo que les gustaría ser en el futuro.

b. Escoge la profesión o trabajo al que se refiere cada persona.

1. A. Diseñador/a B. Emprendedor/a C. Traductor/a	2. A. Ingeniero/a de software B. Empresario/a C. Médico/a	3. A. Genetista B. Explorador/a C. Psicólogo/a
4. A. Ingeniero/a ambiental B. Medicina robótica C. Informático/a de seguridad	5. A. Profesor/a B. Ingeniero/a de software C. Ingeniero/a de informática	6. A. Ingeniero/a civil B. Emprendedor/a C. Empresario/a

Paso 4: ¿Qué pienso yo?

Ahora, en grupos de cuatro, van a explicar su punto de vista sobre las profesiones del futuro.

a. Darás una presentación a los compañeros en tu grupo, explicando tu punto de vista sobre las profesiones del futuro y las que tú añadirías a la lista.

b. Planea lo que vas a decir y cuando te toque a ti, da una presentación corta. Usa el organizador gráfico para planear tu presentación. Mira el modelo en el organizador gráfico.

c. Completa el organizador gráfico con lo que dicen los demás mientras los escuchas.

Modelo

Mi punto de vista	Por qué	Quiero ver
No estoy de acuerdo con todas las carreras en la lista . . .	Creo que hay repetición entre dos de las profesiones . . .	Otra profesión que he añadido a la lista es . . . porque en mi comunidad hay . . .

¿Qué aprendiste?

Mi progreso comunicativo
Sé describir y explicar las profesiones del futuro.

Un amigo tuyo, cuyo padre es dominicano, fue a vivir a Santo Domingo. Su padre trabaja en una universidad allí. Como su padre sabe mucho de estudios universitarios, decidiste escribirle para que contestara a algunas preguntas que tienes.

Usa el organizador gráfico para ayudarte a escribir un correo electrónico al padre de tu amigo. Incluye un saludo y una despedida de las **expresiones útiles**. Sé cortés y escribe sobre:

1. lo que has aprendido de las profesiones del futuro;
2. dos profesiones que te gustan;
3. por qué te interesan esas dos profesiones y qué más quieres saber de ellas; y
4. su opinión de tus ideas.

Modelo

Aprendí que hay muchas carreras importantes para el futuro porque el mundo siempre está cambiando. Quiero saber más de la profesión de . . . (termina el mensaje)

¿DÓNDE ESTAMOS UBICADOS?

Dirección: Calle Roberto Clemente, Santo Domingo, República Dominicana

Teléfono: (809) 523-8243

E-Mail: info@usd.edu.do

ESCRÍBANOS

Nombre (Obligatorio)

Escriba su nombre

E-Mail (Obligatorio)

Escriba su e-mail

Su mensaje (Obligatorio)

Escriba su mensaje

Santo Domingo fue el primer asentamiento establecido por Cristóbal Colón al llegar al continente americano.

Observa 2

El uso de las cláusulas adverbiales con el subjuntivo

Paso 1: ¿Qué observas?

Un adverbio nos habla del verbo - nos dice cuándo, cómo o por qué se hace algo. Una cláusula adverbial contesta a las mismas preguntas. Cuando mires estas oraciones piensa en cómo expresan el cuándo, el cómo o el por qué de la acción. También vas a decidir por qué van seguidas del subjuntivo.

Antes de que puedas planear tu futuro en el mundo laboral, necesitarás saber cuáles son tus habilidades y características personales.

Tan pronto como hagas eso, estarás listo para buscar un trabajo.

Si un amigo te dice que piensa dejar sus estudios, debes informar a un adulto de tu cole **para que pueda** hablar con él.

El trabajo de los consejeros es hablar con los estudiantes **para que** los jóvenes **tengan** en cuenta la necesidad de anteponer sus estudios a cualquier trabajo que tengan. Y **cuando llegue** el momento de decidir lo que van a hacer después de graduarse del colegio, también están para ayudarlos. Así que, **en cuanto salgan** del cole, todos los alumnos habrán tenido la ayuda que les haga falta.

¿Qué observas?

¿Qué tienen en común las expresiones que están en azul? Es la clave de por qué todas están seguidas de subjuntivo. Usa el organizador gráfico en la guía digital para contestar a esta pregunta solo/a y después en un grupo pequeño.

Paso 2: ¿Qué tienen en común estas cláusulas adverbiales?

Con un/a compañero/a, analiza de nuevo las oraciones anteriores y escríbelas en la columna de SÍ, si es una característica de todas o NO, si no es una característica de todas.

1. Hablan del pasado (ya pasaron).
2. Hablan del presente (pasan ahora).
3. Hablan del futuro (no han pasado todavía).
4. Hablan de una acción segura.
5. Hablan de una acción anticipada (se espera que pase).
6. Hablan de una acción habitual.

Sí, es una característica	No, no es una característica

Paso 3: ¿Siempre predicen algo en el futuro?

a. Mira las oraciones siguientes. ¿En qué se diferencian las primeras oraciones de cada pareja de las segundas? Piensa en las respuestas del **Paso 2** para ayudarte.

b. Después compara tu análisis de las oraciones con el de un/a compañero/a.

1. Solicita el trabajo antes de que se lo den a otra persona.
   Solicitó el trabajo antes de que se lo dieran a otra persona. (pasado del subjuntivo)
2. Te daremos el trabajo con tal de que puedas empezar mañana.
   Le dieron el trabajo con tal de que pudiera empezar al día siguiente. (pasado del subjuntivo)
3. Vamos a conseguir un empleo para que tengamos dinero para salir.
   Conseguimos un empleo para que tuviéramos dinero para salir. (pasado del subjuntivo)
4. Cuando tengas un minuto, pasa por mi oficina.
   Cuando tuvo un minuto, pasó por su oficina.
5. En cuanto pueda, voy a conseguir un trabajo.
   En cuanto pudo, consiguió un trabajo.

Paso 4: Organiza

Con un/a compañero/a, escribe una lista de las cláusulas adverbiales que siempre se usan con el subjuntivo y las que solo se usan con el subjuntivo cuando se espera que pase pero no es seguro que la acción tenga lugar.

Siempre se usan con el subjuntivo	Solo se usan con el subjuntivo si se habla de una acción futura y anticipada

¿Te acuerdas?

bilingüe

global

los idiomas

la movilidad

Además se dice

el fruto - el producto; el resultado

remunerado/a - pagado/a

Actividad 8

Las habilidades para los profesionales del futuro

Las profesiones del futuro requieren más que estudios o preparación específicos. Hay ciertas habilidades que son necesarias independientemente de la carrera que se elija.

Así se dice 6: Habilidades necesarias

un apartado - una parte; sección

asesorarse - pedir consejos y recomendaciones

cambiante - que cambia constantemente

los conocimientos técnicos - los estudios y preparación científica

las competencias laborales - las capacidades para realizar un trabajo

emprender - tomar iniciativa para comenzar algo

estar al día - conocer las tendencias más innovadoras y recientes

la exigencia de estudios - los requisitos de estudios

formalizarse - recibir una orientación laboral/formarse

tener iniciativa - ser emprendedor

un trabajo fijo - un puesto permanente

Paso 1: ¡Construye tu futuro!

Piensa y expresa cómo construirías tu futuro si pudieras tomar cualquier decisión y tuvieras las habilidades necesarias.

Antes de ver el video, es importante que sepas la misión de CESAL, una organización cuyo fin es ofrecer herramientas para insertar a los jóvenes en el mundo laboral y fomentar sus capacidades para poner en marcha iniciativas empresariales.

a. Mira el video en la guía digital y toma apuntes de algunos consejos que ves usando la parte I del organizador gráfico.

b. Mira el video de nuevo y escribe en la parte II del gráfico dos recomendaciones que te ayudarían a ti personalmente a construir tu futuro y algunas habilidades necesarias para hacerlo realidad.

c. Habla con un/a compañero/a. ¿Qué mensaje da el video del mundo laboral del futuro? ¿Cómo puedes construir tu futuro?

Paso 2: ¿Qué piensas tú?

Es importante que pienses en las habilidades necesarias para ejercer las profesiones del futuro para estar preparado/a.

a. ¿Qué habilidades crees que necesitarás para ejercer una de las profesiones del futuro? Haz tu lista personal.

b. Compara tus ideas con un/a compañero/a de la clase.

Modelo

Yo creo que las empresas van a buscar trabajadores que . . .

  Paso 3: El empleo del futuro

A continuación, examinarás algunas habilidades para empleos futuros. ¿Estás de acuerdo con lo indicado?

a. Lee la infografía titulada, *¿Cómo será el empleo del futuro?*, en la guía digital.

b. Ahora, en grupos de cuatro, escriban una pregunta sobre cada uno de los ocho apartados para hacer a los demás grupos.

c. Grupo por grupo, hagan sus preguntas a los demás alumnos. Para contestar a una pregunta, hay que ser la primera persona en levantar la mano. Hay que contestar sin mirar la infografía y enseguida, sin pausa.

d. Se puede repetir una pregunta que ha hecho otro grupo.

e. Cuando cada grupo haya hecho sus ocho preguntas se acaba el ejercicio y el grupo con el máximo número de puntos gana.

Detalle gramatica
Las oraciones con si

Mira las dos oraciones.

1. **Si tienes** que elegir entre dos empleos, ¿**escogerás** el trabajo que paga más o el que te da más satisfacción?
2. **Si tuvieras** que elegir entre dos empleos, ¿**escogerías** el trabajo que paga más o el que te da más satisfacción?

Preguntan más o menos la misma cosa, pero la primera pregunta tiene que ver con una **situación probable,** mientras que la otra tiene que ver con **una situación posible, pero no probable.** Es una hipótesis.

a. ¿En cuál de las dos situaciones te ves en una entrevista con una empresa para conseguir uno de dos puestos?

b. ¿En cuál de las dos situaciones te ves hablando hipotéticamente con un amigo sobre tu futuro?

Entonces, si la probabilidad es alta usarás la oración del **presente ⟷ futuro**

y si la probabilidad es baja usarás la oración del **pasado del subjuntivo ⟷ condicional**.

Enfoque cultural

Práctica cultural: Una *laptop* para cada niño

En la República Dominicana están creando programas donde los niños reciben una *laptop, un portatil,* para facilitar un mejor futuro a las nuevas generaciones de dominicanos. Creen que tienen que abrirles las puertas de la tecnología para que haya avances académicos y los niños estén preparados para funcionar en un mundo global.

Conexiones

1. ¿Hay programas que dan *laptops* a cada niño en tu comunidad?
2. ¿Por qué son importantes estos programas para el futuro?

Para más información, visita la guía digital.

Mi progreso comunicativo

Sé describir las habilidades que los profesionales del futuro necesitan adquirir.

¿Qué aprendiste?

Tus padres te han preguntado en qué tienes pensado trabajar. Practica lo que les vas a decir. Graba tu respuesta en la guía digital.

a. Contesta a su pregunta indicando la profesión del futuro que, en este momento, crees que te gustaría hacer.

b. Explica lo que has aprendido sobre este empleo y las habilidades necesarias para ejercer esta profesión del futuro.

c. En tu respuesta, usa las expresiones a continuación.

Para empezar:

- Cuando termine mis estudios . . .
- Antes de que . . .
- Para que yo . . .

Actividad 9

¡Después de la secundaria!

Hay muchas posibilidades después de graduarte del colegio. Hay personas que comienzan directamente a trabajar y otras que siguen estudiando. Hoy en día, hay tantas opciones que a veces es difícil tomar una decisión.

¿Te acuerdas?

destacar

especializado

las herramientas

Así se dice 7: Después de la secundaria

a lo largo de - durante; a través de

un audiolibro - un libro que se escucha en vez de leerlo

una carrera militar - una carrera en el ejército

costoso - muy caro

desempeñar - realizar; hacer

el emprendimiento - la capacidad de empezar a hacer algo, generalmente, bastante difícil

una escuela vocacional - una escuela para aprender un oficio como electricista, fontanero, etc.

ligado - unido

las opciones alternativas - otras opciones

la tasa de colocación - el porcentaje de personas con un trabajo

teletrabajar - trabajar desde casa

Paso 1: ¿Necesito asistir a una universidad tradicional?

Dependiendo de tus intereses, hay varias opciones que puedes seguir después de la secundaria. Empezarás leyendo un blog sobre la universidad del futuro.

a. En un grupo de tres, lean los párrafos en voz alta. Después de cada párrafo, escriban una oración que destaque la información más importante del párrafo.

b. Después, compartan la información con toda la clase usando las instrucciones de su profe.

c. Al final, lean con su grupo todos los comentarios y pongan una cara con sonrisa ☺ al lado del comentario que les gusta más.

¿Cómo será la universidad del mañana? Aquí puedes ver 5 previsiones del futuro.

La universidad es una institución que nació con un objetivo que sigue manteniendo a día de hoy, sea cual sea su naturaleza: **otorgar** a los jóvenes los conocimientos teóricos y prácticos necesarios para **desempeñar** una profesión especializada en el futuro.

Modelo: la universidad se creó para educar a los jóvenes para una profesión.

Tal y como avanzan las cosas, se podría decir que estas serán algunas de las características de las universidades del futuro.

La tecnología. La tecnología no solo permite tener las mejores soluciones educativas y las herramientas más eficaces, sino que es imprescindible para que la universidad se mantenga a la cabeza de la innovación y para que sus alumnos puedan desplegar todo su talento y potencial.

Menos clases, más prácticas. En la universidad del futuro los alumnos tendrán menos horas lectivas y estará más enfocada a las clases prácticas. Se imponen nuevos métodos de enseñanza, más orientada a proyectos y al **emprendimiento**. La concepción clásica de la enseñanza cambia hacia métodos donde el alumno es más autónomo y eficiente. Por ejemplo, el profesor deja **audiolibros** en la **intranet** – los alumnos escuchan la lección en su casa. Una vez en clase, se resuelven las dudas y se aplica la teoría a un supuesto práctico.

Democratización y globalización. Será una universidad más global y democrática, en la que gente de cualquier parte podrá tener acceso al conocimiento.

Educación híbrida y *online*. Asimismo, las universidades se tienen que adaptar a los nuevos métodos de formación ofreciendo a los alumnos las facilidades necesarias. En este sentido, cobran gran importancia las infraestructuras para permitir a los estudiantes diferentes tipos de formación, tanto **presencial** como *online* o híbrida, además de las plataformas necesarias para que la formación sea de calidad.

Campus inteligentes. Las universidades del futuro estarán más **ligadas** que nunca a la innovación, la investigación de nuevas ideas y el nacimiento de empresas **novedosas**. El talento será cada vez más indispensable para destacar en el ámbito empresarial/profesional.

blogeduca. "5 características de las universidades del futuro". Adaptado de http://tinyurl.com/zosvshy.

Además se dice

un aprendiz - una persona que está aprendiendo un trabajo

imprescindible - essencial; indispensable

la intranet - la Red interna en un trabajo

un jornalero - una persona sin contrato de trabajo que recibe el sueldo al final de cada día trabajado

un maestro - una persona certificada en una escuela técnica

presencial - que requiere la presencia de una persona

un supuesto - una hipótesis

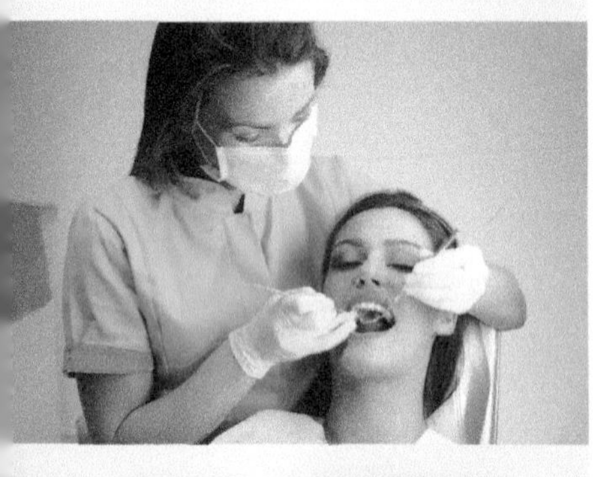

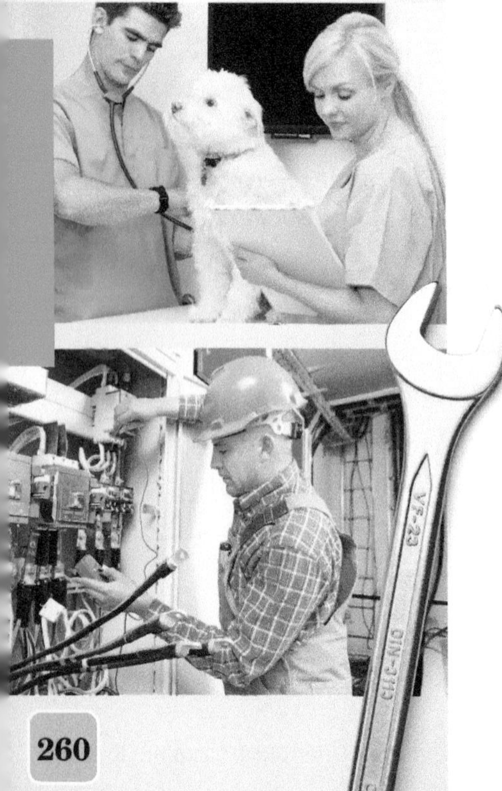

Paso 2: ¿Y si no quieres ir a la universidad?

Lee sobre otra alternativa para tu futuro en el mundo laboral.

a. Escribe una lista de los trabajos que puedes conseguir con una certificación de una escuela técnica.

b. Escribe también los beneficios que tiene asistir a una escuela técnica.

¿Qué es una escuela técnica?

Escrito por Shelley Moore
Traducido por Sandra Magali Chávez Esqueda

Las escuelas técnicas, también conocidas como escuelas vocacionales, son escuelas de formación profesional. Una escuela de formación profesional ofrece a los estudiantes las habilidades técnicas necesarias para adquirir y realizar un trabajo específico.

Identificación

Una escuela de formación profesional implica la educación después de la secundaria (o, a veces en colaboración con la escuela secundaria) y se enfoca en las habilidades específicas de trabajo. Las escuelas técnicas se consideran con certificación más práctica que académica, y la mayoría obtiene la certificación o grados asociados. Una amplia variedad de carreras requieren educación escolar técnica. Esto incluye los mecánicos de aviones, mecánicos de automóviles, higienistas dentales, electricistas, peluqueros, técnicos quirúrgicos, técnicos veterinarios, soldadores y muchos más.

Beneficios

Las escuelas técnicas tienen varias ventajas sobre las enseñanzas universitarias. Ellas son menos costosas, y muchos de los programas requieren sólo 2 años para completarse. Las escuelas técnicas suelen tener tasas de colocación muy altas, más del 90 por ciento encuentran un trabajo en 6 meses.

Tipos

Algunos programas requieren un aprendizaje, que puede durar hasta 5 años, dependiendo del trabajo. Los programas de aprendizaje se combinan con el trabajo en el aula laboral supervisado por un profesional del campo.

Características

Muchas carreras lucrativas, con buenos sueldos y grandes perspectivas de empleo se pueden adquirir en una escuela de educación de oficios. En algunos programas es tanta la demanda que a menudo tienen 100 por ciento de las tasas de colocación.

¿Qué es una escuela técnica? by Shelley Moore. (originally published on eHow Español).
Copyright Demand Media, Inc. All rights reserved.

Trabajos que se pueden conseguir con una certificación de una escuela técnica	Los beneficios de asistir a una escuela técnica

  Paso 3: La comparación

De lo que leíste sobre las dos opciones, la universidad tradicional o la escuela técnica, se pueden observar elementos en común y elementos muy distintos. Haz una comparación que puedas compartir con otros estudiantes.

a. Primero, anota los detalles esenciales de las dos opciones en un organizador gráfico.

b. Piensa en un formato que te gustaría usar para compartir las diferencias. Escoge uno de los cuatro:

El *podcast*	Graba una entrevista entre estudiantes que participan en los dos tipos de programas.
El póster	Diseña un cartel interactivo en el que se lean preguntas y según las respuestas, se va de un punto a otro.
La presentación	Graba un video blog en el que se muestra la comparación entre los programas.
La prueba	Crea una serie de preguntas basadas en la información de las dos lecturas. Según las respuestas, haz una recomendación para asistir a una universidad o una escuela técnica.

c. En grupos de dos o tres, creen la comparación en el formato que escogieron.

d. Compartan su información con sus compañeros de clase o con los de otra clase.

  ¿Qué aprendiste?

¿Tienes idea de lo que quieres hacer en el futuro? Escribe un correo electrónico a tu consejero/a en el cual:

1. Le explicas si piensas ir a la universidad o asistir a una escuela técnica.
2. Le cuentas lo que quieres estudiar y por qué crees que es el mejor futuro para ti.
3. Le explicas tus razones para elegir esta ruta.
4. Le pides su ayuda para que elijas la institución apropiada a un costo accesible.
5. Le pides su opinión.

Expresiones útiles

A Dios rogando y con el mazo dando - Hay que pedir ayuda y suerte pero al mismo tiempo trabajar duro

A juventud ociosa, vejez trabajosa - Si alguien no trabaja cuando es joven, tendrá que trabajar cuando sea una persona mayor

Cuando se quiere, se puede - Lo más importante es tener determinación porque con eso se consigue progresar en la vida

Cuando uno le pone amor a la cosa, se llega lejos - Cuando se pone todo nuestro esfuerzo en algo y se es perseverante, se triunfa en la vida

Lo que no se empieza, no se acaba - Si algo no se comienza, no se puede terminar

Más vale tarde que nunca - Es mejor hacer algo tarde que no hacerlo nunca

Por más que tú tropiezas, tú debes levantarte - No importa si no tienes éxito, hay que intentarlo de nuevo hasta conseguir el objetivo

Tú puedes llegar lejos, pero tienes que poner de tu parte - Tener habilidades no es suficiente, hay que dar lo mejor de uno mismo

Además se dice

aleatoria - al azar

la autoestima - sentirse mejor con uno/a mismo/a

la inserción laboral - cuando se comienza a trabajar

la pasantía en una empresa - las prácticas en una compañía

la reinserción laboral - la vuelta al mercado laboral

Enfoque cultural

Perspectiva cultural: Estudios universitarios

Mira los números de los programas universitarios que se ofrecen, según Universia, en la República Dominicana.

Conexiones

1. ¿Qué sabes de los diferentes niveles de programas universitarios en tu país?
2. ¿Qué te sorprende del número de programas universitarios ofrecidos en la República Dominicana?

Para más información visita la guía digital.

467 GRADOS

241 POSTGRADOS

7 DOCTORADOS

Actividad 10

¿Y en la República Dominicana?

En la República Dominicana, están creando programas para adolescentes para ayudarlos a conseguir experiencia en el mundo laboral. A ver en qué se parecen a los que hay en tu región.

Así se dice 8: Programas de preparación en la R. D.

una aptitud - la capacidad para desarrollar un trabajo o empleo

una capacitación técnica - una preparación o formación específica

una formación humana - una preparación para trabajar con personas

el liderazgo - la capacidad de ser líder

los recursos - los medios disponibles

un reto - algo que requiere mucho esfuerzo y dedicación porque es difícil de alcanzar

la tasa de empleo - la proporción de personas con trabajo

Paso 1: Oportunidades en la R. D.

Hay jóvenes en la República Dominicana que no tienen la oportunidad de asistir a la universidad o una escuela técnica. Vas a ver un video de un programa del Ministerio de Trabajo de la República Dominicana para que los adolescentes que no encuentran trabajo y no tienen los recursos para estudiar, puedan acceder al mundo laboral.

a. Mira el video por primera vez y haz una lluvia de palabras que describen tus impresiones. ¿Cómo te sientes al ver el video?

b. En grupos de cuatro, expliquen las palabras que escribieron. ¿Tienen las mismas palabras? ¿Qué tienen en común y en qué difieren?

c. Escribe una oración debajo de tu lluvia de palabras y cuélgala en la clase.

Enfoque cultural

Perspectiva cultural: Mejorar la educación

Varios programas de la República están haciendo un esfuerzo para mejorar la calidad de la educación de los adolescentes del país. Mira algunos ejemplos de anuncios.

Educa (2016). http://www.educa.org.do/.

Educa (2015). http://www.educa.org.do/.

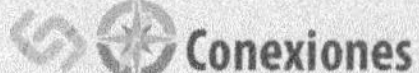

Conexiones

1. ¿Cómo están preparando a los adolescentes para el futuro en tu país?
2. ¿Cuál es tu reacción inicial a estos anuncios?
3. ¿Hay anuncios parecidos en tu comunidad? ¿De qué se tratan?

Para más información visita la guía digital.

Paso 2: Entendiendo bien la situación

Mira el video de nuevo y completa la información en el organizador gráfico de la guía digital.

Paso 3: Ponte en su lugar

Piensa en los jóvenes de la República Dominicana o en los de tu comunidad que tengan una situación semejante a la descrita en el video.

a. ¿Cuáles son los beneficios y los retos de crear programas como *Juventud y Empleo*? Usa el organizador gráfico para expresar tus ideas.

Beneficios	Retos

b. En grupos de tres, comparen sus respuestas y compártanlas con la clase. Como clase, comenten la necesidad de programas de este tipo en su comunidad.

Sé convencer al público de la necesidad de crear programas que preparan a los adolescentes para el mundo laboral del futuro.

¿Qué aprendiste?

Tienes la oportunidad de crear un programa dentro de tu comunidad para ayudar a los adolescentes a insertarse en el mundo laboral del futuro.

a. Piensa en las preguntas siguientes y contéstalas en el organizador gráfico. Usa algunas de las **expresiones útiles** de esta actividad.

1. ¿Dónde en tu comunidad puedes ver ejemplos de programas que ayudan a los jóvenes a formarse para el mundo laboral?
2. ¿Qué tipo de programas que no existen ahora te gustaría ver?
3. ¿Por qué es importante que existan estos programas?
4. ¿Cómo podrían ayudar a todos los jóvenes?

Ejemplos en tu comunidad	¿Qué te gustaría tener?	¿Por qué es importante?

b. Organiza tus ideas de la manera más detallada posible y prepara una presentación que presentarás en la próxima reunión del ayuntamiento de tu comunidad representando a la asociación de estudiantes de tu colegio.

c. ¿Qué dirás para comunicar esta necesidad al público? Usa lo que has aprendido y prepara la presentación.

d. ¿Qué dibujos, fotos o recortes de revistas usarías para tu presentación?

Empieza de esta manera:

- Un asunto muy importante para los jóvenes de nuestra comunidad . . .
- Una oportunidad de tener acceso a programas que nos ayudan a acceder al mundo laboral mientras estudiamos . . .

En camino B

¿Qué hacer después de graduarte?

Hay muchas opciones que puedes seguir después de graduarte y es interesante aprender de las experiencias de los demás.

Mi progreso comunicativo

Sé explicar los diferentes caminos para acceder al mundo laboral.

Paso 1: La reunión con antiguos alumnos

Imagina que estás en una reunión en tu colegio con algunos alumnos que se graduaron en junio del año pasado. Han venido a explicar su vida después de haber terminado el colegio. Vas a escuchar las experiencias de cinco graduados hispanohablantes.

a. Escucha lo que dicen de sus experiencias después de haberse graduado.

b. Graba tu reacción en la guía digital con la siguiente información:

- ¿Con cuál de los alumnos te identificas más y por qué?
- ¿Con quién no te identificas en nada y por qué?

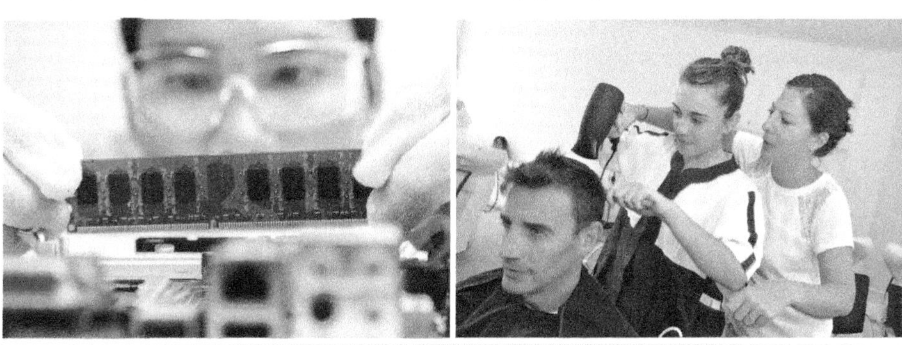

 Paso 2: ¿Qué dicen Tomás y Patricia?

En su blog, Tomás mantuvo una conversación con Patricia sobre el coste de estudiar en la universidad.

Al leer lo que escribieron Patricia y Tomás en el blog, subraya las razones <u>en favor</u> y pon en { } las razones en contra de hacer una carrera universitaria.

Mis razones para no hacer una carrera universitaria

Hola a todos/as:

Voy a explicar mis razones por las que no creo que sea necesario tener una carrera universitaria.

- Se malgasta el dinero. Dependiendo de dónde estudies, puede costarte un ojo de la cara.
- Puedes conseguir los mismos conocimientos leyendo libros por tu cuenta.
- Es un aburrimiento total.
- Limita tu creatividad.

Sé que sueno un poco harto de la formación formal. Mis padres quieren que vaya a la universidad pero a mí no me apetece nada. ¿Qué opinan?

Comentarios

Hola, me llamo Patricia y entiendo lo que dices. A propósito, no nos dijiste lo que haces. Si no estudias, me imagino que tendrás un trabajo porque no creo que tus padres te dejen vivir en su casa sin aportar algo de dinero. Pero vamos al tema. Yo sí creo que merece la pena estudiar y te voy a decir por qué.

- Si estudias algo que te gusta, quieres saber todo lo posible sobre el tema.
- Es una vía fácil para conocer a gente.
- Tienes la oportunidad de vivir experiencias nuevas.
- Seguro que vas a ganar dinero (bueno, casi seguro) en el futuro.

 Paso 3: Ahora te toca a ti

Ahora te toca a ti. Escribe en el blog de Tomás. Da tus razones para estudiar en la universidad o seguir otro camino de estudios o trabajo. Si usas uno de los comentarios de Tomás o Patricia, añade más información para aclarar tu punto de vista.

Oye, Tomás. Me llamo __________ y he leído tu blog y la entrada de Patricia sobre estudiar o no estudiar una carrera universitaria.

Síntesis de gramática

El subjuntivo con cláusulas adverbiales

Hay algunas cláusulas adverbiales que siempre utilizan el subjuntivo:

Solicita el trabajo **antes de que** se lo den a otra persona.

Te daremos el trabajo **con tal de que** puedas empezar mañana.

Vamos a conseguir un empleo **para que** tengamos dinero para salir.

Hay otras que solo utilizan el subjuntivo si se habla de un futuro inseguro:

Cuando tengas un minuto, pasa por mi oficina.

En cuanto pueda, voy a conseguir un trabajo.

El subjuntivo con antecedentes indefinidos y negativos

Cuando no sabes si la persona o cosa de la que hablas existe en realidad, usarás el subjuntivo:

- **Busco a alguien que** hable español.
- **¿Quieres algo que** esté cerca de tu casa?
- **¿Conoces a alguien que** sepa programar computadoras?
- **No hay nadie que** entienda la informática como yo.
- **No hay nada que** funcione mejor que este programa.

Las oraciones con "si"

Para hablar de una situación probable, usa Si + presente + futuro
Si quieres trabajar este verano, tendrás que empezar ahora a buscar un trabajo.

Para hablar de una situación posible, pero menos probable, usa Si + subjuntivo del pasado + condicional
Si quisieras trabajar este verano, tendrías que empezar ahora a buscar un trabajo.

Se necesita saber algunas formas del pasado de subjuntivo para usar con si:
quisiera, pudiera, tuviera, fuera, hubiera.

Los pronombres relativos

Un pronombre relativo es una palabra o frase que une dos oraciones para que no tengas que escribir dos oraciones separadas.

- Se usa **que** para objetos, ideas, o personas:
  - palabras **que** representan
  - y gente **que** trabaja.
- Se usa **quien(es)** para persona(s) después de una preposición: a, en, de, con, por, para:
  - **en quien** tienes confianza.
- Se usa el **que, la que, los que, o las que** para objetos después de una preposición:
  - el orden **con el que**... ;
  - la razón **por la que**... ;
  - los motivos **por los que**... ; y
  - las razones **por las que**... .
- Se usa **lo que** para referirse a una idea y no un objeto o persona específicos.

Vocabulario

Así se dice 1: Conoce a María

el/la abogado/a - la persona especializada en leyes
la carrera - la profesión
convertirse - transformarse; llegar a ser
una destreza - una habilidad para hacer algo
hacer su sueño realidad - lograr sus aspiraciones
el/la ingeniero/a - la persona que se dedica a invenciones o construcciones útiles para el hombre
el punto de vista - la perspectiva de alguien
por su cuenta - por uno mismo, solo

Así se dice 2: Motivos para trabajar

el campo - el área
la contratación - emplear a una persona para un trabajo
culminar - terminar
cursar - estudiar
un establecimiento - un lugar donde se ejerce una actividad
la jornada - el día
perjudicial - que puede causar algún daño

Así se dice 3: Beneficios de trabajar

apetecer - tener ganas de
apto/a - que tiene la capacidad para el trabajo
los beneficios - las ventajas de algo
los conocimientos y las habilidades - lo que sabes y puedes hacer
ganarse dinero por su cuenta - recibir dinero por trabajar
involucrarse - tomar parte
laborioso/a - que requiere trabajo
los meses veraniegos - los meses de verano
un puesto en el mercado laboral - un trabajo
seguir un horario - trabajar ciertos días u horas a la semana
solucionar problemas - resolver problemas
un trabajo de medio tiempo - un trabajo de solo unas horas al día

Así se dice 4: Trabajo de verano

adjuntar - enviar juntamente con una carta u otro escrito
atender - ocuparse de alguien o algo
un/una cajero/a - la persona que en un comercio está encargada de la caja
una función - una actividad propia de alguien
mayor - más; que supera en cantidad
una oferta - una propuesta para contratar o ejecutar algo
la presentación - la manera de presentarse; el aspecto exterior
el turno - cuando le corresponde realizar una tarea que alterna con otros

Así se dice 5: Carreras del futuro

abarcar - incluir
aún así - a pesar de; todavía
complejo - complicado
cuyas - sus; perteneciente a
especializarse - limitarse a un campo determinado
el funcionamiento - la marcha; la forma de proceder
el mantenimiento - la conservación
prevenir - evitar que suceda
solicitado - demandado; requerido
el/la traductor/a - una persona que dice en un idioma lo expresado en otro
volverse - convertirse; hacerse

Así se dice 6: Habilidades necesarias

un apartado - una parte; sección
asesorarse - pedir consejos y recomendaciones
cambiante - que cambia constantemente
los conocimientos técnicos - los estudios y preparación científica
las competencias laborales - las capacidades para realizar un trabajo
emprender - tomar iniciativa para comenzar algo
estar al día - conocer las tendencias más innovadoras y recientes
la exigencia de estudios - los requisitos de estudios
formalizarse - recibir una orientación laboral/formarse
tener iniciativa - ser emprendedor
un trabajo fijo - un puesto permanente

Así se dice 7: Después de la secundaria

a lo largo de - durante; a través de
un audiolibro - un libro que se escucha en vez de leerlo
una carrera militar - una carrera en el ejército
costoso - muy caro
desempeñar - realizar; hacer
el emprendimiento - la capacidad de empezar a hacer algo, generalmente, bastante difícil
una escuela vocacional - una escuela para aprender un oficio como electricista, fontanero, etc.
ligado - unido
las opciones alternativas - otras opciones
la tasa de colocación - el porcentaje de personas con un trabajo
teletrabajar - trabajar desde casa

Expresiones útiles y refranes

aprender el sentido del deber - aprender a saber lo que debes hacer
económicamente remunerada - pagada
los empleos de verano (veraniegos) - los trabajos en verano
sacarle provecho - obtener los mayores beneficios
tener experiencia previa - haber trabajado antes
trabajar en equipo - trabajar con un grupo de personas

a pesar de - en contra de la voluntad de alguien
contarle - explicarle
cuidar a tus amigos - ayudar a los amigos

A Dios rogando y con el mazo dando - Hay que pedir ayuda y suerte pero al mismo tiempo trabajar duro
A juventud ociosa, vejez trabajosa - Si alguien no trabaja cuando es joven, tendrá que trabajar cuando sea una persona mayor
Cuando se quiere, se puede - Lo más importante es tener determinación porque con eso se consigue progresar en la vida
Cuando uno le pone amor a la cosa, se llega lejos - Cuando se pone todo nuestro esfuerzo en algo y se es perseverante, se triunfa en la vida
Lo que no se empieza, no se acaba - Si algo no se comienza, no se puede terminar
Más vale tarde que nunca - Es mejor hacer algo tarde que no hacerlo nunca
Por más que tú tropiezas, tú debes levantarte - No importa si no tienes éxito, hay que intentarlo de nuevo hasta conseguir el objetivo
Tú puedes llegar lejos, pero tienes que poner de tu parte - Tener habilidades no es suficiente, hay que dar lo mejor de uno mismo

Así se dice 8: Programas de preparación en la R. D.

una aptitud - la capacidad para desarrollar un trabajo o empleo
una capacitación técnica - una preparación o formación específica
una formación humana - una preparación para trabajar con personas
el liderazgo - la capacidad de ser líder
los recursos - los medios disponibles
un reto - algo que requiere mucho esfuerzo y dedicación porque es difícil de alcanzar
la tasa de empleo - la proporción de personas con trabajo

Expresiones útiles: Para escribir correspondencia formal

Saludos: Para empezar	Despedidas: Para concluir
Estimado/a señor/a	Atentamente
Muy señor/a mío/a	Reciba un saludo afectuoso

Vive entre culturas

Un año sabático

Pregunta esencial: ¿Cómo voy a elegir mi futuro profesional?

Imagínate que puedes pasar un año entre la escuela secundaria y la universidad haciendo o explorando lo que realmente te interesa. Ese año libre se llama **un año sabático** y es algo común en algunos países, sobre todo en Europa, pero también empieza a ser popular en Norteamérica. En esta sección, vas a profundizar esta idea y planificar tu año sabático.

Interpretive Assessment

Paso 1: Infórmate

Vas a leer un artículo con información más detallada sobre el año sabático para jóvenes antes de ir a la universidad. Después de leer el texto, decidirás qué opción te atrae más.

TOMARSE UN AÑO SABÁTICO

Quizás estés cansado del trajín académico. Quizás no sepas bien por qué vas a ir a la universidad o qué harás cuando llegues allí. Quizás ansías explorar lugares lejanos o profundizar en una carrera que te interese. Si esto te resulta familiar, este puede ser el momento de considerar tomarte un año sabático entre la escuela secundaria y la universidad.

¿CUÁLES SON MIS OPCIONES? Hay miles de opciones para pasar este año sin estudiar, así como también infinitas combinaciones de actividades. Algunos alumnos participan en programas que duran todo el año. Otros combinan dos o más programas cortos o planean un viaje solos o con amigos. Aquí te mostramos algunas formas tradicionales de pasar el año sabático:

VIAJES: Varias organizaciones ofrecen programas que se centran en viajar o vivir en el extranjero. O, de lo contrario, quizás desees planificar tu propia aventura.

PRÁCTICAS PROFESIONALES: Pasa algún tiempo trabajando en una especialidad profesional que te interese. Si lo disfrutas, tendrás incluso más incentivos para tener éxito en la carrera universitaria que hayas elegido. Si no es el campo que te gusta, tendrás aún mucho tiempo para explorar otras oportunidades profesionales.

TRABAJO VOLUNTARIO: Puedes encontrar programas de voluntariado tanto en los Estados Unidos como en el resto del mundo. Puedes construir casas, trabajar con niños, trabajar en proyectos ambientales o un gran número de actividades de otro tipo.

ASPECTOS ACADÉMICOS: Los alumnos que no están contentos con los resultados de su escuela secundaria pueden sopesar la posibilidad de cursar un año adicional de preparación universitaria que consiste en un año adicional de formación antes de entrar a la universidad. La meta del año adicional de preparación universitaria es reforzar los resultados académicos con la esperanza de obtener el ingreso a una universidad mejor.

TRABAJO: Tanto si consigues un trabajo en casa como fuera de ella, un año de trabajo puede proporcionarte dinero adicional para pagar la universidad, además de una valiosa experiencia en la vida real.

Si eliges participar en un programa organizado de año sabático, investiga las diferentes opciones y averigua en qué áreas se concentran. "Todos parecen ser muy similares a primera vista, pero existen diferencias claves que es importante que consideres", expresa la Gerente General y co-fundador de *Thinking Beyond Borders* (Pensar más allá de las fronteras). "¿Cuál es el resultado que persigue el programa de año sabático?".

Adapted and Reprinted with permission. Copyright 2016 National Association for College Admission Counseling.

Interpersonal Assessment

Paso 2: Comparte

Compartirás tu información del **Paso 1** con un/a compañero/a de clase y compararán sus respuestas. Explicarán por qué han elegido esas respuestas y qué es lo que les resulta más atractivo de ellas.

Presentational Assessment

Paso 3: Toma de decisiones

Leerás sobre proyectos en República Dominicana que sirven para pasar un año sabático. Después, harás una búsqueda de información adicional sobre el proyecto que te interese más.

Cuando hayas decidido el proyecto en el que participarás, escribirás una carta a la institución o universidad donde tenías pensado estudiar para explicar que va a tomar un año sabático.

UNIDAD 6
Un mundo solidario

Metas de la unidad

- Analizar mis derechos y obligaciones y los de los jóvenes uruguayos, en el colegio, la familia y la comunidad y recomendar cambios.
- Explorar maneras en las que podemos ayudar a comunidades desfavorecidas en mi país y en Uruguay.
- Ilustrar cómo se podrían promover valores humanitarios y de ese modo mejorar la comunidad global.

Preguntas esenciales

¿Por qué debo conocer mis derechos y obligaciones en mi entorno diario?

¿Cuál es mi responsabilidad para ayudar a prevenir la discriminación de grupos desfavorecidos en mi país y en el extranjero?

¿Qué programas humanitarios podemos implementar para promover un mundo solidario?

Vista aérea de Montevideo, la capital de Uruguay

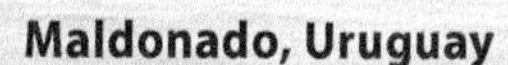

Maldonado, Uruguay

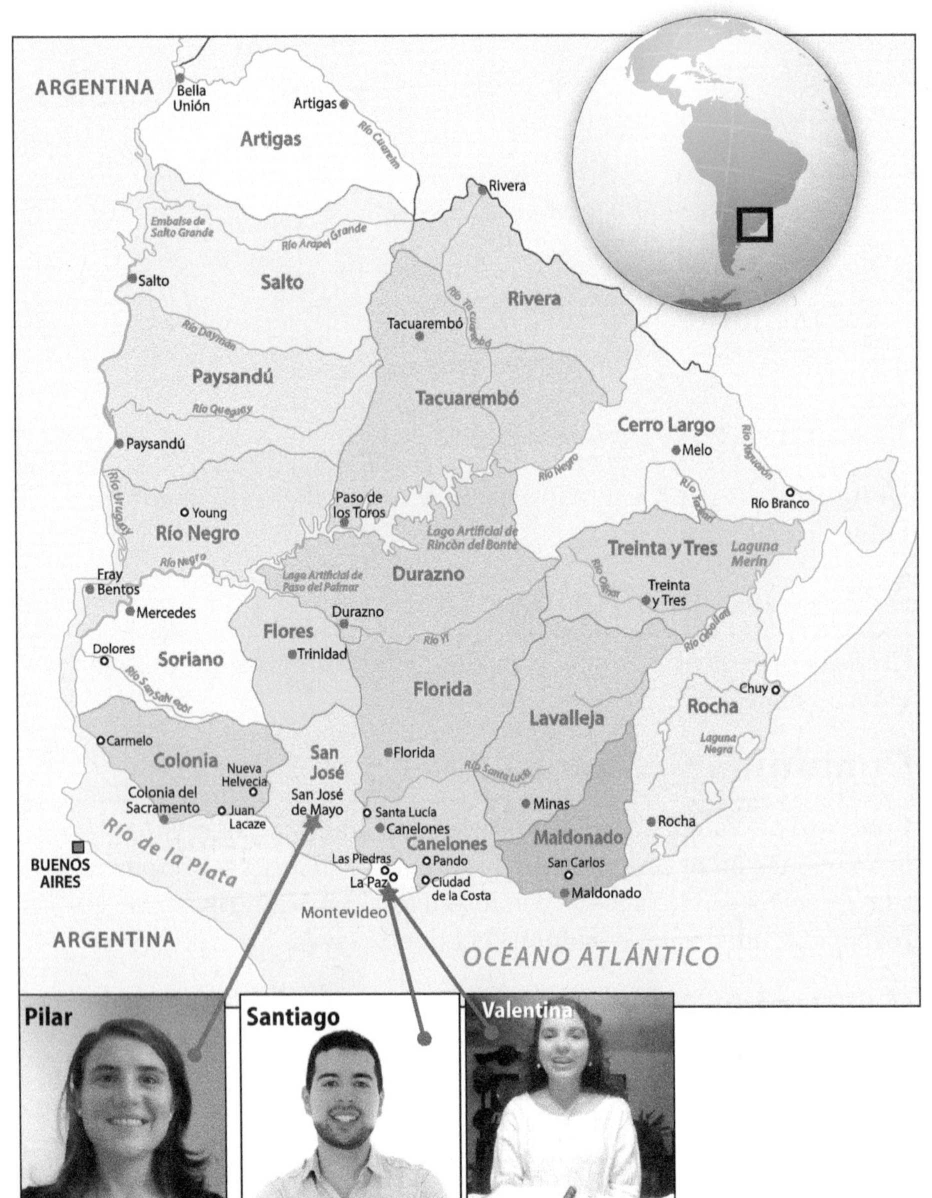

Uruguay, un gran país chiquito

Ya sabes que tienes derechos y obligaciones - en tu colegio, con tu familia, en tu comunidad, hacia tu país y también con el mundo en el que vives. Vamos a tratar estos derechos y obligaciones y tendrás la oportunidad de ver lo que consideran importante en Uruguay. Para terminar, vas a crear un video en el que compartes tu solidaridad. ¡Ánimo!

La palabra Uruguay, proviene de la lengua guaraní, y significa "el río de los pájaros pintados".

1

Uruguay es uno de los países con mayor índice de alfabetización de todo el continente americano con una tasa del 98%.

2

El país es una república constitucional; el presidente se elige por votación popular y está en el poder cinco años como máximo. No puede ser reelegido.

3

El himno nacional de Uruguay es el más largo del mundo: dura casi seis minutos.

4

Uruguay ofrece algunas de las playas más bellas del mundo y recibe a muchos visitantes argentinos y europeos.

5

El mate es una infusión hecha con hojas de yerba mate, consumida desde la época precolombina por los pueblos originarios guaraníes.

6

El tango es un género musical y una danza, característica de las ciudades de Buenos Aires (en Argentina) y Montevideo (en Uruguay).

7

El gaucho es un tipo de vaquero característico de las llanuras de Argentina, Uruguay, Paraguay, Bolivia, sur de Brasil y sur de Chile. Su figura representa la independencia y el valor.

8

El carnaval de Uruguay es el más largo del mundo, con aproximadamente treinta y cinco días de duración. Es una muestra de la influencia de la cultura afrouruguaya.

9

***Bailecito* de Figari**

Uruguay es la cuna de grandes escritores y pintores, entre ellos el narrador, José Enrique Rodó, y el artista, Pedro Figari.

> Porque hablar de los derechos no es algo habitual ni sencillo; ponerle palabras es un paso muy importante para hacerlos realidad, para que dichos y hechos vayan juntos, y entre todos y todas, podamos colaborar para que la sociedad en la que vivimos sea un poco más justa, más **solidaria**, más abierta a sentir las voces que menos escuchamos.
>
> — Directorio del Instituto del Niño y Adolescente de Uruguay

Directorio del INAU (2009). Extraído de http://tinyurl.com/z7q24e4.

Actividad preliminar

La solidaridad

Ojalá hayas desarrollado tu faceta solidaria durante este curso.

- Empezaste con un intercambio cultural llamado Ruta BBVA, donde demostraste que eres un/a ciudadano/a intercultural con ganas de superarte y ayudar a los demás.
- Después, viste cómo puedes usar las redes sociales para promover cambios positivos en el mundo.
- Luego, aprendiste cómo puedes ayudar a que la gente lleve una vida más saludable y equilibrada.
- A continuación, pudiste ver cómo nuestras comunidades pueden ser más sostenibles tanto en tu hogar como en tu comunidad.
- Y también, analizaste tus posibilidades en el mundo laboral, siendo consciente y solidario/a con las diferentes situaciones laborales de las personas.

En esta última unidad, seguirás explorando tu relación solidaria y socialmente responsable con el mundo que te rodea. Tendrás la oportunidad de promover los derechos humanos para todos - del dicho al hecho.

Ciudadano/a intercultural

Piensa en tus nuevos conocimientos interculturales sobre jóvenes del mundo hispanohablante y en lo que quiere **decir ser un/a ciudadano/a intercultural**. Con tus compañeros de clase, crearás un mural de cómo se puede llevar una vida que refleje lo mejor que uno/a puede aportar al mundo.

a. Formen un grupo de cuatro o cinco alumnos para planear su mural.

b. Usen los temas que han estudiado como guía para saber qué incluir. Lean de nuevo los temas en la introducción de esta actividad.

   1. Apunten dos o tres cosas que aprendieron en cada unidad que tienen que ver con la idea de ser un/a ciudadano/a intercultural.
   2. Compartan sus ideas con los otros grupos.

c. Decidan entre todos los grupos la unidad que cada grupo dibujará en el mural. Después de terminar su sección del mural, expliquen el tema a la clase.

Comunica y Explora A

Pregunta esencial: ¿Por qué debo conocer mis derechos y obligaciones y los de un/a joven uruguayo/a?

La Rambla de Montevideo, Uruguay

José Alberto Mujica

Actividad 1

Conoce a Valentina de Montevideo

Vas a conocer a Valentina, una bloguera que vive en Montevideo, la capital de Uruguay. Te va a contar de su familia, sus amigos, su vida en Montevideo y, sobre todo, de su colegio. Ella está orgullosa del nivel de solidaridad en Uruguay.

Paso 1: La vida de Valentina

Mira lo que dice Valentina sobre su familia, sus amigos y sus pasatiempos y completa el diagrama de Venn.

a. Escribe una lista de lo que oyes. Si es parecido a tu vida, escríbelo en el medio. Si es particular a Valentina, escríbelo en su círculo.

b. Completa el diagrama de Venn con lo que es tuyo exclusivamente.

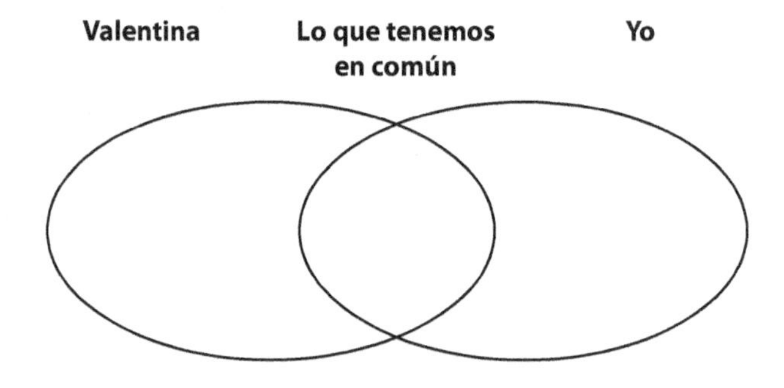

c. Ahora, comenta en un grupo de tres.

1. ¿Qué tienes tú en común con Valentina?
2. ¿Qué parte de tu vida es diferente?
3. ¿Tienes más en común o diferente? Explica.

Plaza Independencia con el Palacio Salvo

Enfoque cultural

Producto cultural: Montevideo, Capital Iberoamericana de la Cultura

¿Sabías que en 2013, por segunda vez, Montevideo, la capital de Uruguay, fue nombrada Capital Iberoamericana de la Cultura? En esta capital, se combina modernidad y tradición dándole una identidad única; cuenta con una Rambla donde los uruguayos van con frecuencia a beber mate y dar largos paseos. También se puede disfrutar de una vida cultural con producciones teatrales, ver un partido de fútbol o apreciar el arte de muchos artistas uruguayos. Además, se puede encontrar una gran cantidad de zonas verdes, parques y jardines que ofrecen numerosas opciones al aire libre.

Conexiones

1. ¿Cuál es tu impresión de la capital de Uruguay?
2. ¿Qué te gustaría ver si pudieras visitar Montevideo? ¿Por qué?

Paso 2: El cole de Valentina

Mira el video de nuevo y presta atención a lo que Valentina cuenta sobre su colegio. Elige el final correcto de las oraciones.

1. Valentina no asiste a un liceo privado porque cuesta
   a. más dinero. b. la misma cantidad de dinero. c. menos dinero.
2. El nivel de enseñanza en el liceo público es
   a. superior. b. igual que el nivel en el privado. c. inferior.
3. Valentina prefiere
   a. las matemáticas. b. las ciencias. c. las humanidades.
4. Los descansos entre las clases
   a. varían de tiempo. b. son siempre de cinco minutos. c. no existen.
5. Hay una cantina en el liceo que vende
   a. sólo pasteles. b. comida sana. c. comida de todo tipo.

Paso 3: Las normas de su colegio

Todos los colegios tienen una lista de normas que los estudiantes deben seguir para demostrar respeto pero, también consecuencias si no se siguen. Las normas contribuyen a que los alumnos se sientan escuchados, valorados, respetados y reconocidos. Piensa en lo que dijo Valentina de las normas y de lo que pasa cuando no se cumplen.

a. Según Valentina, ¿son verdaderas o falsas estas oraciones? Si una oración es falsa, cámbiala para que sea verdadera.
   1. Todos los alumnos tienen una copia de las normas del cole.
   2. A los alumnos no les explican una por una las normas del cole.
   3. Hay un delegado en cada clase que habla con la dirección todos los días.

b. Estas oraciones indican las consecuencias de no seguir las normas. Según Valentina, ¿son verdaderas o falsas? Si una oración es falsa, cámbiala para que sea verdadera.
   1. Si un/a alumno/a comete un acto serio en contra de las normas, lo/la mandan a casa por unos días.
   2. Si un/a alumno/a vuelve a romper las normas, lo/la expulsan del cole.
   3. Si expulsan a un/a alumno/a del cole, va a otro sin ningún problema.

La calle peatonal Sarandí por el centro de la Ciudad Vieja

Paso 4: Valentina como voluntaria

Valentina cree que hay que ayudar a los menos afortunados y quiere cooperar.

a. Lee un mensaje que escribió Valentina sobre lo que hace para ayudar a los demás en su tiempo libre.

Para: mis nuevos amigos
Asunto: ser voluntaria

En Uruguay, puedo participar como voluntaria en muchas organizaciones; y, lo mejor es que uno o dos días al año, estas organizaciones preparan eventos con el objetivo de ayudar y conseguir donaciones de plata, ropa, comida no perecedera o lo que se pueda. Es fácil participar como voluntaria en estos eventos y así ayudar a los discapacitados, enfermos o los que necesitan ayuda de ropa o alimentos.

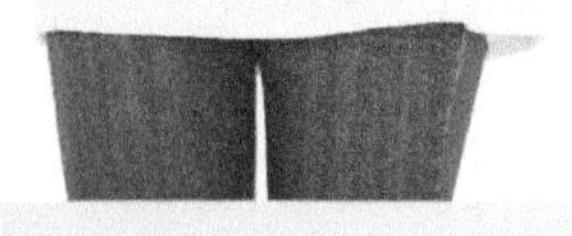

b. Conversen con dos compañeros sobre lo que hacen tú y tus amigos para ayudar a los menos afortunados y en qué se parece a lo que hace Valentina.

Detalle gramatical

Los pronombres posesivos

Mira estas dos oraciones:
¿Se parece la experiencia de Valentina a **la tuya**?
Compárala con **la suya**.

Cuando usas el posesivo como sustantivo en vez de adjetivo, usa estas formas:

Mío/a/as/os	**Nuestro/a/os/as**
Tuyo/a/os/as	**Vuestro/a/os/as**
Suyo/a/os/as	**Suyo/a/os/as**

Mira los ejemplos:

Las reglas en **su colegio** son iguales a las normas en **el mío**.

La familia de Valentina es distinta de **la tuya**.

Los pasatiempos de Valentina son parecidos a **los suyos (mi amigo)**.

Las experiencias de su familia son iguales a **las nuestras**.

El castigo por no ir a clase es igual en **su país** al castigo en **el vuestro**. **(España)**

Los padres de Valentina parecen distintos de **los suyos (amigos)**.

Fíjate en el uso de: el, la, los, las dependiendo de lo que comparas.

Visita la guía digital para ver un Enfoque en la forma sobre los posesivos en español.

Reflexión intercultural

Mi progreso intercultural
Sé comparar mis derechos y obligaciones como estudiante con los de mis compañeros uruguayos.

¿Es la experiencia de Valentina en su colegio diferente o parecida a la tuya? Escríbele un correo electrónico y preséntate. Cuéntale tus experiencias en el colegio y en qué se parecen o diferencian tu vida escolar y la suya. Incluye, junto con la vida diaria, lo que hacen los alumnos en el cole de Valentina que muestra respeto hacia las personas más necesitadas y lo que hacen en el tuyo.

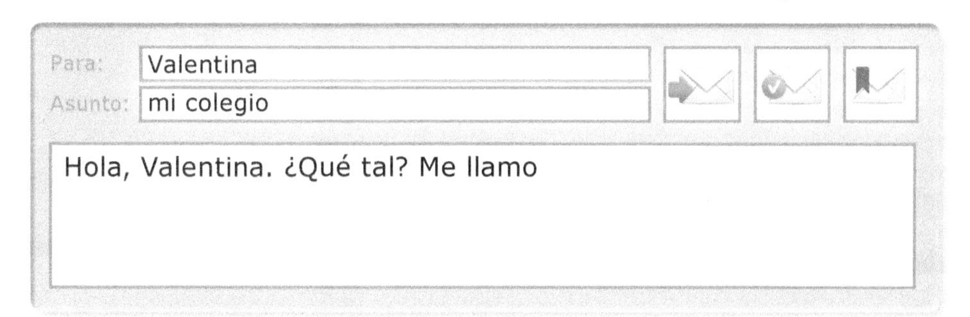

Para: Valentina
Asunto: mi colegio
Hola, Valentina. ¿Qué tal? Me llamo

Enfoque cultural

Producto cultural: El mate

Ya sabes que el mate es una bebida hecha con hojas de yerba mate, una planta originaria consumida por los pueblos indígenas guaraníes. Fue adoptado rápidamente por los colonizadores españoles, y hoy es parte de la cultura de Argentina, Bolivia, Paraguay, Uruguay y ciertas zonas de Brasil y Chile. Es una infusión digestiva porque tiene un alto nivel de antioxidantes. Normalmente, se bebe caliente mediante un sorbete denominado bombilla colocado en un pequeño recipiente que contiene la infusión.

A pesar de todas las inmigraciones a Uruguay de diferentes culturas, el mate de los pueblos originarios se ha impuesto a toda influencia. Uruguay es el país de mayor consumo de mate del mundo. Lo consumen todas las personas, incluidos los jóvenes. Es usual ver a la gente bebiendo mate por la calle, mientras esperan el metro o el autobús o cuando caminan al trabajo. Una de las costumbres más típicas del país es tomar mate en la rambla, es decir, en la costa que rodea el país, o en la Rambla de Montevideo en el verano.

Before students read the **Enfoque cultural** selections in the unit, see the **Conexiones** question(s) to have them reflect on this product/practice/perspective in their own culture.

Conexiones

1. En tu cultura, ¿hay una bebida típica que proviene de los pueblos originarios del país y que ha permanecido como una tradición nacional que une a todas las personas? ¿Cómo es?
2. Si no puedes pensar en una bebida, ¿hay una comida o un plato específico con una tradición nacional que une a todas las personas? Descríbela.

Observa 1

El subjuntivo para expresar emoción y duda

Paso 1: Los derechos y las obligaciones

Lee las oraciones que hablan de las los derechos y las obligaciones de los jóvenes en el colegio.

Me alegro de que los alumnos sepan que tienen obligaciones en el colegio.

Pero es una pena que algunas veces no conozcan sus derechos.

Me preocupa que algunos estudiantes no traten de llevarse bien los unos con los otros.

Y me sorprende que todo el mundo no quiera ayudar a los demás.

Además dudo que vayamos a poder ayudar a todos los que sufren.

Y tampoco creo que debamos abandonarlos.

¿Qué tienen en común las expresiones en azul? Es la clave de por qué todas van seguidas del subjuntivo. Usa el organizador gráfico en la guía digital para contestar a esta pregunta solo/a y después en un grupo pequeño.

Paso 2: Las consecuencias

Lee la conversación entre Oscar y Victoria en la cafetería de la escuela. Escribe la expresión en la conversación en azul que corresponde a duda y emoción en el organizador gráfico.

Emoción	Duda

Estrategias

¡Recuerda lo que has aprendido!

Como ya sabrás, las estrategias de aprendizaje pueden ayudarte a aprender el español con mayor facilidad. En esta unidad, tendrás la oportunidad de poner en práctica lo que ya has aprendido en las unidades anteriores:

- a comunicarse con gente de otras culturas;
- a leer mejor; y
- a aprender mejor el vocabulario.

Vamos a hablar de un uso nuevo del subjuntivo con emoción y duda. Fíjense en las expresiones en azul.

Oscar: ***No pienso que estés*** *de acuerdo conmigo pero creo que Alejandro hizo mal al pelearse con Esteban por esa chica.*

Victoria: *¿Por qué* ***no crees que yo vaya*** *a pensar igual que tú? No se puede pelear en el colegio y nuestro director no permite este tipo de comportamiento.*

Oscar: ***Dudo que*** *Alejandro* ***tenga*** *recursos ahora. Lo van a obligar a quedarse dos días en casa y coincide con el fin de semana del baile de final del año así que no podrá asistir.*

Victoria: *Sí,* ***es triste*** *que se* ***pierda*** *el baile pero* ***no me sorprende*** *que* ***reciba*** *ese castigo.*

Oscar: ***Me preocupa que*** *nuestros amigos* ***piensen*** *que pueden reaccionar sin pensar en las consecuencias.*

Victoria: *Pues sí.* ***Me alegro de que*** *tú y yo* ***sigamos*** *las reglas.*

Paso 3: Te metes en la conversación

Imagina que ahora entras en la cafetería de la escuela donde están Oscar y Victoria. Empiezas a darles tu opinión sobre lo que hizo Alejandro y las consecuencias de sus actos. Escribe tu parte de la conversación, usando una de las expresiones de cada cuadro.

Emoción	Duda
Me alegro de que	Dudo que
Me entusiasma que	No creo que
Me entristece que	Es posible que
Me emociona que	No es seguro que
Me encanta que	No pienso que
Me enoja que	
Es una lástima que	
Es una pena que	
Tu oración:	Tu oración:

¿Te acuerdas?

el acoso escolar

el bienestar

de acuerdo con

frente a

inclusivo/a

justo/injusto

llegar a tiempo

mundial

la ONU (la Organización de las Naciones Unidas)

la regla/la norma

respetuoso/a

la tolerancia

Además se dice

acogedor/a - agradable

ampliar/amplio/a - hacer más grande

el mobiliario - el conjunto de muebles

Expresiones útiles

igualdad para todos - cuando todas las personas reciben el mismo trato

tener acceso a - poder usar; utilizar

tener el deber de - tener la obligación de

tener derecho a - tener acceso a algo por ley

si yo fuera - si imagino ser otra persona

Actividad 2

Tus derechos y obligaciones como alumno/a

Cada colegio tiene una lista de derechos y obligaciones de sus alumnos. Pero, ¿por qué existen? ¿Crees que se parecen a los de tus compañeros uruguayos? Vas a decidir si, según sus normas para los alumnos, crees que podrías asistir cómodamente a un liceo en Uruguay.

Así se dice 1: Derechos y obligaciones en el colegio

el castigo - la consecuencia de romper una norma

convivir/una norma de convivencia - vivir con algo o alguien/una regla para vivir con alguien

la creencia - lo que se cree

la formación - los estudios

la ideología - el conjunto de ideas o creencias

igualitario - en igualdad de condiciones

interferir con - obstaculizar

puntual - a tiempo

el retraso - la llegada tarde

una salida profesional - la oportunidad para ejercer tu profesión

la seguridad - la situación de tranquilidad

el trato/tratar a la gente - la relación/relacionarse con las personas

Paso 1: Derechos y obligaciones en tu colegio

Todos los liceos o colegios tienen normas para los estudiantes, pero también reconocen sus derechos como individuos y alumnos. En esta actividad, vas a analizarlos y compararlos con los de Valentina en su liceo de Uruguay.

a. En un grupo de tres o cuatro alumnos, piensen en las situaciones descritas en el organizador gráfico. Decidan si son un derecho o una obligación, o ambos. Pongan una palomita (✔) en la columna correspondiente.

Situaciones	Derechos	Obligaciones	Ambos
Tener acceso a clases académicas rigurosas.			
Llegar puntual a clase.			

b. Compartan sus respuestas con toda la clase. ¿Añadirían algo más a la lista? ¿Qué y por qué?

  Paso 2: Haz una búsqueda

Trabaja con un/a compañero/a de clase y hagan una búsqueda más rigurosa.

a. Busquen en la web de su colegio o distrito escolar una lista de los derechos y obligaciones de los/las alumnos/as.

b. Compárenlos con la lista anterior.

c. Escriban un mensaje a Valentina usando una red social con dos o tres derechos que creen que deberían estar en la lista y dos o tres obligaciones con las que no están muy de acuerdo explicando por qué.

d. No olviden usar expresiones de emoción u opinión + subjuntivo (ejemplos: me enoja que, me molesta que, me alegro que, me encanta que).

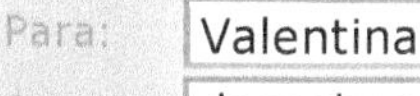

Para: Valentina
Asunto: derechos y obligaciones

Oye, Valentina, me he enterado que en nuestro cole tenemos la obligación de . . . y yo pienso que . . . También me molesta que no esté en la lista de derechos . . . y creo que . . . ¿Tú qué opinas?

Paso 3: Defendiendo tus derechos

Varias organizaciones mundiales trabajan por el bienestar de los niños y han identificado derechos y obligaciones de los estudiantes.

a. Lee los derechos y obligaciones del estudiante mundial.

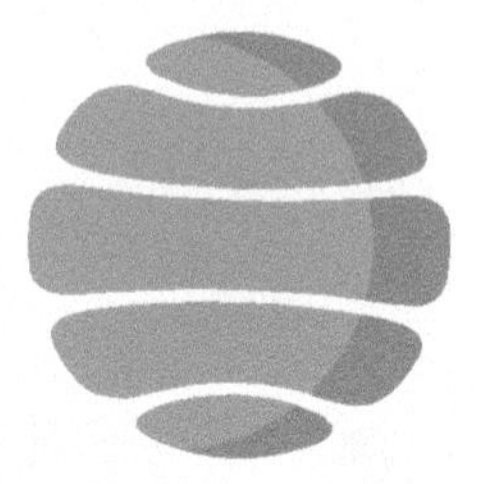

LOS DERECHOS Y OBLIGACIONES DEL ESTUDIANTE

La lista de los derechos y obligaciones de los estudiantes del mundo incluye lo siguiente:

Derechos

- recibir **un trato igualitario**
- participar en actividades escolares (dentro y fuera del centro)
- ser protegido frente a todo tipo de agresión (física o psicológica)

Derechos

- expresar sus opiniones y poder reunirse y asociarse **de acuerdo** con estas opiniones
- recibir una formación basada en una conciencia medioambiental y cuidado de los recursos naturales
- recibir una formación que considere su capacidad y su ritmo de **aprendizaje**

Derechos

- disponer de medios tecnológicos (como internet)
- recibir orientación para una formación superior que le lleve a salidas profesionales

Obligaciones

- asistir a clase con puntualidad
- no **interferir** con los derechos de sus compañeros
- respetar la autoridad de los profesores

Obligaciones

- respetar las creencias, ideologías y convicciones morales y/o religiosas de sus compañeros
- respetar las normas de **convivencia** del centro

Obligaciones

- cuidar el **mobiliario** e instalaciones del **centro**, como los ordenadores, pizarras digitales, etc.
- participar en las actividades del centro que tienen que ver con su aprendizaje

b. Van a celebrar el Día de la Educación en su colegio. Quieren que los estudiantes sean más conscientes de su papel para que el centro funcione bien.

   1. Usando la información anterior sobre los derechos y obligaciones de los estudiantes, prepara un póster con los cinco derechos y las cinco obligaciones del alumno que quieres resaltar.
   2. Usa imágenes para hacer que el resto de los estudiantes se interesen y lean el texto en tu póster.

c. Cuelga tu póster en las paredes de la clase con los de tus compañeros.

   1. Haz un paseo por los pósterse. Apuntas lo que te gusta más de cada póster (sus imágenes, los puntos que resaltaron, la organización, etc.) en un pósit que pegas al lado del poster.
   2. Luego, vuelve a tu póster para leer los comentarios que te dejaron.

Paso 4: Si yo fuera uruguayo/a

Valentina te ha dicho que hay derechos y obligaciones para un/a alumno/a en su liceo en Montevideo pero no ha dado ejemplos.

a. Imagina que estás pasando un año como alumno/a de intercambio en su liceo. Elige un derecho u obligación de tu colegio que crees que todos los colegios deberían de tener para funcionar bien.

   Modelo

   Yo considero que el liceo de Valentina debería tener derecho a información puntual de su progreso académico.

b. Ahora, escribe tus razones para pensar que este derecho u obligación es de tanta importancia que deben añadirlo.

   Modelo

   Me molesta que los estudiantes no estén informados de su progreso; es necesario que se les ayude a mejorar.

c. Presenta tu idea a la clase y responde a las posibles preguntas que te hagan tus compañeros/as.

d. Usa el organizador gráfico para anotar las ideas que se exponen en clase y para poder votar la mejor sugerencia después. Al final, tu profe te dirá cuál fue la idea más popular en tu clase.

Las ideas que me gustan más	Las ideas que me gustan menos
Modelo: Me encanta la idea de examinarse en línea porque así los estudiantes hacen los exámenes a su ritmo.	

Mi progreso comunicativo
Sé explicar mis derechos y obligaciones en el colegio, evaluar su efectividad y recomendar cambios.

Enfoque cultural

Práctica cultural: *Reachingu.org*

Reachingu.org dona dinero para que los niños más desfavorecidos en Uruguay tengan acceso a la misma educación que sus compañeros más afortunados.

 Conexiones

1. Haz una búsqueda en internet para ver si hay alguna organización en tu país que tiene un objetivo parecido.
2. Opina sobre lo que está haciendo *Reachingu.org*. (Me parece bueno que, no creo que, etc.)

 **Mi progreso intercultural**

Sé comparar mis derechos y obligaciones como estudiante con los de mis compañeros uruguayos.

Reflexión intercultural

Tu escuela va a celebrar el Día del Estudiante y para ello cada clase ha elegido un país sobre el que harán una presentación sobre el trato que reciben los estudiantes en el cole. Tú lo harás sobre Uruguay y lo presentarás como si fueras un estudiante uruguayo/a. Usa lo que has hecho en esta actividad y en las anteriores para hacer la presentación.

Modelo

Si yo fuera un estudiante uruguayo/a, yo + condicional . . .

a. Usa expresiones de emoción u opinión + subjuntivo (me gusta que, temo que, me alegra que, etc.).

b. Graba tu presentación oral en la guía digital.

Actividad 3

Los derechos y obligaciones en tu familia

La familia es generalmente uno de los elementos principales en la vida de una persona. En ella, aprendemos los valores de la vida y a convivir. Todos sus integrantes ponen de su parte para que sea un lugar lo más acogedor posible y funcione sin mayores problemas.

Así se dice 2: Derechos y obligaciones en la familia

afrontar - intentar resolver un problema
enfrentarse - afrontar
formarse - prepararse intelectual, moral o profesionalmente
el humor - lo cómico
recordarle a uno - refrescarle la memoria
surgir - aparecer

¿Te acuerdas?

a través de

cumplir con

Además se dice

a medida que - tan pronto como; cuando

acogedor/a - amable; agradable

desenvolver - prosperar; extender; salir de una dificultad

una pauta - una norma; un ejemplo

resguardar - proteger; defender

el respaldo - el apoyo

Paso 1: Conoce a Pilar de San José

Vas a aprender cómo es una familia uruguaya desde el punto de vista de una adolescente.

a. Presta atención a lo que dice Pilar sobre su vida personal.

b. Apunta en el organizador gráfico en la guía digital un mínimo de tres maneras en las que la vida con los amigos es diferente en Uruguay y en tu país.

c. Compara tu lista con la de otro/a alumno/a y comenten si les gustaría la vida en San José. Justifiquen su respuesta.

Paso 2: La vida en San José

Pilar habla de la vida en un pueblo pequeño de Uruguay. ¿Es parecida a la vida de un pueblo pequeño en tu país?

a. Escucha lo que dice Pilar de la gente y la vida en un pueblo pequeño en Uruguay. Usa las palabras del banco de palabras para completar el párrafo en la hoja de trabajo en la guía digital.

b. ¿Vives tú en un pueblo como Pilar o en una comunidad más grande?

1. Con un/a compañero/a escriban una descripción de lo bueno de su comunidad, parecida en tono (lo positivo) a la descripción de Pilar.
2. Elijan ocho a diez palabras claves de su descripción, sáquenlas del párrafo y métanlas en un banco de palabras.
3. Intercambien sus párrafos con otra pareja y complétenlos.
4. Después comenten con la otra pareja lo que tenían en común sus descripciones y cómo diferían.

c. Ahora, en los mismos grupos de cuatro, hagan una lista de las diferencias y similitudes de su pueblo o ciudad con el de Pilar. Compartan sus ideas con la clase en el organizador gráfico en la guía digital.

Pilar

Paso 3: Defendiendo a los adolescentes

Lean, con los mismos compañeros, la presentación sobre los derechos y las obligaciones de los adolescentes en la guía digital.

a. Paren en cada apartado y comenten si se ha mencionado algo nuevo respecto a sus derechos y obligaciones.

b. En el apartado de las responsabilidades de los padres, apunten dos ejemplos para que los padres ayuden a los adolescentes.

c. Comenten lo que hacen sus padres para ayudarles en esta etapa de su vida.

Mi progreso comunicativo

Sé describir mis obligaciones y privilegios por ser miembro de una familia.

¿Qué aprendiste?

Escribe un mensaje electrónico a Pilar para relatarle tus derechos y obligaciones en tu familia y lo que piensas de ellos. Incluye algo que aprendiste al leer la presentación sobre los derechos y obligaciones. Comenta también lo que más te interesa de lo que Pilar te contó sobre los suyos. Usa expresiones del subjuntivo con emoción, duda, y negación (es bueno que, me gusta que, dudo que, no creo que, etc.).

Enfoque cultural

Producto cultural: San José de Mayo

¿Te interesa la arena blanca, colinas o ranchos rurales? Pues, la ciudad de San José, en Uruguay, es el lugar ideal para ti. En ella hay una gran variedad de paisajes, edificios coloniales que hoy son monumentos históricos, centros turísticos y establecimientos de estilo rural. En esta ciudad, puedes observar el estilo de vida gaucho. Tradicionalmente, San José ha sido el mayor productor de papa en el país, aunque el ganado es también una parte importante de la economía, es el departamento con mayor número de explotaciones lecheras del país. Con tanto que hacer entre playas y montañas, es imposible aburrirse.

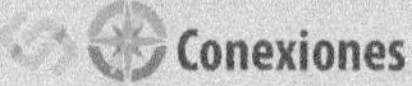

Conexiones

1. ¿Cómo es esta ciudad?
2. ¿Cómo puedes comparar esta ciudad a otra en Uruguay o América del Sur? ¿Por qué?

Actividad 4

¿Cómo solucionar una disputa?

Para llevarte bien con los demás y respetar sus derechos, es importante saber qué hacer en los momentos difíciles con la gente con quien te relacionas.

Así se dice 3: Solucionar una disputa

acordar - solucionar de mutuo acuerdo
un chisme - un comentario maligno
una confrontación - una disputa; lucha
firmar un contrato - escribir el nombre para garantizar algo
un hecho - una acción; lo que se hace
juzgar - pensar; opinar
llevar una conversación - dirigir una conversación
mentir - no decir la verdad
una pelea - una disputa; una lucha
reacio/a - no dispuesto/a a hacer algo
relacionarse - tener trato social
un resultado - la consecuencia; lo que resulta de algo
temeroso/a - que tiene miedo

¿Te acuerdas?

contar su historia
estar de acuerdo
una habilidad
una sugerencia

Además se dice

ambos lados - las dos partes de un conflicto
comprometer - prometer hacer algo
disentir - no estar de acuerdo
un disputante - la persona que lucha
una lluvia de ideas - cuando se sugieren muchas ideas
un mediador - la persona que ayuda a resolver un conflicto
las partes - las personas en conflicto
el seguimiento - la observación

Paso 1: La resolución de conflictos

Hay momentos en los que existen conflictos en el colegio con amigos o desconocidos o con alguien en la familia. Un sistema establecido para solucionar **disputas** en el colegio es la mediación de pares.

Mira algunos ejemplos de problemas o conflictos entre alumnos que se pueden solucionar con la mediación de pares.

a. Con un/a compañero/a identifica las situaciones en las fotos que se beneficiarían de la mediación de pares. Nombren otras disputas que pueden necesitar la mediación de pares.

b. Usando los ejemplos, escriban en qué consiste la mediación entre pares.

c. ¿Conocen algún caso en el que se haya usado para resolver un problema en su colegio?

Cabo Polonio, Uruguay

 Paso 2: La mediación de un conflicto

Cuando las personas en disputa no se pueden poner de acuerdo entre ellas, necesitan a un/a mediador/a.

a. Lean, en un grupo de tres o cuatro, los pasos para resolver un conflicto usando la mediación entre pares. Al leer, completen la idea de cada oración, según el artículo.

1. El programa existe para facilitar . . .
2. El proceso funciona porque cambia . . .
3. En este programa, los alumnos aprenden a . . .
4. El programa reduce . . .
5. Mientras uno de los disputantes explica su historia de los hechos de la disputa, el otro . . .
6. Después de cambiar de papel, cada disputante tiene que contar . . .
7. Los mediadores preguntan a los disputantes si pueden pensar en . . .
8. Los mediadores apuntan todas las sugerencias para resolver la disputa, pero solo hablan de . . .
9. Los disputantes se ponen de acuerdo en . . .
10. Los mediadores escriben . . . que los disputantes aceptan y . . .

b. Escriban ahora en una lista las obligaciones de los co-mediadores y las de los disputantes.

Los mediadores	Los disputantes

MEDIACIÓN ESCOLAR ENTRE PARES

La mediación entre pares es una forma muy eficaz de resolver problemas y conflictos entre personas, los disputantes, con la ayuda de un/a mediador/a o varios mediadores, personas no involucradas en el problema o conflicto que tienen la misma edad que los disputantes. Gracias a este método, los alumnos no solo aprenden a solucionar posibles conflictos en su colegio sino también en todos los ámbitos de su vida: con su familia, amigos, etc.

Objetivos

El objetivo principal de esta mediación es resolver conflictos entre alumnos, pero también ayuda a que los participantes aprendan a escuchar y hacer valoraciones críticas objetivas tanto dentro como fuera del colegio. Como los alumnos aprenden que cuando hay un problema es mejor hablar y escuchar que pelear, se reduce el número de peleas y acciones disciplinarias, lo que contribuye al aumento de la autoestima de todos los estudiantes.

El proceso

1. Primero, se presentan los disputantes y cada uno/a cuenta los **hechos**, según su punto de vista.
2. Después, cada disputante cuenta la versión del otro/a mostrando así que han comprendido la situación desde el punto de vista de la otra persona, sin **juzgar** sus explicaciones.
3. A continuación, los mediadores (pueden ser varias personas o solamente una) hacen un resumen de lo contado, identificando los puntos de desacuerdo entre los disputantes y les preguntan si pueden pensar en alguna solución o, a través de una lluvia de ideas, piden a los participantes que expresen sus opiniones.
4. Luego, los mediadores apuntan todas las ideas y las van comentando, tomando nota de las soluciones con las que los disputantes están de acuerdo.
5. Entonces, los disputantes, tras un análisis de las soluciones seleccionadas, eligen la idea que creen tendrá mejores **resultados**.
6. Para continuar, los mediadores **se aseguran** que las dos partes en conflicto se sienten cómodas para hablar libremente y expresar si están de acuerdo o no con la solución seleccionada sin sentirse **reacios** a expresar su opinión o **temerosos** de las posibles consecuencias de su decisión.
7. Seguidamente, todas las partes interesadas, disputantes y mediadores, **firman un contrato** que finaliza el conflicto.
8. Para concluir con el proceso, los mediadores agradecen a todos su colaboración.

Siguiendo estos pasos, las partes en disputa aprenden a solucionar conflictos y desarrollan las habilidades necesarias para no verse involucrados de nuevo en una disputa.

Mi progreso comunicativo

Sé ofrecer opciones para resolver disputas de una manera que respete los derechos de los demás.

Expresiones útiles

un conflicto

pedir perdón

respirar profundamente

Paso 3: Ejemplos

A ver si has entendido bien el proceso.

a. En grupos de cuatro alumnos (dos hacen el papel de alumnos en conflicto y dos el de mediadores), elijan un conflicto y preparen una conversación simulada del proceso.

b. Presenten su simulación a la clase.

c. Al final de cada conversación simulada, escribe en el organizador gráfico si estás de acuerdo con la resolución y los pasos para seguir adelante y por qué o si tienes una sugerencia para una resolución mejor.

El conflicto	La resolución	Estoy de acuerdo porque	Otra posible resolución sería

d. Comparte tus ideas con tu grupo y decidan las resoluciones que les parecieron más acertadas y justas.

¿Qué aprendiste?

Contesta a las preguntas y explica.

a. Siempre existe la posibilidad de que tengas un **conflicto** con un amigo o un familiar. Dos estrategias para resolverlo serían:

1. Caminar, **respirar profundamente** y luego, hablar. De esta manera puedes pensar antes de enfrentarte al problema.

2. **Pedir perdón** antes que él o ella.

b. Compara estas estrategias con la mediación de pares.

1. ¿Cuál es la diferencia entre la mediación de pares y estas dos sugerencias?

2. ¿Cuándo se debe de usar cada una?

c. Ahora, en la guía digital, graba tu respuesta a estas preguntas. Usa ejemplos específicos de cuándo usar qué estrategia.

Actividad 5

Derechos y obligaciones en la comunidad

Como ya eres adolescente, el mundo a tu alrededor te presenta posibilidades y obligaciones. En tu comunidad te ven como un adulto joven que debe saber demostrar un comportamiento adecuado en la comunidad.

Así se dice 4: Derechos y obligaciones en la comunidad

arrojar - tirar

la austeridad - el llevar una vida sin excesos

una libertad - un derecho; privilegio (en este contexto)

una obra de caridad - algo que se hace para ayudar a los necesitados

la pobreza - la falta de lo necesario para vivir

el poder - la capacidad para hacer algo (en este contexto)

la sencillez - lo que no tiene muchas complicaciones o adornos

¿Te acuerdas?

demasiado

la falta de

los vecinos

Paso 1: Un gobernante ejemplar

Vas a ver y escuchar al expresidente de Uruguay, José Alberto Mujica. En su video, vas a ver cómo vive ahora y cómo vivía cuando era presidente de Uruguay. Con un/a compañero/a, comenten lo siguiente:

1. ¿Cómo es Mujica?
2. Mujica dice que **la pobreza** no es la falta de tener cosas sino el deseo de tener demasiado. Comenten esa idea.
3. Mujica dona el 90% de su salario a **obras de caridad**. ¿Qué dice eso de él como persona?
4. Según lo que han visto en el video, ¿creen que su pueblo entendió sus intenciones? Expliquen su respuesta.

Además se dice

el conjunto de - un grupo

el estilo de vida - la forma en la que se vive

hacer valer - hacer que se cumplan; darles la importancia necesaria

los preceptos jurídicos - los mandatos o órdenes relacionados con la ley

Paso 2: Ciudadano/a de mi comunidad

Durante su presidencia, Mujica se comportó como un ciudadano cualquiera y no usó **el poder** para su beneficio personal.

a. En grupos de tres analicen la figura de Mujica como ciudadano.
   1. ¿Cómo mostró respeto hacia su comunidad y con los ciudadanos?
   2. ¿Qué harían Uds. si fueran "el Mujica" de su comunidad? ¿Cuáles serían sus contribuciones a la comunidad?
   3. Compartan sus ideas con la clase.

b. Después de escuchar a todos los demás grupos, hagan un diseño para una camiseta que muestre su espíritu de ciudadanía.

Paso 3: Mis derechos y obligaciones

Para que una comunidad funcione, cada uno tiene que **cumplir con** sus obligaciones y ejercer sus derechos plenamente. Vas a leer un texto, escrito por un joven de segundo año de Bachillerato, en el que se habla de los derechos y las obligaciones de los individuos con su comunidad.

a. Lee los derechos y las obligaciones. ¿Cuáles implementas ahora en tu vida diaria? ¿Cuáles son los que no implementas pero deberías implementar?

b. Pon una ✔ al lado de lo que ya haces y un ♥ al lado de lo que no haces en este momento pero quieres incorporar en tu vida.

Todos los miembros de una sociedad- niños, jóvenes, adultos y ancianos, hombres y mujeres, -tenemos obligaciones que cumplir, al igual que **libertades** que exigir. En nuestro hogar, escuela, barrio, urbanización y ciudad, a cada instante de nuestra vida, tenemos la oportunidad de ejercitar nuestros deberes y hacer valer nuestros derechos.

1. Deberes con nuestra comunidad:
   - Colaborar en el mantenimiento de las buenas condiciones de los servicios públicos tales como los teléfonos públicos, el transporte y otros.
   - Colaborar con el aseo de la comunidad no **arrojando** desperdicios a la calle, jardines, parques o establecimientos.
   - Contribuir con el mantenimiento de la escuela o parques donde se realizan actividades. Siempre es bueno dejar el lugar que se visita mejor que como se encontró.
   - Respetar el espacio de los vecinos.
   - Conocer las normas de la comunidad. Cada comunidad tiene un estilo de vida.

2. Derechos en nuestras comunidades - entre ellos figuran:
   - Derechos civiles - protegen la integridad física y moral de los ciudadanos.
   - Derechos culturales y educativos - dan acceso y protección a la cultura y el sistema educativo.
   - Derechos de los pueblos indígenas - son el conjunto de preceptos jurídicos que reconocen y garantizan el respeto al estilo de vida de los grupos indígenas.

Paso 4: La campaña comunitaria

Con las ✔ y los ♥ que has acumulado, imagina que el Consejo Escolar de tu colegio está haciendo una campaña para mejorar tu comunidad. En una reunión del Consejo, decidirán cómo van a ayudar.

a. Trabaja con otros dos compañeros. Escriban lo que creen que el Consejo debe hacer primero para mejorar su comunidad en cuanto a los derechos y obligaciones. Incluyan ejemplos de su comunidad.
   - la idea
   - ¿obligación o derecho?
   - importancia de implementarla

b. Organicen la presentación de su idea, para que no puedan convencerle al Consejo cuando vayan a la reunión.

c. En los grupos de tres, traten de convencer al Consejo de que su idea es la mejor.

d. Después de escuchar todas las ideas, la clase entera debe organizarlas por orden de utilidad para la comunidad, desde la más útil a la menos.

Mi progreso comunicativo
Sé convencer a otros jóvenes de lo que se necesita para mejorar la comunidad.

¿Qué aprendiste?

Te toca a ti escribirle al alcalde o gobernador con la idea del Consejo Escolar. Escribe una carta con la idea final. Convéncele de que la idea es buena. No te olvides que es una carta formal y necesitas usar la forma de Ud. y una despedida formal.

Estimado señor alcalde:

Gracias por estar a favor de nuestra propuesta de cómo mejorar de alguna manera la comunidad. Le escribo para comunicarle cómo y con qué frecuencia queremos ayudar. Espero que acepte nuestra idea.

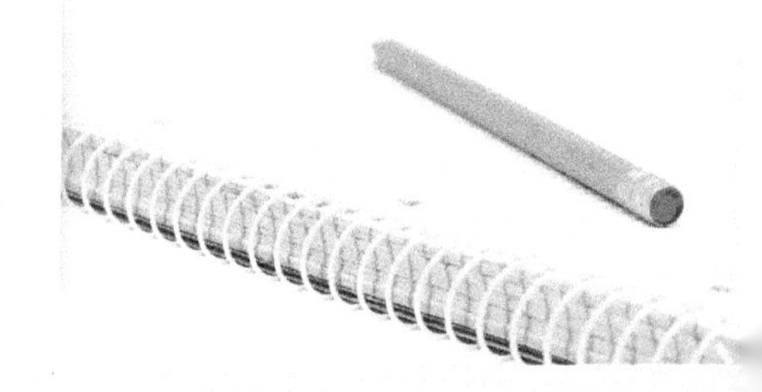

Detalle gramatical

Recuerda los mandatos en español

Vas a ver algunos ejemplos de diferentes mandatos y vas a clasificarlos en uno de los cuatro grupos, según con quién o quiénes estarías hablando:

1. Ven conmigo mañana a hablar con el alcalde.
2. Seamos más corteses o nos van a echar de aquí.
3. No hables tan alto aquí.
4. Vengan conmigo, por favor.
5. No hagamos tanto ruido.
6. No molesten a ese niño. No les ha hecho nada.
7. No vayáis tan de prisa.
8. Volved cuanto antes.

Un amigo	Dos amigos en España	Unos amigos, incluyéndote a ti mismo	Unos desconocidos o unas personas en una situación formal

A ver qué tal lo hiciste. Tu profe te dará las respuestas correctas. Pero recuerda que el mandato (imperativo) usa las formas del subjuntivo para:

- **los mandatos afirmativos y negativos de Ud. Uds. y nosotros (excepto vamos del verbo ir).**
- **los mandatos negativos de tú y vosotros.**

El mandato afirmativo de tú es la forma del presente de indicativo de tú sin la "s".

El mandato afirmativo de vosotros es el infinitivo con "d" en vez de "r".

¿Te acuerdas?

el aprendizaje

colaborar

compartir

promover

Además se dice

el desafío - el reto

el INAU - el Instituto del Niño y Adolescente de Uruguay

Actividad 6

Concurso de cuentos

No hay nada más poderoso que un cuento para transmitir una experiencia, una emoción o un enfoque. En Uruguay, se celebra **el poder de un cuento** con el *Concurso Nacional de Cuentos, Del dicho al hecho Derecho.* Niños y adolescentes participan en el concurso escribiendo cuentos sobre derechos humanos.

Así se dice 5: Concurso de cuentos

los dichos y hechos - lo que se dice y se hace

impulsar - promover

el paso - el acto; el movimiento

el recuerdo - la imagen del pasado

solidaria - que ayuda y apoya

transmitir - transferir

Paso 1: El por qué del concurso

a. Lee las razones y metas del concurso.

b. Rellena el organizador gráfico en la guía digital con las palabras que, en tu opinión, reflejan el poder de un cuento.

c. Compara tu organizador gráfico con él de un/a compañero/a y explica tu selección de palabras.

A lo largo de la historia de la humanidad, los cuentos son una de las formas privilegiadas de **transmitir** las experiencias vividas, expresar sentimientos, aprendizajes, **recuerdos** que pasan de generación en generación.

Escribir cuentos nos enfrenta al desafío de encontrar una forma de comunicarnos sin saber quién está del otro lado, cómo entenderá lo que decimos, qué nuevas ideas o sentimientos le surgirán.

Promover que niños, niñas y adolescentes escriban cuentos acerca de los derechos, es a su vez, promover derechos: a participar, a ser escuchados, a dialogar. Por eso INAU **impulsó** este concurso. Cada cuento nos dice cosas, y será tanto más rico si podemos compartirlo con otros, y decirnos aquello que nos inspira.

Porque hablar de los derechos no es algo habitual ni sencillo; ponerle palabras es **un paso** muy importante para hacerlos realidad, para que **dichos y hechos** vayan juntos, y entre todos y todas, podamos colaborar para que la sociedad en la que vivimos sea un poco más justa, más **solidaria,** más abierta a sentir las voces que menos escuchamos.

Directorio del INAU
Instituto del Niño y Adolescente de Uruguay

Directorio del INAU (2009). Extraído de http://tinyurl.com/z7q24e4.

Paso 2: El cuento del concurso - *Un buen comienzo*

Ahora, vas a escuchar uno de los cuentos que se presentó al concurso, *Del dicho al hecho Derecho*. Fue escrito por una adolescente.

a. Antes de escucharlo la primera vez, fíjate en las **expresiones útiles** del cuento. ¿Qué idea te dan del cuento que vas a escuchar?

b. Comparte tu idea con la clase.

c. Escucha el cuento entero para ver si, con la ayuda del vocabulario, te haces una idea general del cuento.

Paso 3: El resumen

a. Al escuchar el cuento por segunda vez, escribe una oración o dibuja la(s) idea(s) importante(s) de cada párrafo cuando pare el locutor.

b. Luego, convierte los apuntes y dibujos anteriores en un resumen del cuento con tus propias palabras.

Expresiones útiles

acercarse unos varones

Liceo 98

sin fronteras

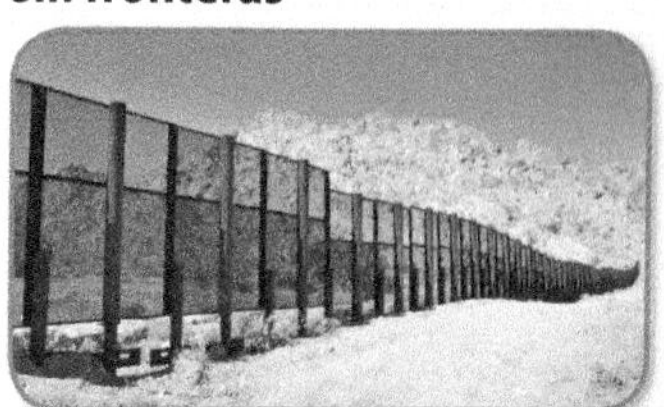

armar un video

ponerse en el lugar del otro

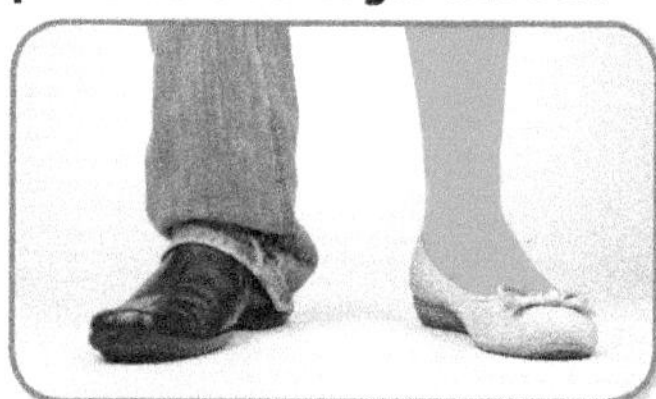

solidaridad; respeto; convivencia

discriminado

recaudar fondos

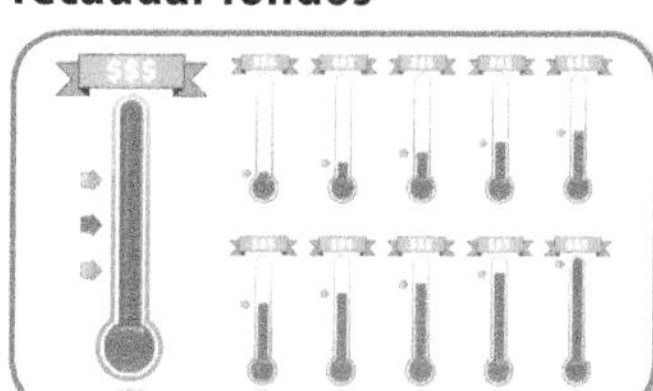

extrañar su ciudad natal

repartir calcomanías

Paso 4: Tu impresión del cuento

Escribe un mensaje en el blog de la autora, Paula Perdomo, en el que trates los siguientes puntos:

- lo que más te gustó de su cuento;
- cómo su cuento puede servir de inspiración a otros adolescentes como tú.

En mi opinión tu cuento, *Un buen comienzo*, . . .

Sé comparar cómo celebran los derechos de los ciudadanos/as en mi país y en Uruguay.

Reflexión intercultural

¿Crees que hay un festival para promocionar y difundir los derechos humanos en muchos países del mundo?

a. Haz una búsqueda para ver si se celebra un festival similar en tu país.

b. En la guía digital, escribe tus reflexiones según la situación apropiada:

- Si se celebra, compara cómo se celebra con la celebración del cuento de Paula Perdomo.
- Si no se celebra, piensa en cuál sería tu proyecto si se hiciera un festival en tu colegio, y compara lo que harías tú con lo que hicieron Peter y sus amigos en el cuento.

c. Lee las reflexiones de tus compañeros de clase y da tu opinión sobre dos de ellas en la guía digital.

Enfoque cultural

Producto cultural: El gaucho

El gaucho era un vaquero de las llanuras de los países del cono Sur: Argentina, Uruguay, Paraguay, Chaco boliviano, sur de Brasil y sur de Chile, desde finales del siglo XVIII a mediados del siglo XIX. Sus tareas eran básicamente trasladar el ganado vacuno de un lugar a otro para pastar o a los mercados de ganado. Llevaba una vida nómada con bastante autonomía.

Su vestimenta típica era un poncho, un facón (un cuchillo grande) y pantalones amplios sostenidos con un cinturón con una faja de lana tejida y un ancho cinturón de cuero adornado a veces con monedas. El poncho y la costumbre de tomar mate eran de herencia indígena. Su sombrero, la guitarra y el chambergo (chaquetón) eran de herencia española.

Participó activamente en las guerras de independencia pero después su figura dejó de ser relevante y muchos de ellos acabaron emigrando a las ciudades de Montevideo o Buenos Aires donde pasaron a ser personajes marginales de la sociedad. Hoy en día, el gaucho representa el símbolo de libertad e independencia personal.

En Uruguay, se celebra la Fiesta de la Patria Gaucha para preservar y difundir las tradiciones, usos y costumbres del gaucho.

Conexiones

1. Comenten en grupos pequeños si en su cultura hay un personaje semejante a la figura del gaucho que esté ligado a la vida del campo y que represente la individualidad y el valor.
2. Consideren si también fue desapareciendo cuando la economía del país cambió y si su figura quedó ignorada por la sociedad.

Mi progreso comunicativo
Sé diseñar una presentación que muestra la comparación de los derechos y obligaciones de niños y adolescentes en Uruguay con los de mi país.

En camino A

Dando voz a los derechos

Ahora, te toca a ti. Es tu oportunidad de escribir un cuento en forma de tira cómica sobre el impacto de los derechos y obligaciones en tu colegio, tu familia o tu comunidad. Primero, mirarás un video de un concurso uruguayo de cuentos animados sobre los derechos de los niños. Luego, hablarás con un/a compañero/a sobre las consecuencias de los derechos ilustrados en el video. Terminarás por crear tu propia tira cómica para niños.

Paso 1: Nuestra voz a colores

Mira el video, *Cerca Lejos,* y toma apuntes de lo que pasa usando el organizador gráfico. Luego, toma nota de los derechos de los niños mostrados en el video. A continuación, escribe algunas obligaciones que deben acompañar a los derechos. Termina por escribir cuatro preguntas sobre el tratamiento de los derechos y obligaciones en el video. Empieza tus preguntas con una expresión interrogativa diferente: ¿qué?, ¿cuál(es)?, ¿quién(es)?, ¿por qué?, ¿dónde? o ¿cuándo?

Paso 2: Los derechos

El video, *Cerca Lejos,* hace referencia a varios derechos y obligaciones de los niños. En grupos de tres o cuatro alumnos, hablen sobre el tratamiento de los derechos y las obligaciones ilustrados en el video. Hagan los unos a los otros las preguntas que Uds. escribieron. Asegúrense de que se contesta a las preguntas de todo el mundo. No olviden razonar sus respuestas, dar ejemplos y justificar sus conclusiones.

Paso 3: El diseño

El concurso del cuento animado continúa este año, pero en forma de tira cómica en vez de cuento. Imagínate que vas a participar con tu propia tira cómica. Escoge los derechos y obligaciones que quieres destacar de la escuela, de la familia o de la comunidad y ponlos en la tira. Primero, tienes que diseñar un plan para la tira cómica. Completa el organizador gráfico con tus ideas y después crea la tira cómica.

Comunica y Explora B

Pregunta esencial: ¿Cuál es mi responsabilidad para ayudar a prevenir la discriminación de grupos desfavorecidos en mi país y en el extranjero?

Actividad 7

Santiago te escribe de Montevideo

Montevideo, Uruguay

Así se dice 6: Personas sin hogar

destacado/destacar - que sobresale/ sobresalir

una ola - un cambio de temperatura brusco (en este contexto)

una olla - un recipiente redondo de barro o metal que sirve para cocinar alimentos, calentar agua, etc.

prestarse - ofrecerse a hacer algo

un refugio - un lugar adecuado para protegerse

Santiago está orgulloso del comportamiento de sus compatriotas uruguayos. Esta semana ha decidido contarles a los jóvenes de otros países la manera en la que su país está afrontando un problema que ha afectado, sobre todo, a un grupo desfavorecido.

Paso 1: El blog de Santiago

Mientras lees el post de Santiago, piensa en qué harían donde vives tú.

a. Lee el blog de Santiago.

b. Después, escribe, en 20 palabras o menos, tu reacción al comportamiento de los uruguayos.

c. Añade tu reacción en un papel grande con todas las reacciones de la clase.

d. Lee todas las reacciones de tus compañeros.

e. Como clase, comenten lo que harían los habitantes de su pueblo o ciudad en circunstancias similares.

5 de junio

Amigos, acabamos de tener **una ola** de frío poco conocido en este país. El Instituto Nacional de Meteorología de Uruguay declaró que hemos tenido temperaturas por debajo de cero grados por las noches. Este fenómeno ha afectado, sobre todo, a las personas sin hogar. El Ministerio de Desarrollo Social de Uruguay ha puesto en marcha medidas para proteger a este grupo, como aumentar los puestos disponibles en **refugios** nocturnos, pero, aún así, todos sus esfuerzos no han sido suficientes para cubrir todas sus necesidades más básicas. Así que los uruguayos se han unido, en un acto de solidaridad, para salir a las calles con comida caliente y abrigos para quienes les hacía falta.[1]

Un ejemplo de un grupo que ha surgido para causas precisamente como estas se llama *Algo por Alguien*. Empezó en el año 2012 y tiene páginas en varias redes sociales con más de 4000 seguidores.

He visto a los voluntarios que **se prestan** para ofrecer comidas y abrigos. Las caras de los que reciben ayuda demuestran su agradecimiento, pero las caras de los que ayudan son igual de expresivas. La gente que quiere ayudar no siempre vive cerca – hasta vienen en ómnibus para compartir lo que pueden. Esta organización no recibe dinero del público porque aunque no es una ONG pero ayuda como puede. Y los voluntarios se sienten como una gran familia que ayuda a los que están atravesando una etapa mala en su vida y desean que ojalá se vean pronto en situaciones mejores.

1 lo necesitaban

Paso 2: Algo por alguien

Ayudar a los demás se destaca en Montevideo.

a. Mira el video sobre *Algo por alguien.*

b. Mientras lo miras, escribe palabras y expresiones que explican las experiencias de las personas entrevistadas, tanto las personas sin hogar como los voluntarios.

Las personas sin hogar	Los voluntarios

c. En grupos de cuatro alumnos, decidan quién hará el papel del/de la voluntario/a y quienes harán el papel de las personas sin hogar. Practiquen una conversación en la que hablan con el/la voluntario/a un jueves o sábado en la plaza. Utilicen palabras y expresiones que escucharon en el video.

d. Presenten su conversación a la clase.

e. Comenten, con toda la clase, cómo se sentirían si fueran una persona sin hogar en estas circunstancias.

Montevideo, Uruguay

Paso 3: Cuenta Cuenta, una red social

La página de Cuenta Cuenta tiene testimonios de lo bien que se sienten las personas siendo voluntarios.

a. En la guía digital, lee las entradas de la gente para tener una idea de su organización de voluntarios.

b. Imagina que acabas de encontrar su página cuando buscabas organizaciones de voluntarios que ayudan a la gente sin hogar. Ahora, escribe tu comentario sobre el grupo en la página de la organización.

Reflexión intercultural

Piensa en las personas sin hogar en tu comunidad o una ciudad cerca de donde vives. ¿Crees que una organización como *Algo por alguien* ya existe o podría ser efectiva?

a. Escribe en el blog de Santiago. Cuéntale cómo te afectó saber lo que hacen los uruguayos para ayudar a este grupo desfavorecido tan **destacado** en el mundo en el que vivimos.

b. En tu entrada del blog, escribe lo que hace tu comunidad para ayudar a este grupo y qué más se podría hacer.

(fecha) Santiago, he leído lo que escribiste sobre la solidaridad del pueblo uruguayo para ayudar a la gente sin hogar. (continúa . . .)

Mi progreso intercultural
Sé explicar la necesidad de ayudar a poblaciones desfavorecidas en mi país y en el mundo hispanohablante.

Observa 2

Los usos de por y para

¿Qué observas?

¿Sabes algo que tienen en común estas preposiciones? ¿Se usan para expresar destino final, tiempo o propósito? ¿Cuáles son tus observaciones?

Por y para son preposiciones que vas a recordar mejor si las aprendes en el contexto de una oración. Aunque hay reglas que puedes tratar de aprender, se te sugiere, sin embargo, que trates de internalizarlas en vez de aprenderlas de memoria.

Lee la conversación entre Oscar y Victoria y crea un esquema de cuándo se usan estas dos preposiciones.

Oscar: *¿Sabes? Siempre he querido encontrar una causa* ***para*** *crear un cambio positivo en el mundo.*

Victoria: *Pues, ojalá que me puedas ayudar a conseguir más servicios* ***para*** *jóvenes con autismo. Planeamos una campaña* ***para*** *la semana que viene.*

Oscar: *Lo bueno de tu causa es que no esperas nada* ***por*** *tu esfuerzo, ni dinero, ni fama, nada.*

Victoria: *Todo lo que hago en mi tiempo libre es buscar ayuda* ***para*** *ellos.*

Oscar: ***Por lo menos*** *sabes que es* ***por*** *una causa justa.*

Victoria: *Seguro que la organización durará* ***por*** *años.*

Oscar: *Y un día dirán que todo empezó* ***por*** *ti.*

Victoria: *Y si hay un cambio* ***por*** *mi esfuerzo, estaré feliz.*

En grupos de tres o cuatro, usen el organizador gráfico en la guía digital para escribir sus ideas sobre por y para.

Después, usen las siguientes categorías para identificar el uso de estas dos preposiciones:

Por	Para
intercambio (una cosa por otra)	propósito (intención)
periodo de tiempo	tiempo en el futuro próximo
causa (motivo)	destino
agente	

Actividad 8

La inmigración, es positiva

Uruguay es un país con una larga tradición de inmigración e interculturalidad. Sin embargo, la ONU descubrió que Uruguay no tenía una ley para garantizar derechos a los inmigrantes ni prohibía la discriminación. Ante esta situación, Uruguay respondió con una nueva iniciativa y campaña para demostrar que la inmigración es positiva.

Así se dice 7: Derechos de inmigrantes

disponer - mandar

el estado civil - la condición civil de una persona: casado, soltero, divorciado, etc.

los extranjeros - las personas que vienen de otro país

el migrante irregular o indocumentado - el migrante sin visa para vivir o trabajar en un país

un plazo - un período de tiempo

¿Te acuerdas?

la edad

garantizar

el nacimiento

negar

la vivienda

Además se dice

impedir - prevenir

ingresar - entrar en

el patrimonio - la fortuna; las posesiones

el reencuentro - ver de nuevo

Expresiones útiles

con ánimo de - con intención de

tanto en . . . como . . . - igualdad entre dos cosas

Paso 1: Una campaña

En los últimos años, la población de Uruguay ha aumentado a causa de la inmigración. En una época en la que el resto del mundo quiere cerrar sus fronteras a las personas de otros países, Uruguay ha sido líder en abrir sus puertas.

LA INMIGRACIÓN,
ES POSITIVA
IMPO

a. Mira el póster del programa que promueve la inmigración en Uruguay. Mira bien el diseño. En parejas, contesten a las siguientes preguntas.

1. ¿Por qué solo hay fotos y un título en el póster?
2. ¿Por qué hay una coma después de la palabra *inmigración*?
3. Piensen en la información sobre la cultura de Uruguay al principio del capítulo. ¿Qué atractivos ofrece este país para que las personas se muden allí? Expliquen.

b. Analicen las estadísticas recientes de la inmigración en Uruguay. Hay enlaces a varias fuentes en la guía digital. Compartan los resultados de su búsqueda con sus compañeros de clase.

Paso 2: ¿Por qué una campaña?

La campaña de *La inmigración, es positiva* tiene dos propósitos:

1. Lograr empatía entre uruguayos e inmigrantes mediante la eliminación de estereotipos y mitos sobre la inmigración.
2. Llamar la atención sobre los derechos de los inmigrantes en Uruguay.

a. Estudia el documento sobre la ley en la guía digital. Anota cinco puntos claves de los derechos de los inmigrantes en el organizador gráfico e indica si hay diferencias con los derechos de los inmigrantes indocumentados.

La ley en tu lenguaje (Uruguay)		*Beneficios para inmigrantes indocumentados* (EE. UU.)
Documentados	**Indocumentados**	

b. En parejas, compartan sus apuntes y añadan información importante que no tengan.

c. Diseñen un póster para informar a los inmigrantes de sus derechos.

Paso 3: Derechos para todos

Los derechos humanos existen para todo el mundo sin importar sexo, raza, color, idioma, religión o convicción, opinión política, origen nacional, étnico o social, nacionalidad, edad, situación económica, patrimonio, estado civil, nacimiento o cualquier otra condición. Por lo tanto, como todo ser humano, es evidente que los inmigrantes indocumentados también tienen derechos ante la ley en Uruguay, lo mismo que en los EE. UU.

a. Con la misma pareja, estudien el folleto del *Children's Aid Society* sobre los beneficios para los inmigrantes indocumentados en los EE. UU. Presten atención a las áreas en las que tienen derechos y pueden recibir beneficios. Examinen las diferencias con los de los ciudadanos estadounidenses.

b. Comparen los derechos de los indocumentados en Uruguay con los de los EE. UU. Hablen de las semejanzas y las diferencias.

c. Hagan un anuncio de radio de 30 segundos dando información sobre los derechos de los inmigrantes indocumentados en los EE. UU.

¿Qué aprendiste?

La familia de un joven dominicano que conoces acaba de mudarse de Uruguay a la comunidad donde tú vives. El padre trabajó por un tiempo en Uruguay, pero como tenía familiares en los EE. UU. decidió mudarse a tu comunidad para buscar trabajo. Por medio de un correo electrónico, el joven te dice que sus padres tienen muchas dudas sobre las escuelas y los servicios en la región.

Quieren saber cuáles son sus derechos en los EE. UU. y en qué se parecen o diferencian con los que tenían en Uruguay.

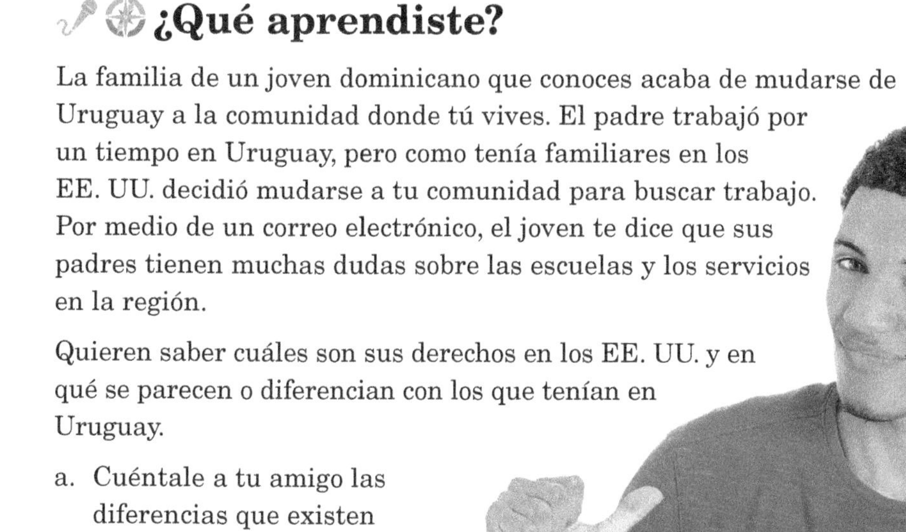

a. Cuéntale a tu amigo las diferencias que existen para los inmigrantes en los dos países, tanto si son indocumentados o no.

b. Escribe tus comentarios en un correo electrónico que le mandarás a tu amigo.

Mi progreso comunicativo

Sé comparar información sobre los derechos y obligaciones de los inmigrantes.

Enfoque cultural

Práctica cultural: El *Candombe*

El Candombe es una expresión musical cultural de origen africano que es herencia de las comunidades afrouruguayas existentes durante el periodo colonial. Aunque, posteriormente, la población afrouruguaya se mezcló y fue desapareciendo, su legado cultural es significativo en Uruguay.

Durante la colonia, Montevideo era, junto con Cuba, el principal centro comercial de trata de esclavos. Con la llegada de cantidades de africanos esclavizados surge el ***Candombe.*** Al principio, era una forma de comunicación con el tambor, una danza, y también una forma de religión porque unía a estas comunidades africanas desfavorecidas, originarias de pueblos y culturas distintas de África.

Durante los siglos XIX y XX, el candombe y la comparsa, el desfile por las calles durante el carnaval, se mezclan dando lugar a escenas típicas de lo que hoy en día forma parte del Carnaval de Montevideo. Durante el carnaval, decenas de comparsas compiten entre sí convirtiendo a este carnaval en algo único en el mundo.

El candombe además se toca sin la comparsa durante todo el año en Montevideo. Este ritmo, que también se practica en comunidades de tradición africana en algunas partes de Argentina y Brasil, fue clave en el origen del tango.

El Candombe fue declarado Patrimonio Inmaterial de la Humanidad por la UNESCO en 2009.

 **Conexiones**

1. ¿Hay algún tipo de género musical en tu país o en tu cultura que tenga sus orígenes en las culturas originarias de África?
2. ¿Hay otra expresión artística que se desarrolló durante el periodo de la esclavitud y ha dejado su legado en la cultura de tu país, región o estado?

¿Te acuerdas?

el barco

la cancha

la gota

el hambre

Actividad 9

Quitando barreras

Sabemos que Uruguay es un país compuesto de inmigrantes; muchos de ellos llegaron de Europa desde mediados del siglo XIX hasta principios del siglo XX por motivos muy diversos. Recientemente, han llegado inmigrantes de otros países de Latinoamérica por razones económicas, pero todavía siguen llegando refugiados de territorios en guerra.

Así se dice 8: País de inmigrantes

agotador - que cansa
el alcance - el poder conseguir
los bisnietos - los hijos de los nietos
el cariño - el amor
descuidar - abandonar; perder
fiel - leal
la guerra - el conflicto armado
los tataranietos - los hijos de los bisnietos

Cronología de la migración internacional en Uruguay

1500 – 1700	1700 – 1800	1800 – 1900	1930 – 1950	2000 – al presente
portugueses españoles africanos	alemanes franceses ingleses italianos suizos	españoles italianos	armenios europeos judíos libaneses	españoles sudamericanos

Paso 1: Al estilo uruguayo

Ricardo Peirano, el director de *El Observador,* un periódico uruguayo, escribió un artículo dando su opinión sobre la aceptación de inmigrantes en Uruguay.

a. Explica la siguiente cita en tus propias palabras.
Mal haríamos quienes somos "bajados de los barcos" o "descendientes de los que bajaron de los barcos" si pretendiéramos poner barreras que antes no se pusieron.

b. Crea una tira cómica que represente el significado de esta oración sobre la inmigración.

c. Presenta tu tira cómica a otros compañeros de clase.

d. Después de presentarla, den comentarios positivos y háganse preguntas.

Además se dice

acoger - aceptar

ADN - el material genético *(DNA)*

el complejo - un grupo de edificios; una organización

cundir - extenderse

huir - escapar

labrarse - hacerse

pretender - intentar

un rescoldo - un fuego

Expresiones útiles

más caras - más importantes o preciosas

Mi progreso comunicativo

Sé explicar el impacto positivo de la inmigración en un país.

Paso 2: El orgullo de ser uruguayo

¿Que relacion hay entre la cita y el resto del artículo?

a. Lee el ensayo y observa la repetición de la palabra, *emoción*. Completa el organizador gráfico con las diferentes referencias a esta palabra y explica las razones de por qué la usa el autor.

Emoción	Razón

b. Luego, compartan sus observaciones en grupos pequeños.

OPINIÓN

Uruguay, país de inmigrantes

Debo reconocer que la llegada al Uruguay el pasado jueves de cinco familias, con 42 integrantes, provenientes de Siria me produjo especial emoción. Emoción por estas 42 personas concretas, en su mayoría niños, que dejan atrás un pasado de **guerra**, hambre, desolación y destrucción en su país y buscan un futuro mejor.

Emoción porque en Uruguay tenemos, como buen país formado por inmigrantes, hijos de inmigrantes, nietos de inmigrantes, **bisnietos** de inmigrantes y **tataranietos** de inmigrantes, la tradición de acoger a quienes vienen a nuestra tierra con los brazos abiertos. Esa es nuestra historia y eso está en nuestro ADN nacional. Mal haríamos quienes somos "bajados de los barcos" o "descendientes de los que bajaron de los barcos" si pretendiéramos poner barreras que antes no se pusieron a quienes vinieron a labrarse un futuro que no estaba a su **alcance** en sus países de origen.

Emoción, también, por apreciar **el cariño** con que se recibió a estas familias, cómo fueron recibidas con afecto en el complejo San José de los Hermanos Maristas y cómo, al poco rato de llegar y sin reparar en el cansancio de un viaje **agotador**, algunos niños jugaban al fútbol en una de las canchas de ese complejo. Esa recepción muestra el corazón grande que supo tener este país y que afortunadamente no se ha perdido, o permanece encendido como un rescoldo.

Emoción, en fin, porque Uruguay está dando un ejemplo a la comunidad internacional y si ese ejemplo cunde en otros países es probable que haya muchas otras gotas de agua en el océano y que ello signifique algo *(porque el esfuerzo de Uruguay parece una sola gota de agua en el océano de desolación de guerra que hay en Medio Oriente).*

Y emoción porque es imposible olvidar que en Uruguay todos somos inmigrantes o descendientes de inmigrantes. No olvidemos que entre 1869 y 1929 llegaron a nuestro país, sin restricciones, unos 600.000 inmigrantes europeos que marcaron y transformaron este país. Y que luego de la Segunda Guerra Mundial, también acogimos a refugiados del este de Europa que huían de una enorme tragedia.

Pero lo importante es ver el paso que se ha dado y los que se pueden dar si somos **fieles** a nuestras más caras tradiciones. No las **descuidemos** ni las tratemos con desprecio.

El Observador (2014). Extraído de www.elobservador.com.uy.

c. A continuación, lee el ensayo de nuevo y en el mismos grupo, subrayen las palabras y expresiones que apoyan la cita.

d. Compartan sus ideas con sus compañeros de clase.

- ¿Qué emociones transmite el ensayo?
- ¿Cuál es el tono del ensayo? Justifiquen su respuesta citando el texto.

Reflexión intercultural

Escribe un comentario para responder al Sr. Peirano, el escritor del artículo, sobre los inmigrantes en Uruguay. Usa tus apuntes y lo que aprendiste tras hablar con tus compañeros de clase para confirmar el punto de vista del señor. Indica si sus sentimientos se podrían aplicar a tu comunidad o no, y por qué. También, da tu opinión personal de su artículo y las emociones que transmite.

Mi progreso intercultural

Sé explicar la necesidad de ayudar a poblaciones desfavorecidas en mi país y en el mundo hispanohablante.

Enfoque cultural

Práctica cultural: El tango

El tango es la expresión artística más famosa de la región del Río de la Plata, que durante el periodo colonial, incluía a las ciudades de Buenos Aires (Argentina) y Montevideo (Uruguay). Sus raíces son africanas, pero se mezclaron con la cultura del gaucho, la indígena y la europea debido a la diversidad étnica de los inmigrantes. Por lo tanto, el tango es una expresión artística híbrida, una mezcla de múltiples culturas y tradiciones de comunidades desfavorecidas.

En la época colonial, la palabra **tango** significaba tres cosas: el tambor, el lugar de reunión de las poblaciones africanas esclavizadas, y el baile de dichas comunidades. La época en la que evoluciona y se desarrolla tal y como es en la actualidad es la segunda mitad del siglo XIX, un periodo de grandes oleadas migratorias de los más variados orígenes que principalmente llevó a esta región del Río de la Plata a hombres solos.

Era una música y un baile popular que se desarrolló en los barrios pobres de la periferia, los puertos y las cárceles, donde convivían inmigrantes europeos y la población local, formada en su mayoría por indígenas, descendientes de esclavos africanos, y gauchos. Allí se fueron fusionando libremente las diversas formas musicales y culturales. A finales del siglo XIX, el tango tenía ya su propia identidad como expresión cultural.

El 30 de septiembre de 2009, a petición de las ciudades de Buenos Aires y Montevideo, la UNESCO lo declaró Patrimonio Cultural Inmaterial de la Humanidad (PCI).

Conexiones

1. Averigua si hay, en tu cultura, un tipo de música y/o baile que nazca de la mezcla de muchas tradiciones culturales y aparezca a mediados del siglo XIX o principios del XX como un género propio y único para expresar una identidad nueva.
2. Compara la popularidad de ese género musical o de baile con la del tango, tanto a nivel nacional como internacional.

¿Te acuerdas?

conseguir

disfrutar

golpear puertas

inmenso/a

la mano de obra

probar

el salario

el sueldo

Además se dice

atravesar - cruzar

el altiplano - la gran meseta a mucha altitud

arrancar - irse rápidamente (en este contexto)

bromear - no hablar en serio

el comensal - un cliente en un restaurante

emprender - comenzar

la incertidumbre - la inseguridad

el laburo - el trabajo

un local - un sitio para poner un restaurante o una tienda

natal - donde nació

la pesca - la industria de pescar

el rostro amerindio - la cara de indígena

el rubro - un área de trabajo

sortear - navegar (en este contexto)

la zona portuaria - la zona del puerto

Expresiones útiles

en pleno/a - completo/a

Actividad 10

Historias de inmigrantes

Las historias de inmigrantes muestran grandes cualidades humanas como el valor, la perseverancia y la solidaridad. Vas a leer dos historias que muestran estas cualidades tanto en los inmigrantes como en las personas que les ayudan.

Así se dice 9: Cuentos de inmigrantes

un destrato - un maltrato

emigrar - salir del país natal

un portazo - cerrar la puerta de golpe; (en este contexto) no obtener respuesta

renovar - restablecer

el trato - el comportamiento con otros

una travesía - un viaje largo

el valor - el coraje; no tener miedo de hacer cosas difíciles

Paso 1: Milton, un peruano en Uruguay

La historia de Milton es típica de muchos inmigrantes que buscan mejorar sus vidas y están dispuestos a hacer cualquier trabajo.

a. En grupos de tres o cuatro, lean la historia de Milton, un peruano que emigró a Uruguay.

b. Escriban una cronología de los momentos claves en la vida de Milton, el inmigrante. Pongan cada etapa en una nueva hoja de papel e incluyan dibujos para que se entienda bien su situación.

c. Mezclen los papeles para que no estén en orden.

d. Cambien los papeles con otro grupo y pongan los nuevos papeles en orden.

e. Usen los papeles del otro grupo para preparar una narración que cuente la historia de Milton.

f. Vuelvan a contar el cuento a los miembros de su grupo.

Sebastián Panzl, El País. "Recién llegados". Retrieved from http://www.elpais.com.uy/que-pasa/recien-llegados.html.

La historia de Milton

Cansado de golpear puertas para conseguir un buen trabajo y recibir siempre un **portazo** como respuesta, Milton armó una pequeña mochila, abandonó su Perú natal y se tomó el primero de varios ómnibus que lo dejaron en Uruguay. Tuvo que hacer demasiadas conexiones en una **travesía** que le llevó cinco días pero finalmente llegó a Montevideo con las esperanzas **renovadas**.

Pero la decepción fue inmensa al ver que pasaban los meses y no conseguía un trabajo decente. Era 2003 y Uruguay atravesaba la peor crisis económica y social de su historia.

Milton solía pasar horas caminando por la zona portuaria buscando una oportunidad en la pesca, pero solo recibía insultos y más **portazos**. "¿Qué venís a hacer acá? No ves que no hay laburo ni para nosotros. Arranca de acá", le dijeron una vez. Tuvo que soportar varios de esos **destratos**, pero ya pasó.

Hoy asegura que encontró en Uruguay un buen lugar donde vivir. Consiguió trabajo en la pesca y fue ahorrando hasta que este año abrió un local de comida típica peruana junto a su esposa, en plena Ciudad Vieja.

El jueves a las cuatro de la tarde suena fuerte el Grandes Éxitos de Karibe° con K en el salón y un ecuatoriano de rostro amerindio, que llegó a Uruguay hace dos semanas a vender artesanías, disfruta su cerveza bien fría. Está contento porque hasta ahora las cosas le han salido bastante bien: consiguió un lugar decente para vivir en una pensión de Ciudad Vieja y el **trato** recibido ha sido "bastante bueno". En los 10 años que lleva viviendo en Uruguay, Milton ha visto llegar a cientos de inmigrantes, como este ecuatoriano.

Milton cuenta que siempre trata de ayudarlos porque sabe bien lo que es abandonar el país y llegar a un sitio totalmente desconocido, con una gran incertidumbre de cómo marcharán las cosas.

Detrás de la barra, Milton bromea con los comensales y asegura que "sin dudas" recomendaría a sus compatriotas que no tienen trabajo que vengan a probar suerte a Uruguay. Y muchos están dispuestos a sortear la **travesía** de cinco días en ómnibus para probar suerte. Ahora hay que ver cómo los recibimos. ■

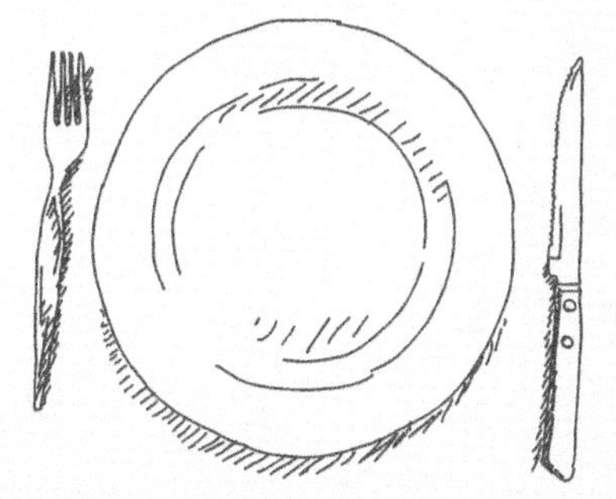

° Un programa de radio

Paso 2: Cualidades admirables

En su historia, Milton demuestra tres cualidades admirables: el valor, la perseverancia y la solidaridad.

a. Lee de nuevo su historia y completa el organizador gráfico con ejemplos del texto que ilustren las tres cualidades.

Persona	Valor	Perseverancia	Solidaridad
Milton			

b. Imagina que eres uno de los inmigrantes a quien Milton ha ayudado. Escríbele una nota agradeciéndole la ayuda. Incluye ejemplos de cosas que Milton hizo o dijo para apoyar sus esfuerzos como inmigrante en Uruguay.

Paso 3: Cuenta con estas cualidades

La última oración de la historia se dirige a los ciudadanos de Uruguay: *Ahora hay que ver cómo los recibimos.*

a. Piensa en las tres cualidades de valor, perseverancia y solidaridad. Considera lo que harías tú para demostrar estas cualidades al recibir a inmigrantes en tu comunidad. Usa el organizador gráfico para anotar tus ideas.

Persona	Valor	Perseverancia	Solidaridad
Milton			
Yo			

b. En parejas, compartan las medidas que adoptarían para recibir bien a los inmigrantes.

Paso 4: Las Patronas, ángeles en "La Bestia"

En la comunidad mexicana, La Patrona, hay algunas mujeres admirables que ayudan a los inmigrantes centroamericanos en el video *El camino al norte*. Muchos inmigrantes de Centroamérica hacen una parte del viaje en un tren llamado "La Bestia". Por las dificultades que este viaje presenta unas señoras, llamadas las Patronas, que actúan como si fueran sus madres, los ayudan en el trayecto.

a. Haz una búsqueda sobre las Patronas y escribe ejemplos en los que ellas demuestran las tres cualidades.

Persona	Valor	Perseverancia	Solidaridad
Milton			
Yo			
Las Patronas			

b. En parejas, compartan los ejemplos y expliquen en qué se parecen a los ejemplos suyos del **Paso 3**. Añadan ideas de otras cosas que harían basándose en el ejemplo de las Patronas.

c. Las Patronas recibieron un premio por su trabajo en defensa de los derechos humanos. Con la misma pareja, imaginen que Uds. fueron a entregárselo. Preparen lo que van a decir cuando presentan el premio a las Patronas explicando los motivos por qué se lo merecen.

Mi progreso comunicativo

Sé dar ejemplos del apoyo necesario para preservar los derechos y obligaciones de pueblos desfavorecidos.

Reflexión intercultural

Escribe una carta a Norma Romero Vásquez, la Coordinadora de las Patronas, en la que las felicitas por el trabajo que están haciendo. Usa las respuestas a preguntas para ayudarte a escribir la carta. No te olvides de incluir lo que has aprendido sobre la solidaridad, la perseverancia o el valor.

Las Patronas

1. ¿Cuál de los tres valores te parecen más impresionantes y cómo son las Patronas un ejemplo de esa cualidad?
2. ¿De qué manera puedes tú seguir su ejemplo y convertirte en una *Patrona* para la población inmigrante en tu comunidad?
3. ¿Qué es lo que más necesita la población inmigrante y por qué?
4. ¿Cómo sería el trabajo que harías para ayudar a la población inmigrante?

Usa frases como **dudo que, no creo que, (no) me sorprende que, me alegro de que, es fenomenal que, es triste que + subjuntivo**.

Estimada Sra. Romero:

Acabo de aprender lo que hacen las Patronas para ayudar a los inmigrantes. Me impresiona que Uds. preparen comidas para los inmigrantes que viajan en la Bestia. Pienso que es un ejemplo de . . .

Mi progreso intercultural
Sé comparar el respeto a los derechos humanos de los inmigrantes a Uruguay con el de los de mi país.

Actividad 11

Con las palabras, nos uniremos

¿Te has dado cuenta de cómo siendo solidario se puede ayudar a promover causas? Exploremos ejemplos de cómo hacer cambios para ayudar a tu comunidad promoviendo causas justas.

Así se dice 10: Promoviendo causas justas

un acuerdo - una decisión con la que todo el mundo está comforme

causas justas - motivos justificados

comprometerse con algo - dar la palabra para hacer algo

hacer propuestas - dar ideas para hacer algo

obtener valores - adquirir virtudes, cualidades positivas

Paso 1: Palabras nuevas

La idea de la película, *Palabras nuevas*, es llamar la atención sobre el derecho a la participación.

a. Para ti, ¿qué es el derecho a la participación? Explica la idea a un/a compañero/a.

b. Estudia el *wordle* de las ideas del derecho a la participación de algunos jóvenes uruguayos.

c. ¿Qué aspecto de las ideas del *wordle* tiene más sentido para ti y tu idea respecto al derecho a la participación? ¿Por qué?

Escuchar y que te escuchen
Es un derecho y una obligación
Escuchar al otro y participar en una decisión
Escuchar la opinión de los estudiantes
Trabajar activamente para un fin
Comprometerse con algo
Ayudar a un acuerdo colectivo
Participar con lo que vos pensás

Además se dice

un gremio - un conjunto de personas con la misma profesión

Enfoque cultural

Práctica cultural: El voseo en Uruguay

El voseo es el uso del pronombre *vos* en vez de *tú* para referirse a la segunda persona del singular. Proviene de la forma latina «vos», que generalmente era la forma plural de la segunda persona. Se usa en la mayor parte de la América Latina, aunque de forma diferente. Su consideración social también varía. Por ejemplo, su uso no es muy frecuente en México, Perú o Venezuela, mientras que es común como forma familiar en Chile y Centroamérica.

Los países con voseo generalizado son: Argentina, Uruguay y Paraguay. En estos países todas las clases sociales lo usan. La forma más común es el voseo en la forma del pronombre y del verbo: *vos venís*. Sin embargo, en Montevideo, es más prestigioso el uso del voseo exclusivamente verbal: *tú venís*.

 **Conexiones**

1. ¿Te gustaría aprender el uso del voseo? Explica cómo crees que se forma.
2. ¿Por qué es importante aprender sobre el voseo?

Paso 2: ¿Por qué participar?

En el trailer de la película, *Palabras nuevas,* hay dos jóvenes que dicen "Nunca nos escuchan" y "No hay muchas oportunidades para dar opiniones".

a. ¿Qué relación tienen estos comentarios con tu comunidad? Haz una lista en el organizador gráfico.

b. Mira la introducción del video.

c. Después de ver el video, ¿cuál es tu primera reacción? Apunta tus ideas en el organizador gráfico otra lista.

d. Mira el video otra vez y apunta lo que ves relacionado con la idea de respetar los derechos de los estudiantes y ser solidario/a.

Paso 3: El poder está en los números

Ahora que has visto ejemplos de actividades que promueven causas justas, exploremos un poco más.

a. Mira el organizador gráfico.

b. Si pudieras escoger el ejemplo de los mencionados a continuación que más te interese, ¿cuál escogerías y por qué? Contesta a esta pregunta en la sección indicada para comentarios en el organizador gráfico de la guía digital.

c. Pregunta a tu compañero/a su opción y por qué la escogió.

Calle 13

Foto	Descripción	Comentario
	El reguetón del grupo Calle 13 promueve los derechos humanos a través de su música. Varias de sus canciones tienen que ver con eventos del mundo; tratan de promover causas diferentes. El grupo espera que su música inspire a otros a actuar.	

Reflexión intercultural

Mi progreso intercultural
Sé explicar el uso de la solidaridad para promover causas justas.

Deja una grabación en la guía digital explicando lo siguiente:

1. ¿Cuál de los ejemplos del **Paso 3** es un modelo para promover causas justas?
2. Explica cómo este ejemplo te ha afectado, cómo planeas incorporarlo en tu vida personal y por qué es vital para mejorar la vida de otros.
3. ¿En qué circunstancias piensas que puedes ayudar en tu comunidad para mejorarla y asegurar el cambio de un tema o grupo? Explica.

Escucha la grabación de uno/a de tus compañeros/as y déjale dos comentarios de lo que te gustó.

En camino B

¡Yo puedo ayudar!

Mi progreso comunicativo
Sé diseñar y presentar un plan que ayude a una población desfavorecida.

Ya que has leído sobre cómo promover causas justas con algunos ejemplos uruguayos, vas a tener la oportunidad de escoger un tema para ayudar a una población desfavorecida en tu comunidad o país. Vas a:

- recordar algunos proyectos que ayudaron a poblaciones desfavorecidas;
- seleccionar uno que se podrá poner en marcha en tu comunidad o país;
- diseñar un plan de acción para llevar a cabo tus ideas.

Paso 1: Poblaciones desfavorecidas

En esta unidad, conociste a varios voluntarios y organizaciones que ayudaron a las poblaciones desfavorecidas aportando dinero, tiempo o recursos. Con un compañero/a, completarán un organizador gráfico con la información que recuerdan.

Paso 2: El *crowdfunding*

Imagina que la organización que elegiste en **Paso 1** ha pedido tu ayudapara realizar una recogida colectiva de fondos para su causa. Leerás una explicación de lo que es el *crowdfunding*. Identificarás los elementos que necesitas para implementar un plan de *crowdfunding* para la organización.

El crowdfunding: juntos se logra más.

La *"financiación colectiva"* o crowdfunding, es un fenómeno popular en las redes sociales. El concepto nació como herramienta para conseguir dinero u otros recursos para un proyecto. Hoy en día, se ha convertido en una herramienta de las redes sociales para apoyar acciones que ayudan a la gente.

Claves esenciales

Para tener éxito con el crowdfunding, es importante seguir un plan sólido que implemente estas cinco técnicas:

- Empezar con una historia sobre la organización o los beneficiarios que recibirán las contribuciones.
- Explicar el propósito del proyecto.
- Describir en términos positivos a las personas que se beneficiarán de las donaciones.
- Ser claro y específico en las necesidades.
- Identificar por qué es importante contribuir a la causa.

Paso 3: ¡Tu apoyo vale!

Tú quieres que la organización que elegiste ayude a un grupo necesitado, pero necesitas explicar el plan a tu comunidad para que contribuya fondos, tiempo o recursos. Usa el organizador gráfico en la guía digital para planear tu presentación.

Síntesis de gramática

Los usos de por y para

Por

- **Periodo de tiempo – for.**
  Seguro que la organización durará por años.
- **Intercambio– in exchange for.**
  Lo bueno de tu causa es que no esperas nada por tu esfuerzo, ni dinero, ni fama, nada.
- **Agente – by a person.**
  Y un día dirán que todo empezó por ti.
- **Motivo o causa – because of or due to.**
  Y si hay un cambio por mi esfuerzo, estaré feliz.
- **Expresiones hechas.**
  Por lo menos.

Para

- **Propósito (intención) – in order to.**
  Siempre he querido encontrar una causa para crear un cambio positivo en el mundo.
- **Destino - who it is for, where does something go (its place).**
  Todo lo que hago en mi tiempo libre es buscar ayuda para ellos.
  Pues ojalá me puedas ayudar a conseguir más servicios para jóvenes con autismo.
- **Tiempo en el futuro próximo - for a time in the near future.**
  Planeamos una campaña para la semana que viene.

El subjuntivo para expresar emoción y duda

Emoción	**Duda**
Me alegro de que	Dudo que
Me entusiasma que	Es posible que
Me entristece que	No es seguro que
Me emociona que	No creo que
Me encanta que	No pienso que
Me enoja que	
Es una lástima que	
Es una pena que	

La plaza Independencia en Montevideo, Uruguay

Detalle gramatical: Los pronombres posesivos

Mira estas oraciones:

¿Se parece la experiencia de Valentina a **la tuya**?

Compárala con **la suya**.

Cuando usas el posesivo como sustantivo en vez de adjetivo, usa estas formas:

mío/a/as/os	**nuestro/a/os/as**
tuyo/a/os/as	**vuestro/a/os/as**
suyo/a/os/as	**suyo/a/os/as**

Mira los ejemplos:

Las reglas en **su colegio** son iguales a las reglas en **el mío**.

La familia de Valentina es distinta de **la tuya**.

Los pasatiempos de Valentina son parecidos a **los suyos (mi amigo)**.

Las experiencias de su familia son iguales a **las nuestras**.

El castigo por no ir a clase es igual en **su país** que en **el vuestro**. **(España)**

Los padres de Valentina parecen distintos de **los suyos (amigos)**.

Fíjate en el uso de: el, la, los, las dependiendo de lo que comparas.

Detalle gramatical: Los mandatos

Recuerda que el mandato (imperativo) usa las formas del subjuntivo para:

- **los mandatos afirmativos y negativos de Ud., Uds. y nosotros (excepto vamos del verbo ir).**
  - Venga(n) conmigo, por favor.
  - No moleste(n) a ese niño. No les ha hecho nada.
  - Seamos más corteses o nos van a echar de aquí.
  - No hagamos tanto ruido.
- **los mandatos negativos de tú y vosotros.**
  - No hables tan alto aquí.
  - No vayáis tan de prisa.

El mandato afirmativo de tú es la forma del presente de indicativo de tú sin la "s" o irregular: sal, di, pon, sé, ve, ven, haz, ten.

- Escribe una carta formal al alcalde.
- Ven conmigo mañana a hablar con el alcalde.

El mandato afirmativo de vosotros es el infinitivo con "d" en vez de "r".

- Volved cuanto antes.

Un faro en José Ignacio, Punta del Este, Uruguay

Vocabulario

Así se dice 1: Derechos y obligaciones en el colegio

el castigo - la consecuencia de romper una norma

convivir/una norma de convivencia - vivir con algo o alguien/una regla para vivir con alguien

la creencia - lo que se cree

la formación - los estudios

la ideología - el conjunto de ideas o creencias

igualitario - en igualdad de condiciones

interferir con - obstaculizar

puntual - a tiempo

el retraso - la llegada tarde

una salida profesional - la oportunidad para ejercer tu profesión

la seguridad - la situación de tranquilidad

el trato/tratar a la gente - la relación/relacionarse con las personas

Así se dice 2: Derechos y obligaciones en la familia

afrontar - intentar resolver un problema

enfrentarse - afrontar

formarse - prepararse intelectual, moral o profesionalmente

el humor - lo cómico

recordarle a uno - refrescarle la memoria

surgir - aparecer

Así se dice 3: Solucionar una disputa

acordar - solucionar de mutuo acuerdo

un chisme - un comentario maligno

una confrontación - una disputa; una lucha

firmar un contrato - escribir el nombre para garantizar algo

un hecho - una acción; lo que se hace

juzgar - pensar; opinar

llevar una conversación - dirigir una conversación

mentir - no decir la verdad

una pelea - una disputa; una lucha

reacio/a - no dispuesto/a a hacer algo

relacionarse - tener trato social

un resultado - la consecuencia; lo que resulta de algo

temeroso/a - que tiene miedo

Así se dice 4: Derechos y obligaciones en la comunidad

arrojar - tirar

la austeridad - el llevar una vida sin excesos

una libertad - un derecho; privilegio (en este contexto)

una obra de caridad - algo que se hace para ayudar a los necesitados

la pobreza - la falta de lo necesario para vivir

el poder - la capacidad para hacer algo (en este contexto)

la sencillez - lo que no tiene muchas complicaciones o adornos

Así se dice 5: Concurso de cuentos

los dichos y hechos - lo que se dice y se hace

impulsar - promover

el paso - el acto; el movimiento

el recuerdo - la imagen del pasado

solidario/a - que ayuda y apoya

transmitir - transferir

Así se dice 6: Personas sin hogar

destacado/destacar - que sobresale/sobresalir

una ola - un cambio de temperatura brusco (en este contexto)

una olla - un recipiente redondo de barro o metal que sirve para cocinar alimentos, calentar agua, etc.

prestarse - ofrecerse a hacer algo

un refugio - un lugar adecuado para protegerse

Así se dice 7: Derechos de inmigrantes

disponer - mandar

el estado civil - la condición civil de una persona: casado, soltero, divorciado, etc.

los extranjeros - las personas que vienen de otro país

el migrante irregular o indocumentado - el migrante sin visa para vivir o trabajar en un país

un plazo - un período de tiempo

Así se dice 8: País de inmigrantes

agotador - que cansa

el alcance - el poder conseguir

los bisnietos - los hijos de los nietos

el cariño - el amor

descuidar - abandonar; perder

fiel - leal

la guerra - el conflicto armado

los tataranietos - los hijos de los bisnietos

Punta del Este, Uruguay

Así se dice 9: Cuentos de inmigrantes

un destrato - un maltrato
emigrar - salir del país natal
un portazo - cerrar la puerta de golpe; (en este contexto) no obtener respuesta
renovar - restablecer
el trato - el comportamiento con otros
una travesía - un viaje largo
el valor - el coraje; no tener miedo de hacer cosas difíciles

Expresiones útiles

igualdad para todos - cuando todas las personas reciben el mismo trato
tener acceso a - poder usar; utilizar
tener el deber de - tener la obligación de
tener derecho a - tener acceso a algo por ley
si yo fuera - si imagino ser otra persona

Así se dice 10: Promoviendo causas justas

un acuerdo - una decisión con la que todo el mundo está comforme
causas justas - motivos justificados
comprometerse con algo - dar la palabra para hacer algo
hacer propuestas - dar ideas para hacer algo
obtener valores - adquirir virtudes, cualidades positivas

Expresiones útiles

con ánimo de - con intención de
tanto en . . . como . . . - igualdad entre dos cosas

Expresiones útiles

más caras - más importantes o preciosas
en pleno/a - completo/a

Expresiones útiles

acercarse unos varones

extrañar su ciudad natal

recaudar fondos

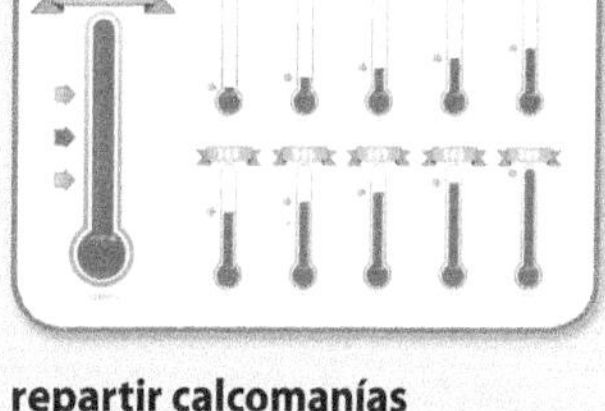

la solidaridad; el respeto; la convivencia

armar un video

Liceo 98

repartir calcomanías

discriminados

ponerse en el lugar del otro

sin fronteras

Vive entre culturas

Vacaciones en paz

Pregunta esencial: ¿Qué programas humanitarios podemos implementar para promover un mundo solidario?

En Uruguay, hay un grupo de personas interesadas en implementar un programa semejante al que hay en España llamado *Vacaciones en paz*. Te informarás de cómo funciona el programa en España y después crearás un video que ayude a las familias uruguayas a llevarlo a cabo en Uruguay.

Interpretive Assessment

Paso 1: Una participante llamada Fatma

Vas a conocer a Fatma, que te contará brevemente cómo es su vida en el campo de refugiados saharauis en Argelia, en el Aaiún, y de su experiencia como participante en el programa *Vacaciones en paz* al que lleva asistiendo por dos años.

Interpersonal Assessment

Paso 2: Programas insignia

Ahora que ya tienes información sobre el programa *Vacaciones en paz,* puedes valorarlo en profundidad. Trabajarás en un grupo para comentar los beneficios del programa, las características interculturales que tiene Fatma y si te identificas con sus valores personales.

Presentational Assessment

Paso 3: Colabora y apoya

Imagina que un grupo de personas de Uruguay te ha pedido que organices una campaña publicitaria para informar a las familias uruguayas sobre el programa, *Vacaciones en paz,* en Uruguay. Como ya sabes bastante del tema, decides aceptar la oferta y crear un video de promoción.

Can-do Statements

Unidad 1: Los jóvenes de hoy

Mi progreso intercultural

- ❑ Sé explicar cómo son los jóvenes españoles y lo que tenemos en común.
- ❑ Sé explicar cómo son los jóvenes españoles, lo que tenemos en común y cómo mis actitudes de la cultura española están cambiando.
- ❑ Sé identificar a los músicos que los jóvenes españoles escuchan y comparar sus gustos con los míos.
- ❑ Sé comparar el servicio a la comunidad que hacen los jóvenes españoles con el servicio que hacemos en mi comunidad.
- ❑ Sé explicar información sobre la diversidad de la población española y compararla con la población de mi comunidad.
- ❑ Sé explicar formas de interactuar con jóvenes españoles.

Mi progreso comunicativo

- ❑ Sé intercambiar información sobre lo que yo hice y sobre lo que otros hicieron en el pasado.
- ❑ Sé describir cómo soy y cómo mis amigos y mi familia me describen.
- ❑ Sé describir y comparar lo que yo hacía de pequeño con lo que un niño hacía en España.
- ❑ Sé narrar lo que yo hice y lo que hicieron otros en el pasado.
- ❑ Sé comparar descripciones de estudiantes españoles con los alumnos de mi colegio.
- ❑ Sé describir las actividades de ocio de los jóvenes de diferentes regiones de España.
- ❑ Sé describir la música que escuchan los jóvenes españoles.
- ❑ Sé explicar cómo mis pasatiempos son un reflejo de quién soy.
- ❑ Sé explicar por qué tengo la obligación moral de ser una persona compasiva.

Unidad 2: #Ciudadanía Digital

Mi progreso intercultural

- ❑ Sé comparar mi uso de las redes sociales e internet con el de los jóvenes chilenos.
- ❑ Sé explicar cómo los jóvenes chilenos y los de mi comunidad son ciudadanos digitales.
- ❑ Sé explicar lo que otras culturas hacen en las redes sociales e internet para promover causas justas.

Mi progreso comunicativo

- ❑ Sé hablar de mi uso de las redes sociales e internet.
- ❑ Sé describir y explicar mi huella digital.
- ❑ Sé verificar que la información que encuentro en internet es fiable (verdadera).
- ❑ Sé explicar las reglas que debo seguir para protegerme en internet.
- ❑ Sé demostrar lo que es la ciudadanía digital y expresar el impacto que tiene en mi vida.
- ❑ Sé describir el uso de internet y las redes sociales para promover acciones positivas.
- ❑ Sé describir el uso de internet y las redes sociales para promover causas justas.
- ❑ Sé diseñar y presentar una campaña que promueva el uso responsable de las redes sociales e internet.

Unidad 3: Una vida sana y equilibrada

Mi progreso intercultural

- ❏ Sé comparar la importancia de los modales a la hora de comer en Colombia y en mi cultura.
- ❏ Sé aplicar la moraleja de una obra colombiana a mi experiencia personal.
- ❏ Sé comparar los valores de una vida sana en Colombia con los míos.
- ❏ Sé intercambiar información con otros sobre un evento en mi comunidad y compararlo con la ciclovía de Bogotá.

Mi progreso comunicativo

- ❏ Sé dar ejemplos de mi vida de productos y valores que contribuyen a una vida saludable.
- ❏ Sé recomendar las normas de etiqueta de mi comunidad a jóvenes de otra cultura.
- ❏ Sé recomendar una dieta nutritiva y equilibrada aplicando modelos de Colombia.
- ❏ Sé explicar cómo la publicidad ha influido en la dieta tradicional de varios países hispanohablantes.
- ❏ Sé explicar y dar ejemplos de actividades necesarias para una vida equilibrada.
- ❏ Sé diseñar un plan personal de salud que incorpora algunos hábitos saludables de Colombia.
- ❏ Sé explicar la importancia de buena salud física y mental en Colombia y comparar algunos ejemplos con los de mi comunidad.
- ❏ Sé convencer a otras personas de la necesidad de mantener una vida sana y equilibrada.
- ❏ Sé preparar un mensaje para una red social que describe y explica los hábitos de una vida sana.
- ❏ Sé colaborar con mis compañeros para organizar un evento que contribuya al bienestar de mi comunidad.

Unidad 4: Una comunidad sostenible

Mi progreso intercultural

- ❏ Sé comparar cambios sostenibles en casas en Colombia y España con los de mi comunidad o región.
- ❏ Sé explicar a otros qué cambios se pueden llevar a cabo en mi comunidad para hacerla más sostenible.
- ❏ Sé recomendar programas que promueven comunidades sostenibles tanto en el mundo hispanohablante como en mi comunidad.
- ❏ Sé hacer recomendaciones para que comunidades en el mundo hispanohablante sean más sostenibles.

Mi progreso comunicativo

- ❏ Sé identificar las características esenciales de una comunidad sostenible.
- ❏ Sé explicar y dar ejemplos de las características de una casa ecológica.
- ❏ Sé hacer recomendaciones en la vida diaria para lograr una casa más ecológica.
- ❏ Sé convencer a otros de cómo reducir, reutilizar y reciclar para tener una casa más ecológica.
- ❏ Sé desarrollar un plan para reducir, reutilizar y reciclar con el fin de tener una casa ecológica.
- ❏ Sé convencer a otros de la necesidad de implementar cambios en la comunidad para hacerla más sostenible.
- ❏ Sé explicar los cambios que han realizado ciertas ciudades en Colombia y España para hacerlas más sostenibles.
- ❏ Sé explicar y dar ejemplos de las características de una ciudad sostenible.

Unidad 5: El mundo laboral

Mi progreso intercultural

- ❏ Sé comparar el mundo laboral de los jóvenes dominicanos con el de los jóvenes de mi comunidad.
- ❏ Sé explicar los motivos por los que trabaja un adolescente dominicano y compararlo con los motivos por los que trabaja un joven norteamericano.
- ❏ Sé describir cómo los jóvenes de la República Dominicana ven su futuro laboral.

Mi progreso comunicativo

- ❏ Sé identificar los motivos por los que los jóvenes de hoy trabajan.
- ❏ Sé explicar los beneficios de trabajar siendo adolescente.
- ❏ Sé comparar y dar ejemplos de los trabajos disponibles para adolescentes donde yo vivo.
- ❏ Sé explicar cómo los jóvenes toman decisiones respecto a su futuro laboral.
- ❏ Sé seguir los pasos para entrevistarme y conseguir un trabajo de verano.
- ❏ Sé describir y explicar las profesiones del futuro.
- ❏ Sé describir las habilidades que los profesionales del futuro necesitan adquirir.
- ❏ Sé explicar los diferentes caminos para acceder al mundo laboral.
- ❏ Sé convencer al público de la necesidad de crear programas que preparen a los adolescentes para el mundo laboral del futuro.

Unidad 6: Un mundo solidario

Mi progreso intercultural

- ❏ Sé comparar mis derechos y obligaciones como estudiante con los de mis compañeros uruguayos.
- ❏ Sé comparar cómo celebran los derechos de los ciudadanos/as en mi país y en Uruguay.
- ❏ Sé explicar la necesidad de ayudar a poblaciones desfavorecidas en mi país y en el mundo hispanohablante.
- ❏ Sé comparar el respeto a los derechos humanos de los inmigrantes a Uruguay con el de los de mi país.
- ❏ Sé explicar el uso de la solidaridad para promover causas justas.

Mi progreso comunicativo

- ❏ Sé explicar mis derechos y obligaciones en el colegio, evaluar su efectividad y recomendar cambios.
- ❏ Sé describir mis obligaciones y privilegios por ser miembro de una familia.
- ❏ Sé ofrecer opciones para resolver disputas de una manera que respete los derechos de otros.
- ❏ Sé convencer a otros jóvenes de lo que se necesita para mejorar la comunidad.
- ❏ Sé diseñar una presentación que muestra la comparación de los derechos y obligaciones de niños y adolescentes en Uruguay con los de mi país.
- ❏ Sé comparar información sobre los derechos y obligaciones de los inmigrantes.
- ❏ Sé explicar el impacto positivo de la inmigración en un país.
- ❏ Sé dar ejemplos del apoyo necesario para preservar los derechos y obligaciones de pueblos desfavorecidos.
- ❏ Sé explicar el impacto de promover causas justas a favor de poblaciones desfavorecidas.
- ❏ Sé diseñar y presentar un plan que ayude a una población desfavorecida.

Level 3 *EntreCulturas* Analytic Growth Rubric

Interpretive Reading, Listening, Audiovisual, and Viewing

LEVEL 3 TARGET: INTERMEDIATE LOW - INTERMEDIATE MID

DOMAINS	NOVICE HIGH	INTERMEDIATE LOW	INTERMEDIATE MID	INTERMEDIATE HIGH
HOW WELL DO I UNDERSTAND? ***MAIN IDEA AND/OR DETAILS***	I can identify pieces of information and sometimes the main idea(s) without explanation when the idea is familiar, short, and simple.	I can identify the main idea(s) and some details when the idea is familiar, short, and simple.	I can identify the main idea(s) and a few supporting details when the idea is related to everyday life and personal interests and studies.	I can easily identify the main idea and some supporting details on a variety of topics when the main idea is related to everyday life and personal interests and studies.
WHAT WORDS AND STRUCTURES DO I UNDERSTAND? ***VOCABULARY AND STRUCTURES IN CONTEXT***	I can understand words, phrases, simple sentences, and some structures in short, simple texts or sentence-length speech, one utterance at a time, with support, related to familiar topics of study.	I can identify words, phrases, high-frequency expressions, and some learned structures in short, simple, loosely connected texts or sentence-length speech, one utterance at a time, related to familiar topics of study.	I can identify some words, phrases, and structures in various time frames (e.g., past, future) in simple, loosely connected texts or straightforward speech related to everyday life and personal interests and studies.	I can understand vocabulary and structures in various time frames (e.g., past, future) in some connected texts or speech with description and narration on personal and social interests and studies.
HOW WELL CAN I UNDERSTAND UNFAMILIAR LANGUAGE? ***CONTEXT CLUES***	I can understand basic meaning when short, non-complex authentic texts or speech include cognates and visual clues, on familiar topics.	I can understand literal meaning from authentic texts or speech on familiar topics and from highly predictable texts related to daily life.	I can understand literal meaning from authentic texts or speech on familiar topics and from predictable texts related to daily life and personal interests or studies.	I can easily understand literal meaning in authentic texts and sometimes in paragraph-length speech on concrete topics in familiar genres.

DOMAINS	NOVICE HIGH	INTERMEDIATE LOW	INTERMEDIATE MID	INTERMEDIATE HIGH
HOW WELL CAN I INFER MEANING BEYOND WHAT I READ OR HEAR? ***INFERENCES***	I can make a few inferences based on visual clues, organizational layout, background knowledge, keywords, inflection and/or body language.	I can make some inferences based on the main idea and on information such as visual clues, organizational layout, background knowledge, keywords, inflection and/or body language.	I can make inferences based on the main idea and on information such as visual clues, organizational layout, background knowledge, keywords, inflection and/or body language.	I can make inferences based on details and recognition of examples in the text or speech.
HOW INTERCULTURAL AM I? ***INTERCULTURALITY*** *Based on classroom tasks/activities/ intercultural reflections and outside classroom experiences.	I can identify some cultural products, practices, perspectives, including cultural behaviors and expressions related to daily life.	I can describe cultural products, practices, perspectives, including cultural behaviors and expressions related to daily life.	I can compare cultural products, practices, perspectives, including cultural behaviors and expressions related to daily life.	I can explain cultural products, practices, perspectives, including cultural behaviors and expressions related to daily life.

Adapted from: *ACTFL Performance Descriptors for Language Learners* (ACTFL, 2015), *ACTFL- NCSSFL Can-do Statements* (ACTFL, 2015), Jefferson County Public Schools World Languages: Performance Assessment Rubrics (Kentucky), Howard County Public Schools World Languages (Maryland), *ACTFL Proficiency Guidelines* (ACTFL, 2012)

Level 3 *EntreCulturas* Analytic Growth Rubric

Interpersonal Communication: Speaking and Writing

LEVEL 3 TARGET: INTERMEDIATE LOW - INTERMEDIATE MID

DOMAINS	NOVICE HIGH	INTERMEDIATE LOW	INTERMEDIATE MID	INTERMEDIATE HIGH
HOW WELL DO I MAINTAIN THE CONVERSATION? ***QUALITY OF INTERACTION***	I can participate in short social interactions by asking and answering simple questions and relying heavily on learned phrases and short or incomplete sentences but speak with hesitation, pauses, and/or repetition.	I can sustain the conversation by relying on phrases, simple sentences, and a few appropriate questions. I attempt to self-correct but speak with hesitation, pauses, and/or repetition.	I can start and sustain the conversation by asking appropriate questions and responding with a series of sentences. I can rephrase, self-correct, and use circumlocution but speak with some hesitation, pauses, and/or repetition.	I can sustain and advance the conversation with ease and confidence using connected sentences to narrate, argue, or explain but speak with occasional hesitation, pauses, and/or repetition.
WHAT LANGUAGE/ WORDS DO I USE? ***VOCABULARY IN CONTEXT***	I can use learned words and phrases to identify familiar tasks, topics, and activities.	I can use a variety of new and previously learned words and phrases to interact with others on a range of familiar topics.	I can use a variety of words, expressions, and personalized vocabulary to interact with others on a wide range of topics and begin to expand vocabulary within a topic.	I can use a wide range of words and expressions to interact with others on topics related to my environment and experiences. I can expand and/or elaborate on a topic or theme, sometimes in an unexpected context.
HOW DO I USE LANGUAGE? ***FUNCTION AND TEXT TYPE***	I can use phrases, simple sentences and questions. I am beginning to create original sentences with simple details, but errors sometimes interfere with the message.	I can combine words and phrases to create original sentences in present time with a few details on familiar topics. I can use sometimes vary the time frames (e.g., past, future), but errors may interfere with the message.	I can use a series of sentences to describe or explain with details, using a variety of time frames (e.g., past, future), but I make frequent errors in complex structures. I can combine simple sentences using connectors or transitions.	I can use connected sentences to describe and explain with details and elaboration. I can be most accurate when I use connected sentences in a paragraph-length response that uses a single time frame. I can handle a transaction, sometimes with a complication.
HOW WELL AM I UNDERSTOOD ? ***COMPREHENSIBILITY***	I am often understood by someone accustomed to a language learner.	I am usually understood by someone accustomed to a language learner.	I am easily understood by someone accustomed to a language learner.	I am generally understood by someone unaccustomed to a language learner.

DOMAINS	NOVICE HIGH	INTERMEDIATE LOW	INTERMEDIATE MID	INTERMEDIATE HIGH
HOW WELL DO I UNDERSTAND? ***COMPREHENSION***	I can understand pieces of information and sometimes the main ideas in straightforward language that uses familiar structures. I occasionally rely on visual cues, repetition, and/or a slowed rate of speech.	I can understand the main idea in short, simple messages and conversations in sentence-length speech that uses familiar structures. I rely on restatement, paraphrasing, and/or contextual clues.	I can understand the main ideas in messages and conversations on a variety of everyday topics and personal interests. I can understand extended speech but with frequent gaps in comprehension.	I can easily understand the main idea in discussions on a variety of everyday topics and personal interests. I can usually understand a few details when something unexpected is expressed.
HOW INTERCULTURAL AM I? ***INTERCULTURALITY*** *Based on classroom tasks/activities/ intercultural reflections and outside classroom experiences.	I can apply my knowledge of cultural products, practices, and perspectives in order to interact with respect and understanding.	I can apply my knowledge of cultural products, practices, and perspectives in order to interact with respect and understanding.	I can apply my knowledge of cultural products, practices, and perspectives in order to interact with respect and understanding.	I can apply my knowledge of cultural products, practices, and perspectives in order to interact with respect and understanding.

Adapted from: *ACTFL Performance Descriptors for Language Learners* (ACTFL, 2015), *ACTFL- NCSSFL Can-do Statements* (ACTFL, 2015), Jefferson County Public Schools World Languages: Performance Assessment Rubrics (Kentucky), Howard County Public Schools World Languages (Maryland), *ACTFL Proficiency Guidelines* (ACTFL, 2012)

Level 3 *EntreCulturas* Analytic Growth Rubric

Presentational Speaking

LEVEL 3 TARGET: INTERMEDIATE LOW - INTERMEDIATE MID

DOMAINS	NOVICE HIGH	INTERMEDIATE LOW	INTERMEDIATE MID	INTERMEDIATE HIGH
WHAT LANGUAGE/ WORDS DO I USE? ***VOCABULARY IN CONTEXT***	I can use words and expressions that I have practiced to present familiar topics.	I can use a variety of new and previously learned words and phrases to present a range of familiar topics.	I can use a variety of words, expressions, and personalized vocabulary to present a wide range of familiar topics. I am beginning to use expanded vocabulary within a topic of study.	I can use a wide range of words and expressions to present topics related to my environment and experiences. I can expand and begin to elaborate on a topic or theme.
HOW DO I USE LANGUAGE? ***FUNCTION AND TEXT TYPE***	I can use phrases, simple sentences and questions. I am beginning to create original sentences with some simple details in familiar contexts.	I can use a series of simple sentences by combining words and phrases to create original sentences with some details and elaboration in familiar contexts.	I can use a series of sentences to describe or explain with some detail and elaboration using connector words to create original sentences in contexts related to familiar topics and studies.	I can use connected sentences to describe and explain. I can begin to narrate/tell a paragraph-length story with details and elaboration on a variety of topics.
HOW WELL AM I UNDERSTOOD? ***COMPREHENSIBILITY***	I am often understood by someone accustomed to a language learner.	I am usually understood by someone accustomed to a language learner.	I am easily understood by someone accustomed to a language learner.	I am generally understood by someone unaccustomed to a language learner.
HOW ACCURATE AM I? ***STRUCTURES***	I can use basic structures in present time with some errors, relying on memorized phrases.	I can use basic structures with some variety in time frames, (e.g., past, future) with some errors.	I can use basic structures in a variety of time frames (e.g., past, future), including some complex structures with connectors and transitions but may have frequent errors.	I can use complex structures with connected sentences in a variety of time frames (e.g., past, future) but may have some errors.
HOW WELL DO I DELIVER MY MESSAGE? ***DELIVERY, FLUENCY, VISUALS, IMPACT ON AUDIENCE***	I can deliver my message by relying on learned phrases and short or incomplete sentences, speaking with hesitation, pauses, and/or repetition.	I can deliver my message by relying on phrases and simple sentences, speaking with hesitation, pauses, and/or repetition.	I can deliver my message by using a series of sentences. I can self-correct some of the time, speaking with some hesitation, pauses, and/or repetition.	I can deliver my message with ease and confidence using connected sentences to narrate, argue, or explain. I can self-correct, speaking with occasional hesitation, pauses, and/ or repetition.
HOW INTER-CULTURAL AM I? ***INTERCULTURALITY*** *Based on classroom tasks/ activities/ intercultural reflections and outside classroom experiences.	I can apply my knowledge of cultural products, practices, and perspectives in order to interact with respect and understanding.	I can apply my knowledge of cultural products, practices, and perspectives in order to interact with respect and understanding.	I can apply my knowledge of cultural products, practices, and perspectives in order to interact with respect and understanding.	I can apply my knowledge of cultural products, practices, and perspectives in order to interact with respect and understanding.

Adapted from: *ACTFL Performance Descriptors for Language Learners* (ACTFL, 2015), *ACTFL - NCSSFL Can-do Statements* (ACTFL, 2015), Jefferson County Public Schools World Languages: Performance Assessment Rubrics (Kentucky), Howard County Public Schools World Languages (Maryland), *ACTFL Proficiency Guidelines* (ACTFL, 2012)

Level 3 *EntreCulturas* Analytic Growth Rubric

Presentational Writing

LEVEL 3 TARGET: INTERMEDIATE LOW - INTERMEDIATE MID

DOMAINS	NOVICE HIGH	INTERMEDIATE LOW	INTERMEDIATE MID	INTERMEDIATE HIGH
WHAT LANGUAGE/ WORDS DO I USE? ***VOCABULARY IN CONTEXT***	I can use words and expressions that I have practiced on familiar topics.	I can use a variety of new and previously learned words and phrases on a range of familiar topics.	I can use a variety of words, expressions, and personalized vocabulary on a wide range of familiar topics. I am beginning to use expanded vocabulary within a topic.	I can use a wide range of words and expressions on topics related to my environment and experiences. I can expand and begin to elaborate on a topic or theme.
HOW DO I USE LANGUAGE? ***FUNCTION AND TEXT TYPE***	I can write short messages, postcards, and simple notes on familiar topics related to everyday life. I can use learned vocabulary and structures to create simple sentences and questions on very familiar topics. I can add simple details.	I can write a series of simple sentences on most familiar topics. I can create original sentences and questions using some connectors, and I can describe or explain with some detail and elaboration.	I can write on a wide variety of familiar topics using connected sentences in paragraphs. I can describe or explain events and experiences with details and elaboration. I am beginning to provide clarification or justification.	I can write on topics related to school, work, and community in a generally organized way. I can create multiple paragraphs with a variety of connectors. I can narrate, argue, or explain with details, elaboration, clarification, or justification.
HOW WELL AM I UNDERSTOOD? ***COMPREHENSIBILITY***	I am often understood by someone accustomed to a language learner.	I am usually understood by someone accustomed to a language learner.	I am easily understood by someone accustomed to a language learner.	I am generally understood by someone unaccustomed to a language learner.
HOW WELL DO I USE THE LANGUAGE? ***LANGUAGE CONTROL***	I can use basic structures in present time with some errors.	I can use basic structures with some variety in time frames (e.g., past, future), but more errors may occur.	I can use basic structures in a variety of time frames (e.g., past, future), but when I use complex structures, I may make frequent errors.	I can use complex structures in a variety of time frames (e.g., past, future) but with some errors.
HOW WELL DO I COMPLETE THE TASK? ***IDEAS AND ORGANIZATION***	I can complete the task with familiar content and some examples. My ideas are somewhat developed and organized.	I can complete the task with familiar content with some details and examples. My ideas are mostly developed and organized.	I can complete the task with appropriate content, details, and adequate examples. My ideas are adequately developed and organized.	I can complete the task with appropriate content, details, and many supporting examples. My ideas are well developed and well organized.
HOW INTER-CULTURAL AM I? ***INTERCULTURALITY*** *Based on classroom tasks/activities/ intercultural reflections and outside classroom experiences.	I can apply my knowledge of cultural products, practices, and perspectives in order to convey respect and understanding in writing.	I can apply my knowledge of cultural products, practices, and perspectives in order to convey respect and understanding in writing.	I can apply my knowledge of cultural products, practices, and perspectives in order to convey respect and understanding in writing.	I can apply my knowledge of cultural products, practices, and perspectives in order to convey respect and understanding in writing.

Adapted from: *ACTFL Performance Descriptors for Language Learners* (ACTFL, 2015), *ACTFL - NCSSFL Can-do Statements* (ACTFL, 2015), Jefferson County Public Schools World Languages: Performance Assessment Rubrics (Kentucky), Howard County Public Schools World Languages (Maryland), *ACTFL Proficiency Guidelines* (ACTFL, 2012)

Level 3 *EntreCulturas* Holistic Rubric

Interpretive Reading, Listening, and Viewing: Written, Print, Audio, Visual and Audio Visual Resources

LEVEL 3 TARGET:
INTERMEDIATE LOW - INTERMEDIATE MID

Daily work, formative assessments.

1 This is still a goal.
2 Can do this with help.
3 Can do this independently.

	INTERPRETIVE: READING, LISTENING, AND VIEWING	1	2	3
NH	• Understands and identifies words, phrases, questions, simple sentences, and sometimes the main idea in short pieces of informational text or speech in familiar contexts. • Makes a few inferences from visual and/or contextual clues, cognates, keywords, or uses other interpretive strategies. • Identifies some cultural products, practices, and perspectives related to daily life, including cultural behaviors and expressions.*			
IL	• Understands and identifies the main idea and key details in short, simple, loosely connected texts or speech in familiar contexts. • Makes some inferences from visual and/or contextual clues, cognates, keywords, or uses other interpretive strategies. • Describes cultural products, practices, and perspectives related to daily life, including cultural behaviors and expressions.**			
IM	• Identifies main ideas and a few supporting details in various time frames (e.g., past, future) in loosely connected texts or speech related to personal interests and studies. • Makes appropriate inferences from visual and/or contextual clues, cognates, keywords and some details, or uses other interpretive strategies. • Compares cultural products, practices, and perspectives related to daily life, including cultural behaviors and expressions.**			
IH	• Identifies main ideas and some supporting details in various time frames (e.g., past, future) in some connected texts or speech with description and narration on personal and social interests and studies.** • Makes consistent inferences from contextual clues, cognates, keywords, examples, details, or uses other interpretive strategies. • Explains cultural products, practices, and perspectives related to daily life, including cultural behaviors and expressions.			

Based on classroom tasks/activities/ intercultural reflections and outside classroom experiences.

* Novice range: using appropriate gestures, imitating appropriate etiquette, simple interactions in stores and restaurants.
** Intermediate range: demonstrating how to be culturally respectful, forms of address, appropriate interactions in everyday life.

<table>
<tr><th colspan="2">LEARNER SELF-REFLECTION: WHAT INTERPRETIVE STRATEGIES CAN I USE TO HELP ME UNDERSTAND WHAT I READ/HEARD/VIEWED?</th></tr>
<tr><td>READING
What strategies can I use to help me understand what I read?
❑ I preview titles, photos, layout, and visuals, etc.
❑ I skim the text for cognates and familiar words and phrases.
❑ I scan the text for specific details.
❑ I make predictions based on context, prior knowledge, and/or experience.</td><td>LISTENING/VIEWING
What strategies can I use to help me understand what I heard/viewed?
❑ I listen/watch for emotional reactions.
❑ I listen for time/time frames.
❑ I listen for intonation and inflection.
❑ I listen for cognates, familiar words and phrases, and word-order patterns.</td></tr>
</table>

Adapted from: *ACTFL Performance Descriptors for Language Learners* (ACTFL, 2015), *ACTFL - NCSSFL Can-do Statements* (ACTFL, 2015), Jefferson County Public Schools World Languages: Performance Assessment Rubrics (Kentucky), Howard County Public Schools World Languages (Maryland), *ACTFL Proficiency Guidelines* (ACTFL, 2012)

Level 3 *EntreCulturas* Holistic Rubric

Interpersonal Communication: Speaking, Listening, and Writing

LEVEL 3 TARGET: INTERMEDIATE LOW - INTERMEDIATE MID

Daily class work, participation, class discussions, pair work, group work, and formative assessments.

1 This is still a goal.
2 Can do this with help.
3 Can do this independently.

	INTERPERSONAL COMMUNICATION: SPEAKING, LISTENING, AND WRITING	1	2	3
NH	• Communicates and exchanges information with learned words, phrases, simple sentences, and sometimes the main idea/simple details in familiar contexts. Some interference from first language. • Participates in short social interactions by asking and answering simple questions with hesitation, pauses, and/or repetition, using a few communication strategies. • Makes a few inferences from visual and/or contextual clues, cognates, or other language features. • Applies knowledge of cultural products, practices, and perspectives in order to interact with respect and understanding.*			
IL	• Communicates and exchanges information with a variety of new and learned words, phrases, and original sentences in the present tense with some details in familiar contexts. Limited interference from first language. • Participates in social interactions by asking and answering a few appropriate questions with hesitation, pauses, and/or repetition, using some communication strategies. • Makes some inferences from visual and/or contextual clues, cognates, or other language features. • Applies knowledge of cultural products, practices, and perspectives in order to interact with respect and understanding.**			
IM	• Communicates with a variety of expressions and personalized vocabulary with a series of sentences to describe details in a variety of time frames in daily life. A few errors may interfere with the message. • Participates in conversations by asking and answering a variety of questions with some hesitation, pauses, and/or repetition, using a variety of communication strategies. • Makes appropriate inferences from visual and/or contextual clues, cognates, or other language features. • Applies knowledge of cultural products, practices, and perspectives in order to interact with respect and understanding.**			
IH	• Communicates with a variety of expressions and personalized vocabulary with details and connected sentences to elaborate in some unexpected contexts. Minimal errors may interfere with the message. • Participates in conversations about events and experiences with ease and confidence and in various time frames, using a variety of communication strategies. • Makes consistent inferences from visual and/or contextual clues, cognates, or other language features. • Applies knowledge of cultural products, practices, and perspectives in order to interact with respect and understanding.**			

Based on classroom tasks/activities/ intercultural reflections and outside classroom experiences.

* Novice range: using appropriate gestures, imitating appropriate etiquette, simple interactions in stores and restaurants.
** Intermediate range: demonstrating how to be culturally respectful, forms of address, appropriate interactions in everyday life.

LEARNER SELF-REFLECTION: WHAT COMMUNICATION STRATEGIES CAN I USE TO HELP ME UNDERSTAND AND MAKE MYSELF UNDERSTOOD?	
SPEAKING/WRITING *What strategies can I use to make myself understood?*	**LISTENING** *What strategies did I use to help me understand what I heard?*
❑ I repeat words and phrases. ❑ I use facial expressions, gestures, and appropriate openings and closings. ❑ I self-correct when I am not understood. ❑ I imitate modeled words. ❑ I restate and rephrase using different words. ❑ I build upon what I've heard/read and elaborate in my response. ❑ I use level-appropriate vocabulary in familiar and contextualized situations.	❑ I ask for clarification or repetition. ❑ I repeat statements as questions for clarification. ❑ I listen for intonation and inflection. ❑ I listen for cognates, familiar words, phrases, and word-order patterns. ❑ I indicate lack of understanding. ❑ I ask questions.

Adapted from: *ACTFL Performance Descriptors for Language Learners* (ACTFL, 2015), *ACTFL - NCSSFL Can-do Statements* (ACTFL, 2015), Jefferson County Public Schools World Languages: Performance Assessment Rubrics (Kentucky), Howard County Public Schools World Languages (Maryland), *ACTFL Proficiency Guidelines* (ACTFL, 2012)

Level 3 *EntreCulturas* Holistic Rubric

Presentational Speaking

LEVEL 3 TARGET: INTERMEDIATE LOW - INTERMEDIATE MID

Daily class work, participation, share out or present to class, present to a group, formative assessments, and using the Explorer audio and video recording feature.

1 This is still a goal.
2 Can do this with help.
3 Can do this independently.

	PRESENTATIONAL SPEAKING	1	2	3
NH	• Uses most highly practiced/learned words and expressions with simple details in familiar contexts. Some interference from first language. • Delivers message using basic structures and some memorized new structures in present time with some errors. Speaks with hesitation, pauses, and/or repetition. • Makes some use of gestures, self-correction, and examples/visuals to support the message, or a few other communication strategies. • Applies knowledge of cultural products, practices, and perspectives in order to interact with respect and understanding.*			
IL	• Uses new and previously learned words and phrases in a series of simple sentences/questions to describe or explain with some details and elaboration in familiar contexts. Limited interference from first language. • Delivers message using basic structures with some variety in time frames (e.g., past, future) with some errors. Speaks with hesitation, pauses, and/or repetition. • Makes appropriate use of gestures, self-correction, and examples/visuals to support the message, or other communication strategies. • Applies knowledge of cultural products, practices, and perspectives in order to interact with respect and understanding.**			
IM	• Uses a variety of expressions and personalized vocabulary in a series of sentences to describe or explain with details and elaboration in familiar contexts. A few errors may interfere with the message. • Delivers message using a variety of basic time frames (e.g., past, future) using connectors and transitions, including complex structures with frequent errors. Speaks with some hesitation, pauses, and/or repetition. • Makes consistent use of gestures, self-correction, and examples/visuals to support the message, and other communication strategies. • Applies knowledge of cultural products, practices, and perspectives in order to interact with respect and understanding.**			
IH	• Uses a wide range of vocabulary with details and connected sentences to elaborate and expand in some unexpected contexts. Minimal errors may interfere with the message. • Delivers message with ease using complex structures in a variety of time frames (e.g., past, future) but with some errors. Speaks with occasional hesitation, pauses, and/or repetition. • Makes thorough use of gestures, self-correction, and examples/visuals to support the message, and other communication strategies. • Applies knowledge of cultural products, practices, and perspectives in order to interact with respect and understanding.**			

Based on classroom tasks/activities/ intercultural reflections and outside classroom experiences.

* Novice range: using appropriate gestures, imitating appropriate etiquette, simple interactions in stores and restaurants.
** Intermediate range: demonstrating how to be culturally respectful, forms of address, appropriate interactions in everyday life.

<table>
<tr><th colspan="2">LEARNER SELF-REFLECTION: WHAT COMMUNICATION STRATEGIES DID I USE TO MAKE MYSELF UNDERSTOOD TO MY AUDIENCE?</th></tr>
<tr><td>PRESENTATIONAL SPEAKING
❑ I organize my presentation in a clear manner.
❑ I use facial expressions and gestures.
❑ I self-correct when I make mistakes.
❑ I present my own ideas.
❑ I use examples to support my message.
❑ I use visuals to support meaning.</td><td>❑ I include a hook to gain the audience's attention.
❑ I notice the reaction of the audience during the presentation.
❑ I repeat or rephrase if the audience doesn't understand.
❑ I project my voice so the audience can hear me.
❑ I practice my presentation before I present to the audience.</td></tr>
</table>

Adapted from: *ACTFL Performance Descriptors for Language Learners* (ACTFL, 2015), *ACTFL - NCSSFL Can-do Statements* (ACTFL, 2015), Jefferson County Public Schools World Languages: Performance Assessment Rubrics (Kentucky), Howard County Public Schools World Languages (Maryland), *ACTFL Proficiency Guidelines* (ACTFL, 2012)

Level 3 *EntreCulturas* Holistic Rubric

Presentational Writing

LEVEL 3 TARGET: INTERMEDIATE LOW - INTERMEDIATE MID

Daily written class work, forms, organizers, charts, messages, notes, formative assessments, and using the Explorer quizzes, surveys, discussion forums, and more.

1 This is still a goal.
2 Can do this with help.
3 Can do this independently.

	PRESENTATIONAL WRITING	1	2	3
NH	• Uses highly practiced/learned words, phrases, questions, and simple sentences to write short and simple messages with simple details in familiar contexts. Some interference from first language. • Completes the tasks using present time frame and some memorized new structures in other time frames (e.g., past, future). Ideas are partially developed and somewhat organized. • Makes some use of drafting, outlining, or peer review, or other presentational writing strategies. • Applies knowledge of cultural products, practices, and perspectives in order to convey respect and understanding in writing.*			
IL	• Uses new and previously learned words and phrases in a series of original and simple sentences/questions to describe or explain in some detail with some supporting examples and elaboration in familiar contexts. Limited interference from first language. • Completes the task using basic structures with some variety in time frames (e.g., past, future) with some errors. Ideas are mostly developed and organized. • Makes appropriate use of drafting, outlining, peer review, or other presentational writing strategies. • Applies knowledge of cultural products, practices, and perspectives in order to convey respect and understanding in writing.*			
IM	• Uses a variety of expressions and personalized vocabulary and connected sentences in paragraphs to describe with details, supporting examples, and elaboration; beginning to provide clarification or justification on a wide variety of familiar topics. A few errors may interfere with the message. • Completes the task using a variety of basic time frames (e.g., past, future), using connectors and transitions, including complex structures with frequent errors. Ideas are adequately developed and organized. • Makes consistent use of drafting, outlining, peer review, and other presentational writing strategies. • Applies knowledge of cultural products, practices, and perspectives in order to convey respect and understanding in writing.*			
IH	• Uses a wide range of vocabulary in multiple paragraphs and a variety of connectors and transitions. Narrates, argues, or explains with details, elaboration, clarification, or justification, using many supporting examples related to current issues and experiences. Minimal errors may interfere with the message. • Completes the task using complex structures in a variety of time frames (e.g., past, future) but with some errors. Ideas are well developed and well organized. • Makes effective use of drafting, outlining, peer review, or other presentational writing strategies. • Applies knowledge of cultural products, practices, and perspectives in order to convey respect and understanding in writing.*			

Based on classroom tasks/activities/ intercultural reflections and outside classroom experiences.

* Novice range: using appropriate gestures, imitating appropriate etiquette, simple interactions in stores and restaurants.
** Intermediate range: demonstrating how to be culturally respectful, forms of address, appropriate interactions in everyday life.

LEARNER SELF-REFLECTION: WHAT COMMUNICATION STRATEGIES CAN I USE TO MAKE MY MESSAGE UNDERSTOOD TO THE READER?	
PRESENTATIONAL WRITING	❑ I write a draft of my message.
❑ I organize my presentation in a clear manner.	❑ I use examples to support my message.
❑ I include a hook to gain the reader's attention.	❑ I ask someone to peer edit my draft before I submit it.
❑ I present my own ideas.	❑ I check all spelling and grammar before I submit it.
❑ I write an outline before I begin to write.	❑ I make sure my writing is clear and my handwriting is legible.
❑ I cite my sources if I have done research on the topic.	

Adapted from: *ACTFL Performance Descriptors for Language Learners* (ACTFL, 2015), *ACTFL - NCSSFL Can-do Statements* (ACTFL, 2015), Jefferson County Public Schools World Languages: Performance Assessment Rubrics (Kentucky), Howard County Public Schools World Languages (Maryland), *ACTFL Proficiency Guidelines* (ACTFL, 2012)

Unidad 1

Integrated Performance Assessment Rubric

Solicita una plaza en la *Ruta BBVA,* un intercambio cultural

DOMAINS	TASK COMPONENTS	INTERMEDIATE HIGH	INTERMEDIATE MID	INTERMEDIATE LOW	NOVICE HIGH
INTERPRETIVE ASSESSMENT **Interpretive Reading** ***Paso 1***	**Identify program main idea and supporting details** Student responds to questions about the *Ruta BBVA* cultural exchange program, identifying the main idea and supporting details in the article.	Answers questions about the program with relevant information and uses original wording.	Answers questions about the program with mostly relevant information and uses original wording.	Answers questions about the program with some relevant information and sometimes uses original wording.	Answers questions about the program with limited relevant information and occasionally uses original wording.
Interpretive Listening ***Paso 2***	**Identify main ideas and key details** Student listens to the experiences of two program participants and identifies main ideas and key details by responding to multiple choice questions.	Identifies the main ideas and key details in the audio recording by answering all or almost all of the questions correctly.	Identifies the main ideas and key details in the audio recording by answering most of the questions correctly.	Identifies the main ideas and key details in the audio recording by answering some of the questions correctly.	Identifies the main ideas and key details in the audio recording by answering a few of the questions correctly.
INTERPERSONAL ASSESSMENT **Interpersonal Speaking** ***Paso 3***	**Interview** Student participates in an interview by a selection committee. Student answers questions related to what will make him or her a good candidate for the program: • Personality • Attributes and experiences related to helping others • Interests • Knowledge of the BBVA program.	Answers the questions using a wide range of words and expressions on the topic; begins to expand and elaborate on the topic, using connected sentences to describe and explain; begins to respond in paragraphs in the appropriate time frame; generally understood despite occasional errors.	Answers the questions with relevant content related to the topic, using a variety of vocabulary and a string of connected sentences; answers questions in the appropriate time frame; easily understood despite a few errors.	Answers the questions with relevant content related to the topic, using adequate vocabulary and some connected sentences; may answer questions in the appropriate time frame; usually understood despite some errors.	Answers the questions with some relevant content related to the topic, using basic vocabulary and some simple sentences; attempts to answer questions in the appropriate time frame; often understood despite frequent errors.

DOMAINS	TASK COMPONENTS	INTERMEDIATE HIGH	INTERMEDIATE MID	INTERMEDIATE LOW	NOVICE HIGH
PRESENTATIONAL ASSESSMENT **Presentational Writing** ***Paso 4***	**Reply to an e-mail** Student replies to a program representative in an email answering questions related to program expectations, including: • Overall health & fitness • Getting along with others • Experiences in other programs. Student asks a minimum of two questions in the written response.	Addresses the task's components with appropriate content and many supporting examples; uses a wide variety of words and expressions on the topic; begins to expand and elaborate on the topic; uses connected sentences to describe and explain in paragraphs in past and present timeframes.	Addresses the task's components with appropriate content and many supporting examples; uses a variety of words and expressions in complete sentences; combines simple sentences using connectors to create original sentences; consistently uses basic structures accurately in past and present time frames.	Addresses the task's components with some appropriate content and some supporting examples; uses adequate words and expressions in complete sentences; uses basic structures with some accuracy in past and present timeframes.	Addresses the task components with some appropriate content and few supporting examples; uses familiar words, phrases, and some simple sentences; asks at least one relevant question; uses basic structures in present time with some errors.
Interculturality ***Part of Paso 3 and 4***	Student references and describes in the interview and in the reply to the email: • what he or she learned about Spanish-speaking young people who participated in the intercultural exchange • what qualifies him or her to participate in the intercultural exchange.	Thoroughly references and describes cultural knowledge in both the interview and in the reply to the email in order to interact with respect and understanding.	Appropriately references and describes cultural knowledge in both the interview and in the reply to the email in order to interact with respect and understanding.	Adequately references and describes cultural knowledge in either the interview or in the reply to the email in order to interact with respect and understanding.	Minimally references or describes cultural knowledge in the interview or the reply to the email in order to interact with respect and understanding.

Unidad 2

Integrated Performance Assessment Rubric

¡Pongamos de nuestra parte para crear un mundo mejor!

DOMAINS	TASK COMPONENTS	INTERMEDIATE HIGH	INTERMEDIATE MID	INTERMEDIATE LOW	NOVICE HIGH
INTERPRETIVE ASSESSMENT **Interpretive Reading** ***Paso 1***	**Make inferences** Student identifies main ideas and supporting details related to the positive qualities of the Tarjeta Verde program. Student indicates the positive qualities to include in the design of his or her campaign.	Identifies positive qualities to include in the design of his or her campaign by making inferences from what he or she reads based on identification of the main idea(s), details, and examples in the text.	Identifies positive qualities to include in the design of his or her campaign by making inferences from what he or she reads based on identification of the main idea(s) and some added information.	Identifies positive qualities to include in the design of his or her campaign by making some inferences from what he or she reads based on identification of the main idea(s) and pieces of information.	Identifies positive qualities to include in the design of his or her campaign by making a few inferences from what he or she reads based on visual clues, organizational layout, background knowledge, and some keywords.
PRESENTATIONAL ASSESSMENT **Presentational Writing** ***Paso 2***	**Design a campaign to create a positive change in the community** Student develops a plan for a campaign to help others in his or her community. Student: • Identifies the beneficiaries • Describes the type of assistance the program offers • Provides a name for the program • Explains how the program promotes qualities similar to the Tarjeta Verde • Identifies three social media to promote the program • Explains how he or she uses the social media to promote the program • Explains how he or she will change as a result of his or her involvement in the campaign.	Addresses the task's components with thorough and relevant content and appropriate supporting examples; uses a wide variety of words and expressions on the topic; begins to expand and elaborate on the topic; uses connected sentences to describe and explain with details in paragraphs; uses complex structures in a variety of tenses, but with some errors.	Addresses the task's components with relevant content and adequate supporting examples; uses a variety of words and expressions in complete sentences; combines simple sentences using connectors to create original sentences; consistently uses basic structures accurately and some complex structures with errors.	Addresses the task's components with some relevant content and some supporting examples; uses adequate words and expressions in complete sentences; uses basic structures with some accuracy.	Addresses the task's components with some relevant content and a few supporting examples; uses familiar words and phrases, and some simple sentences; uses basic structures in present time with some errors.

DOMAINS	TASK COMPONENTS	INTERMEDIATE HIGH	INTERMEDIATE MID	INTERMEDIATE LOW	NOVICE HIGH
INTERPERSONAL ASSESSMENT **Interpersonal Speaking** ***Paso 3***	**Participate in an interview** Student participates in an interview with a reporter. Student answers questions related to his/her campaign plan: • What elements of the Tarjeta Verde program do you like? • Who are the beneficiaries of your campaign? • How will your campaign help those beneficiaries? • How will the social media you identified help the campaign? • What makes you a good digital citizen?	Answers the questions thoroughly with relevant content related to the topic, using a wide range of words and expressions on the topic; begins to expand and elaborate on the topic, using connected sentences to describe and explain; begins to respond in paragraphs in the appropriate time frame; is generally understood despite occasional errors.	Answers the questions appropriately with re-levant content related to the topic, using a variety of words and expressions, and a string of connected sentences with detail and some elaboration; answers questions in the ap-propriate time frame; is generally understood despite a few errors.	Answers the questions adequately with relevant content related to the topic, using adequate vocabulary in phrases, or simple sentences; may answer questions in the appropriate time frame, but with some errors; is usually understood with despite some errors.	Answers the questions with some relevant content related to the topic, using basic vocabulary in phrases and short sentences; is mostly understood with frequent errors.
Interculturality ***Part of Paso 3 and 4***	Student references and describes in the interview and in the reply to the email: • what he or she learned about Spanish-speaking young people who participated in the intercultural exchange • what qualifies him or her to participate in the intercultural exchange.	Thoroughly references and describes cultural knowledge in both the interview and in the reply to the email in order to interact with respect and understanding.	Appropriately references and describes cultural knowledge in both the interview and in the reply to the email in order to interact with respect and understanding.	Adequately references and describes cultural knowledge in either the interview or in the reply to the email in order to interact with respect and understanding.	Minimally references or describes cultural knowledge in the interview or the reply to the email in order to interact with respect and understanding.

Unidad 3

Integrated Performance Assessment Rubric

Prueba la felicidad a la colombiana

DOMAINS	TASK COMPONENTS	INTERMEDIATE HIGH	INTERMEDIATE MID	INTERMEDIATE LOW	NOVICE HIGH
INTERPRETIVE ASSESSMENT **Interpretive Audiovisual** ***Paso 1***	**Identify main ideas in video** Student identifies main ideas in the form of true or false statements that describe the origin of the food truck in Colombia. To support the answers, the student provides evidence from the video in a graphic organizer.	Correctly identifies all or almost all of the statements as true or false with accurate supporting evidence from the video.	Correctly identifies most of the statements as true or false with mostly accurate supporting evidence from the video.	Correctly identifies some of the statements as true or false with some accurate supporting evidence from the video.	Correctly identifies a few of the statements as true or false with limited accurate supporting evidence from the video.
INTERPERSONAL ASSESSMENT **Interpersonal Speaking** ***Paso 2***	**Design a food truck and interact in a conversation** Student participates in a conversation with other students describing the menu and lifestyle suggestions for the food truck contest for the school's Intercultural Festival. The menu includes: • At least five food items with healthy ingredients • At least three beverages • Three ideas to promote a healthy lifestyle for customers of the food truck. Students give suggestions to each other to improve their presentations.	Describes a detailed and culturally accurate menu with all or almost all of the required elements; offers appropriate and original suggestions for a healthy lifestyle with examples and elaboration. Initiates and sustains the conversation with ease by asking appropriate questions and by responding using a variety of vocabulary in a series of connected sentences. States opinions with ease using a variety of tenses as needed. Speaks with occasional hesitation, pauses, and/or repetition.	Describes a detailed and culturally accurate menu with most of the required elements; offers appropriate suggestions for a healthy lifestyle with examples and some elaboration. Initiates and sustains the conversation by asking appropriate questions and by responding using a variety of vocabulary in a string of connected sentences. States opinions using a variety of tenses as needed. Rephrases, self-corrects, and speaks with some hesitation, pauses, and/or repetition.	Describes a mostly culturally accurate menu with some of the required elements; offers appropriate suggestions for a healthy lifestyle with examples and some details. Sustains the conversation by relying on phrases and simple sentences and by asking some appropriate questions; responds using unit vocabulary in original sentences with some details. States opinions by using learned expressions in basic structures. Attempts to self-correct, but speaks with hesitation, pauses, and/or repetition.	Describes a somewhat culturally accurate menu and offers some appropriate suggestions for a healthy lifestyle with simple details and examples. Participates in the conversation by relying heavily on learned phrases and by asking and answering simple questions with short or incomplete sentences. States opinions by relying on memorized phrases. Speaks with hesitation, pauses, and/or repetition.

DOMAINS	TASK COMPONENTS	INTERMEDIATE HIGH	INTERMEDIATE MID	INTERMEDIATE LOW	NOVICE HIGH
PRESENTATIONAL ASSESSMENT **Presentational Speaking** ***Paso 3***	**Create a video advertisement for a food truck for the Intercultural Festival** Student presents his or her plan for the food truck for the school's Intercultural Festival by creating a video that includes: • The name and design of a food truck with Colombian-inspired healthy food and lifestyle ideas • A healthy and culturally accurate menu with a variety of foods and beverages, including a selection from the student's community that uses Colombian ingredients • Suggestions for a healthy lifestyle conveyed in a creative way to promote the message to the food truck customers.	Presents a video that includes all or almost all of the contest criteria to describe and explain the original design of the food truck with details and some elaboration. Uses a wide range of vocabulary and expressions in a series of connected sentences, including complex structures with minimal errors that do not interfere with the message. Delivers the description of the food truck with ease and confidence. Self-corrects and speaks with occasional hesitation, pauses, and/or repetition.	Presents a video that includes most of the contest criteria to describe and explain the original design of the food truck with details and some elaboration. Uses a variety of unit vocabulary and expressions in a series of sentences with some connectors, and uses appropriate structures in different time frames with some errors. A few errors may interfere with the message. Delivers the description of the food truck using a series of sentences. Can self-correct sometimes, and speaks with some hesitation, pauses, and/or repetition.	Presents a video that includes most of the contest criteria to describe and explain the design of the food truck with some details. Uses a variety of new unit vocabulary and expressions in a series of simple sentences by combining words and phrases. Uses basic structures and some new structures with some errors that may interfere with the message. Delivers the description of the food truck relying on phrases and simple sentences. Speaks with hesitation, pauses, and/or repetition.	Presents a video that includes some of the contest criteria to describe and explain the design of the food truck with a few details. Uses basic vocabulary and some practiced unit vocabulary and expressions in short sentences. Uses basic structures mostly in present time with some errors that may interfere with the message. Delivers the description of the food truck relying on learned phrases and short or incomplete sentences. Speaks with hesitation, pauses, and/or repetition.
Interculturality ***Part of Paso 2 and 3***	Student describes healthy Colombian foods, well-being practices, and perspectives in the conversation with peers and in the video presentation.	Thoroughly applies cultural knowledge in both interpersonal and presentational assessments.	Appropriately applies cultural knowledge in both interpersonal and presentational assessments.	Adequately applies cultural knowledge in both interpersonal and presentational assessments.	Somewhat applies cultural knowledge in at least one assessment.

Unidad 4

Integrated Performance Assessment Rubric

Un proyecto innovador para tu comunidad

DOMAINS	TASK COMPONENTS	INTERMEDIATE HIGH	INTERMEDIATE MID	INTERMEDIATE LOW	NOVICE HIGH
INTERPRETIVE ASSESSMENT **Interpretive Reading** ***Paso 1 and 3***	**Identify characteristics of featured projects** Student identifies characteristics of featured innovative projects from Colombia and Spain that contribute to sustainable communities to include in the design in his or her community project. **Identify characteristics of featured projects** Student selects one of the projects to implement and describes five reasons why this project is needed in his or her community. **Identify characteristics of featured projects** Student explains how he or she will adapt the project to meet the needs of the community.	Identifies all or almost all of the innovative and sustainable characteristics of the featured projects to include in the design of his or her community project. Describes all or almost all appropriate reasons why the innovative project will work in his or her community. Explains how he or she will adapt the project to meet the needs of his or her community.	Identifies most of the innovative and sustainable characteristics of the featured projects to include in the design of his or her community project. Describes mostly appropriate reasons why the innovative project will work in his or her community. Explains how he or she will adapt the project to meet the needs of his or her community.	Identifies some innovative and sustainable characteristics of the featured projects to include in the design of his or her community project. Describes some appropriate reasons why the innovative project will work in his or her community. Explains how he or she will adapt the project to meet the needs of his or her community.	Identifies a few innovative and sustainable characteristics of the featured projects to include in the design of his or her community project. Describes a few reasons why the innovative project will work in his or her community. Explains how he or she will adapt the project to meet the needs of his or her community.
INTERPERSONAL ASSESSMENT **Interpersonal Speaking** ***Paso 4***	**Exchange project descriptions and make recommendations** Student participates in a conversation with a classmate in which they take turns describing his or her project, including: • The names of the project • Description of the project • The beneficiaries • Adaptations to the project • How the project will help create sustainable communities • • The benefits to the community Student uses a series of guided statements to summarize the information and make recommendations to a classmate.	Thoroughly explains the project with all or almost all relevant information and examples; offers appropriate and original recommendations with elaboration. Initiates and sustains the conversation with ease by asking appropriate questions and by responding using a variety of vocabulary in a series of connected sentences. States opinions with ease using a variety of tenses as needed. Speaks with occasional hesitation, pauses and/or repetition.	Summarizes the project with mostly relevant information and examples; offers some appropriate and original recommendations with some elaboration. Initiates and sustains the conversation by asking appropriate questions and by responding using a variety of vocabulary in some connected sentences. States opinions using learned structures as needed. Rephrases, self-corrects, and speaks with some hesitation, pauses, and/or repetition.	Describes the project with some relevant information and a few examples; offers adequate recommendations with some details. Sustains the conversation by relying on phrases and simple sentences and by asking some appropriate questions;responds using unit vocabulary in original sentences with some details. States opinions by using learned expressions in basic structures. Attempts to self-correct, but speaks with hesitation, pauses, and/or repetition.	Describes the project with limited relevant information; offers few recommendations. Participates in the conversation by relying heavily on learned phrases and by asking and answering simple questions with short or incomplete sentences. States opinions by relying on memorized phrases. Speaks with hesitation, pauses, and/or repetition.

DOMAINS	TASK COMPONENTS	INTERMEDIATE HIGH	INTERMEDIATE MID	INTERMEDIATE LOW	NOVICE HIGH
PRESENTATIONAL ASSESSMENT **Presentational Speaking** ***Paso 5***	**Promote an innovative community project** Student outlines and then presents an innovative project to promote sustainability within his or her community, including what volunteers can do to help implement the project. Student: • Provides a name for the project • Identifies the beneficiaries • Describes how the project will help create a sustainable community • Outlines the benefits to the community • Explains how the project will be implemented • Explains how volunteers can help.	Presents an innovative project that includes all or almost all of the task's components with details and elaboration. Uses a wide range of vocabulary and expressions in a series of connected sentences, including some complex structures with minimal errors that do not interfere with the message. Delivers the description of the community project with ease and confidence. Self-corrects and speaks with occasional hesitation, pauses, and/or repetition.	Presents an innovative project that includes most of the task's components with details and some elaboration. Uses a variety of unit vocabulary and expressions in a series of sentences with some connectors, and uses appropriate structures in different time frames with some errors. A few errors may interfere with the message. Delivers the description of the community project using a series of sentences. Self-corrects sometimes and speaks with some hesitation, pauses, and/or repetition.	Presents an innovative project that includes most of the task's components with some details. Uses a variety of new unit vocabulary and expressions in a series of simple sentences by combining words and phrases. Uses basic structures and some new structures with some errors that may interfere with the message. Delivers the description of the community project by relying on phrases and simple sentences. Speaks with hesitation, pauses, and/or repetition.	Presents an innovative project that includes some of the task's components with a few details. Uses basic vocabulary and some practiced unit vocabulary and expressions in short sentences. Uses basic structures mostly in present time with some errors that may interfere with the message. Delivers the description of the community project by relying on learned phrases and short or incomplete sentences. Speaks with hesitation, pauses, and/or repetition.
Interculturality ***Part of Pasos 4 and 5***	Student analyzes how ecologically sustainable practices in Colombia and Spain can be adapted to his or her own community.	Thoroughly analyzes cultural practices in both presentational and interpersonal assessments in order to interact with respect and understanding.	Appropriately analyzes cultural practices in both presentational and interpersonal assessments in order to interact with respect and understanding.	Adequately analyzes cultural practices in both presentational and interpersonal assessments in order to interact with respect and understanding.	Somewhat analyzes intercultural practices in at least one assessment in order to interact with respect and understanding.

Unidad 5

Integrated Performance Assessment Rubric

Un año sabático

DOMAINS	TASK COMPONENTS	INTERMEDIATE HIGH	INTERMEDIATE MID	INTERMEDIATE LOW	NOVICE HIGH
INTERPRETIVE ASSESSMENT **Interpretive Reading** ***Paso 1***	**Identify main ideas**Student identifies main ideas by underlining the most important points in the text. **Make inferences** Student selects three options for a *gap year*: • The most attractive or interesting • The least attractive or interesting • The most difficult. Student provides details and examples from the text, as well as personal experience to support the selections.	Identifies all of the main ideas or important points in the text. Identifies three options for a gap year by making inferences from what he or she reads based on identification of the important points, details, and examples from the text, as well as personal experience to support the selections.	Identifies almost all of the main ideas or important points in the text. Identifies three options for a gap year by making inferences from what he or she reads based on identification of the important points, and some details, examples from the text, and personal experience to support the selections.	Identifies most of the main ideas or important points in the text. Identifies two or more options for a gap year by making inferences from what he or she reads based on identification of the important points and of pieces of information, such as a few details, examples from the text, and personal experience to support the selections.	Identifies some of the main ideas or important points in the text. Identifies two or more options for a gap year by making inferences from what he or she reads based on identification of the important points and supports the selections with information based on visual clues, organizational layout, background knowledge, and some keywords.

DOMAINS	TASK COMPONENTS	INTERMEDIATE HIGH	INTERMEDIATE MID	INTERMEDIATE LOW	NOVICE HIGH
INTERPERSONAL ASSESSMENT **Interpersonal Speaking** ***Paso 2***	**Interact in a conversation**Student participates in a conversation with another student describing the three selections he or she chose in **Paso 1** for a *gap year*. The conversation includes: • A description of the three options (most attractive, least interesting, and most difficult) • A rationale for each choice • Reactions to what the other student shares • Three questions for the other student about his or her choices.	Interacts in a conversation in which he or she: • Describes the three choices with all or almost all of the required elements (a rationale with details and examples from the text, as well as personal experience) • Reacts with appropriate and original expressions or comments • Asks three appropriate questions • Responds to questions with elaboration. Initiates and sustains conversation with ease by asking appropriate questions and by responding using a variety of vocabulary in a series of connected sentences. States opinions with ease using a variety of tenses as needed. Speaks with occasional hesitation, pauses, and/or repetition.	Interacts in a conversation in which he or she: • Describes the three choices with almost all of the required elements (a rationale with details and examples from the text, as well as personal experience) • Reacts with appropriate and original expressions or comments • Asks three appropriate questions • Responds to questions with some elaboration. Initiates and sustains the conversation by asking appropriate questions and by responding using a variety of vocabulary in some connected sentences. States opinions using learned structures as needed. Rephrases, self-corrects, but speaks with some hesitation, pauses, and/or repetition.	Interacts in a conversation in which he or she: • Describes two or more of the choices with most of the required elements (a rationale with details and examples from the text, as well as personal experience) • Reacts with appropriate expressions or comments • Asks two or more appropriate questions • Responds to questions, but with little elaboration. Sustains the conversation by relying on phrases and simple sentences and by asking some appropriate questions;responds using unit vocabulary in original sentences with some details. States opinions by using learned expressions in basic structures. Attempts to self-correct, and speaks with hesitation, pauses, and/or repetition.	Interacts in a conversation in which he or she: • Describes two or more of the choices with some of the required elements (a rationale with details and examples from the text, as well as personal experience) • Reacts with brief, learned expressions or comments • Asks two or more simple questions • Responds to questions, but with little to no elaboration. Participates in the conversation by relying heavily on learned phrases asking and answering simple questions with short or incomplete sentences. States opinions by relying on memorized phrases. Speaks with hesitation, pauses, and/or repetition.

Unidad 5 *(continued)*

Integrated Performance Assessment Rubric

DOMAINS	TASK COMPONENTS	INTERMEDIATE HIGH	INTERMEDIATE MID	INTERMEDIATE LOW	NOVICE HIGH
PRESENTATIONAL ASSESSMENT **Presentational Writing** ***Paso 3***	**Write a formal letter** After researching a program in the Dominican Republic for a gap year, student writes a letter to the university, college, or technical school to explain his or her plan to defer admittance in order to take a *gap year*. In the letter, he or she includes: • An appropriate salutation • A request to defer admittance • A description of the program or activity in which he or she will participate for the gap year • How long the program or activity will last • Where it will take place • What he or she will be doing there • Why he or she has decided to take a gap year • A thank you for their consideration of the request • An appropriate closing.	Addresses the task's components with appropriate content and appropriate supporting examples; uses a wide variety of words and expressions on the topic; begins to expand and elaborate on the topic; uses connected sentences to describe and explain with details in paragraphs;uses complex structures in a variety of tenses but with some errors.	Addresses the task's components with appropriate content and adequate supporting examples; uses a variety of words and expressions in complete sentences; combines simple sentences using connectors to create original sentences; consistently uses basic structures in a variety of tenses accurately and some complex structures with errors.	Addresses the task's components with some appropriate content and some supporting examples; uses adequate words and expressions in complete sentences; uses basic structures with some accuracy.	Addresses the task's components with some appropriate content and some supporting examples; uses adequate words and expressions in complete sentences; uses basic structures with some accuracy.
Interculturality ***Part of Paso 2 and 3***	Student investigates gap year options in the Dominican Republic and explains what young people there are doing to prepare for professions in the future by participating in a gap year.	Thoroughly investigates and explains cultural knowledge in both presentational and interpersonal assessments.	Appropriately investigates and explains cultural knowledge in both presentational and interpersonal assessments.	Adequately investigates and explains cultural knowledge in both presentational and interpersonal assessments.	Somewhat describes limited intercultural knowledge in at least one assessment.

Unidad 6

Integrated Performance Assessment Rubric

Vacaciones en paz

DOMAINS	TASK COMPONENTS	INTERMEDIATE HIGH	INTERMEDIATE MID	INTERMEDIATE LOW	NOVICE HIGH
INTERPRETIVE ASSESSMENT **Interpretive Audiovisual** ***Paso 1***	**Identify main ideas and supporting details with evidence** Student watches a video and describes Fatma and what her life is like. To support the answers, the student provides evidence from the video in a graphic organizer, including: • Information about Fatma, her family, and her daily life in the refugee camps • Her experience in Spain: her host family and what she likes about Spain • What she likes most about her own family and the *saharaui* culture • Her dream.	Completes information for all of the categories with accurate supporting details and evidence from the video.	Completes information for almost all of the categories with mostly accurate supporting details and evidence from the video.	Completes information for most of the categories with mostly accurate supporting details and evidence from the video.	Completes information for some of the categories with some accurate supporting details and evidence from the video.

Unidad 6 *(continued)*

Integrated Performance Assessment Rubric

Vacaciones en paz

DOMAINS	TASK COMPONENTS	INTERMEDIATE HIGH	INTERMEDIATE MID	INTERMEDIATE LOW	NOVICE HIGH
INTERPERSONAL ASSESSMENT **Interpersonal Speaking** ***Paso 2***	**Interact in a conversation**Student participates in a conversation with another student describing the program and similar programs in his or her community, including: • The benefits of the program and its effects on the *saharaui* and Spanish communities • Information about similar programs in his or her community (if applicable) • What such a program would be like in his or her community • Expressions of emotion, opinion, doubt, or negation • Reactions to what the other student shares • At least two questions for the other student about his or her observations and opinions.	Describes the program with all or almost all of the criteria from the checklist: • Uses expressions of emotion, opinion, doubt, or negation • Reacts with appropriate and original expressions or comments • Asks at least two appropriate questions • Responds to questions with elaboration. Initiates and sustains the conversation with ease by asking appropriate questions and by responding using a variety of vocabulary and tenses in a series of connected sentences. Speaks with occasional hesitation, pauses, and/or repetition.	Describes the program with most of the criteria from the checklist: • Uses some expressions of emotion, opinion, doubt, or negation • Reacts with appropriate and original expressions or comments • Asks at least two appropriate questions • Responds to questions with some elaboration. Initiates and sustains the conversation by asking appropriate questions and by responding using a variety of vocabulary and learned tenses in connected sentences. Rephrases, self-corrects, and speaks with some hesitation, pauses, and/or repetition.	Describes the program with some of the criteria from the checklist: •Uses a few expressions of emotion, opinion, doubt, or negation •Reacts with appropriate expressions or comments •Asks at least one appropriate question •Responds to questions, but with little elaboration. Sustains the conversation by relying on phrases, simple sentences, and learned basic expressions and by asking some appropriate questions; responds using unit vocabulary in original sentences with some details. Attempts to self-correct, but speaks with hesitation, pauses, and/or repetition.	Describes the program with limited criteria from the checklist: • Uses only one or no expressions of emotion, opinion, doubt, or negation • Reacts with brief, learned expressions or comments • Asks at least one simple question • Responds to questions, but with little elaboration. Participates in the conversation by relying heavily on learned phrases and by asking and answering simple questions with short or incomplete sentences. Speaks with hesitation, pauses, and/or repetition.

DOMAINS	TASK COMPONENTS	INTERMEDIATE HIGH	INTERMEDIATE MID	INTERMEDIATE LOW	NOVICE HIGH
PRESENTATIONAL ASSESSMENT **Presentational Speaking** ***Paso 3***	**Create a promotional video**Student creates a video that promotes a similar vacation program for Uruguay that includes descriptions or commentary about: • The life of the *saharaui* children in the refugee camps • The limitations the children experience in their daily lives • How a program like this benefits refugee children • The program components and what differences the children will experience in Uruguay • Benefits for the Uruguayan families who host the children.	Presents a video that includes all or almost all of the criteria with details and some elaboration. Uses a wide range of vocabulary and expressions in a series of connected sentences, including complex structures with minimal errors that do not interfere with the message. Delivers the description of the program with ease and confidence. Self-corrects, and speaks with occasional hesitation, pauses, and/or repetition.	Presents a video that includes most of the criteria with details and some elaboration. Uses a variety of unit vocabulary and expressions in a series of sentences with some connectors; uses appropriate structures in different time frames with a few errors may interfere with the message. Delivers the description of the program using a series of sentences. Can self-correct sometimes, and speaks with some hesitation, pauses, and/or repetition.	Presents a video that includes most of the criteria with some details. Uses a variety of new unit vocabulary and expressions in a series of simple sentences by combining words and phrases; uses basic structures and some new structures with some errors that may interfere with the message. Delivers the description of the program relying on phrases and simple sentences. Speaks with hesitation, pauses, and/or repetition.	Presents a video that includes some of the criteria with a few details. Uses basic vocabulary and some practiced unit vocabulary and expressions in short sentences; uses basic structures mostly in present time with errors that may interfere with the message. Delivers the description of the program relying on learned phrases and short or incomplete sentences. Speaks with hesitation, pauses, and/or repetition.
Interculturality ***Part of Paso 2 and 3***	Student describes vacation programs for refugee children and what people in his or her community and in Uruguay are doing to promote solidarity through such programs.	Thoroughly describes cultural knowledge in both presentational and interpersonal assessments.	Appropriately describes cultural knowledge in both presentational and interpersonal assessments.	Adequately describes cultural knowledge in both presentational and interpersonal assessments.	Somewhat describes cultural knowledge in at least one assessment.

EntreCulturas 3 Correlation Guide (AP®)

AP THEME	UNIT 1	UNIT 2	UNIT 3	UNIT 4	UNIT 5	UNIT 6
1. LOS DESAFÍOS MUNDIALES						
Los temas económicos					✓	
Los temas del medio ambiente	✓			✓		
El pensamiento filosófico y la religión						
La población y la demografía	✓					✓
El bienestar social			✓			
La conciencia social						✓
2. LA CIENCIA Y LA TECNOLOGÍA						
El acceso a la tecnología		✓				
Los efectos de la tecnología en el individuo y en la sociedad		✓				
El cuidado de la salud y la medicina			✓	✓		
Las innovaciones tecnológicas				✓		
Los fenómenos naturales						
La ciencia y la ética		✓		✓		
3. LA VIDA CONTEMPORÁNEA						
La educación y las carreras profesionales					✓	
El entretenimiento y la diversión	✓	✓			✓	
Los viajes y el ocio	✓					
Los estilos de vida	✓	✓	✓	✓		
Las relaciones personales	✓	✓				
Las tradiciones y los valores sociales		✓	✓		✓	✓
El trabajo voluntario	✓					✓
4. LAS IDENTIDADES PERSONALES Y PÚBLICAS						
La enajenación y la asimilación						✓
Los héroes y los personajes históricos						
La identidad nacional y la identidad étnica			✓		✓	
Las creencias personales						
Los intereses personales	✓		✓		✓	
La autoestima						

AP THEME	UNIT 1	UNIT 2	UNIT 3	UNIT 4	UNIT 5	UNIT 6
5. LAS FAMILIAS Y LAS COMUNIDADES						
Las tradiciones y los valores			✓			✓
Las comunidades educativas					✓	
La estructura de la familia	✓					
La ciudadanía global	✓	✓	✓	✓		✓
La geografía humana						
Las redes sociales		✓				
6. LA BELLEZA Y LA ESTÉTICA						
La arquitectura						
Definiciones de la belleza						
Definiciones de la creatividad						
La moda y el diseño						

IB THEME	UNIT 1	UNIT 2	UNIT 3	UNIT 4	UNIT 5	UNIT 6
1. COMUNICACIÓN Y MEDIOS		✓				
2. CUESTIONES GLOBALES				✓		
3. RELACIONES SOCIALES	✓	✓			✓	✓
4. CIENCIA Y TECNOLOGÍA		✓				
5. COSTUMBRES Y TRADICIONES			✓			
6. DIVERSIDAD CULTURAL	✓	✓	✓	✓	✓	✓
7. OCIO	✓	✓				
8. SALUD			✓			

Glossary Spanish-English

This glossary gives the meanings of words and phrases as used in this book.

reflex. - reflexive verb

Verb conjugations:

(e→ie): like pensar (pienso, pensamos)

(e→ie/i): like preferir (prefiero, preferimos, prefirió)

(e→i): like servir (sirvo, servimos, sirvió)

(í): like variar (varío, variamos)

(o→ue): like volver (vuelvo, volvemos)

(o→ue/u): like dormir (duermo, dormimos, durmió)

Regional variations:

C.R. - Costa Rica
Col. - Colombia
Esp. - España
Méx. - México
L.A. - Latinoamérica
P.R. - Puerto Rico
R.D. - República Dominicana

a grandes rasgos in general terms (3)
a lo largo de throughout (5)
a medida que as; while; at the same time that (6)
a partir de from; as of (2)
a plena luz in plain daylight (4)
a través de through; across (6)
abarcar to include (5)
abierto/a open; sincere (1)
el/la abogado/a lawyer (5)
el abono fertilizer (4)
abordar to board (4)
aburrir to bore (1)
acampar to camp (2)
acceder to access (2)
los aceites oils (cooking) (3)
acogedor/a friendly; warm; welcoming (6)
acoger accept; embrace (6)
acompañar to go with (1)
aconsejar to advise (3)
acordar (o→ue) to agree (6)
el acoso escolar bullying at school (6)
acreditar to give credit to (academic); recognize (2, 5)
la actualización update; updating (2)
actualizar to update (2)
el acuerdo world agreement/treaty (6)
acumular to accumulate (2)
adelgazar to lose weight (3)
además besides (2)
el aderezo salad dressing; seasoning (3)
adivinar to guess (1)
adjuntar to attach (5)
el ADN DNA (6)
adoptar medidas take measures (4)
adquirir to acquire (5)
afianzar secure, guarantee (5)
afines a similar to (2)
afrontar to confront (6)
agotador/a exhausting; tiring (6)
agradecer to be thankful; to appreciate (2)
agregar to add (2, 3)
el agua aromática herbal tea or infusion (3)
ahorrar to save (4)
el aire acondicionado air conditioning (4)
el aislamiento insulation (heat, sound, electrical) (4)
el ajiaco (L.A.) chicken stew (3)
el alcance reach (6)
alcanzar to reach; to obtain (3)
aleatorio/a random; by chance (5)
alegre happy (1)
alejar to move away or apart from (4)
la alimentación food; one's diet (3)
el altiplano plateau (landscape) (6)
alzar la copa to raise one's glass (3)
amable friendly (1)
amanecer to get light outside (3)

el ámbito area of study; scope of knowledge (4)
ambos lados both sides (of an argument/conflict) (6)
ambos/ambas both (4)
ampliar to enlarge; to expand; to widen (6)
amplio/a large; spacious; wide (6)
añadir to add (1)
los ancestros ancestors (3)
la anchura width (4)
el andén sidewalk (4)
animar to encourage; to motivate (2)
animarse to cheer up; to enliven; to motivate oneself (3)
el anuncio advertisement (2)
apagar to turn off (4)
el apagón power outage (4)
el apartado part; section (5, 6)
apasionado/a passionate (1)
apasionar to be passionate about (1)
apetecer to feel like; to want (1)
la aportación contribution (5)
aportar to contribute; to provide; to give (1, 2)
el aporte contribution (5)
apoyar to support (2)
apreciar to appreciate (3)
el/la aprendiz/a apprentice (5)
el aprendizaje learning; training; apprenticeship (5)
aprobar (o→ue) to approve of (2)
aprovechar to make use of something (2)
la aptitud aptitude; gift (5)
apto/a apt; capable (5)
la apuesta bet; wager; investment with some risk (4)
el arbusto shrub; bush (5)
archivar to save; to file (5)
la arcilla clay (4)
la arena sand (4)
las aromáticas plants or medicinal herbs found in teas (4)
arrancar to leave quickly (6)
arrojar to throw (6)
el arroz con coco coconut rice (3)
el/la artista an artist; performer (1)
asegúrate (asegurarse) (reflex.) "Be sure . . ." (to be sure) (1)
asequible accessible (4)
asesorarse (reflex.) to seek advice (5)
asignar to designate (5)
la aspiradora vacuum (4)
aspirar to vacuum (4)
asumir to assume responsibility (4)
atender to tend to someone or something (5)
atlético/a athletic (1)
atravesar to cross (6)
atrevido/a daring (1)
el audiolibro audiobook (5)
aumentar to increase (3)
aún still (2)
aún así even if it's so (5)
la austeridad austerity; lifestyle of plainness or simplicity (6)
el autobús bus (4)
la autoconstrucción self-built (4)
la autoestima self-esteem (5)
el avance advance; progress (2)
ayudar a un acuerdo to help come to a mutual decision (6)
el azúcar sugar (3)
bacán/bacana (L.A.) excellent; fantastic (3)
bailar to dance (3)
el baile a dance (3)
la bandeja paisa a dish from the region of Antioquia, Colombia, consisting of ground beef, rice, fried plantains, pork rind, sausage, fried egg, beans, avocado, and arepa (3)
barato/a inexpensive, cheap (3, 4)
el barco ship; boat (6)
barrer to sweep (3)
la barrera barrier (4)
las bebidas beverages (3)
los beneficios benefits (5)
la benevolencia kindness of character (1)

la **bicicleta** bicycle (4)
bien/mal educado/a well-mannered/poorly-mannered (3)
el **bienestar** well-being (6)
bilingüe bilingual (5)
el/la **bisnieto/a** great-grandson/daughter (6)
el **bocado** bite of food (3)
el **bolsillo** pocket (4)
la **bondad** kindness of action (1)
el **bono mensual** monthly transportation pass (4)
la **botella** bottle (4)
brindar to provide; to give; to make a toast (2)
bromear to joke; to kid (6)
brusco/a abrupt (5)
la **brújula** compass (1)
la **caja** cash register (5)
el/la **cajero/a** cashier; teller (5)
la **calefacción** heating system (4)
la **calle peatonal** pedestrian-only street or zone (4)
el/la **camarero/a** waiter/waitress (5)
cambiante constantly changing (5)
el **cambio** change (2, 5)
la **caminata** walk; stroll (3)
la **campaña** campaign (2)
el **campo** field (of land; of study) (5)
la **canasta** basket for bread or fruit (3)
la **cancha** field; court (6)
la **capacitación técnica** specialized technical training (5)
capaz capable; qualified (1)
el **carambolo** starfruit (3)
cargar to charge (4)
el **cargo** responsibility (2)
el **cariño** affection; care; love
la **carne asada** roasted meat; barbeque (3)
la **carne de res (L.A.)** beef (3)
caro/a expensive (4)
la **carrera** university studies; profession (5)
la **carrera militar** military career (5)
los **carros (L.A.)** cars (4)
el **cartón** cardboard; cardboard box (4)
la **cáscara** shell, skin (fruits) (3)
casero/a homemade (4)
el **castigo** punishment (6)
el/la **caucano/a** native of Cauca in Colombia (3)
el **caudal** water level; volume (2)
las **causas justas** fair motives (6)
cercano/a near; closeby (2)
cerrar (e→ie) to close (4)
chatear to chat online (1)
el **chisme** rumor; gossip (6)
el **chorizo** spicy sausage (3)
chuparse los dedos (reflex.) to lick one's fingers (3)
la **cicloruta** bike lane (4)
la **cifra** number; statistic (2)
la **ciruela** plum (3)
citar to cite (2)
cítrico/a citrus (3)
la **ciudadanía** citizenship (3)
el **clima** climate (3)
el **coco** coconut (3)
la **cola** line; queue (3)
colaborar to collaborate (6)
colgar fotos (o→ue) to upload photo (1)
colocar to put; to place (3)
el/la **comensal** dinner guest
comer golosinas, helados y galletas to eat candy, ice cream and cookies (1)
comer toda la comida porque está exquisita eat all the food because it is delicious (3)
los **comerciales (L.A.)** television commercials (3)
la **comida chatarra (L.A.)** junk food (3)
las **comidas** meals (3)
cómodo/a comfortable (4)
comparte (compartir) "Share . . ." (to share) (1)
compartir to share (3)
las **competencias laborales** job skills (5)
el **complejo** complex (of buildings) (6)

complejo/a complicated (5)
el **comportamiento** behavior (2)
la **compostera** compost pile (4)
comprobar (o→ue) to verify; to confirm (3)
comprometer to commit to (6)
comprometerse con algo (reflex.) to commit to doing something (6)
comprometido/a difficult; demanding (1)
el **compromiso** agreement (1)
concienciar to raise awareness (1)
la **confianza** confidence (3)
confiar en alguien to trust someone (2)
la **confrontación** confrontation; fight; dispute (6)
el **conjunto** total or whole; group (2)
los **conocimientos técnicos** technical knowledge (5)
los **conocimientos y las habilidades** knowledge and skills (5)
conseguir (e→i) to get; to obtain (4)
conservar to conserve (4)
la **consigna** slogan (2)
construir castillos de arena to build sandcastles (1)
consumir to consume (3)
el **consumo** consumption (4)
el **contaminante** contaminant (4)
contar su historia to tell one's story; to tell about one's life (6)
contener (e→ie) to contain (2)
la **contratación** contract (5)
contundente convincing; conclusive (3)
convertirse (reflex.) to become (5)
convivir to live with someone; to cohabitate (6)
la **convocatoria** invitation; call (2)
corporal bodily; of or relating to the body (3)
los **corredores** passages; narrow streets (3)
la **cosecha** harvest (3)
costar (o→ue) to find it difficult (1)
costoso/a costly (5)
las **costumbres** customs (3)
creciente growing; increasing (5)
la **creencia** belief (6)
crudo/a raw (3)
la **cruzada** crusade; campaign (2)
la **cualidad** characteristic; quality (1)
cualquier/a whichever (3)
los **cubiertos** eating utensils (3)
la **cuenta** account (2)
el **cuerpo** body (3)
cuidar a niños to take care of children
culminar to culminate (5)
culpar to blame (3)
la **cultura anglosajona** English-speaking culture (1)
cumplir con to carry out (6)
cundir to spread; go a long way (6)
la **cuota** fee (4)
curioso/a curious (1)
cursar to study (5)
el **curso** process; course (2)
cuyo/a/os/as whose (5)
dañar to damage or cause pain (1)
los **daños** negative effects; damages (2)
dar energía to reinvigorate (3)
dar voz a to give a voice to (2)
darse bien (reflex.) to be good at something (5)
darse cuenta (de) (reflex.) to realize (1)
los **datos** information (1)
de acuerdo con according to (6)
de esa manera in that way (2)
de hoy en ocho (Col.) in one week (3)
de madrugada in the early morning; dawn (4)
de su agrado "of your liking" (3)
de todo tipo of all kinds (1)
dejar to leave; to abandon; to stop (2)
dejar de lado to disregard (3)
demasiado/a too much/many (6)
los **demás** the others; the rest (3)
los **derechos** rights (2)
el **desafío** challenge (6)
desagradar to annoy; upset (1)

desarrollado/a developed (3)
desarrollar to develop; create (1)
el **descanso** rest (3)
descargar to download (2)
desconocido el enlace "page not found" (2)
el/la **desconocido/a** unknown person; stranger (2)
descortés impolite (3)
el **descuento** discounts (4)
descuidar to neglect (6)
desear to desire; to want (3)
desechar to throw away (4)
los **desechos** waste, leftovers (4)
desempeñar to perform; carry out (2, 5)
el **desempeño** performance at work (5)
desenchufar los aparatos to unplug electrical appliances/devices (4)
desenvolver (o→ue) to untangle, unravel (6)
la **despensa** kitchen pantry (3)
desperdiciar el agua o la comida to waste or throw away food or water
los **desperdicios** waste (4)
despertar (e→ie) to awaken (2)
despilfarrar to waste large quantities (4)
los **desplazamientos** movements (4)
desplazarse (reflex.) to move; to displace (4)
destaca (destacar) "Stand out . . ." (1)
destacado outstanding (6)
destacar to emphasize (5)
el/la **destinatario/a** recipient (2)
el **destrato** maltreatment (6)
la **destreza** skill or ability (5)
el **deterioro** deterioration; decline (4)
los **dichos y hechos** words and deeds (6)
difundir to diffuse; to disseminate (2)
diluido/a diluted (3)
el **diploma** course certificate (4)
el **disco** CD; record (1)
la **discriminación** discrimination (2)
diseminar to disseminate (2)
disentir (e→ie) to dissent; to disagree (6)
disfrazarse (reflex.) to dress up (in costume) (1)
disfrutar to enjoy (2)
disponer to have; to get (6)
disponer de to have available (4)
disponible available (5)
el/la **disputante** person involved in an argument; disputant (6)
distinto/a different (2)
el **dolor** pain (3)
el **dominio** domain name (internet) (2)
dormir con la luz encendida (o→ue) to sleep with the light on (1)
dormir una siesta (o→ue) to take a nap (1)
la **ducha** shower (4)
el/la **dueño/a** owner (3)
la **edad** age (6)
el **edificio** building (3)
eficaz effective (2)
la **eficiencia** efficiency (4)
los **efluentes** industrial waste (5)
ejercer to practice; to exercise (one's rights) (2)
el **ejercicio** exercise (3)
ejercitar to exercise (3)
elegir to select (3)
los **embutidos** cold cuts; processed meats (3)
emigrar to emigrate (6)
las **emisiones** emissions (4)
la **empanada** meat pie (3)
la **empatía** empathy (1)
emplear to employ; to use (3)
emprender to take on (6)
el **emprendimiento** undertaking (usually of something difficult) (5)
la **empresa** business; company (3)
empujar to push (1)
en convenio con in agreement with; in collaboration with (4)
en promedio on average (3)
en resumen to summarize (2)
en torno a with respect to (1, 4)
encender (e→ie) to turn on (lights;

apparatus) (4)
encontrarse con (o→ue) (reflex.) to meet up with someone (3)
la **encuesta** questionnaire (1)
endulzar to sweeten (3)
energético/a energetic (4)
las **enfermedades** diseases; illnesses (3)
enfocarse (reflex.) to focus on (2)
enfrentarse (reflex.) to confront; to deal with (6)
enfriar to cool the temperature (4)
engañar to trick, to fool (1)
enjabonarse (reflex.) to lather up with soap (4)
enjuagar to rinse off/out (4)
enlazar to connect; to link together (2)
enmarcar to frame (as in a photo) (2)
los **enseres** basic equipment; belongings (4)
enterarse to discover; to find out (2)
la **entidad** entity; organization (2)
el **entorno** surroundings; environment (1)
el **entorno natural** (natural) environment (4)
entrenado/a trained; prepared (5)
entretenido/a entertaining (1)
el **entretenimiento** entertainment (3)
entrever to deduce (2)
entusiasmarse (reflex.) to excite; to thrill (1)
el **envase** container or packaging; bottle or can (4)
el **equipo** team (3)
erradicar to eliminate; to eradicate (2)
es imprescindible que It's indispensable (5)
¡Es un rollo! It's a drag . . .; It's a pain . . . (4)
escolar relating to school (5)
la **escudilla** a large bowl typically made of wood (3)
la **escuela vocacional** vocational school
escurrir to drain; to strain (3)
el **espacio** area or space; outer space (3)
especializado/a specialized (5)
especializarse (reflex.) to specialize (in a field) (5)
la **especie autóctona** native species (4)
el **establecimiento** establishment (5)
el **estado civil** marital status (6)
estar al día to be up-to-date (5)
estar de acuerdo to agree
estar en forma to be in good shape (3)
estar ubicado/a to be located (3)
el **estilo de vida** lifestyle (6)
estirar to stretch (3)
estuve (estar) "I was . . ." (to be) (1)
la **etiqueta** tag; hashtag; etiquette (2)
etiquetar to label (2)
evitar to avoid; to prevent (3)
la **excursión** trip; outing (2)
la **exigencia de estudios** required studies/courses
exigente demanding; rigorous (1)
exigir to demand; to require (3)
el **éxito** success (1)
exitoso/a successful (3)
el/la **extranjero/a** foreigner (6)
extraterrestre extraterrestrial (2)
extraviar to lose (2)
la **fachada** façade; front of a building (4)
la **factura** receipt (4)
la **falta de** lack of something (6)
faltar to lack (4)
los **fans** fans (of an artist or performer) (1)
la **farándula** night scene populated by the rich and famous (2)
fascinar to fascinate (1)
fastidiar to annoy (1)
la **fiabilidad** security; trustworthiness (2)
fiable trustworthy; reliable (4)
fiar to trust (2)
fiel faithful; loyal (6)
firmar un contrato to sign a contract (6)
la **flora y fauna** flora and fauna; plants and animals (2)
fluir to flow (2)
la **formación** education; training (6)

la formación humana public relations skills (5)
formalizarse (reflex.) to settle down (5)
formarse (reflex.) to become educated (6)
fortalecer to strengthen (4)
la franja infantil children's programming on the tv (3)
fregar (e→ie) to wash; to mop (3)
frente a facing, in the presence of (6)
las frutas fruits (3)
el fruto fruit of one's labor; product (5)
la fuente source; origin (3)
fui (ser/ ir) "I was/ went . . ." (to be/to go) (1)
fumar to smoke (3)
la función function; work (4, 5)
el funcionamiento functioning (5)
funcionar to function; to work (4)
la ganancia profit (2)
ganarse dinero por su cuenta (reflex.) to make your own money (5)
garantizar to guarantee (6)
gastar to spend (4)
los gastos expenses (5)
la gastronomía cuisine; cooking (3)
generar to produce; to generate (2)
la generosidad generosity (1)
la gestión paperwork; administration (4)
el gesto gesture (4)
gira (girar) "Turn . . ." (to turn) (1)
girar en torno de uno to revolve around oneself (5)
global global (5)
golpeada por la violencia hit by violence (4)
golpear puertas to knock on doors forcefully (6)
la gota drop; droplet (6)
gracioso/a funny (1)
los granos grains (3)
los granos enteros whole grains (3)
los granos refinados refined grains (3)
gratis free (4)
la gratitud gratitude (3)
el gremio labor union; professional association (6)
el grifo faucet (4)
el gráfico graph, chart (1)
el guante glove (3)
la guayaba guava (3)
la guerra war (6)
la habilidad ability; skill (6)
habilitar to prepare (3)
hacer abdominales to do abdominal exercises (3)
hacer ejercicio to do exercise (3)
hacer footing to jog (3)
hacer la sobremesa to remain at the table after a meal to chat (1)
hacer propuestas to make proposals (6)
hacer su sueño realidad to make one's dream a reality (5)
hacer valer to assert or enforce; to give value to (6)
hacía calor (hacer) "It was hot . . ." (1)
el hambre hunger (6)
las harinas starches, such as rice, potatoes, yucca, plantains (3)
el hecho fact; incident (6)
las herramientas tools (5)
el hogar household (5)
la honradez honesty (1)
el horario schedule (5)
el/la horticultor/a gardener; horticulturalist (4)
la huella footprint (2)
la huella verde ecological footprint (1)
el/la huerto/huerta orchard; garden (4)
huir to escape (6)
el humo smoke (3)
el humor that which is funny; humor (6)
la ideología ideology (6)
los idiomas languages (5)
igualitario/a equal (6)
impactar to impact (4)
impedir (e→i) to impede; stop (6)
imprevisible unpredictable (5)
impulsar to motivate; to drive; to

inspire (6)

el **impulso** impulse; stimulus (4)

el **INAU (el Instituto del Niño y Adolescente de Uruguay)** Child and Adolescent Institute of Uruguay (6)

incentivar to encourage (4)

la **incertidumbre** uncertainty (6)

incitar incite; stimulate (2)

inclusivo/a inclusive (6)

incómodo/a uncomfortable (4)

indicar to indicate (3)

indígena indigenous (3)

la **informática** information technology; computer science (5)

el/la **ingeniero/a** engineer (5)

ingresar to enter (6)

los **ingresos** earnings (3)

iniciar to initiate (3)

injusto/a unfair (6)

inmenso(a) immense; enormous (6)

innumerable countless; innumerable (2)

el **inodoro** toilet (4)

inscribirse to sign up for; to register (2)

la **inserción laboral** one's entry into the workforce (5)

insertarse (reflex.) to be added; to be included (5)

insoportable unbearable (1)

intercambiar to exchange (3)

interferir con to interfere with (6)

la **intranet** internal network (5)

el **invernadero** greenhouse (4)

invertido/a devoted, invested

involucrarse (reflex.) to take part; get involved (2, 5)

ir a fiestas de cumple de los amigos to go to friends' birthday parties (1)

ir a la guardería to go to daycare (1)

jamás never (1)

el **jardín** garden (4)

la **jornada** work day (5)

el/la **jornalero/a** day laborer (5)

jubilado/a retired (4)

jugar al escondite inglés (u→ue) to play hide and seek (1)

jugar al pillapilla (u→ue) to play tag (1)

jugar con juguetes (u→ue) to play with toys (1)

jugar con plastilina (u→ue) to play with playdough (1)

jugué (jugar) "I played . . ." (to play) (1)

juguetón/tona mischievous (1)

la **justicia** justice (1)

justo/a fair (6)

juzgar to judge; to form an opinion (6)

laborioso/a laborious (5)

labrarse (reflex.) to forge out (6)

el **laburo (L.A.)** work; job (6)

los **lácteos** dairy (3)

el **ladrillo** brick (4)

lanzar to initiate; to launch (2)

la **lata** can (4)

la **lavadora de ropa** washing machine (4)

el **lavaplatos** dishwasher (4)

lavar to wash (4)

el **lazo** cord or rope; bond or union (3,4)

la **lealtad** loyalty (1)

la **leche descremada** skim milk (3)

leer cómics to read comics (1)

el **lema** slogan; motto (2)

la **letra** song lyric (1)

levantar pesas to lift weights (3)

la **leña** firewood (4)

liberar to set free (2)

liberarse (reflex.) to free oneself (3)

la **libertad** right; privilege (6)

la **licuadora** blender (4)

licuar to blend; to liquefy (4)

el **liderazgo** leadership (5)

lidiar to confront (2)

ligado/a connected; unified (5)

ligero/a light; easy to digest (3)

limpio/a clean (4)

la **línea de riego** irrigation line/pipe (4)

el **lirio** iris (flower) (4)

llamar mucho la atención to grab one's attention (1)

llegar a tiempo to arrive on time (6)
llegar/salir a la hora to arrive/leave on time (4)
llegar/salir con retraso to arrive/leave late (4)
llegar/salir puntual to arrive on time (4)
llenar to fill up (4)
lleno/a full (3)
llevar a cabo to carry out (1)
llevar una conversación to carry on a conversation (6)
llevar una vida equilibrada to have a balanced lifestyle (3)
llevarse bien con (reflex.) to get along well with (1)
la **lluvia** rain (4)
la **lluvia de ideas** brainstorming (6)
el **local** property site (6)
localizar to locate (2)
las **luces** lights (4)
el **lucro** profit (2)
el **lugar** place (4)
lógico/a logical (1)
la **maceta** flowerpot (4)
el/la **maestro/a** teacher; master
magro/a lean (3)
malgastar to waste (4)
el **mango** mango (3)
la **mano de obra** workforce (6)
mantener (e→ie) to maintain (3)
mantenerse (reflex.) (e→ie) to endure; to maintain one's health (2, 5)
el **mantenimiento** maintenance (5)
la **manzana de agua** Malay apple: native fruit to Indonesia and Malaysia and also found in Central America (3)
el **maracuyá** passionfruit (3)
masticar to chew (3)
las **materias primas** raw materials (4)
mayor largest (5)
me aburrí (aburrirse) (reflex.) "I got bored . . ." (to get bored) (1)
me agrada "I really like . . ." (to like very much) (3)
me divertí (divertirse) (reflex.) "I had fun . . ." (to have fun) (1)
el/la **mediador(a)** mediator (6)
las **medias nueves (Col.)** mid-morning snack (3)
las **medias tardes (Col.)** mid-afternoon snack (3)
las **medidas** measures (4)
el **medio ambiente** environment (2)
medioambiental environmental (2)
mejorar to improve (3)
las **mejoras** improvements; progress (4)
melancólico/a sad; melancholy (1)
mentir (e→ie) to lie (6)
la **merendola** big afternoon picnic (4)
el/la **mesero/a (L.A.)** waiter/waitress (5)
los **meses veraniegos** summer months (5)
la **meta** goal; objective (3)
el **metro** metro system (4)
el **metrocable (Col.)** aerial cable cars; air lift system (4)
el **miedo** fear (3)
el/la **migrante** one who migrates (6)
migrante irregular/ indocumentado/a undocumented/ illegal immigrant (6)
la **minusvalía física** physical handicap (4)
la **mitad** half (3)
el **mobiliario** furniture (6)
los **modales** manners (3)
molestar to bother (1)
montar en bicicleta to ride a bike (3)
montar en la montaña rusa to ride a rollercoaster (1)
moverse (reflex.) to move; to move around (5)
la **movilidad** mobility (4)
multitudinario/a multitudinous; with a great number of people (2)
mundial global; worldly (6)
el **muro** wall (4)
el **móvil (Esp.)** cell phone (1)
el **nabo** turnip (3)
nacer to be born (4)

el **nacimiento** birth (6)
nadar to swim (3)
natal native; home; relating to one's birth (6)
navegar por internet to surf the internet (1)
negar (e→ie) to deny (6)
la **nevera** refrigerator (4)
ni siquiera not even (4)
el **nivel** level (3)
no pierdas la oportunidad (perder: e→ie) "don't miss your opportunity . . ." (to miss your opportunity) (2)
no sólo . . . sino también not only . . . but also (2)
la **norma** norm (3)
las **normas de convivencia** house rules; norm (6)
novedoso/a novel; unique (2)
la **nuca** nape of the neck (3)
el/la **nutricionista** nutritionist (3)
nutritivamente nutritiously (3)
la **obesidad** obesity (3)
la **obligación** obligation (3)
la **obra de caridad** act of charity (6)
obtener valores to acquire virtues and positive qualities (6)
ocultar to conceal (2)
la **oferta** offer (5)
el **oficio** manual or technical trade (5)
ojalá "God willing" (3)
la **ola** weather front (6)
oler to smell (3)
la **olla** cooking pot/pan (6)
las **onces (Col.)** mid-morning snack (3)
la **ONG** NGO (non-governmental organization) (2)
la **ONU (la Organización de las Naciones Unidas)** United Nations (6)
las **opciones alternativas** alternative options
el **ordenador (Esp.)** computer (1)
orgulloso/a proud (1)
ortográfico spelling (2)
ósea bone; bony (3)
otorgar to award; to give (4)
la **paja** straw; hay (4)
la **palmada** clap (3)
la **panela (Col.)** unrefined whole cane sugar (3)
la **papaya** papaya (3)
el **paraíso** Paradise; Eden (2)
parecer genial to seem great (1)
parecer horroroso to seem horrible (1)
las **partes** the people involved in a conflict (6)
los **participantes** participants (3)
la **pasantía en una empresa** company internship (5)
pasarlo bien to have a good time (1)
pasarlo en grande to have a lot of fun (1)
pasear al perro to walk the dog (3)
la **pasividad** passivity (3)
el **paso** a step (6)
pasé tiempo con (pasar) "I spent time with . . ." (to spend time with) (1)
los **patacones** fried plantain slices (3)
la **patilla (Col.)** watermelon (3)
patinar to skate (3)
el **patrimonio** assets; wealth; possessions (6)
patrocinar to sponsor (3)
el **patrón** model; example (3)
la **pauta** rule; guideline; example (6)
el/la **payanés/payanesa** native of Popayán in Colombia (3)
los **peatones (L.A.)** pedestrians (4)
la **pegatina** sticker (2)
la **pelea** fight; dispute (6)
peligroso/a dangerous (4)
el **pellejo** skin (animal) (3)
el **peluche** stuffed animal (2)
la **pérdida** loss (4)
perezoso/a lazy (5)
el **perfil** profile (2, 5)
las **pericias** abilities; skills (5)
el **perico (Col.)** coffee with milk (3)
la **periferia** periphery; outskirts (4)
perjudicial harmful; detrimental (5)
perseverante determined, persistent (1)

pertenecer (a) to belong to (2)
la **pesca** fishing industry (6)
el **pescado frito** fried fish (3)
la **pieza** piece; part (2)
el **piragüismo** canoeing (5)
la **plancha** iron (4)
planchar to iron (4)
el **plástico** plastic (4)
la **plataforma** platform; ideas (4)
el **plazo** period of time; deadline (2, 6)
la **plenitud** abundance (3)
la **pobreza** poverty (6)
el **poder** the ability to do something (6)
poner en marcha to launch; to set in motion; to start (4)
poner un granito de arena to do one's part; to contribute (1)
poner énfasis en to emphasize (3)
por culpa de by the fault of; due to (4)
por lo tanto therefore (2)
por otra parte on the other hand (2)
por un lado on the one hand (2)
por su cuenta by oneself; alone (5)
la **porción** portion (3)
el **portazo** door slammed in your face (literal or figurative) (6)
el **postre** dessert (3)
el **pozo** well (for water) (2)
practicar deportes to play sports (3)
practicar yoga to do yoga (3)
los **preceptos jurídicos** legal mandates; orders (6)
presencial in-person (5)
la **presentación** presentation (5)
prestarse (reflex.) to volunteer (6)
pretender to intend (6)
la **prevalencia** prevalence (3)
prevenir (e→ie) to prevent (5)
probar (o→ue) to try; to taste (3)
los **productos ecológicos** ecological products (4)
prolongado/a prolonged; lengthy; longer than usual (3)
promover (o→ue) to promote (2)
el **propósito** purpose (2)
protagonizado por starring (2)
proteger to protect (2)
las **proteínas** protein (3)
proveer to provide (5)
provenir (e→ie) to come from (3)
el **proyecto agrícola sostenible** sustainable agriculture project (1)
la **publicidad** publicity; advertisements (3)
publicitario/a pertaining to advertisements (2)
el **puente** bridge (5)
el **puerto** port (5)
el **puesto (en el mercado laboral)** job; position (in the labor market; workforce)
el **punto de vista** point of view (5)
puntual on time (6)
quejarse (reflex.) to complain (3)
quitar el polvo to dust (3)
rajado/a cut/sliced (3)
rajar to cut or slice (3)
la **rampa** ramp (4)
rápido/a fast (4)
rastrear to find traces (2)
la **ratificación** ratification (2)
reacio/a opposed; unwilling (6)
realizar to carry out (2)
el/la **recepcionista** receptionist (5)
rechazar to reject (4)
el **reciclaje** recycling (4)
reciclar to recycle (4)
recién nacido/a recently born (4)
recoger to collect; to gather (2, 4)
reconocido/a famous; well-known (2, 3)
recordarle a uno (o→ue) to remind you of someone or something (6)
recorrer to travel across a certain distance (1)
recortar to trim (3)
el **recuerdo** memory; memories (6)
recuperar to recuperate; to recover (4)
los **recursos** resources (5)
los **recursos humanos** human resources (5)

los **recursos naturales** natural resources (4)
la **red de transporte público** public transportation network (4)
las **redes sociales** social networks (1)
reducir to reduce (4)
el **reencuentro** re-encounter (6)
reflejar to show or reflect (4)
el **refrigerador** refrigerator (4)
el **refugio** refuge (6)
regar (e→ie) (riego/regadera) to water plants (watering/watering can) (4)
la **regla** rule; law (6)
la **regulación** regulation (3)
la **reinserción laboral** one's re-entry into the workforce (5)
relacionarse (reflex.) to connect or relate with others (6)
el **relajante natural** natural relaxant (3)
los **remedios** solutions (2)
remunerado/a paid (5)
el **rendimiento** usage; productivity (3)
renovable renewable (4)
renovar to renew; to restore (6)
el **rescoldo** embers (fire) (6)
resguardar to protect; to defend (6)
el **respaldo** support (6)
respetuoso/a respectful (6)
respirar to breathe (4)
respirar profundamente to breathe heavily (6)
responsabilizar to make responsible for something (4)
restaurar to restore (4)
el **resultado** result; consequence (6)
el **reto** challenge (5)
el **retraso** delay (6)
reutilizar to reuse (4)
revisar to review (2)
ribereño/a riverside; coastal (3)
el **riesgo** risk (2, 3)
rodear(se) to surround (to surround oneself) (1)
romper to break (3)
el **rostro amerindio** indigenous face; American Indian face (6)
roto/a broken (3)
el **rubro (L.A.)** heading (6)
el **sabor** taste; flavor (3)
el **salario** salary; wages (e.g. hourly) (6)
la **salida profesional** professional opportunity (6)
el **saltamontes** grasshopper (4)
saltar a la comba to jump rope (1)
saltarse (reflex.) to skip (3)
la **salud** health (5)
el **sancocho (L.A.)** soup or stew (3)
satisfecho/a satisfied; full (3)
la **secadora de ropa** dryer (clothing) (4)
secar to dry (4)
el **seguimiento** monitoring; observation; tracking (6)
seguir (e→i) to follow (1)
la **seguridad** security; safety (6)
seguro/a safe; secure (2)
sembrar to sow seeds (4)
semejantes similar (1)
la **semejanza** similarity (1)
el **semillero** plant nursery (4)
la **sencillez** simplicity (6)
el **senderismo** hiking (5)
ser travieso/a to be mischievous (1)
ser una devora libros to be a bookworm (1)
silbar to whistle (3)
la **simpatía** friendliness, likeability (1)
sin embargo however (2)
sino que but rather
situado/a situated (4)
sobrar to be left over; to be in excess (1)
sobre todo above all (2)
el **sobrepeso** excess weight (3)
sobrevivir to survive (1)
el **socio** member (2)
soler (suele) (o→ue) to usually do something (3)
solicitado/a demanded; in demand
solicitar to apply; to ask for (1)

la solicitud application; request (1)
solidario/a supportive; caring (6)
solucionar problemas to resolve problems
el sonido music note; tone (1)
sortear to negotiate; to navigate (6)
la sostenibilidad sustainability (4)
suave smooth (3)
subir a los columpios y los toboganes to play on the swings and slides (1)
sucio/a dirty (4)
el sueldo salary (6)
el suelo floor (3)
el sueño dream (3)
la sugerencia suggestion (6)
sumarse a (reflex.) to join a group (2)
superar to surpass (2)
la superficie surface (4)
la supervivencia survival (2)
suplir to make up for (5)
suponer to suppose; to assume (4)
el supuesto assumption (5)
surgir to arise (6)
el taller workshop; factory; office (4)
el tamale (L.A.) tamale: a traditional mesoamerican dish (3)
el tamarindo tamarind (3)
el tamaño size (4)
la tarjeta card (credit; identification, etc.) (4)
la tarjeta cívica (Col.) public transportation pass in Medellín, Colombia (4)
tarjeta monedero pre-paid card (4)
la tasa de colocación employment rate (5)
la tasa de empleo employment rate (5)
el/la tataranieto/a great-great-grandson(daughter) (6)
el tatuaje tattoo (2)
te toque (tocarte) a ti "It's your turn . . ." (to be your turn) (1)
los tejados verdes green roofs (4)
teletrabajar to work from home (5)
temeroso/a fearful; scared (6)
tender (e→ie) to tend to do something (3)
tener (e→ie)/tomar en cuenta to take into account; to consider (3)
tener iniciativa (e→ie) to have initiative/to be self-motivated (5)
tener lugar (i→ie) to take place (1)
tener éxito (e→ie) to be successful (5)
la terraza terrace; flat roof (4)
el tinto (Col.) black coffee (3)
tocar to touch; to play (instrument) (3)
la tolerancia tolerance (1, 6)
el tomillo thyme (4)
la tortuga turtle (3)
el tostador de pan toaster (4)
tostar to toast (4)
trabajar por cuenta propia to be self-employed (5)
el trabajo de medio tiempo part-time job (5)
el trabajo fijo permanent position (5)
los trabajos disponibles available jobs (5)
trabajé (trabajar) "I worked . . ." (to work) (1)
el/la traductor/a translator (5)
transmitir to transmit (6)
tras after; behind (2)
tratar a la gente to treat people (e.g. well/badly) (6)
tratar de to try to do something (3)
el trato treatment (6)
la travesía journey (6)
trazar to plan; to devise (5)
trepar árboles to climb trees (1)
triunfar to be a success; to succeed
trotar to trot; to jog (3)
el trozo a piece (1)
la tumba tomb (3)
el turno turn (5)
tuve que (tener que) "I had to . . ." (to have to) (1)
único/a one-of-a-kind; only (1)
la ubicación location; position (4)
el/la usuario/a user (2)
vaciar to empty (4)
el vagón individual carriages that make up the metro train (4)

el valor courage; bravery (6)
la variedad variety (3)
el/la vecino/a neighbor (6)
vencer to triumph over; to defeat; to overcome (3)
el/la vendedor/a en una tienda merchant; seller (5)
ver dibujos animados en la tele to watch cartoons on TV (1)
las verduras vegetables (3)
verificar to verify (2)
las vías traffic ways (4)
las vías vehiculares vehicular traffic ways; streets; highways (4)
el vidrio glass (4)
el viento wind (4)
vigente current; valid (2)
viralizar to "go viral"; to become popular (2)
visité (visitar) I visited . . . (1)
vivaz energetic (1)
la vivienda home; dwelling (6)
volar cometas (o→ue) to fly kites (1)
voluntario/a volunteer (1)
volver a hacer (o→ue) to repeat (1)
volverse (reflex.) (o→ue) to become (5)
el xerojardín a garden with plants that don't need much water (4)
ya que considering that (2)
la yuca yucca (plant species native to the Americas and the Caribbean) (3)
la zona portuaria port area (6)
la zona verde green space (4)

Expresiones útiles Spanish-English

a consecuencia de eso as a result of (1)
A Dios rogando y con el mazo dando. God helps those who help themselves. (5)
A juventud ociosa, vejez trabajosa. Idle youth makes old age toilsome. (5)
a pesar de even though; in spite of (1)
a través de through (2)
acercarse a varones (reflex) to go up to a group of guys (6)
además additionally; besides (1)
Ahorrar no es sólo guardar sino saber gastar. Saving is also knowing how to spend. (4)
algunas veces sometimes (1)
Apaga la luz, enciende el planeta. Turn off the lights, bring the planet to life. (4)
aprender el sentido del deber to gain an understanding of responsibility (5)
Aprovecha el día y ahorra energía. Appreciate the day and save energy. (4)
armar un video to put together a video (6)
Atentamente Sincerely (5)
¡Buen provecho!/¡Que aproveche! Enjoy the food!/Bon appetit! (3)
Bloquear a alguien en tu muro o red social To block someone from your wall/social network . . . (2)
básicamente basically (1)
casi nunca almost never (1)
casi siempre almost always (1)
casi todos los días almost everyday (1)
cifras de visitantes number of people who visit a page (2)
colgar/subir una foto o un archivo (colgar: o→ue) To upload a photo/file . . . (2)
con ánimo de with the intention of (6)
el conflicto conflict (6)
contarle to tell someone (5)
la convivencia coexistence (6)
Crear un perfil en una red social To create a social media profile . . . (2)
Cuando conservas el agua, conservas la vida. When you save water, you save life. (4)
Cuando se quiere, se puede. When you truly want something, you can achieve it. (5)
Cuando uno le pone amor a la cosa, se llega lejos. Success comes when you put all your heart and soul into something. (5)
cuidar a tus amigos to take care of your friends (5)
curiosamente curiously; oddly enough (1)
¡Disfruten de la comida! Enjoy the food! (3)
Da luz verde a tu vida, ahorra energía. Give green light to your life, save energy. (4)
de vez en cuando from time to time (1)
debido a due to (2)
desconéctate (desconectarse) (reflex) go offline; disconnect (2)
discriminado/a discriminated against (6)
diseño de la página design of a webpage (2)
dos veces por semana twice per week (1)
¡Es exquisito! It's delicious! (3)
económicamente remunerado(a) paid (5)
El que guarda, siempre tiene. He who saves, always has. (4)
los empleos de verano (veraniegos) summer jobs (5)
en pleno/a completely (6)
en realidad actually (1)
entonces so; then (1)
Entrar en un chat To participate in an online chat . . . (2)
Escribir algo en tu muro To write something on your wall . . . (2)
estar al día to be up-to-date; informed (2)
Estimado(a) señor(a) Dear Sir/Madam (formal) (5)
extrañar su ciudad natal to miss one's home/native place (6)
frecuentemente frequently (1)
Hacer una solicitud de amistad To send a friend request . . . (2)

Hacerse seguidor/seguidora del hilo de . . . (reflex) Follow the thread/page of . . . (2)
la igualdad para todos equality for all (6)
increíblemente incredibly (1)
jamás never (1)
¿Le sirvo una copita de vino, un vaso de agua, de limonada? May I bring you a glass of wine, a glass of water, of lemonade? (3)
liceo high school (6)
Lo que no se empieza, no se acaba. That which you don't begin, you'll never finish. (5)
Lo siento pero todavía no estoy acostumbrado(a) a estos sabores. I'm sorry but I am still not accustomed to these flavors (3)
Luz que apagas, luz que no pagas. Lights turned off are lights you don't pay for. (4)
Muchas gracias por invitarme a cenar/comer. ¡Todo estaba tan delicioso/tan rico! Thank you for inviting me to dinner/to eat. Everything was so delicious! (3)
Muchas gracias por la invitación; me ha encantado pasar este rato con ustedes. Thank you for the invitation; I have enjoyed spending time with you all. (3)
muchas veces many times (1)
Muy señor(a) mío(a) Dear Sir/Madam (5)
más caras most expensive (6)
Más vale tarde que nunca. Better late than never. (5)
Necesita una pizca de sal. It needs a pinch of salt. (3)
nunca never (1)
para empezar for starters; to begin with (1)
pedir (e→i) perdón to ask for forgiveness (6)
Perdone(n) pero no puedo comer . . . por razones religiosas; soy alérgico(a) I'm sorry but I cannot eat . . . for religious reasons, I am allergic to . . . (3)
pocas veces rarely (1)
ponerse en el lugar del otro (reflex) to put yourself in someone else's shoes (6)
por lo tanto therefore (1)
Por más que tú tropiezas, tú debes levantarte. If at first you don't succeed, try and try again. (5)
por supuesto of course (1)
por último finally (1)
Propongo un brindis en honor a . . . I would like to propose a toast in honor of . . . (3)
¡Prueba este plato! Try this dish! (3)
¿Puede pasarme la sal, el agua, el azúcar, . . .? Can you pass me the salt, water, sugar, . . . ? (3)
¡Qué sabroso está! How flavorful!/How tasty! (3)
Querido(a) + nombre Dear + (name) (informal) (5)
recaudar fondos to fundraise (6)
Reciba un saludo afectuoso Kind regards/Best wishes (5)
repartir calcomanías to hand out stickers (6)
el respeto respect (6)
¡Sírvanse, por favor! Serve yourselves, please! (3)
sacarle provecho to make the most out of; to take advantage of (5)
según according to (2)
si yo fuera if i was (hypothetical) (6)
sin fronteras without borders (6)
sobre todo above all; especially (1)
la solidaridad solidarity, support a cause (6)
solo una o dos veces en mi vida only once or twice in my life (1)
tanto en . . . como . . . equally between (6)
tener acceso a (e→ie) to have access to (6)
tener el deber de (e→ ie) to be obligated to (6)
tener el derecho de (e→ie) to have the right to (6)
tener en cuenta (e→ie) to take into account; consider (2)
tener experiencia previa to have previous experience (5)
todo lo anterior all the above (2)
todos los días everyday (1)
trabajar en equipo to work as part of a team (5)
Tú puedes llegar lejos, pero tienes que poner de tu parte. Simply having the ability isn't enough; you must still give your best effort to succeed. (5)
una vez por semana once a week (1)

Glossary English-Spanish

This glossary gives the meanings of words and phrases as used in this book.

reflex. - reflexive verb

Verb conjugations:

(e→ie): like pensar (pienso, pensamos)
(e→ie/i): like preferir (prefiero, preferimos, prefirió)
(e→i): like servir (sirvo, servimos, sirvió)
(í): like variar (varío, variamos)
(o→ue): like volver (vuelvo, volvemos)
(o→ue/u): like dormir (duermo, dormimos, durmió)

Regional variations:

C.R. - Costa Rica
Col. - Colombia
Esp. - España
Méx. - México
L.A. - Latinoamérica
P.R. - Puerto Rico
R.D. - República Dominicana

ability to do something el poder (6)
ability; skill la pericia (5); la habilidad (6)
above all sobre todo (2)
abrupt brusco/a (5)
abundance la plenitud (3)
accept; embrace acoger (6)
access acceder (2)
accessible asequible (4)
according to de acuerdo con (6)
account la cuenta (2)
accumulate acumular (2)
acquire adquirir (5)
acquire virtues and positive qualities obtener valores (6)
act of charity la obra de caridad (6)
add añadir (1); agregar (2)
advance; progress el avance (2)
advertisement el anuncio (2)
advise aconsejar (3)
aerial cable cars; air lift system el metrocable (Col.) (4)
affection; care; love el cariño (6)
after; behind tras (2)
age la edad (6)
agree acordar (o→ue) (6); estar de acuerdo (6)
agreement el compromiso (1)
air conditioning el aire acondicionado (4)
alternative options las opciones alternativas (5)
an artist; performer el/la artista (1)
ancestors los ancestros (3)
annoy fastidiar (1)
annoy; upset desagradar (1)
application; request la solicitud (1)
apply; ask for solicitar (1)
appreciate apreciar (3)
apprentice el/la aprendiz/a (5)
approve of aprobar (o→ue) (2)
apt; capable apto/a (5)
aptitude; gift la aptitud (5)
area of study; scope of knowledge el ámbito (4)
area or space; outer space el espacio (3)
arise surgir (6)
around en torno a (4)
arrive on time llegar a tiempo (6)
arrive/leave late llegar/salir con retraso (4)
arrive/leave on time llegar/salir puntual (4); llegar/salir a la hora (4)
as; while; at the same time that a medida que (6)
assert or enforce; to give value to hacer valer (6)
assets; wealth; possessions el patrimonio (6)
assume responsibility asumir (4)
assumption el supuesto (5)
athletic atlético/a (1)
attach adjuntar (5)
audiobook el audiolibro (5)

austerity; lifestyle of plainness or simplicity la austeridad (6)
available disponible (5)
available jobs los trabajos disponibles (5)
avoid; to prevent evitar (3)
awaken despertar (e→ie) (2)
award; to give otorgar (4)
barrier la barrera (4)
basic equipment; belongings los enseres (4)
basket for bread or fruit la canasta (3)
be a bookworm ser una devora libros (1)
be a success; to succeed triunfar (1)
be added; to be included insertarse (reflex.) (5)
be born nacer (4)
be good at something darse bien (reflex.) (5)
be in good shape estar en forma (3)
be left over; to be in excess sobrar (1)
be located estar ubicado/a (3)
be mischievous ser travieso/a (1)
be passionate about apasionar (1)
be self-employed trabajar por cuenta propia (5)
be successful tener éxito (e→ie) (5)
Be sure . . . (to be sure) asegúrate (asegurarse) (reflex.) (1)
be thankful; to appreciate agradecer (2)
be up-to-date estar al día (5)
become convertirse (reflex.) (5)
become volverse (reflex.) (o→ue) (5)
become educated formarse (reflex.) (6)
beef la carne de res (L.A.) (3)
behavior el comportamiento (2)
belief la creencia (6)
belong to pertenecer (a) (2)
benefits los beneficios (5)
besides además (2)
bet; wager la apuesta (4)
beverages las bebidas (3)
bicycle la bicicleta (4)
big afternoon picnic la merendola (4)
bike lane la cicloruta (4)
bilingual bilingüe (5)
birth el nacimiento (6)
bite of food el bocado (3)
black coffee el tinto (Col.) (3)
blame culpar (3)
blend; to liquefy licuar (4)
blender la licuadora (4)
board abordar (4)
bodily; of or relating to the body corporal (3)
body el cuerpo (3)
bone; bony ósea (3)
bore aburrir (1)
both ambos/ambas (4)
both sides (of an argument/conflict) ambos lados (6)
bother molestar (1)
bottle la botella (4)
brainstorming la lluvia de ideas (6)
break romper (3)
breathe respirar (4)
breathe heavily respirar profundamente (6)
brick el ladrillo (4)
bridge el puente (5)
broken roto/a (3)
build sandcastles construir castillos de arena (1)
building el edificio (3)
bullying at school el acoso escolar (6)
bus el autobús (4)
business; company la empresa (3)
but rather sino que (5)
by oneself; alone por su cuenta (5)
by the fault of; due to por culpa de (4)
camp acampar (2)
campaign la campaña (2)
can la lata (4)
canoeing el piragüismo (5)
capable; qualified capaz (1)
card (credit; identification, etc.) la tarjeta (4)
cardboard; cardboard box el cartón (4)
carry on a conversation llevar una conversación (6)
carry out llevar a cabo (1); realizar (2);

desempeñar (5); cumplir con (6)
cars los carros (L.A.) (4)
cash register la caja (5)
cashier; teller el/la cajero/a (5)
CD; record el disco (1)
cell phone el móvil (Esp.) (1)
challenge el reto (5); desafío (6)
change el cambio (2, 5)
characteristic; quality la cualidad (1)
charge cargar (4)
chat online chatear (1)
cheap barato/a (4)
cheer up; enliven; motivate oneself animarse (3)
chew masticar (3)
chicken stew el ajiaco (L.A.) (3)
Child and Adolescent Institute of Uruguay el INAU (el Instituto del Niño y Adolescente de Uruguay) (6)
children's programming on the tv la franja infantil (3)
cite citar (2)
citizenship la ciudadanía (3)
citrus cítrico/a (3)
clap la palmada (3)
clay la arcilla (4)
clean limpio/a (4)
climate el clima (3)
climb trees trepar árboles (1)
close cerrar (e→ie) (4)
coconut el coco (3)
coconut rice el arroz con coco (3)
coffee with milk el perico (Col.) (3)
cold cuts; processed meats los embutidos (3)
collaborate colaborar (6)
collect; to gather recoger (2)
come from provenir (e→ie) (3)
comfortable cómodo/a (4)
commit to comprometer (6)
commit to doing something comprometerse con algo (6)
company internship la pasantía en una empresa (5)
compass la brújula (1)
complain quejarse (reflex.) (3)
complex (of buildings) el complejo (6)
complicated complejo/a (5)
compost pile la compostera (4)
computer el ordenador (Esp.) (1)
conceal ocultar (2)
confidence la confianza (3)
confront lidiar (2); afrontar (6)
confront; to deal with enfrentarse (reflex.) (6)
confrontation; fight; dispute la confrontación (6)
connect or relate with others relacionarse (reflex.) (6)
connect; to link together enlazar (2)
connected; unified ligado/a (5)
conserve conservar (4)
considering that ya que (2)
constantly changing cambiante (5)
consume consumir (3)
consumption el consumo (4)
contain contener (e→ie) (2)
container or packaging; bottle or can el envase (4)
contaminant el contaminante (4)
contract la contratación (5)
contribute; to provide; to give aportar (1, 2)
contribution la aportación (5); el aporte (5)
convincing; conclusive contundente (3)
cooking pot/pan la olla (6)
cool the temperature enfriar (4)
cord or rope; bond or union el lazo (3)
costly costoso/a (5)
countless; innumerable innumerable (2)
courage; bravery el valor (6)
course certificate el diploma (4)
cross atravesar (6)
crusade; campaign la cruzada (2)
cuisine; cooking la gastronomía (3)
culminate culminar (5)
curious curioso/a (1)
current; valid vigente (2)
customs las costumbres (3)
cut or slice rajar (3)

cut/sliced rajado/a (3)
dairy los lácteos (3)
damage or cause pain dañar (1)
dance el baile (3)
dance bailar (3)
dangerous peligroso/a (4)
daring atrevido/a (1)
day laborer el/la jornalero/a (5)
deduce entrever (2)
delay el retraso (6)
demand; require exigir (3)
demanded; in demand solicitado/a (5)
demanding; rigorous; difficult exigente (1); comprometido/a (1)
deny negar (e→ie) (6)
designate asignar (5)
desire; want desear (3)
dessert el postre (3)
deterioration; decline el deterioro (4)
determined, persistent perseverante (1)
develop; create desarrollar (1)
developed desarrollado/a (3)
devoted, invested invertido/a (5)
different distinto/a (2)
diffuse; disseminate difundir (2)
diluted diluido/a (3)
dinner guest el/la comensal (6)
dirty sucio/a (4)
discounts el descuento (4)
discover; find out enterarse (2)
discrimination la discriminación (2)
diseases; illnesses las enfermedades (3)
dish from the region of Antioquia, Colombia, consisting of ground beef, rice, fried plantains, pork rind, sausage, fried egg, beans, avocado, and arepa la bandeja paisa (3)
dishwasher el lavaplatos (4)
disregard dejar de lado (3)
disseminate diseminar (2)
dissent; disagree disentir (e→ie) (6)
DNA el ADN (6)
do abdominal exercises hacer abdominales (3)
do exercise hacer ejercicio (3)
do one's part; contribute poner un granito de arena (1)
do yoga practicar yoga (3)
domain name (internet) el dominio (2)
Don't miss your opportunity . . . no pierdas la oportunidad (perder: e→ie) (2)
door slammed in your face (literal or figurative) el portazo (6)
download descargar (2)
drain; strain escurrir (3)
dream el sueño (3)
dress up (in costume) disfrazarse (reflex.) (1)
drop; droplet la gota (6)
dry secar (4)
dryer (clothing) la secadora de ropa (4)
dust quitar el polvo (3)
earnings los ingresos (3)
eat candy, ice cream and cookies comer golosinas, helados y galletas (1)
eating utensils los cubiertos (3)
ecological footprint la huella verde (1)
ecological products los productos ecológicos (4)
education; training la formación (6)
effective eficaz (2)
efficiency la eficiencia (4)
eliminate; eradicate erradicar (2)
embers (fire) el rescoldo (6)
emigrate emigrar (6)
emissions las emisiones (4)
empathy la empatía (1)
emphasize poner énfasis en (3); destacar (5)
employ; use emplear (3)
employment rate la tasa de colocación/de empleo (5)
empty vaciar (4)
encourage; motivate animar (2); incentivar (4)
endure mantenerse (reflex.) (2)
energetic vivaz (1); energético/a (4)
engineer el/la ingeniero/a (5)
English-speaking culture la cultura anglosajona (1)

enjoy disfrutar (2)
enlarge; expand; widen ampliar (6)
enter ingresar (6)
entertaining entretenido/a (1)
entertainment el entretenimiento (3)
entity; organization la entidad (2)
environment el medio ambiente (2)
environmental medioambiental (2)
equal igualitario/a (6)
escape huir (6)
establishment el establecimiento (5)
even if it's so aún así (5)
excellent; fantastic bacán/bacana (L.A.) (3)
excess weight el sobrepeso (3)
exchange intercambiar (3)
excite; thrill entusiasmarse (reflex.) (1)
exercise el ejercicio (3)
exercise ejercitar (3)
exhausting; tiring agotador/a (6)
expenses los gastos (5)
expensive caro/a (4)
extraterrestrial extraterrestre (2)
facing; in the presence of frente a (6)
fact; incident el hecho (6)
fair justo/a (6)
fair motives las causas justas (6)
faithful; loyal fiel (6)
famous reconocido/a (2)
fans (of an artist or performer) los fans (1)
fascinate fascinar (1)
fast rápido/a (4)
faucet el grifo (4)
façade; front of a building la fachada (4)
fear el miedo (3)
fearful; scared temeroso/a (6)
fee la cuota (4)
feel like; want apetecer (1)
fertilizer el abono (4)
field (of land; of study) el campo (5)
field; court la cancha (6)
fight; dispute la pelea (6)
fill up llenar (4)
find it difficult costar (o→ue) (1)
find traces rastrear (2)
firewood la leña (4)
fishing industry la pesca (6)
floor el suelo (3)
flora and fauna; plants and animals la flora y fauna (2)
flow fluir (2)
flowerpot la maceta (4)
fly kites volar cometas (o→ue) (1)
focus on enfocarse (reflex.) (2)
follow seguir (e→i) (1)
food; one's diet la alimentación (3)
footprint la huella (2)
foreigner el/la extranjero/a (6)
forge out labrarse (reflex.) (6)
frame (as in a photo) enmarcar (2)
free gratis (4)
free oneself liberarse (reflex.) (3)
fried fish el pescado frito (3)
fried plantain slices los patacones (L.A.) (3)
friendliness; likeability la simpatía (1)
friendly amable (1)
friendly; warm; welcoming acogedor/a (6)
from; as of a partir de (2)
fruit of one's labor; product el fruto (5)
fruits las frutas (3)
full lleno/a (3)
function; work funcionar (4), la función (5)
functioning el funcionamiento (5)
funny gracioso/a (1)
furniture el mobiliario (6)
garden el jardín (4)
garden with plants that don't need much water el xerojardín (4)
gardener; horticulturalist el/la horticultor/a (4)
generosity la generosidad (1)
gesture el gesto (4)
get along well with llevarse bien con (reflex.) (1)
get light outside amanecer (3)
get; obtain conseguir (e→i) (4)

give a voice to dar voz a (2)
give credit to; recognize acreditar (2, 5)
glass el vidrio (4)
global global (5)
global; worldly mundial (6)
glove el guante (3)
go to daycare ir a la guardería (1)
go to friends' birthday parties ir a fiestas de cumple de los amigos (1)
go viral; become popular viralizar (2)
go with acompañar (1)
goal; objective la meta (3)
God willing ojalá (3)
grab one's attention llamar mucho la atención (1)
grains los granos (3)
graph; chart el gráfico (1)
grasshopper el saltamontes (4)
gratitude la gratitud (3)
great-grandson/daughter el/la bisnieto/a (6)
great-great-grandson/daughter el/la tataranieto/a (6)
green roofs los tejados verdes (4)
green space la zona verde (4)
greenhouse el invernadero (4)
growing; increasing creciente (5)
guarantee garantizar (6)
guava la guayaba (3)
guess adivinar (1)
half la mitad (3)
happy alegre (1)
harmful; detrimental perjudicial (5)
harvest la cosecha (3)
have a balanced lifestyle llevar una vida equilibrada (3)
have a good time pasarlo bien (1)
have a lot of fun pasarlo en grande (1)
have available disponer de (4)
have initiative; be self-motivated tener iniciativa (e→ie) (5)
have; get disponer (6)
heading el rubro (L.A.) (6)
health la salud (5)
heating system la calefacción (4)
help come to a mutual decision ayudar a llegar a un acuerdo (6)
herbal tea or infusion el agua aromática (3)
hiking el senderismo (5)
hit by violence golpeada por la violencia (4)
home; dwelling la vivienda (6)
homemade casero/a (4)
honesty la honradez (1)
house rules las normas de convivencia (6)
household el hogar (5)
however sin embargo (2)
human resources los recursos humanos (5)
hunger el hambre (6)
I got bored . . . (to get bored) me aburrí (aburrirse) (reflex.) (1)
I had fun . . .(to have fun) me divertí (divertirse) (reflex.) (1)
I had to . . .(to have to) tuve que (tener que) (1)
I played . . . (to play) jugué (jugar) (1)
I spent time with . . .(to spend time with) pasé tiempo con (pasar) (1)
I visited . . .(to visit) visité (visitar) (1)
I was . . . (to be) estuve (estar) (1)
I was/ went . . . (to be/to go) fui (ser/ ir) (1)
I worked . . .(to work) trabajé (trabajar) (1)
ideology la ideología (6)
immense; enormous inmenso/a (6)
impact impactar (4)
impede; stop impedir (e→i) (6)
impolite descortés (3)
improve mejorar (3)
improvements; progress las mejoras (4)
impulse; stimulus el impulso (4)
in agreement with; in collaboration with en convenio con (4)
in general terms a grandes rasgos (3)
in one week de hoy en ocho (Col.) (3)
in plain daylight a plena luz (4)
in that way de esa manera (2)
in the early morning; dawn de madrugada (4)
in-person presencial (5)

incite; stimulate incitar (2)
include abarcar (5)
inclusive inclusivo/a (6)
increase aumentar (3)
indicate indicar (3)
indigenous indígena (3)
indigenous face; American Indian face el rostro amerindio (6)
individual carriages that make up the metro train el vagón (4)
industrial waste los efluentes (5)
inexpensive barato/a (3)
information los datos (1)
information technology; computer science la informática (5)
initiate; launch lanzar (2); iniciar (3)
insulation (heat, sound, electrical) el aislamiento (4)
intend pretender (6)
interfere with interferir con (6)
internal network la intranet (5)
invitation; call la convocatoria (2)
investment with some risk la apuesta (4)
involve oneself involucrarse (reflex.) (5)
iris (flower) el lirio (4)
iron la plancha (4)
iron planchar (4)
irrigation line/pipe la línea de riego (4)
It was hot . . .(to be hot) hacía calor (hacer) (1)
It's a drag . . .; It's a pain . . . ¡es un rollo! (4)
It's indispensable es imprescindible que (5)
It's your turn . . . te toque (tocarte) a ti (1)
job skills las competencias laborales (5)
job; position (in the labor market; workforce) el puesto (en el mercado laboral) (5)
jog hacer footing (3)
join a group sumarse a (reflex.) (2)
joke; kid bromear (6)
journey la travesía (6)
judge; form an opinion juzgar (6)
jump rope saltar a la comba (1)
junk food la comida chatarra (L.A.) (3)
justice la justicia (1)
kindness of action la bondad (1)
kindness of character la benevolencia (1)
kitchen pantry la despensa (3)
knock on doors forcefully golpear puertas (6)
knowledge and skills los conocimientos y las habilidades (5)
label etiquetar (2)
labor union; professional association el gremio (6)
laborious laborioso/a (5)
lack faltar (4)
lack of something la falta de (6)
languages los idiomas (5)
large bowl typically made of wood la escudilla (3)
large; spacious; wide amplio/a (6)
largest mayor (5)
lather up with soap enjabonarse (reflex.) (4)
launch; set in motion; start poner en marcha (4)
lawyer el/la abogado/a (5)
lazy perezoso/a (5)
leadership el liderazgo (5)
lean magro/a (3)
learning; training; apprenticeship el aprendizaje (5)
leave quickly arrancar (6)
leave; abandon; stop dejar (2)
legal mandates; orders los preceptos jurídicos (6)
level el nivel (3)
lick one's fingers chuparse los dedos (reflex.) (3)
lie mentir (e→ie) (6)
lifestyle el estilo de vida (6)
lift weights levantar pesas (3)
light; easy to digest ligero/a (3)
lights las luces (4)
line; queue la cola (3)
live with someone; to cohabitate convivir (6)
locate localizar (2)
location; position la ubicación (4)
logical lógico/a (1)

lose extraviar (2)
lose weight adelgazar (3)
loss la pérdida (4)
loyalty la lealtad (1)
maintain mantener (e→ie) (3)
maintain one's health mantenerse (reflex.) (e→ie) (5)
maintenance el mantenimiento (5)
make one's dream a reality hacer su sueño realidad (5)
make proposals hacer propuestas (6)
make responsible for something responsabilizar (4)
make up for suplir (5)
make use of something aprovechar (2)
make your own money ganarse dinero por su cuenta (reflex.) (5)
Malay apple: native fruit to Indonesia and Malaysia and also found in Central America la manzana de agua (3)
maltreatment el destrato (6)
mango el mango (3)
manners los modales (3)
manual or technical trade el oficio (5)
marital status el estado civil (6)
meals las comidas (3)
measures medidas (4)
meat pie la empanada (3)
mediator el/la mediador/a (6)
meet up with someone encontrarse con (o→ue) (reflex.) (3)
member el socio (2)
memory; memories el recuerdo (6)
merchant; seller el/la vendedor/a en una tienda (5)
metro system el metro (4)
mid-afternoon snack las medias tardes (Col.) (3)
mid-morning snack las medias nueves (3); las onces (Col.) (3)
military career la carrera militar (5)
mischievous juguetón/tona (1)
mobility la movilidad (4)
model; example el patrón (3)
monitoring; observation; tracking el seguimiento (6)
monthly transportation pass el bono mensual (4)
motivate; drive; inspire impulsar (6)
move away or apart from alejar (4)
move; displace desplazarse (reflex.) (4)
move; move around moverse (reflex.) (5)
movements los desplazamientos (4)
multitudinous; with a great number of people multitudinario/a (2)
music note; tone el sonido (1)
nape of the neck la nuca (3)
native of Cauca in Colombia el/la caucano/a (3)
native of Popayán in Colombia el/la payanés/payanesa (3)
native species la especie autóctona (4)
native; home; relating to one's birth natal (6)
natural environment el entorno natural (4)
natural relaxant el relajante natural (3)
natural resources los recursos naturales (4)
near; closeby cercano/a (2)
negative effects; damages los daños (2)
neglect descuidar (6)
negotiate; navigate sortear (6)
neighbor el/la vecino/a (6)
never jamás (1)
NGO (non-governmental organization) la ONG (2)
night scene populated by the rich and famous la farándula (2)
norm la norma (3)
not even ni siquiera (4)
not only . . . but also no sólo . . . sino también (2)
novel; unique novedoso/a (2)
number; statistic la cifra (2)
nutritionist el/la nutricionista (3)
nutritiously nutritivamente (3)
obesity la obesidad (3)
obligation la obligación (3)
of all kinds de todo tipo (1)
of your liking de su agrado (3)

offer la oferta (5)
oils (cooking) los aceites (3)
on average en promedio (3)
on the one hand por un lado (2)
on the other hand por otra parte (2)
on time puntual (6)
one who migrates el/la migrante (6)
one's entry into the workforce la inserción laboral (5)
one's re-entry into the workforce la reinserción laboral (5)
one-of-a-kind; only único/a (1)
open; sincere abierto/a (1)
opposed; unwilling reacio/a (6)
orchard; garden el/la huerto/huerta (4)
others; the rest los demás (3)
outstanding destacado (6)
owner el/la dueño/a (3)
page not found desconocido el enlace (2)
paid remunerado/a (5)
pain el dolor (3)
papaya la papaya (3)
paperwork; administration la gestión (4)
Paradise; Eden el paraíso (2)
part-time job el trabajo de medio tiempo (5)
part; section el apartado (5, 6)
participants los participantes (3)
passages; narrow streets los corredores (3)
passionate apasionado/a (1)
passionfruit el maracuyá (3)
passivity la pasividad (3)
pedestrian-only street or zone la calle peatonal (4)
pedestrians los peatones (4)
people involved in a conflict las partes (6)
perform; carry out desempeñar (2, 5)
performance (at work) desempeño (5)
period of time; deadline el plazo (2, 6)
periphery; outskirts la periferia (4)
permanent position el trabajo fijo (5)
person involved in an argument; disputant el/la disputante (6)
pertaining to advertisements publicitario/a (2)
physical handicap la minusvalía física (4)
piece el trozo (1)
piece; part la pieza (2)
place el lugar (4)
plan; devise trazar (5)
plant nursery el semillero (4)
plants or medicinal herbs found in teas las aromáticas (4)
plastic el plástico (4)
plateau (landscape) el altiplano (6)
platform; ideas el plataforma (4)
play hide and seek jugar al escondite inglés (u→ue) (1)
play on the swings and slides subir a los columpios y los toboganes (1)
play sports practicar deportes (3)
play tag jugar al pillapilla (u→ue) (1)
play with playdough jugar con plastilina (u→ue) (1)
play with toys jugar con juguetes (u→ue) (1)
please someone me agrada (agradar) (3)
plum la ciruela (3)
pocket el bolsillo (4)
point of view el punto de vista (5)
port el puerto (5)
port area la zona portuaria (6)
portion la porción (3)
poverty la pobreza (6)
power outage el apagón (4)
practice; exercise (one's rights) ejercer (2)
pre-paid card tarjeta monedero (4)
prepare habilitar (3)
presentation la presentación (5)
prevalence la prevalencia (3)
prevent prevenir (e→ie) (5)
process; course el curso (2)
produce; generate generar (2)
profession la carrera (5)
professional opportunity la salida profesional (6)
profile el perfil (2, 5)
profit el lucro (2); la ganacia (2)

prolonged; lengthy; longer than usual prolongado/a (3)
promote promover (o→ue) (2)
property site el local (6)
protect proteger (2); resguardar (6)
protein las proteínas (3)
proud orgulloso/a (1)
provide proveer (5)
provide; give; make a toast brindar (2)
public relations skills la formación humana (5)
public transportation network la red de transporte público (4)
public transportation pass in Medellín, Colombia la tarjeta cívica (Col.) (4)
publicity; advertisements la publicidad (3)
punishment el castigo (6)
purpose el propósito (2)
push empujar (1)
put; place colocar (3)
questionnaire la encuesta (1)
rain la lluvia (4)
raise awareness concienciar (1)
raise one's glass alzar la copa (3)
ramp la rampa (4)
random; by chance aleatorio/a (5)
ratification la ratificación (2)
raw crudo/a (3)
raw materials las materias primas (4)
re-encounter el reencuentro (6)
reach el alcance (6)
reach; obtain alcanzar (3)
read comics leer cómics (1)
realize darse cuenta (de) (reflex.) (1)
receipt la factura (4)
recently born recién nacido/a (4)
receptionist el/la recepcionista (5)
recipient el/la destinatario/a (2)
recognized; well-known; famous reconocido/a (3)
recuperate; recover recuperar (4)
recycle reciclar (4)
recycling el reciclaje (4)
reduce reducir (4)
refined grains los granos refinados (3)
refrigerator la nevera; el refrigerador (4)
refuge el refugio (6)
regulation la regulación (3)
reinvigorate dar energía (3)
reject rechazar (4)
relating to school escolar (5)
remain at the table after a meal to chat hacer la sobremesa (1)
remind you of someone or something recordarle a uno (o→ue) (6)
renew; restore renovar (6)
renewable renovable (4)
repeat volver a hacer (o→ue) (1)
required studies/courses la exigencia de estudios (5)
resolve problems solucionar problemas (5)
resources los recursos (5)
respectful respetuoso/a (6)
responsibility el cargo (2)
rest el descanso (3)
restore restaurar (4)
result; consequence el resultado (6)
retired jubilado/a (4)
reuse reutilizar (4)
review revisar (2)
revolve around oneself girar en torno de uno (5)
ride a bike montar en bicicleta (3)
ride a rollercoaster montar en la montaña rusa (1)
right; privilege la libertad (6)
rights los derechos (2)
rinse off/out enjuagar (4)
risk el riesgo (2, 3)
riverside; coastal ribereño/a (3)
roasted meat; barbeque la carne asada (3)
rule; guideline; example la pauta (6)
rule; law la regla (6)
rule; norm la norma de convivencia (6)
rumor; gossip el chisme (6)
sad; melancholy melancólico/a (1)

safe; secure seguro/a (2)
salad dressing; seasoning el aderezo (3)
salary el sueldo (6)
salary; wages (e.g. hourly) el salario (6)
sand la arena (4)
satisfied, full satisfecho/a (3)
save ahorrar (4)
save; file archivar (5)
schedule el horario (5)
secure, guarantee afianzar (5)
security; safety la seguridad (6)
security; trustworthiness la fiabilidad (2)
seek advice asesorarse (reflex.) (5)
seem great parecer genial (1)
seem horrible parecer horroroso (1)
select elegir (3)
self-built la autoconstrucción (4)
self-employed trabajar por cuenta propia (5)
self-esteem la autoestima (5)
set free liberar (2)
to settle down formalizarse (reflex.) (5)
share compartir (3)
Share . . . (to share) comparte (compartir) (1)
shell, skin (fruits) la cáscara (3)
ship; boat el barco (6)
show or reflect reflejar (4)
shower la ducha (4)
shrub; bush el arbusto (5)
sidewalk el andén (4)
sign a contract firmar un contrato (6)
sign up for; register inscribirse (2)
similar semejantes (1)
similar to afines a (2)
similarity la semejanza (1)
simplicity la sencillez (6)
situated situado/a (4)
size el tamaño (4)
skate patinar (3)
skill or ability la destreza (5)
skim milk la leche descremada (3)
skin (animal) el pellejo (3)
skip saltarse (reflex.) (3)
sleep with the light on dormir con la luz encendida (o→ue) (1)
slogan la consigna (2)
slogan; motto la lema (2)
smell oler (3)
smoke el humo (3)
smoke fumar (3)
smooth suave (3)
social networks las redes sociales (1)
solutions los remedios (2)
song lyrics el letra (1)
soup or stew el sancocho (L.A.) (3)
source; origin la fuente (3)
sow seeds sembrar (4)
specialize (in a field) especializarse (reflex.) (5)
specialized especializado/a (5)
specialized technical training la capacitación técnica (5)
spelling ortográfico (2)
spend gastar (4)
spicy sausage el chorizo (3)
sponsor patrocinar (3)
spread; go a long way cundir (6)
Stand out . . . destaca (destacar) (1)
starring protagonizado por (2)
starches, such as rice, potatoes, yucca, plantains las harinas (3)
starfruit el carambolo (3)
step el paso (6)
sticker la pegatina (2)
still aún (2)
straw; hay la paja (4)
strengthen fortalecer (4)
stretch estirar (3)
study cursar (5)
stuffed animal el peluche (2)
success el éxito (1)
successful exitoso/a (3)
sugar el azúcar (3)
suggestion la sugerencia (6)
summarize en resumen (2)
summer months los meses veraniegos (5)

support apoyar (2)
support el respaldo (6)
supportive; caring solidario/a (6)
suppose; assume suponer (4)
surf the internet navegar por internet (1)
surface la superficie (4)
surpass superar (2)
surround (oneself) rodear(se) (1)
surroundings; environment el entorno (1)
survival la supervivencia (2)
survive sobrevivir (1)
sustainability la sostenibilidad (4)
sustainable agriculture project el proyecto agrícola sostenible (1)
sweep barrer (3)
sweeten endulzar (3)
swim nadar (3)
tag; hashtag; etiquette la etiqueta (2)
take a nap dormir una siesta (o→ue) (1)
take care of children cuidar a niños (5)
take into account; consider tener (e→ie) / tomar en cuenta (3)
take measures adoptar medidas (4)
take on emprender (6)
take part; get involved involucrarse (reflex.) (2)
take place tener lugar (i→ie) (1)
tamale: a traditional mesoamerican dish el tamale (L.A.) (3)
tamarind el tamarindo (3)
taste; flavor el sabor (3)
tattoo el tatuaje (2)
teacher; master el/la maestro/a (5)
team el equipo (3)
technical knowledge los conocimientos técnicos (5)
television commercials los comerciales (L.A.) (3)
tell one's story; tell about one's life contar su historia (6)
tend to do something tender (e→ie) (3)
tend to someone or something atender (5)
terrace; flat roof la terraza (4)
that which is funny; humor el humor (6)
therefore por lo tanto (2)
through; across a través de (6)
throughout a lo largo de (5)
throw arrojar (6)
throw away desechar (4)
thyme el tomillo (4)
toast tostar (4)
toaster el tostador de pan (4)
toilet el inodoro (4)
tolerance la tolerancia (1)
tomb la tumba (3)
too much/many demasiado/a (6)
tools las herramientas (5)
total or whole; group el conjunto (2)
touch; play (instrument) tocar (3)
traffic ways las vías (4)
trained; prepared entrenado/a (5)
translator el/la traductor/a (5)
transmit transmitir (6)
travel across a certain distance recorrer (1)
treat people (e.g. well/badly) tratar a la gente (6)
treatment el trato (6)
trick; fool engañar (1)
trim recortar (3)
trip; outing la excursión (2)
triumph over; defeat; overcome vencer (3)
trot; jog trotar (3)
trust fiar (2)
trust someone confiar en alguien (2)
trustworthy; reliable fiable (4)
try to do something tratar de (3)
try; taste probar (o→ue) (3)
turn el turno (5)
turn off apagar (4)
turn on (lights; apparatus) encender (e→ie) (4)
Turn . . . (to turn) gira (girar) (1)
turnip el nabo (3)
turtle la tortuga (3)
ultra-processed ultraprocesados/as (3)
unbearable insoportable (1)
uncertainty la incertidumbre (6)

uncomfortable incómodo/a (4)
undertaking (usually of something difficult) el emprendimiento (5)
undocumented/illegal immigrant migrante irregular/indocumentado/a (6)
unfair injusto/a (6)
union; bond el lazo (4)
United Nations la ONU (la Organización de las Naciones Unidas) (6)
university studies la carrera (5)
unknown person; stranger el/la desconocido/a (2)
unplug electrical appliances/devices desenchufar los aparatos (4)
unpredictable imprevisible (5)
unrefined whole cane sugar la panela (Col.) (3)
untangle, unravel desenvolver (o→ue) (6)
update actualizar (2)
update; updating la actualización (2)
upload photos colgar fotos (o→ue) (1)
usage; productivity el rendimiento (3)
user el/la usuario/a (2)
usually do something soler (suele) (o→ue) (3)
vacuum aspirar (4)
vacuum la aspiradora (4)
variety la variedad (3)
vegetables las verduras (3)
vehicular traffic ways; streets; highways las vías vehiculares (4)
verify verificar (2)
verify; to confirm comprobar (o→ue) (3)
vocational school la escuela vocacional (5)
volunteer voluntario/a (1)
volunteer prestarse (reflex.) (6)
waiter/waitress el/la camarero/a (Esp.) (5); mesero/a (L.A.) (5)
walk the dog pasear al perro (3)
walk; stroll la caminata (3)
wall el muro (4)
war la guerra (6)
wash lavar (4)
wash; mop fregar (e→ie) (3)
washing machine la lavadora de ropa (4)
waste los desperdicios (4)
waste malgastar (4)
waste large quantities despilfarrar (4)
waste or throw away food or water desperdiciar el agua o la comida (4)
waste, leftovers los desechos (4)
watch cartoons on TV ver dibujos animados en la tele (1)
water level; volume el caudal (2)
water plants (watering/watering can) regar (e→ie) (riego/regadera) (4)
watermelon la patilla (Col.) (3)
weather front la ola (6)
well (for water) el pozo (2)
well-being el bienestar (6)
well-mannered/poorly-mannered bien/mal educado/a (3)
whichever cualquier/a (3)
whistle silbar (3)
whole grains los granos enteros (3)
whose cuyo/a/os/as (5)
width la anchura (4)
wind el viento (4)
with respect to en torno a (1)
words and deeds los dichos y hechos (6)
work day la jornada (5)
work from home teletrabajar (5)
work; job el laburo (L.A.) (6)
workforce la mano de obra (6)
workshop; factory; office el taller (4)
world agreement/treaty el acuerdo (6)
yucca (plant species native to the Americas and the Caribbean) la yuca (3)

Expresiones útiles English-Spanish

above all; especially sobre todo (1)
according to según (2)
actually en realidad (1)
additionally; besides además (1)
all the above todo lo anterior (2)
almost always casi siempre (1)
almost everyday casi todos los días (1)
almost never casi nunca (1)
Appreciate the day and save energy. Aprovecha el día y ahorra energía. (4)
as a result of a consecuencia de eso (1)
ask for forgiveness pedir (e→i) perdón (6)
basically básicamente (1)
be obligated to tener el deber de (e→ie) (6)
be up-to-date; informed estar al día (2)
Better late than never. Más vale tarde que nunca. (5)
block someone from your wall/social network bloquear a alguien en tu muro o red social (2)
Can you pass me the salt, water, sugar, . . .? ¿Puede pasarme la sal, el agua, el azúcar, . . .? (3)
coexistence la convivencia (6)
completely en pleno/a (6)
conflict el conflicto (6)
create a social media profile crear un perfil en una red social (2)
curiously; oddly enough curiosamente (1)
Dear + (name) (informal) Querido(a) + nombre (5)
Dear Sir/Madam Muy señor(a) mío(a) (5)
Dear Sir/Madam (formal) Estimado(a) señor(a) (5)
design of a webpage diseño de la página web (2)
discriminated against discriminado/a (6)
due to debido a (2)
Enjoy the food! ¡Disfruten de la comida! (3)
Enjoy the food!/Bon appetit! ¡Buen provecho!/ ¡Que aproveche! (3)
equality for all la igualdad para todos (6)
equally between tanto en . . . como . . . (6)
even though; in spite of a pesar de (1)
everyday todos los días (1)
finally por último (1)
To follow the thread/page of . . . hacerse seguidor/seguidora del hilo de . . . (reflex.) (2)
for starters; to begin with para empezar (1)
frequently frecuentemente (1)
from time to time de vez en cuando (1)
fundraise recaudar fondos (6)
gain an understanding of responsibility aprender el sentido del deber (5)
Give green light to your life, save energy. Da luz verde a tu vida, ahorra energía. (4)
Go offline; Disconnect Desconéctate (desconectarse) (reflex.) (2)
go up to a group of guys acercarse a varones (reflex.) (6)
God helps those who help themselves. A Dios rogando y con el mazo dando. (5)
hand out stickers repartir calcomanías (6)
have access to tener acceso a (e→ie) (6)
have previous experience tener experiencia previa (5)
have the right to tener el derecho de (e→ie) (6)
He who saves, always has. El que guarda, siempre tiene. (4)
high school liceo (6)
How flavorful!/ How tasty! ¡Qué sabroso está! (3)
I would like to propose a toast in honor of . . . Propongo un brindis en honor a (3)
I'm sorry but I am still not accustomed to these flavors. Lo siento pero todavía no estoy acostumbrado(a) a estos sabores. (3)

I'm sorry but I cannot eat . . . for religious reasons, allergies . . . Perdone (n) pero no puedo comer . . . por razones religiosas; soy alérgico(a) (3)

Idle youth makes old age toilsome. A juventud ociosa, vejez trabajosa. (5)

If at first you don't succeed, try and try again. Por más que tú tropiezas, tu debes levantarte. (5)

if I was (hypothetical) si yo fuera (6)

incredibly increíblemente (1)

It needs a pinch of salt. Necesita una pizca de sal. (3)

It's delicious! ¡Es exquisito! (3)

Kind regards/Best wishes Reciba un saludo afectuoso (5)

Lights turned off are lights you don't pay for. Luz que apagas, luz que no pagas. (4)

make the most out of; to take advantage of sacarle provecho (5)

many times muchas veces (1)

May I bring you a glass of wine, a glass of water, of lemonade? ¿Le sirvo una copita de vino, un vaso de agua, de limonada? (3)

miss one's home/native place extrañar su ciudad natal (6)

most expensive más caras (6)

never jamás; nunca (1)

number of people who visit a page cifras de visitantes (2)

of course por supuesto (1)

once a week una vez por semana (1)

only once or twice in my life solo una o dos veces en mi vida (1)

paid económicamente remunerado(a) (5)

participate in an online chat Entra en un chat (2)

put yourself in someone else's shoes ponerse en el lugar del otro (reflex.) (6)

put together a video armar un video (6)

rarely pocas veces (1)

respect el respeto (6)

Saving is also knowing how to spend. Ahorrar no es sólo guardar sino saber gastar. (4)

send a friend request hacer una solicitud de amistad (2)

Serve yourselves, please! ¡Sírvanse, por favor! (3)

Simply having the ability isn't enough; you must still give your best effort to succeed. Tú puedes llegar lejos, pero tienes que poner de tu parte. (5)

Sincerely Atentamente (5)

so; then entonces (1)

solidarity, support a cause la solidaridad (6)

sometimes algunas veces (1)

Success comes when you put all your heart and soul into something. Cuando uno le pone amor a la cosa, se llega lejos. (5)

summer employees los empleos de verano (veraniegos) (5)

take care of your friends cuidar a tus amigos (5)

take into account; consider tener en cuenta (e→ie) (2)

tell someone contarle (5)

Thank you for inviting me to eat/to dinner. Everything was so delicious! Muchas gracias por invitarme a cenar/comer. ¡Todo estaba tan delicioso/tan rico! (3)

Thank you for the invitation; I have enjoyed spending time with you all. Muchas gracias por la invitación; me ha encantado pasar este rato con ustedes. (3)

That which you don't begin, you'll never finish. Lo que no se empieza, no se acaba. (5)

therefore por lo tanto (1)

through a través de (2)

Try this dish! ¡Prueba(n) este plato! (3)

Turn off the lights, bring the planet to life. Apaga la luz, enciende el planeta. (4)

twice per week dos veces por semana (1)

upload a photo/file colgar/subir una foto o un archivo (colgar: o→ue) (2)

When you save water, you save life. Cuando conservas el agua, conservas la vida. (4)

When you truly want something, you can achieve it. Cuando se quiere, se puede. (5)

with the intention of con ánimo de (6)

without borders sin fronteras (6)

work as part of a team trabajar en equipo (5)

write something on your wall escribir algo en tu muro (2)

Credits

Every effort has been made to determine the copyright owners. In case of any omissions, the publisher will be happy to make suitable acknowledgements in future editions. All credits are listed in the order of appearance.

All images are © Shutterstock, except as noted below.

* To protect the privacy of these generous Spanish speakers we have changed or omitted their last names.

Unidad 1

© Dream! Alcalá, "¿Qué música se escucha en España?", Texto original publicado en www.dream-alcala.com.

Best efforts made: © Mario Marzo Club Fans, "Mario Marzo Biografía", Adapted from http://mariomarzoclubfans-com.webnode.es/

© Festival de las naciones, "Festival de las Naciones", Information Retrieved from http://festivaldelasnaciones.es/?option=com_content&view=article&id=547&Itemid=690&lang=es, 2016.

© Grammarist, "Ethics vs. Morals", Adapted from http://grammarist.com/usage/ethics-morals/.

© Gather 2Gether, "Gather 2Gether: Diversity among people", Retrieved from http://www.juventudenaccion.injuve.es/.

© Semilla Verde, "Semilla Verde", Retrieved from http://www.juventudenaccion.injuve.es/.

© Un lugar para soñar, "Un lugar para soñar", Retrieved from http://www.juventudenaccion.injuve.es/.

© Observatorio Permanente de la Inmigración, perteneciente a la Secretaría de Estado de Inmigración y Emigración del Mº de Trabajo e Inmigración, "Extranjeros con autorización de estancia por estudios de vigor según provincia", and "Extranjeros con autorización de estancia por estudios de vigor. Principales nacionalidades.", Retrieved from http://extranjeros.empleo.gob.es/es/Estadisticas/operaciones/con-certificado/201009/Informe_trimestral_30_09_2010.pdf, 2010.

© Antonio Machado, "Caminante no hay camino", from "Proverbios y cantares" in Campos de Castilla, 1912, Public Domain.

© Ruta BBVA, Information retrieved from http://www.rutabbva.com/TLRQ/

Unidad 1 Images

4, 5, 29, 45 (Andrés) © Lukas*

4, 20 (Belén) © Belén*

4, 36 (Martín) © Martín*

4, 13, 29 (Ana) © Ana*

5 (Belén y Sara) © Belén* and Sara*

9 (Andrés) © Lukas*

24 (Chocolatería San Ginés) © Tamorlan - Own work, CC BY 3.0, https://commons.wikimedia.org/w/index.php?curid=7348011

26 (Paso 1 artwork) © Marcos Folio at Estudio Imaginario.

38 (Mario Marzo) © Ignacio.Caro97, "Mario Marzo", CC BY-SA 4.0, https://commons.wikimedia.org/w/index.php?curid=40859031

43 (Semilla verde) © Semilla Verde, "Image of Man with Van", from http://www.juventudenaccion.injuve.es/

43 (Gather2gether Diversity) © Gather 2Gether: Diversity among people, "Group of students", from http://www.juventudenaccion.injuve.es/

49 © Ruta BBVA, "Ruta BBVA Logo", Retrieved from http://www.rutabbva.com/TLRQ/.

49 © Ruta BBVA, "UN Recepción Gobernador Tabasco", Retrieved from http://www.rutabbva.com.

49 © Ruta BBVA, "Acto en Madrid, Blas de Lezo", Retrieved from http://www.rutabbva.com.

49 © Ruta BBVA, "Acto en Madrid, Blas de Lezo", Retrieved from http://www.rutabbva.com.

49 © Ruta BBVA, "Caminata Mesa de los Santos", Retrieved from http://www.rutabbva.com.

49 © Ruta BBVA, "Qué es Ruta BBVA, Un programa de estudios y aventura", Retrieved from http://www.rutabbva.com.

Unidad 2

© Servicio Nacional de Turismo Chile, "Doce cosas que quizás no sabías sobre Chile", Adapted from http://chile.travel/blog/.

© Servicio Nacional de Turismo Chile, "Arica: La puerta norte de Chile", Retrieved from http://chile.travel/.

© Antonio Omatos Soria, Víctor Cuevas. "¿Qué es la identidad digital?". Retrieved from https://sites.google.com/site/tallerid11/identidad-digital.

© Equipo de Diseño - Prensa, Diario La Nación, Chile, "Las redes sociales favoritas de los Chilenos", Retrieved from http://

www.lanacion.cl/noticias/infografias/tecnologia/infografia-las-redes-sociales-favoritas-de-los-chilenos/2015-08-20/172525.html?utm_source=hootsuite. 21 Aug 2015.

© Maximiliano Arce, "Estudio revela que los Chilenos en Facebook tienen 324 contactos en promedio", Retrieved from http://www.emol.com/noticias/tecnologia/2014/09/04/678573/estudio-revela-que-los-chilenos-en-facebook-tienen-324-contactos-en-promedio.html. 4 Sept 2014.

© Miguel Zapata, @MiguelZapata, "Este fin de semana se realizará la Fiesta de la Chilenidad en Salto del Laja - Biobio es TUYO "http://www.biobioestuyo.cl/index.php?option=com_zoo&task=item&item_id=204&Itemid=451 …", Tweet, 27 Nov 2015.

© Ministerio de Educación República de Chile and Fundación Chile. "Manual Uso seguro de internet para docentes", Information adapted from https://issuu.com/programaenlaces/docs/manual_internet_segura_docentes_web?e=1878530/11450851.

© Juanita Esther Álvarez San Martín, "El celular mágico", Sistema de Protección Integral a la Infancia Chile Crece Contigo. Ministerio de Desarrollo Social, Retrieved from http://www.crececontigo.gob.cl/wp-content/uploads/2010/01/El-celular-m%C3%A1gico..pdf. 2010. All rights reserved, Used by permission.

© Luis Gerardo Berner Muñoz, "El trompo bailarín", Sistema de Protección Integral a la Infancia Chile Crece Contigo. Ministerio de Desarrollo Social, Retrieved from http://www.crececontigo.gob.cl/wp-content/uploads/2010/01/El-trompo-bailar%C3%ADn..pdf. 2010. All rights reserved, Used by permission.

© UNICEF Chile, "UNICEF lanza campaña en pro de la inclusión social con exitosa recepción en redes sociales", from http://unicef.cl/web/unicef-lanza-campana-en-pro-de-la-inclusion-social-con-exitosa-recepcion-en-redes-sociales/, 13 Aug 2015.

© El Universal, UN Press Release, "Juanes se une a la nueva campaña humanitaria de la ONU", Retrieved from http://www.eluniversal.com/arte-y-entretenimiento/musica/150812/juanes-se-une-a-la-nueva-campana-humanitaria-de-la-onu, 12 Aug 2015.

© Sin Palabras, Compromiso Empresarial, "Como ayudan las redes sociales", Retrieved from http://www.compromisoempresarial.com/entradas/2010/06/como-ayudan-las-redes-sociales/, 2010.

© Fundación Fútbol Más. "Fútbol Más: Tarjeta Verde". Retrieved from www.futbolmas.org.

Unidad 2 Images

56 (Pablo Neruda) © Angelo Cozzi, Mondadori Publishers. "Pablo Neruda 1963". Public Domain {{PD-1996}}. https://commons.wikimedia.org/w/index.php?curid=40912536.

56 (Gabriela Mistral) © Unknown - Licensed under Public Domain via Commons - https://commons.wikimedia.org/wiki/File:Gabriela_Mistral-01.jpg#/media/File:Gabriela_Mistral-01.jpg

57 (Isabel Allende) © Mutari - Own work, Public Domain, https://commons.wikimedia.org/w/index.php?curid=4075178

59 (Todo a un clic images) © Chicos.net with the support of Google, Screen shots from "Todo a un clic", Retrieved from https://www.youtube.com/watch?v=hi_PGCoSDzs&feature=youtu.be.

60, 86, 92 (Margarita) © Margarita*

61 (Metro map) © B1mbo. "Diagrama esquemático del Metro de Santiago, Chile". CC BY-SA 3.0. https://commons.wikimedia.org/w/index.php?curid=1485608.

61 (Metro logo) © Metro de Santiago, Chile. "Metro App Logo".

66 (Kevin Vásquez) © Abraham877. "Kevin Vásquez en la Grabacion de su Nuevo Cover Style Spanish Version Original de Taylor Swift". CC BY-SA 4.0. Retrieved and adapted from https://commons.wikimedia.org/w/index.php?curid=40147244.

66 (Karla Vásquez) © Abraham877. "Karla Vásquez". CC BY-SA 4.0. Retrieved and adapted from https://commons.wikimedia.org/w/index.php?curid=40089398.

70 (chart graphic) © Por Equipo de Diseño La Nación/Prensa - www.lanacion.cl

76, 92 (Micaela) © Micaela*

77 (Chile map) © No machine-readable author provided. Slawojar assumed (based on copyright claims). - No machine-readable source provided. Own work assumed (based on copyright claims). Public Domain, https://commons.wikimedia.org/w/index.php?curid=39463

77 (Miguel Zapata profile picture) © Miguel Zapata, @MiguelZapata.

79 (VTR logo) VTR, "VTR Logo", used with permission.

80, 92 (Dan) © Dan*

84 ("El celular mágico" art) © Carolina Schütte, "El celular mágico", illustration, Sistema de Protección Integral a la Infancia Chile Crece Contigo. Ministerio de Desarrollo Social, Retrieved from http://www.crececontigo.gob.cl/wp-content/uploads/2010/01/El-celular-m%C3%A1gico..pdf. 2010. All rights reserved, Used by permission.

84 ("El trompo bailarín" art) © Mariana Muñoz, "El trompo bailarín", illustration, Sistema de Protección Integral a la Infancia Chile Crece Contigo. Ministerio de Desarrollo Social, from http://www.crececontigo.gob.cl/wp-content/uploads/2010/01/El-trompo-bailar%C3%ADn..pdf, 2010. All rights reserved, Used by permission.

97 (Juanes) © Jörgens.Mi/Wikipedia, "Juanes ZMF 2015 jm49108' Pictures from the Zelt Musik Festival 2015 in Freiburg / Germany. Concert JUANES at the 18. juli 2015", CC-BY-SA 3.0 Retrieved from https://commons.wikimedia.org/wiki/File:Juanes_ZMF_2015_jm49108.jpg.

101 (ring of fire) © B1mbo, "Anillo de Fuego", Pacific Ring of Fire Image, edited, Public domain, Retrieved from https://commons.wikimedia.org/wiki/File:Pacific_Ring_of_Fire-es.svg.

106 (crowd) © UNICEF, "Crowd with Tarjetas Verdes", Retrieved from http://unicef.cl/web/copa-america-chile-2015-2/.

106 (Tarjeta Verde) © Fútbol Más, "Tarjeta Verde", Retrieved from http://www.futbolmas.org/tarjetaverde/.

106 (man) © Ministerio Secretaría General de Gobierno, "Marcelo Díaz Tarjeta Verde Copa America 2015: Ministro Marcelo Díaz junto a la Ministra Riffo lanzan página web con información de la Copa America 2015", CC BY-SA 2.0, Retrieved from https://commons.wikimedia.org/w/index.php?curid=41219250.

Unidad 3

© Huffington Post Spanish, "Colombia vuelve a ser nombrado el país más feliz del mundo", Information retrieved from http://www.huffingtonpost.es/2016/01/09/colombia-pais-mas-feliz_n_8937198.html.

© CODET, "Reglas de la Etiqueta", Information retrieved from http://www.codetaragua.gob.ve/archivos/File/Colombia.pdf.

© Wikipedia, "Porro", Adapted from https://en.wikipedia.org/wiki/Porro.

© Semana Sostenible, "¿Qué comen los Colombianos?", Retrieved from http://sostenibilidad.semana.com/impacto/articulo/que-comen-los-colombianos/34393, 23 Dec. 2015.

© Wikipedia, "Atta", Adapted from https://es.wikipedia.org/wiki/Atta.

© Rafael Pombo, "Mirringa Mirronga", *Cuentos Pintados*, Retrieved from http://rafaelpombo.co/document/mirringa-mirronga/. Public Domain.

© Comunican S.A., El Espectador, "Publicidad que engorda", Retrieved from http://www.elespectador.com/noticias/salud/publicidad-engorda-articulo-437558, 2 Aug 2013.

© Comunican S.A., El Espectador, "Evolución de los tamaños", Retrieved from http://www.elespectador.com/files/imagecache/560_width_display/img_ipad/0a4ed05d64a4ca6aee6000c6d2d9387b.jpg, 2 Aug 2013.

© Wikipedia, "Zumba", Adapted from https://es.wikipedia.org/wiki/Zumba.

© Cuídate que yo te cuidaré, "8 Razones por las que la actividad física de hace FELIZ", Retrieved from http://www.cuidatequeyotecuidare.com/8-razones-por-las-que-la-actividad-fisica-te-hace-feliz/.

© Entre Mujeres, "Test: ¿Llevo una vida saludable?", Adapted from http://entremujeres.clarin.com.

© Wikipedia, "Tejo (deporte)", Adapted from https://es.wikipedia.org/wiki/Tejo_%28deporte%29.

Unidad 3 Images

110, 114 (María Isabel) © María Isabel*

110, 129 (Lucía) © Lucía*

110 (David) © David*

110 (Colombia map) © Shadowxfox - Trabajo propiohttp://geoportal.igac.gov.co/mapas_de_colombia/IGAC/Tematicos2012/RegionesGeograficas.pdf, CC BY-SA 4.0, https://commons.wikimedia.org/w/index.php?curid=36272267.

111 (Carlos Vives) © b r e n t - yes, he's wearing jean shorts...they're still in apparently., CC BY 2.0, https://commons.wikimedia.org/w/index.php?curid=4234503.

114, 160 (ajiaco) © Mauricio Giraldo from Bogotá, Colombia - http://www.flickr.com/photos/17365853@N00/245910213/, CC BY-SA 2.0, https://commons.wikimedia.org/w/index.php?curid=3477852.

116 (Porro band) © Lombana - Own work, CC BY-SA 3.0, https://commons.wikimedia.org/w/index.php?curid=18324250.

125 (MiPlato graphic) © USDA's Center for Nutrition Policy and Promotion. "MiPlato". Retrieved from ChooseMyPlate.gov. 2016.

126 (pan de bono) © vasquezcarlosm - originally posted to Flickr as Pandebono Cartagenero, CC BY-SA 2.0, https://commons.wikimedia.org/w/index.php?curid=8964602.

129 (Ciclorruta) © Pedro Felipe - Trabajo propio, GFDL, https://commons.wikimedia.org/w/index.php?curid=12719260.

144 (tejo) © Neil Taylor - Tejo, CC BY 2.0, https://commons.wikimedia.org/w/index.php?curid=26447009.

144 (tejo graphic) © Camilo Sanchez - Own work, CC BY-SA 3.0, https://commons.wikimedia.org/w/index.php?curid=27373140.

147 (Ciclovía—Los Angeles) © Gaston Hinostroza - https://www.flickr.com/photos/bdgstonepix/9141032218, CC BY 2.0, https://commons.wikimedia.org/w/index.php?curid=32082510.

148 (Ciclovía sign) © MacAllenBrothers - http://www.flickr.com/photos/micahmacallen/62525764/, CC BY-SA 2.0, https://commons.wikimedia.org/w/index.php?curid=806389.

148 (bottom right, Ciclovía) © Lombana - Own work, CC BY-SA 4.0, https://commons.wikimedia.org/w/index.php?curid=46533521.

Unidad 4

© La Casa Sostenible, "La casa sostenible", Information adapted from http://www.lacasasostenible.com/.

© Acciona, "Ahorra Agua en Casa", Retrieved from http://www.sostenibilidad.com/ahorra-agua-en-casa.

© Consumer Reports, "Como Reducir Tu Consumo de Agua A La Mitad", Information retrieved from http://espanol.consumerreports.org/content/cre/es/dinero/general/ComoReducirTuConsumoDeAguaALaMitad.html.

© Environment Magazine, Information for graph "Consumo de agua en EE.UU" retrieved from July-August 2014.

© Ecologia Verde, "Todos podemos y debemos ahorrar energia", Retrieved from http://www.ecologiaverde.com/todos-podemos-y-debemos-ahorrar-energia

© Gas Natural Fenosa, "10 formas de ahorro en electrodomesticos", Information adapted from http://www.gasnaturalfenosa.es/es/conocenos/eficiencia+y+bienestar/en+casa/consumo+eficiente/electrodomesticos/1297101211154/10+formas+de+ahorro+en+electrodomesticos.html.

© Wikipedia, "Anillo verde de Vitoria", Information adapted from https://es.wikipedia.org/wiki/Anillo_Verde_de_Vitoria.

© Jardín circunvalar de Medellín, "¿En que consiste el

proyecto?", Information adapted from https://cinturonverde.wordpress.com/about/.

© Biolandia, "Vitoria Gasteiz, todo un ejemplo de ciudad ecológica", http://www.blog.biolandia.es/vitoria-gasteiz-todo-un-ejemplo-de-ciudad-ecologica/, 27 Sept 2012.

© Gloria Fuertes, "El río recién nacido", Published by permission of Fundación Gloria Fuertes, All rights reserved.

© Wikipedia, "Mentha spicata", Retrieved from https://es.wikipedia.org/wiki/Mentha_spicata, 2016.

Unidad 4 Images

166 (Mariana) © Mariana*

167 (Marta) © Marta*

167 (Premios) © Asier Sarasua Garmendia, Assar, "Vitoria, Capital Verde Europea 2012", CC BY-SA 3.0, Retrieved from https://commons.wikimedia.org/w/index.php?curid=4793749.

175 (drying adobe bricks) © No machine-readable author provided. Michi2~commonswiki assumed (based on copyright claims). - No machine-readable source provided. Own work assumed (based on copyright claims). Public Domain, https://commons.wikimedia.org/w/index.php?curid=300988.

176 (Don Quijote) © Gustave Doré - originally uploaded on nds.wikipedia by Bruker:G.Meiners at 14:22, 28. July 2005. Filename was Don Quijote and Sancho Panza.jpg., Public Domain, https://commons.wikimedia.org/w/index.php?curid=337175.

178 (Palacio de Congresos Europa) © Zarateman - Own work, CC0, https://commons.wikimedia.org/w/index.php?curid=48493980.

203 (trail marker) © Basotxerri - Own work, CC BY-SA 4.0, https://commons.wikimedia.org/w/index.php?curid=47737590.

203 (Vitoria-Gasteiz Anillo Verde) © Mariordo (Mario Roberto Duran Ortiz) - Trabajo propio, CC BY-SA 3.0, https://commons.wikimedia.org/w/index.php?curid=19840742.

203 (Medellín map) © Edwod2001 - Own workOpenstreetmap, CC BY 3.0, https://commons.wikimedia.org/w/index.php?curid=10961338.

Unidad 5

© Carlos Castaneda, "Nada se regala en este mundo...", Las Enseñanzas de Don Juan: Una Forma Yaqui de Conocimiento, (Mexico: Fondo de Cultura Económica, 1974).

© INEGI, "¿Por qué trabajan los niños?" graph, Retrieved from http://cuentame.inegi.org.mx/poblacion/ninos.aspx?tema=P. 2013.

© Organización Internacional del Trabajo, "Código de la Organización Internacional del Trabajo", Information about employment of adolescents adapted from http://www.ilo.org/wcmsp5/groups/public/@ed_norm/@normes/documents/publication/wcms_087694.pdf. 2001.

© "Estudiante Variación" From ¡Yo! Copyright © 1997 by Julia Álvarez. Published by Plume, an imprint of Penguin Group (USA). Translation copyright © 1999 by Dolores Prida. Originally published in English by Algonquin Books of Chapel Hill. By permission of Susan Bergholz Literary Services, New York, NY and Lamy, NM. All rights reserved.

© "Los 10 empleos más necesarios del futuro" by Marco Niere [http://www.ehowenespanol.com/10-empleos-mas-necesarios-del-futuro-galeria_33219/#pg=1] (originally published on eHow Español). ©Demand Media, Inc. All rights reserved.

© Ana Redondo Martínez and ERAF Badia, "¿Cómo será el empleo del futuro?", Retrieved from http://erafbadia.blogspot.com/2015/03/como-sera-el-empleo-del-futuro.html, 15 Mar 2015.

© blogeduca, "5 características de las universidades del futuro", Adapted from http://www.blogeduca.com/5-caracteristicas-de-las-universidades-del-futuro/.

© "¿Qué es una escuela técnica?" by Shelley Moore. Originally published on eHow Español: http://www.ehowenespanol.com/escuela-tecnica-sobre_422290/. Copyright Demand Media, Inc. All rights reserved

© EDUCA-Acción Empresarial por la Educación, Information about programas y proyecto adapted from http://www.educa.org.do/programas-y-proyectos/neo-rd-quisqueya-cree-en-ti/.

© NACAC, "Tomarse un año sabático", Adapted and Reprinted with permission. Copyright 2016 National Association for College Admission Counseling.

Unidad 5 Images

220, 249 (Carolina) © Carolina*

227 (Junot Díaz) Courtesy of the © John D. and Catherine T. MacArthur Foundation, "Junot Díaz", CC BY 4.0, Retrieved from https://commons.wikimedia.org/w/index.php?curid=35465395.

227 (Julia Álvarez) © LaBloga, "Julia Alvarez", Copyrighted free use, https://commons.wikimedia.org/w/index.php?curid=15140141.

227 (Prince Royce) © Lunchbox LP, "Prince Royce", CC BY 2.0, Retrieved from https://www.flickr.com/photos/lunchboxstudios/7071928741/in/photolist-by1N2b-8eHUpD-bLVu2T-bLVubr-8eHUm6-bLVukr-bLVudZ-8eMczs-by1Nfu-bLVuin-8eMcAf-bLVu1n-by1N9C-bLVu6c-bLVunM-by1N7b-bLVuoF-by1NdY-d5zBRU-gbFWus-mEGu54-fVg2Z7-fcgQXB-fcgStH-fcrSim-mLVu8P-fVjcgB-fcgQxB-fcorB2-fct7EQ-mM3yjF-fcngsx-fcnvGX-fcu6Z2-fcoC4n-fck4Fc-fcjisg-fcjhEz-fcmfSV-fck5eD-fcnwrk-fcnwF4-fcoBMF-fcmfC6-fcsx2c-fcswPP-fcjSLH-fcpVe4-fcnvYP-mQZQJM/.

230 (DR crest) © Cheposo - Own work, Public Domain, https://commons.wikimedia.org/w/index.php?curid=917077

242 (Julia Álvarez) © Valerie Hinojosa - https://www.flickr.com/photos/valkyrieh116/3967875650, CC BY-SA 2.0, https://commons.wikimedia.org/w/index.php?curid=33741072.

253 (library) © Stuardo Herrera - originally posted to Flickr

as Biblioteca de Universidad Autónoma de Santo Domingo, CC BY 2.0, https://commons.wikimedia.org/w/index.php?curid=4789435.

253 (university building) © Stuardo Herrera - originally posted to Flickr as Universidad Autónoma de Santo Domingo, CC BY 2.0, https://commons.wikimedia.org/w/index.php?curid=4789451.

262 Universaria, "Estudios universitarios en Universaria, República Dominicana", Adapted from http://www.universia.com.do/estudios.

263 (Educación graphic) © EDUCA-Acción Empresarial por la Educación, "Docente del siglo XXI", Retrieved from https://www.facebook.com/educa.sd/ photos/pb.272480242786662.-2207520000.1461501154./1082626958438649/?type=3&theater, 21 Nov 2015.

263 (#TUCLASERD graphic) © EDUCA-Acción Empresarial por la Educación, "Semana de acción mundial por la educación", Retrieved from https://www.facebook.com/educa.sd/photos a.471169882917696.112789.272480242786662/1179816425386368/?type=3&theater, 21 Apr 2016.

Unidad 6

© Wikipedia, "Mate (infusión)", CC BY-SA 3.0, Information retrieved from https://es.wikipedia.org/wiki/Mate_(infusi%C3%B3n).

© Estudio: Guías y Estrategias, "Mediación de Pares", Information retrieved and adapted from http://www.studygs.net/espanol/peermed.htm.

© Gobierno de San Juan, "Mediación Escolar entre Pares", Information retrieved from http://www.sanjuan.edu.ar/mesj/Programas/Mediaci%C3%B3nEscolar/Mediaci%C3%B3nEscolarentrePares.aspx?nav=3.1

© Millerlandy Mena Murillo, Berchen Andrea Montaño Pinto, and Bettsy Yaneth Ramirez, "El Derecho Humano a la Integridad Personal y el Buen Trato en los Niños y Niñas del Grado 4,2 de la Institución Educativa Jaime Salazar Robledo", Information retrieved from http://recursosbiblioteca.utp.edu.co/dspace/bitstream/handle/11059/2290/323352M534.pdf;jsessionid=BF6BEFF1CEAD61D1F1013E9B54A086CB?sequence=3. June 2011.

© INAU, "Palabras del Directorio del INAU", Del Dicho al Hecho Derecho, https://www.impo.com.uy/descargas/DEL%20DICHO%20AL%20HECHO%20DERECHO_web.pdf.

© Wikipedia, "Gaucho", CC BY-SA 3.0, Information retrieved from https://es.wikipedia.org/wiki/Gaucho.

© Martha Beduchaud, Algo por Alguien, Information retrieved from https://www.facebook.com/groups/algoporalguien/.

© Wikipedia, "Carnaval en Uruguay", CC BY-SA 3.0, Information retrieved from https://es.wikipedia.org/wiki/Carnaval_en_Uruguay.

© Ricardo Peirano, El Observador, "Uruguay, país de inmigrantes", Retrieved from http://www.elobservador.com.uy/uruguay-pais-inmigrantes-n289732. 11 Oct 2014.

© Wikipedia, "Tango", CC BY-SA 3.0, Information retrieved from https://es.wikipedia.org/wiki/Tango.

© Sepastián Panzl, Diario El País, "Recién Llegados", Retrieved from http://www.elpais.com.uy/que-pasa/recien-llegados.html.

Unidad 6 Images

275 (*Bailecito* de Figari) © Pedro Figari, pedrofigari.com, "Bailecito", Public Domain, retrieved from https://commons.wikimedia.org/w/index.php?curid=15298660.

277 (José Alberto Mujica) © Roosewelt Pinheiro/ABr - Agencia Brasil [1], CC BY 3.0 br, https://commons.wikimedia.org/w/index.php?curid=7500013

278 (Valentina) © Valentina*

287 (Uruguayan students in class) Celia de la Paz, CC BY-SA 3.0 / Wikimedia Commons (https://commons.wikimedia.org/wiki/File:Estudiantes_con_XO.jpg)

289 (Pilar) © Pilar*

308 (inmigración poster) Best Efforts Made: © Ministerio de Relaciones Exterioresde Uruguay, "La inmigración es Positiva", retrieved from http://www.mrree.gub.uy/gxpfiles5/content/image/source0000000045/IMA0000010000005414.jpg

317 (Las patronas) © JavierGM1, CC BY-SA 4.0, Retrieved from https://commons.wikimedia.org/wiki/File:Las_Patronas.png.

320 (top left, Calle 13) © Demf - Own work, CC BY-SA 3.0, https://commons.wikimedia.org/w/index.php?curid=4774654

320 (top right, Calle 13) © Libertinus Yomango from Montevideo, Uruguay - Calle 13 en Venezuela, CC BY-SA 2.0, https://commons.wikimedia.org/w/index.php?curid=8335747

326 (images 1 & 3) ©Antonía Pons. Retrieved from http://www.vacacionesenpaz.org/.

326 (image 2) © Edu Argo, Eduvakens, "Entrevista: Fatma", Still retrieved from https://www.youtube.com/watch?v=Fc4YfXlYp34&feature=youtu.be.

327 (3 images on right) ©Antonía Pons. Retrieved from http://www.vacacionesenpaz.org/.